Echine

Philippe Djian

Échine

Éditions J'ai lu

« *Guetter, avec des yeux perçants, comme un tigre, dans un désir insatiable — pas de blâme.* »

Yi king
27. Yi / Les commissures des lèvres
(Six à la quatrième place)

Chaque fois que je voyais Paul Sheller s'avancer vers moi, j'avais envie de le tuer. Même lorsque c'était moi qui venais le voir. Durant quelques secondes, je regardais fixement sa gorge qui palpitait comme un petit oiseau blanc, puis la vision se dissipait et j'avais alors le sentiment que ma vie n'était pas aussi formidable que je l'aurais souhaité. Après quoi, nous nous serrions la main.

Paul souriait toujours comme s'il venait de déposer la lune à vos pieds. Il pouvait s'agir de deux ou trois malheureux feuillets destinés à finir dans un prospectus ou simplement de quelques lignes pour une agence de pub un peu bavarde, mais la manière dont il vous accueillait, la façon qu'il avait de lancer ses deux mains tendues vers vous, et vous commenciez à nourrir les espoirs les plus fous. Parfois, je le lui reprochais... « Mais qu'espères-tu... ? me demandait-il, qu'espères-tu *exactement*... ? » Je préférais ne pas répondre. J'empochais le chèque et il me suivait jusqu'à la porte.

— Ne crache pas là-dessus..., me lançait-il sur un ton amical.

— Non, je ne crache sur rien. Mais ton bureau me rend neurasthénique.

— Bon sang, mais c'est tout de même pas de ma faute... !

En général, je m'arrêtais au bout du couloir et je me tournais vers lui. Je savais qui était responsable et lui aussi le savait. Nous restions un instant tous deux plantés dans la moquette, mais ne ruminant aucun sujet spécial à la vérité. La Grande Epoque n'était plus qu'un souvenir lointain. Depuis le temps, nous n'avions plus grand-chose à nous dire, enfin rien de sensationnel.

Quelques années plus tôt, lorsque j'écrivais des livres, les gens du cinéma avaient jeté un œil sur moi, et aujourd'hui on me laissait encore mettre la main sur un bon nombre de scénarios mais rien de très original, rien qui fût très excitant, et Paul en convenait avec moi. « Mais je t'en prie, regarde tout de même le chèque, soupirait-il. Je crois que j'ai tiré le maximum...! » Le fait est que je vivais correctement. Paul me réservait aussi les feuilletons-télé et les séries policières pour la radio. Je vivais correctement de ces choses que j'avais méprisées à un moment de ma vie. Ce n'était pas très agréable d'y penser. Aussi chaque fois que je voyais Paul Sheller avais-je envie de le tuer.

J'étais d'assez loin le plus vieux de toute la bande dont il s'occupait. Les autres étaient encore de jeunes écrivains tout à fait persuadés de leur talent et l'argent ne semblait pas les intéresser, ce qu'ils voulaient c'était publier leurs livres. Parfois, dans le bureau de Paul, il m'arrivait de croiser l'un d'eux et, l'observant du coin de l'œil, je me souvenais comme il était bon et doux d'avoir la foi, d'avoir confiance en ses propres forces. Je ne savais plus très bien à quel moment cette sensation m'avait quitté, c'était assez vague. Paul m'offrait un verre lorsque l'entretien avec le jeune type s'éternisait. Et je me tenais tranquille. J'attendais mon tour sans la moindre impatience. J'attendais qu'on en arrive aux séries B.

J'avais la réputation de faire du bon travail. Rien de génial ni de très personnel, mais ce n'était pas ce qu'on me demandait. Je devais me débrouiller pour que les trucs tiennent debout sans coûter trop cher et je m'y employais. En l'espace de quelques années, j'étais devenu un vrai professionnel. Je trouvais tout naturel qu'un jeune écrivain répugnât à gâcher son talent avec le genre de littérature qui était mon pain quotidien. Lorsque l'un d'eux recevait une facture ou songeait à manger, Paul lui glissait un petit devoir facile qu'il n'avait même pas besoin de signer et l'histoire était rapidement oubliée. Pour ma part, ça ne me dérangeait pas de signer. J'éprouvais du reste un certain plaisir à voir mon nom dans les génériques, particulièrement à l'occasion d'un machin très mauvais. Autrefois, ce nom avait brillé sur le sommet de la vague. Quant à la place qu'il occupait aujourd'hui, j'étais le seul à en pouvoir goûter la complète dérision. Mais n'était-il pas nécessaire pour un homme que de prendre quelques leçons d'humilité ?

Chaque fois que je voyais Paul Sheller, je mesurais le chemin parcouru.

Avant d'entrer dans son bureau, j'embrassais Andréa, sa secrétaire, peut-être une des dernières personnes au monde à se souvenir que j'avais écrit des bouquins, et je ne manquais pas de lui adresser quelques mots gentils, sur sa mise en plis, sur son corsage ou je ne sais quoi qui la rajeunissait, sur ses petits mocassins brodés.

— Il vous attend, Dan... Vous pouvez entrer.

Il y avait encore une pointe de respect dans sa voix, mais j'espérais qu'avec le temps elle finirait par lâcher prise et me verrait tel que j'étais réellement. Rien de sinistre, au demeurant. Rien qu'un type qui avait baissé les bras.

Dans un des tiroirs de son bureau, elle gardait toutes mes anciennes coupures de presse, j'étais au courant. Je ne disais rien, mais j'avais rapidement fait disparaître certaines photos du mur, celle en particulier où j'apparaissais comme rayonnant d'un feu intérieur. Jouissant d'un éclairage habile, tout mon crâne s'y auréolait, mes yeux y pétillaient et ma bouche s'y offrait, humide et molle, cet air de merlan frit que j'avais bientôt trouvé insupportable au fur et à mesure que le chiffre de mes ventes s'effondrait. Un matin, j'avais déchiré ce portrait ridicule en tout petits morceaux. Et elle, de sa voix étranglée, saisissant les accoudoirs de son siège : « Mais pourquoi ?... Mais enfin, Dan... POURQUOI... ? ! » La connaissant, je suppose que se heurtant à mon silence elle s'était imaginé que je n'avais pas la réponse. Très douce, chère, très chère Andréa, les gens qui croyaient en moi sont mon fardeau le plus terrible, ne le comprends-tu pas ?

Malgré tout, je voyais Paul au moins une fois par semaine. Les types qui commandaient les scénarios voulaient toujours savoir où j'en étais. Au bout du compte, tant ils tenaient à leurs idées, tant ils étaient emmerdants, nous nous demandions pourquoi ne les écrivaient-ils pas eux-mêmes. J'acceptais, de temps à autre, de retravailler une scène. S'ils demandaient plus, je résistais vaguement, j'envisageais à voix haute de comptabiliser les heures supplémentaires. Il fallait discuter âprement. Ce n'est qu'avec l'aide d'un bon agent littéraire qu'on parvient à se tirer d'affaire. Paul se débrouillait pas mal. Je lui concédais un pourcentage exorbitant sur tout ce que je gagnais, mais ma foi, il avait le chic pour s'en souvenir au moment opportun. Aussi prenait-il les choses en main que, déjà, je respirais. Toute sa mesure, il la donnait sur la distance. Ce qui n'avait pas été mon cas.

— Ecoute-moi, Dan..., me dit-il. Je te demande d'y réfléchir...
Les mains croisées sur son bureau, il se penchait vers moi, m'exhortant. Je remarquai qu'il avait perdu pas mal de cheveux tout au long de ces dernières années. Je faillis céder. Mais ce qu'il me proposait était complètement dingue. De nouveau, je lui ai ri au nez.
— Non, Paul, je ne veux même pas la connaître. Tu ferais mieux d'oublier ça.
Avec un geste d'humeur, il s'éjecta de son fauteuil à

roulettes et se campa résolument devant la fenêtre, d'un doigt écartant le rideau. J'en déduisis que cette histoire lui tenait réellement à cœur. Malheureusement, ça ne pouvait pas marcher. Je croyais me connaître assez bien. Il soupira profondément, à deux ou trois reprises.

— Paul, la femme de ménage vient de faire les carreaux...

— Dan, reprit-il d'une voix semi-caverneuse, je crois que c'est quelque chose d'important. Il s'agit cette fois d'un budget énorme, j'ai eu ces gens-là dans mon bureau et c'est toi qu'ils voulaient, et personne d'autre. Ils sont persuadés que tu es le type dont ils ont besoin, Dan... Ils nous ont amené ça sur un plateau !

Je ricanai. Je n'étais pas insensible à l'argent mais j'en gagnais suffisamment pour mon fils et pour moi, et depuis que sa mère nous avait quittés, nous ne nous en sortions pas plus mal. Je pouvais me permettre de refuser quelques trucs.

— Tu savais que je ne marcherais pas. C'est la seule chose à ne pas me demander.

A ces mots, il se tassa sur lui-même. Nous avions déjà mis un pied dans les lumières de l'automne et il se ratatinait sur un fond de soleil couchant, comme soudain frappé d'une étrange fatigue. Je regrettais que nous ayons abordé un pareil sujet, je me demandais ce qu'il attendait pour me servir un verre. Il retira ses lunettes et les examina d'un air préoccupé.

— Est-ce que tu ne le ferais pas pour moi... ? murmura-t-il.

— Non, jamais de la vie.

— Est-ce parce qu'il s'agit d'une femme... ?

— Non, mais ça n'arrange rien. Il y a ce problème de promiscuité.

Il y avait également toute une infinité de problèmes mais je ne désirais pas m'étendre une seconde de plus sur le sujet. Ce n'était pas non plus une question de fierté, je ne me sentais pas particulièrement indigne d'accomplir telle ou telle tâche. On m'avait simplement assez emmerdé dans cette vie. Je trouvais cette raison amplement suffisante.

— Dan, je vais te dire une chose...

Je me levai d'un bond. Je ne voulais pas discuter. Ce qu'exécutant, je lui coupai le sifflet.

— Ça va... N'y pensons plus, lui dis-je.

Puis je pivotai et disparus de son bureau tandis qu'il avançait une main vers moi et que de sa bouche grande ouverte s'échappait un cri muet.

Le matin où Franck, la mère de mon fils, avait bouclé ses valises, j'avais juré que plus aucune femme ne mettrait les pieds à la maison et j'avais tenu bon, il y avait de cela presque cinq années et *j'avais tenu bon.* Ce n'était pas toujours très facile mais je restais cramponné à cette décision comme un chien enragé. S'il y avait un point commun dans la nature de mes liaisons, c'était leur brièveté car il y avait toujours un moment où elles voulaient savoir comment c'était chez moi, à quoi ressemblait ma chambre et comment il était le salon et où je rangeais mes affaires et comment qu'elle était la salle de bains et pourquoi je voulais pas. Je secouais la tête d'un air buté, les dents serrées en cet instant pénible.

Il s'ensuivait aussitôt un grand calme dans le courant de ma vie sexuelle. Mais ça ne m'effrayait pas, ça n'avait pas tellement d'importance, au fond. Je trouvais qu'il était plus facile de rester sans baiser que de rester sans boire.

Il se passa quelques jours avant que Paul ne revînt à la charge. Hermann venait de rentrer de l'école avec un œil au beurre noir et j'étais en train de m'enquérir des détails de la chose lorsque le téléphone sonna.

— Dan... Je t'en conjure... !

— Eh, tu deviens trop vieux, tu es en train de perdre les pédales.

J'entendis comme une espèce de râle étouffé à l'autre bout du fil.

12

— Ecoute-moi, Dan..., tu m'écoutes ?... je, merde..., enfin je subis certaines pressions, tu sais...

— Dis-moi, Paul..., j'espère que tu veux RIRE !...

Je raccrochai brutalement. L'œil d'Hermann était pratiquement fermé.

— Je sens rien du tout, me confia-t-il.

Je l'accompagnai en direction de l'armoire à pharmacie. J'examinai son œil avec précaution, ce que, lui dis-je, s'il arrêtait de gesticuler, j'aurais bientôt terminé. Grimaçant, il se tenait à mes bras, comme chez le dentiste.

— Je croyais que tu sentais rien.

— Aah...! Mais c'est quand tu touches !... Quand t'appuies !...

J'attrapai la teinture d'arnica, désensachai dans la foulée deux ou trois compresses. Je ne me souvenais plus de l'époque où j'avais rapporté mon premier coquard à la maison, d'une manière générale je ne me revoyais plus à cet âge-là, ma mémoire ne plongeait plus aussi loin, mais j'essayais de m'imaginer ce que j'avais dû ressentir, je regardais Hermann et j'essayais de ramener vers moi quelques bribes de ce monde englouti, un peu de ce que j'étais lorsque j'avais quatorze ans.

— Ecoute, je suis ton père, ça ne m'amuse pas de te voir avec l'œil abîmé. N'empêche que c'est clair. Chaque fois qu'il te verra tourner autour de Gladys, dis-toi bien que Richard te tombera dessus. Et toi comme les autres. Il y a toujours un moment où s'arrête l'amitié.

— Mais je ne faisais rien ! Je l'ai simplement raccompagnée devant sa porte... !

— Evidemment, ce n'est pas grand-chose... Il doit penser qu'il y a un commencement à tout. Le problème, vois-tu, c'est qu'il n'a qu'une sœur et qu'il est le seul homme de la famille. N'oublie pas ça !

— Merde, je suis quand même son meilleur copain !...

— Ouais, mais ne viens pas me raconter que la vie n'est pas simple. Ne viens pas me dire ça à moi.

Un peu plus tard, je me remis au travail. Il s'agissait d'une scène où l'héroïne tombait dans une rivière infestée de crocodiles mais je n'arrivais pas à me concentrer là-dessus et les crocodiles approchaient tandis que je bâillais tant et plus et que les cris de la fille se perdaient dans la jungle. Plus le temps passait et plus je me rendais compte qu'il était inutile d'insister. Mon regard s'échappait régulièrement par la fenêtre, aspiré comme qui dirait, et je tenais mon menton dans mes mains, force m'étant de constater mon impuissance créatrice, ce qui grâce au ciel ne comptait plus au nombre de mes soucis.

Le téléphone résonna :

— Dan..., Dan..., pleurnicha-t-il.

Le matin où Franck, la mère d'Hermann, nous avait quittés, j'avais décidé de mettre toutes les chances de mon côté. J'avais donc vendu la voiture et je m'étais acheté une moto. J'étais certain qu'il n'y avait pas trois places sur une moto et je n'en connaissais pas une seule qui se serait contentée du porte-bagages. C'était tout ce qui m'intéressait. Sinon, je n'avais jamais éprouvé d'attirance particulière pour cette sorte d'engin. Je trouvais que c'était un bon moyen pour se casser la gueule et se les geler en plein hiver, voilà ce que j'en pensais. Ce n'est qu'une fois en selle que j'avais rapidement changé d'avis. Et, sans devenir un parfait mordu de la chose, il n'était plus question que désormais je pusse m'en passer.

Je la garai devant le bureau de Paul, sur le trottoir, moins de cinq minutes après que je lui eus raccroché au nez, sans un mot. La température était douce. Je croyais être en colère mais je ne l'étais pas, tout au plus agacé et légèrement intrigué par son comportement. A une certaine époque, je ne supportais plus d'être dérangé lorsque j'écrivais, je travaillais dans un état de tension permanent et le plus petit dérangement me rendait furieux, tandis qu'à présent je guettais la moindre occasion pour tout laisser en plan, une mouche suffisait à m'arracher de mes feuilles, un léger courant d'air, le souffle timide d'une respiration. A présent, on ne me dérangeait plus, au contraire, on était le bienvenu, on était l'éclaircie, on était tout ce que j'attendais finalement. Je crois que ce n'était pas plus mal. J'ai l'impression qu'il n'y a rien de très important dans cette vie.

Je grimpai dans l'ascenseur en compagnie d'une fille qui tenait un paquet de feuilles serré dans ses bras. Pour ne pas dire sur son cœur. Je savais très bien de quoi il s'agissait. Elle ne me voyait pas mais eussé-je posé le petit doigt sur son trésor chéri qu'aussitôt elle m'aurait crevé un œil. Nous étions tous les mêmes, sauf que depuis cinq ans je n'avais pas écrit une seule vraie ligne, maintenant je me promenais les mains vides. A la façon dont il était froissé, je voyais que le truc n'en était pas à son premier voyage. Je faillis lui dire un mot gentil à cette fille. Elle regardait ses pieds et je suis resté silencieux.

Nous débouchâmes ensemble dans le bureau d'Andréa. La fille avait rendez-vous avec Paul et il y avait une telle urgence dans sa voix que j'attendis bien sagement mon tour, moi qui avais tout mon temps, moi qui étais redevenu un homme libre.

Andréa m'offrit un café. Dehors, la lumière baissait. Nous soufflâmes sur nos gobelets tout en échangeant quelques informations.

— Eh bien, il n'a plus le même punch qu'autrefois..., me dit-elle.

— Ouais, il m'inquiète, repartis-je.

— Depuis quelques jours, il reste assis derrière son bureau, sans rien faire, le regard complètement vide. Je lui demande : « Paul, vous allez bien... ? Avez-vous besoin de quelque chose... ? », mais je vois parfaitement qu'il n'est pas là quand bien même il secoue faiblement la tête...

Je grimaçai d'un air entendu. Du bureau de Paul nous parvenait le murmure d'une conversation et les bruits habituels montaient de la rue, largement étouffés, presque reposants.

— Je pourrais prendre mon chapeau et aller faire un tour qu'il ne s'apercevrait de rien, ajouta-t-elle en souriant.

Ce qu'elle appelait son chapeau était un machin vert pomme qui semblait sortir tout droit d'une lessiveuse. Je ne lui connaissais que celui-là, ramolli par la pluie, desséché par le vent, délavé une bonne fois pour toutes. Mais j'éprouvais pour lui une tendresse particulière. Le jour où Franck m'avait quitté et qu'ils m'avaient retrouvé ivre mort devant la porte d'entrée, à l'heure de la fermeture, elle avait essuyé ma figure dedans. C'est d'ailleurs la seule chose dont je me souvienne, excepté une pensée qui m'a traversé l'esprit subitement, je me suis dit ça y est, ses cheveux vont enfin voir le ciel.

J'envoyai adroitement mon gobelet dans la corbeille. Puis, croisant les mains derrière la tête, j'inspectai le plafond :

— Vous saviez tous les deux que c'était hors de question. Alors qu'est-ce que c'est que cette histoire ?

Je l'entendis soupirer.

— Oh Dan, mais bien sûr..., je le lui ai répété cent fois. Mais il ne voulait pas en démordre, il prétend que c'est le dernier espoir...

Je me sentis soudain très mal à l'aise et aussitôt me retrouvai debout comme si une mouche m'avait piqué. J'espérais encore avoir mal entendu ou compris quelque chose de travers.

— Comment ça, le dernier espoir...!? Enfin voyons, Andréa...

Elle secoua la tête en soupirant.

— Oooh..., fit-elle, ponctuant sa réponse d'un geste las.

C'en fut trop. J'entrai brutalement dans le bureau de Paul, oubliant qu'il n'était pas seul. Franchement, il avait pris un coup de vieux en quelques jours, je le trouvais au plus bas. Réalisant que c'était moi, il se mit à sourire, tenta de se lever mais retomba assis. Il agita tout de même une main tremblante vers moi :

— Dan... Mon petit Dan... Sois le bienvenu... Entre donc !

Je me plantai devant lui, ignorant complètement la fille qui semblait recroquevillée sur son siège. Il y avait dix années de ma vie dans cette pièce. Je me sentais chez moi. Toutes mes victoires et toutes mes défaites, quelque chose comme un ramassis des pires et des meilleurs moments. Je me gênai pas pour plaquer mes deux mains sur son fichu bureau, provoquant la chute de son putain de stylo-bille.

— Que tout soit bien clair..., fis-je, sur un ton que la rage transformait en enrouement.

Il s'empourpra. L'effort qu'il accomplissait pour continuer à sourire le rendait grimaçant.

— Danny... Laisse-moi te présenter Mlle Bergen...

Je le coupai instantanément :

— Regarde-moi bien, Paul. Tu peux me demander n'importe quoi. Demain je peux t'écrire n'importe quel bouquin de cul ou un discours politique, demande-moi ce que tu veux, ça m'est complètement égal. Mais il y a UNE CHOSE...

— Dan, mon vieux...

— ... il y a une chose dont je ne veux pas entendre parler, c'est de travailler avec quelqu'un, tu m'entends, ça je ne pourrais pas le supporter ! Je veux être SEUL... !

— Ecoute... Ne t'emballe pas.

Je ne m'emballais pas, j'étais raide comme un tison ardent.

— Tu peux dire à ta bonne femme qu'elle ne compte pas sur moi. Qu'elle se débrouille avec son scénario, qu'elle se démerde. Je ne marche pas ! Elle a besoin de moi pour arranger son machin... ? Elle est pas assez grande... ? ! !

— Enfin Dan...

La fille se leva et rassembla rapidement quelques feuillets sur le bureau en s'excusant. Mais je ne quittais pas Paul des yeux, je n'en avais pas encore fini avec lui.

— Tu la vois en train de me pinailler sur le moindre

truc... ? ! Tu ne l'entends pas crier d'ici : « Assassin ! Ne touchez pas à mon enfant... ! ! », dis-moi y as-tu pensé... ? ! ! Et ce n'est pas tout...

La porte du bureau claqua dans mon dos. Paul s'affaissa. La fille s'était envolée.

— Bon Dieu..., soupirai-je. Est-ce que je suis censé deviner ce genre de choses... ?

Il y avait environ deux ans que le père de Richard était mort. Grillé au sommet d'un pylône haute tension. Nous nous étions rencontrés au cours d'une réunion de parents d'élèves, nous n'étions que les deux seuls types dans la salle. Et il avait des problèmes avec sa femme comme j'en avais eu avec la mienne. Nous trouvâmes rapidement quelque chose à nous dire.

Lorsque Mat Bartholomi était mort, j'avais perdu une espèce d'ami.

« J'ai commis une erreur, m'expliquait-il. Le jour où j'ai accepté ce boulot dans l'équipe de nuit, j'ai fait la plus grosse connerie de ma vie. » Il le disait sans amertume, il le constatait tout simplement. De mon côté, j'étais persuadé que la vie n'était qu'une longue suite d'erreurs qu'il fallait expier.

Richard lui ressemblait physiquement, sauf que Mat avait un regard clair et juvénile, tout le contraire de son fils. Celui de Richard avait un éclat sombre. Personne ne l'avait vu verser une larme à la mort de son père mais son visage s'était durci et, bien qu'il fût sensiblement du même âge qu'Hermann, il paraissait plus vieux, plus farouche.

Dès qu'un type entrait chez lui, Richard prenait un air méfiant, ouvertement désagréable, et il ne le lâchait pas d'une semelle jusqu'à ce que le gars eût refranchi la porte. J'étais le seul qu'il laissât aller et venir librement dans la baraque sans même lever la tête. Moi j'avais été le seul copain de son père.

— Ta mère est là ? lui demandai-je.

Il se contenta de m'indiquer la voiture dans le garage. Il faisait presque nuit. Il était en train de graisser la chaîne de son vélo.

Je trouvai Sarah allongée sur le canapé du salon. Un paquet de factures s'étalait sur le sol.

— Je vais en payer une, me dit-elle. Mais je n'ai pas encore choisi laquelle.

— Je te conseille l'électricité. Les jours vont raccourcir...

— Hum..., tu as peut-être raison.

Elle releva ses jambes et je pris place à côté d'elle, renversant ma tête sur le dossier.

— Je sors de chez Paul...

— Oh, il va bien ?

— Charles Victor Bergen, ça te dit quelque chose... ?

Elle se dressa sur ses coudes et me regarda avec des yeux ronds.

— Tu rigoles... ?

Je n'avais *surtout pas* envie de rigoler. Je voulais savoir si ce type-là était capable de nous briser ainsi qu'il le menaçait, si Paul ne déraillait pas un peu. Sarah connaissait tout le monde dans ce milieu. Elle était maquilleuse. Elle était toute la journée debout devant un miroir.

— Il n'a qu'à éternuer et la moitié de la profession se retrouve au chômage, m'annonça-t-elle. Mais c'est un nouveau venu...

— Les pétroles ?

— Non, le sucre. Et tu peux me croire, Paul a raison de se faire du mauvais sang. Et toi aussi par la même occasion.

Légèrement étourdi, autant par ce qu'elle venait de me confirmer que par le poids de son parfum, je ne pus m'empêcher de fermer les yeux et soupirai :

— Sarah... Te reste-t-il encore quelque chose à boire... ?

L'année où l'on peut considérer que je fus enterré en tant qu'écrivain fut également l'année où Franck demanda le divorce. Financièrement, il me fallut un petit moment pour remonter à la surface, mais Paul ne me lâcha jamais la main et je m'en sortis grâce à lui.

A présent, notre affaire était parfaitement rodée. Je travaillais assez vite mais j'avais toujours du boulot par-dessus la tête, bien plus qu'il ne m'en fallait. « Paul, mon vieux, je n'ai que deux mains. Je suis comme la plus belle fille du monde... » Le robinet était grand ouvert et les contrats se bousculaient, car le petit Dan était aussi régulier dans son boulot qu'une machine à fabriquer les saucisses. Ce genre de job n'avait plus aucun secret pour lui. Il produisait environ deux mille pages dans l'année sans fournir un effort excessif, sans connaître la moindre migraine. Et lorsqu'il travaillait la nuit, le lendemain il se reposait.

Je pensais rarement à l'avenir, mais si le sujet venait à m'effleurer, je n'observais qu'un horizon sans nuage, je ne trouvais pas une seule raison de m'inquiéter en ce qui concernait mon gagne-pain, car le monde est ainsi fait qu'on a toujours tendance à faire appel à un bon pro plutôt que de prendre des risques avec un jeune illuminé. Franchement, ce n'était pas du délire de ma part que de m'imaginer tranquillement vissé à ma place jusqu'à l'âge de quatre-vingts ans. Il suffisait de jeter un coup d'œil autour de soi pour s'en assurer.

Et voilà que tout d'un coup ce calme tableau se déchirait et laissait apparaître l'incroyable sale gueule de Charles Victor Bergen. Voici qu'apparaissait le spectre de la rue où nous allions finir Paul et moi dans un futur assez proche si je ne changeais pas d'avis rapidement. Car C. V. Bergen nous tenait réellement à sa merci. Quel sentiment d'injustice éprouvai-je l'espace d'une seconde, quel prodigieux écœurement. « *Seigneur... La violence de mes gémissements a fait que ma peau s'est collée à mes os.* »

Sarah sortait ce soir-là. Elle monta dans sa chambre, m'abandonnant à mes tristes pensées, à mes sombres images. Je l'entendis expliquer à Gladys qu'il y avait tout ce qu'il fallait dans le frigo. Autrefois c'était Mat qui prenait les consignes.

En sortant, je me suis arrêté à la hauteur de Richard. Sans le regarder, je me suis allumé une cigarette. Cette fois, le vélo était à l'envers. L'une après l'autre, il lançait les roues puis les bloquait brusquement d'un coup de frein et recommençait. Je ne savais pas ce qu'il fabriquait au juste mais peut-être que lui le savait. J'eus l'impression que le moment était mal choisi pour lui parler de l'œil d'Hermann.

— Je te dirai deux ou trois mots, un de ces quatre..., lâchai-je simplement.

Sur ce j'allais m'éloigner, mais il releva la tête. Les roues continuèrent à tourner dans le vide sans qu'il se décidât, cette fois, à les arrêter. Le regard qu'il m'envoyait était une succession rapide de sentiments confus et pour le moins contradictoires. J'avais beaucoup d'affection pour Richard, il le savait.

— C'est une histoire entre Hermann et moi..., finit-il par déclarer.

— Hum... N'empêche que c'est pas un crime de raccompagner une fille devant sa porte, il faut que tu comprennes ça.

Il se dressa d'un bond. L'espace d'un instant, il sembla subitement désemparé, frappé d'un profond désarroi qui le figea douloureusement sur place, mais il se reprit aussitôt et, balançant un coup de pied à la terre entière, il envoya valser son vélo sur la pelouse.

A présent il me tournait le dos et naturellement il serrait les poings et les dents sans nul doute, car je l'entendais respirer par le nez, tout bouillonnant de rage. Quant à ce qu'il éprouvait, je n'avais pas besoin qu'on me fît un dessin mais je décidai d'en rester là pour aujourd'hui, j'avais assez de mes propres emmerdes. Sans un bruit, je pris le chemin de ma moto.

— MAIS IL L'A EMBRASSÉE...! me lança-t-il.

Aux alentours de deux heures du matin, j'étais allongé sur mon lit, les yeux grands ouverts. Mes nuits s'étaient complètement déréglées après le départ de Franck. Je ne souffrais pas à proprement parler d'insomnie car il m'arrivait encore régulièrement de dormir des dix et douze heures d'affilée, mais ce n'était qu'au terme de deux nuits presque blanches où j'avais tourné et viré sur les plumes du matelas, inlassablement erré du sommeil à l'éveil, maudit ce corps vieillissant.

Les mains croisées derrière la tête, j'observais mon verre de gin en équilibre sur mon ventre.

En général, lorsqu'il se renversait, c'était que j'avais trop bu. La première impression était désagréable mais ensuite, j'étais comme un enfant ayant pissé dans ses draps, partagé entre le plaisir et la honte. Roulé dans mon cataplasme tiédissant, je menais tant bien que mal ma pauvre barque jusqu'aux lumières de l'aurore, après quoi je descendais vaillamment jusqu'à la cuisine et me préparais un grand bol de café noir pour lutter contre l'épuisement.

Je n'avais bu que quelques verres, mon lit était encore sec. Bien qu'étant convaincu qu'il n'y avait aucune solution, je m'amusais à tourner mes problèmes dans tous les sens. Je les considérais sous toutes leurs coutures, presque m'émerveillant de leur insolubilité, de leur contour si net, de leur éclat de métal poli, et je me disais sera-ce plus douloureux que les autres fois, serai-je secoué et piétiné, seront-ce des cris qui jailliront de ma bouche... ?

Je bâillai mais n'y crus pas un instant, ayant acquis une certaine habitude de la chose. Je n'allais pas m'endormir aussi facilement alors qu'Hermann se mettait à tourner autour de Gladys, je n'allais sûrement pas trouver le sommeil sur-le-champ après le cadeau que C. V. Bergen m'avait fait ! Malgré tout, je restai calme, parfaitement immobile avec mon verre

22

sur le ventre. Un type qui s'est déjà pris les planchers et le toit de sa maison sur le crâne finit par regarder les choses avec philosophie. Oh, toutes les épreuves, tous les marais obscurs que j'avais traversés. De ce côté-là, je n'étais pas mieux logé qu'un autre.

Nous n'étions pas tout seuls, Paul me l'avait bien fait comprendre. Je ne devais pas oublier tous ces jeunes écrivains qui ne subsistaient que grâce à lui. Peut-être s'en trouvait-il, parmi eux, qui s'en allaient devenir géniaux, peut-être même étaient-ils en train d'écrire leur grand truc tandis que je me préparais à tout flanquer par terre. « S'il n'y avait que nous deux, Dan..., m'expliquait-il, me tenant par l'épaule. Ah, s'il n'y avait que nous deux, Danny, nous irions lui cracher à la figure... ! Le problème n'est pas là... »

Qu'il me collât sur les épaules l'avenir de la nouvelle génération ne manquait pas de piment à mes yeux. Il y avait longtemps que la Littérature et moi, c'était terminé, *complètement terminé*, et voilà que j'étais celui qui devait se jeter à l'eau et payer largement de sa personne. Mais pouvais-je résister à l'ironie du sort ? Pouvais-je accepter de me retrouver sans boulot dans ce monde sans pitié ?

Je n'allais pas passer ma vie à tout recommencer. J'avais un cœur solide mais je n'avais plus cette volonté qui m'avait habité autrefois. Il n'y avait pas que mes nuits que Franck avait fichues en l'air.

De même qu'il n'y avait pas que mon orgueil que la Littérature avait balayé.

Bref, si je m'en tenais à l'avis général, j'avais transformé une souris en montagne. Paul était certain que j'allais régler cette histoire en moins d'une quinzaine de jours. « Et puis, tu n'es pas obligé de la faire venir chez toi, avait-il souligné, si c'est ce qui t'embête... » C'était encore heureux. Est-ce que je ne m'étais pas juré que plus aucune femme ne mettrait les pieds à la maison... ?

Sarah, ce n'était pas la même chose. Sarah Bartholomi occupait une place unique dans ma vie. Si étonnant que cela puisse paraître, jamais auparavant je n'avais éprouvé d'amitié pour une femme. Sarah pouvait venir chez moi aussi souvent qu'elle le souhaitait, ça n'avait strictement rien à voir. « Et moi, tu n'as pas peur que je m'installe... ? » me charriait-elle. Non, elle pouvait faire ce qu'elle voulait. Je le pensais sincèrement. Je lui aurais donné ma main droite.

— Et même si c'est pas très marrant, me glissa-t-elle, ça ne te prendra pas des siècles. C'est ce que je me dis lorsque je maquille un boutonneux.

Je résistai encore deux jours. Puis je reçus une lettre recommandée du service des impôts et j'appelai Paul pour lui demander d'arranger l'entrevue avec les Bergen. A l'en croire, le ciel me le rendrait, j'étais vraiment un chic type, il reconnaissait bien là son vieux Dan.

— Mais bon sang, j'aurais bien aimé que nous ne soyons que tous les deux... ! rugit-il après coup.

— Paul, soupirai-je, je voudrais que ce soit la dernière fois que tu me demandes une chose pareille. J'ai besoin que tu me donnes ta parole, Paul, j'en ai absolument besoin.

— Ah, que je meure, Danny... ! Que tous les cheveux me tombent de la tête... ! !

Je raccrochai. Je fis la moue et restai le bras tendu, les doigts fixés au combiné, feignant de croire que je pouvais toujours revenir en arrière tant que je ne l'aurais pas lâché. J'étais seul. Les choses s'étaient plus ou moins tassées entre Hermann et Richard, et ils étaient partis ensemble pour l'après-midi. La baraque était silencieuse. La pièce était dardée de rayons poudreux.

Au bout d'un moment, je sortis pour acheter de l'alcool et des cigarettes. Je traversai aussitôt pour me retrouver sur le trottoir ensoleillé. L'air était frais, aussi était-ce une véritable bénédiction que de se balader sous une lumière jaune safran, presque chaude, que le toit des voitures sous la main s'en trouvait presque tiédi. Qu'il s'en dégageait du même coup comme un chant nostalgique. Ah, les musiques frémissantes, les émouvantes symphonies de l'automne, man.

En sortant du marchand de vin, je vis une blonde se garer, démolissant du pare-chocs sans ciller. Ah, comme tout était magnifique. Que n'étais-je allé secouer mes vieux fantômes à la ronde quand tout était si transparent !

Plus tard, je rejoignis Sarah près du terrain de basket, sur les gradins. Tout en regardant le match, elle se laissait bronzer, la jupe remontée sur les cuisses, les manches retroussées, le visage légèrement incliné vers le ciel. Il n'y avait presque personne.

— Alors... ? *Alors... ?!* lui demandai-je.

— Egalité, me répondit-elle.

Ce n'était pas ce que je voulais savoir. Malgré tout, je posai un œil sur le terrain et je repérai Gladys à la place d'ailier droit.

— Et alors ? Marianne Bergen... ? m'excitai-je.

— Ooh..., rien de sensationnel, je n'ai pas pu apprendre grand-chose. Une des filles qui travaillent avec moi prétend qu'elle est passée dans une émission littéraire, HOLÀ ! MAIS LE NUMÉRO HUIT EST HORS JEU...!!

Je la fis rasseoir, la pressai de continuer, tandis que l'arbitre envoyait un bon coup de sifflet.

— Hum..., enfin quoi, elle a une trentaine d'années, son père est riche, elle s'emmerde. J'ai entendu dire qu'elle avait essayé la peinture pendant un moment. Sinon elle a écrit un recueil de nouvelles et les mauvaises langues racontent qu'elle n'a même pas été fichue de finir son premier roman. Désolée, mais c'est tout ce que je sais...

— Oui, bien sûr... Note bien qu'il s'agit pas de savoir écrire trois lignes correctement pour s'embarquer dans l'aventure. La nouvelle, c'est un petit avion de papier que tu envoies dans les airs, tandis que le roman c'est comme si tu devais arracher du sol un bombardier rempli jusqu'aux oreilles, tu t'imagines... ? T'es là, assis devant ton bureau, et t'attrapes le manche, tu transpires, tous tes muscles sont tendus à craquer, tu me suis bien, Sarah ? car le moment est venu d'envoyer toute la gomme, tout le bazar se met à trembler puis commence à s'élever de quelques centimètres et tu te cramponnes, tu continues de prier...

Réalisant tout à coup ce que j'étais en train de raconter, je me mordis cruellement la main. Heureusement, Sarah ne m'écoutait pas. L'équipe adverse venait de contrer et certaines gorges se serraient dans les rangs. J'enroulai discrètement ma main dans un mouchoir. Qu'est-ce que c'était agaçant ! J'avais beau être tout à fait guéri, je ne m'en traînais pas moins de ridicules séquelles. En général, j'arrivais à me ressaisir et le premier mot venait mourir sur mes lèvres comme un cadavre rejeté par la mer. Mais je ne pouvais pas me surveiller sans arrêt, je rechutais de temps en temps, je perdais les pédales durant quelques minutes. Et quelle n'était pas alors ma souffrance lorsque je reprenais contrôle, je regrettais de ne pas me balader avec un fouet, j'avais honte, terriblement honte de moi. Je désespérais d'un jour me débarrasser de ce microbe. Pourtant, je le désirais de toutes mes forces.

— Hé, me dit-elle en tapant dans ses mains, je te signale que Gladys vient de marquer deux points !

— Ouais, ça ne m'étonne pas d'elle.

Gladys était la plus jeune mais certainement l'une des meilleures de l'équipe sélectionnée. Les autres avaient entre quinze et dix-huit ans, certaines d'ailleurs avaient déjà de sérieuses poitrines, ce qui mettait un peu d'ambiance à ces huitièmes de finale, à ces fameuses rencontres entre lycées. Par une journée comme aujourd'hui, le spectacle était à son comble. En bas, sur le terrain, il n'y avait pas un souffle d'air, pas le moindre coin d'ombre et, en cette fin de partie, toutes les filles transpiraient, leurs bras et leurs jambes reluisaient et les maillots s'auréolaient gaiement et tel short se collait par-devant, tel autre se collait par-derrière. Le public n'était pas très nombreux mais les pères étaient la majorité. En cette saison, les fins de matches se déroulaient toujours dans un silence brûlant.

Cette année, l'équipe de Gladys avait de bonnes chances de remporter la coupe. Deux fois de suite, elles étaient arrivées en finale. « Ça commence à nous ficher les boules... ! » déclarait Max, leur entraîneur, à qui voulait l'entendre. « Ouais, on voit bien que t'es pas à ma place, me disait-il. Moi c'est ma dernière saison. » Le nombre de gens qui espèrent finir en beauté est proprement incalculable. J'en croisais à tous les coins de rues.

Il flottait comme une impression que l'honneur du lycée était en jeu. Il y avait des séances d'entraînement presque tous les après-midi, à la fin des cours, il ne s'agissait pas de rigoler. Max les emmenait courir derrière le stade, au milieu des fourrés, et elles ne touchaient pas une balle avant le quart d'heure de gymnastique et on entendait la voix de Max résonner dans le gymnase tandis qu'il comptait tout haut. « Merde, me confiait-il, je le sens bien, tu sais, on a une fameuse équipe... ! » Le directeur leur faisait les doux yeux. Les profs jetaient sur leurs devoirs un regard bienveillant. Et pour celles qui mangeaient à la cantine, c'était la tranche de viande rouge au moins aussi grande que l'assiette.

Quelques minutes avant la fin, nous menions par dix points d'avance. Il n'y avait plus de danger. D'en bas, Max nous envoya un clin d'œil. Sarah me demanda une cigarette. Vraiment c'était une belle partie.

J'avais sorti mes lunettes de soleil et regardais toutes
ces filles courir, avec bien sûr une attention particulière pour Gladys. C'était une belle fille, ce serait sans
doute une femme formidable, il n'y avait qu'à voir sa
mère. Ça ne m'étonnait pas du tout qu'Hermann l'ait
embrassée, je me demandais même comment il avait
pu attendre aussi longtemps.

La mort de Mat nous avait rapprochés des Bartholomi. A l'époque, je m'étais mis dans la tête que je
devais m'occuper d'eux et durant les premiers mois
nous nous étions retrouvés régulièrement tous les
cinq, surtout pour les week-ends, et parfois nous sortions ensemble, je raflais toutes sortes d'invitations sur
le bureau de Paul, j'organisais de sacrés pique-niques.
Je découvris Sarah. Je m'aperçus que je ne la connaissais pas du tout. Nous passâmes des après-midi entiers
à discuter pendant que les enfants grimpaient dans les
arbres.

Aujourd'hui, grimper dans les arbres n'était plus ce
qui les intéressait. Proposiez-vous une virée à la campagne qu'ils vous bâillaient au nez. Gladys portait des
soutiens-gorge et les deux garçons feuilletaient mes
revues pornographiques. Il n'y avait plus que Sarah et
moi que ce genre de balade pouvait encore exciter, si
bien qu'elles se raréfièrent, qu'elles devinrent des
pièces de musée. Ça ne sert à rien de lutter contre
l'ordre des choses.

Au coup de sifflet final, Max poussa un cri victorieux. De joie, il chiffonna sa casquette et la projeta
dans ma direction. Sarah lui envoya un petit baiser du
bout des doigts tandis qu'il réajustait sa chemise dans
son pantalon. C'était une espèce de tic chez lui, cette
obsession à se reculotter. Je l'avais vu en plein été,
torse nu, enfournant machinalement quelque invisible
liquette dans son short, plisser des yeux avec satisfaction.

— Ça va, ton dos... ? me demanda-t-il tandis que
nous poireautions dans le couloir, devant le vestiaire

des filles. La porte était fermée mais on entendait toute l'équipe brailler et rigoler sous la douche.

— Hum, couci-couça...

— Ouais, continue à mettre la pommade que je t'ai donnée.

— D'accord. Très bien.

— Tu n'as qu'à passer, ce soir. Je te ferai des points.

Depuis quelques mois, Max avait décidé d'en finir avec mon éternel mal de reins et je lui servais de cobaye. Armé d'un bouquin et penché au-dessus de mon dos, il cherchait à localiser les points d'acupuncture, mes lignes de forces vitales, puis m'enfonçait soudain un doigt entre les côtes. Ça me coupait le souffle. « T'as mal juste là, tu sens quelque chose... ? » J'en avais encore des étoiles qui dansaient devant mes yeux.

Max prétendait que rien ne pouvait résister au drainage lymphatique, ce n'était qu'une question de temps. Mais je pensais sincèrement que toutes ces années passées sur une chaise, toutes ces années sacrifiées au démon de l'écriture m'avaient brisé la colonne pour de bon et bousillé les vertèbres. Et encore n'était-ce que la partie apparente de l'iceberg.

— Je me suis occupé de types autrement plus mal en point, me répétait Max. Est-ce que t'as pas confiance... ?

Durant quelques jours, j'ai tourné comme un lion en cage. Paul m'expliquait qu'il éprouvait certaines difficultés à recoller les morceaux, surtout du côté de Marianne Bergen qui ne voulait absolument plus entendre parler de moi. Mais je ne devais pas trop m'inquiéter, son père avait promis d'arranger ça et surtout il venait d'envoyer un chèque. La voix de Paul, au téléphone, ressemblait au gazouillis d'un oiseau dans une matinée de printemps, il était en pleine forme.

J'imaginais la fille en train de briser des pots de

fleurs dans son salon et déchirant une photo de moi en mille miettes. Je n'arrivais pas à lui donner un visage. Elle était restée tête baissée dans l'ascenseur et je l'avais à peine remarquée dans le bureau de Paul. Je ne me souvenais de rien ou alors c'était tellement vague, rien sinon qu'elle avait les cheveux longs et noirs et qu'elle se trimbalait un manuscrit.

Paul avait beau essayer de me rassurer, je me rendais compte à quel point toute cette histoire était mal partie. Ce m'était atrocement pénible de me pencher sur le travail d'un autre, mais voilà qu'avant même d'avoir commencé, nous étions déjà, cette fille et moi, à couteaux tirés. Rien que d'y penser je me versais un verre et j'allais démonter le carbu de ma moto pour me changer les idées ou bien j'arrosais les plantes ou je me faisais une machine à laver.

Le matin, j'allais courir un peu avec Max au milieu des nappes de brouillard qui flottaient derrière le stade, au-dessus des genêts. Ça ne m'amusait pas mais je ne pouvais pas continuer à me regarder mourir sur une chaise, mon ventre ramollissant, mes muscles s'atrophiant, mon souffle s'évanouissant comme la neige au soleil, sans esquisser le moindre geste. Je ne voulais pas qu'Hermann me considérât d'un air dégoûté, pas encore.

Avant la douche, je m'allongeais dans un coin de la salle, sur un tapis-mousse, et Max me tordait dans tous les sens pour me soigner les reins. Parfois, le nez écrasé sur le sol, son genou enfoncé entre mes omoplates, je me persuadais qu'avec Marianne Bergen ce ne pourrait être plus moche que ça. Et pas un son ne sortait de ma bouche.

Un soir, j'expliquai à Hermann dans quel merdier je m'étais fourré mais il y avait un truc à la télé autrement captivant et je ne fus pas sûr qu'il réalisât dans quel pétrin son père avait basculé, bien qu'à la fin il me posât une main sur l'épaule en rigolant. De toute manière, personne autour de moi ne semblait se rendre compte. Personne ne pouvait comprendre. Un type qui a touché à l'écriture est condamné à zigzaguer dans un désert sans fin.

En attendant, j'avais mis de l'ordre dans mes affaires. J'avais mis un point final à *La Fureur des Amazones* et j'avais prévenu Paul que de mon côté j'étais prêt. J'avais rangé soigneusement mon bureau, dans une ambiance nostalgique, celle-là même qui saisit le marin sur le point de s'embarquer pour un tour du monde. J'avais fourré mon Macintosh dans sa housse en serrant les dents. J'avais jeté une couverture sur mon imprimante. J'avais repoussé mon siège. Puis j'avais contemplé mon œuvre en ricanant.

Je me perdis et tournai en rond pendant un bon quart d'heure dans les quartiers résidentiels avant de tomber sur la propriété des Bergen. C'était une belle journée. Je m'étais rasé, et j'avais ciré mes bottes, j'avais même taillé un long poil qui me sortait du nez. J'étais d'une humeur tout à fait acceptable. La veille, j'avais demandé à Max de lâcher son bouquin et de me prodiguer un long massage relaxant, une pure merveille à ce propos, que j'en ai frissonné de satisfaction lorsqu'il me détendit les trapèzes. Là-dessus, un miracle n'arrivant jamais seul, j'avais dormi presque toute la nuit et m'étais réveillé comme une fleur. Sous la douche, j'avais fredonné *I'm a man you don't meet every day* et plus tard, vaquant à mes affaires, je demeurai d'un calme olympien et chargeai la machine à café avec les gestes précis d'un tireur d'élite. Ce rendez-vous m'avait agacé tout au cours de la semaine mais quelques heures avant l'épreuve, j'avais recouvré tout mon sang-froid. N'était-ce pas formidable ?

Je rangeai ma moto sur le devant du perron, ce qui déclencha l'arrivée d'un gars, déboulant du fond du jardin les bras en l'air. Il semblait tout retourné. Paraissait-il que je ne pouvais pas rester là, pas en plein milieu, sans compter que cette moto allait certainement occasionner une espèce de tache d'huile sur le beau gravier blanc. Je lui tendis mes clés en lui recommandant de se méfier de la béquille qui était capricieuse et, tandis que je grimpais les quelques marches menant à l'entrée, je sentis la grimace méprisante qu'il décocha dans mon dos.

Il me fallut un moment pour vérifier que le salon était bien vide tant ses dimensions étaient impressionnantes, tant il était encombré de statues et de machins d'avant-garde d'un goût particulier. Le silence était complet. Je me suis demandé si je devais crier puis décliner mon nom à voix haute pour qu'on vienne s'occuper de moi, si c'était dans les coutumes de la maison. Je retournai à l'entrée pour voir si une quelconque sonnette ne m'avait pas échappé, lorsque j'aperçus ma moto renversée sous un arbre. Proprement estomaqué, je dévalai les marches en maudissant cet enfant de putain, lorsque je m'aperçus que le type était encore sous elle.

— Mais qu'est-ce que vous avez fabriqué?! grognai-je. Bon Dieu, j'ai rendez-vous avec MARIANNE BERGEN...! Regardez un peu comment vous l'avez tordu, ce rétroviseur...!!

— Ah! Seigneur Jésus, comme elle est lourde! se mit-il à gémir pendant que je le dégageais. Je n'ai pas pu la retenir...

Il se releva en se frottant le genou, s'épousseta d'un air sombre. J'en profitai pour lui dire qui j'étais et lui demandai d'aller m'annoncer sans attendre. Son visage se fendit aussitôt d'un sourire hypocrite.

— Ooohh... Eh bien, c'est mademoiselle qui va être contente...! Je vais immédiatement la prévenir. Surtout ne bougez pas.

— Non. Je ne vais pas m'envoler.

Elle m'attendait sous un parasol rouge, près d'une piscine en forme de haricot que je dus contourner entièrement avec le soleil dans les yeux. Je me suis vu sortir tout droit de *Mort dans l'après-midi*. La première chose qu'elle me dit fut : « Je suis certaine que nous allons avoir du mal à nous entendre, tous les deux... »

Pour moi, c'était d'une ridicule évidence, le contraire eût été un miracle. Je notai tout de même qu'elle avait un physique agréable, ce qui rendait l'avenir moins cruel, et la peau de son visage était si blanche qu'elle lui donnait un air énigmatique, presque fiévreux. J'étais d'avis que c'était un genre qu'elle se donnait, mais je n'en étais pas absolument sûr.

Je ne répondis rien.

Pas plus que je ne répliquai lorsqu'elle ajouta d'une voix cassante : « Et puis, soyez bien persuadé que ce n'est pas moi qui vous ai choisi. » Au fond, il fallait la comprendre. Combien de fois avais-je pu lire que je ne valais plus rien, que j'étais un type fini. Qui cela aurait-il pu exciter encore de faire équipe avec moi ? Il y avait simplement une chose qu'on ne devait pas oublier, c'est que moi je n'avais rien demandé. Mais je lui fis grâce de mes réflexions et tournai mon regard vers les reflets de la piscine.

Sortant son manuscrit de je ne sais où, elle le posa rudement sur la table. Je la sentais frémissante, n'attendant qu'un seul mot de ma part pour déclencher les hostilités, mais le poids de la vie m'avait transformé en statue de marbre et je n'avais rien à lui dire. Apparemment, nous n'y étions pour rien l'un et l'autre. Son père avait tout manigancé.

J'attendis donc, penché en avant, les coudes posés sur les genoux, réprimant l'envie de ramasser quelques cailloux pour les jeter dans l'eau bleue, exercice qui d'ordinaire m'apportait un grand calme intérieur, m'initiait au profond mystère de la vie. Mais je craignis qu'elle n'interprétât mal ce jeu innocent et demeurai immobile.

— Bon, très bien..., ajouta-t-elle finalement. Emportez-le. J'aimerais que nous commencions le plus vite possible...

Je me levai aussitôt, glissai le machin sous mon

bras. Elle me fixa sans aménité alors qu'un sourire de circonstance flottait sur mes lèvres.

— Je regrette que nos chemins se soient croisés, conclut-elle.

— Au revoir, mademoiselle, dis-je.

Je ne me plongeai pas immédiatement dans la lecture de son scénario, je n'avais aucune raison de m'y précipiter et surtout pas la moindre envie. Deux ou trois jours me paraissaient une bonne longueur. J'enfermai le truc dans un des tiroirs de mon bureau et décidai de ne plus y penser pour le moment.

Je téléphonai chez Eloïse Santa Rosa, ma petite amie du moment, mais on me répondit qu'on ne l'avait pas vue de la journée et qu'on n'en savait pas plus que moi. Je raccrochai, vaguement déçu. Encore une chose à laquelle il ne fallait plus penser. Je m'entendais bien avec Eloïse, mais je ne la voyais pas trop souvent, il faut bien le dire. En quelques secondes, une ribambelle d'images troublantes défilèrent dans mon esprit, ah! la lingerie délirante d'Eloïse Santa Rosa! Il valait mieux que je sorte. Je préférais économiser mes forces et la rappeler un peu plus tard.

Déambuler dans les rues sur les coups de cinq heures de l'après-midi avec une bonne chance de pouvoir baiser le soir même, c'était plus qu'il n'en fallait pour la paix de mon âme. Tout paraissait si simple d'un seul coup, aucune pensée ne parvenait à m'effleurer et les trottoirs devenaient des chemins lumineux. J'avais beau être un type divorcé, un écrivain fini, un pisse-copie à demi alcoolique, le soleil continuait à briller pour moi. Peu importait que je perdisse mes cheveux, que mes reins fussent brisés, que la jeunesse m'eût abandonné puisqu'il m'arrivait encore de me sentir joyeux.

Ces brusques accès d'euphorie m'étaient un mystère impénétrable. Ce sentiment de joie profonde qui m'habitait tout à coup et que rien ne pouvait entamer, je ne savais pas à quoi ça tenait. Il m'était arrivé de recevoir de tels trucs sur la tête qu'alors je me disais c'est fini, cette fois c'est bien fini, plus jamais tu ne pourras ressentir une chose pareille. Eh bien, je me trompais. Et aujourd'hui ce n'était pas uniquement la perspective de me glisser entre les jambes d'Eloïse Santa Rosa qui m'emplissait de joie, c'était les couleurs de la rue, c'était la présence des gens, c'était la transparence de l'air. Comment expliquer ça ?

Sur ce, je décidai de préparer un poulet à la noix de coco pour Hermann et moi. Je savais que ça lui ferait plaisir, c'était l'un de ses plats préférés. Il trouvait que nous n'en mangions pas assez souvent mais le poulet-coco ça demande du temps, il faut vraiment avoir envie de s'y mettre. J'en avais envie. J'avais envie qu'en rentrant de l'école il trouve son père en train de lui préparer un poulet-coco.

J'achetai tout ce qu'il me manquait plus une bouteille de vin léger et quelques tranches de mortadelle, puis je rentrai sans traîner.

Eloïse Santa Rosa n'était toujours pas chez elle. Tandis que je triturais le poulet, que roulait sous mes doigts sa peau morte, une atmosphère particulière se développait autour de moi. Il y avait au moins une dizaine de jours que nous ne nous étions pas vus. Tout d'un coup, mes mains en tremblaient presque, j'héritai d'une bosse dans mon pantalon. Dieu seul savait où elle était en ce moment, avec ses bras et ses cuisses et son con épilé et sa gorge et ses lèvres et ses mains et ses pieds et ses cheveux et ses parfums et les gros mots qu'elle me glissait à l'oreille et toute sa panoplie de dessous qu'elle aspergeait de préparations à base d'ylang-ylang, tandis que je grognais entre ses genoux et que ma salive dégoulinait sur le fauteuil recouvert d'une serviette-éponge. Je soupirai, m'épongeai le front de l'avant-bras et entrepris de râper la noix de coco. Si je ne la voyais pas ce soir, j'allais en faire une maladie, je m'en rendais parfaitement compte. J'essayais de prendre contact mentalement avec elle pour lui montrer dans quel état j'étais et qu'elle rentre en vitesse.

Le téléphone sonna. Mon cœur battit comme lorsque j'avais seize ans. Je laissai tout tomber pour courir au-devant d'Eloïse et plongeai sur le canapé pour attraper l'appareil à toute allure.

— Allô, papa... ?

Mon excitation retomba aussitôt. Il était très rare qu'Hermann m'appelle papa. Aussi, en même temps qu'une vague émotion, cela déclenchait-il chez moi une certaine inquiétude quant à ce qu'il allait me demander.

— Ouais. Hermann... ?

— Dis donc, je suis invité chez un copain, ce soir. Je rentrerai pas tard...

— Holà, attends voir...

— Tout est arrangé. Sa mère me ramènera en voiture, t'inquiète pas.

D'allongé que j'étais, je suis passé lentement à la position assise et j'ai posé le téléphone entre mes pieds.

— Bon, c'est d'accord... !? me secoua-t-il d'une voix pressée.

— Hum..., j'aime pas que tu me préviennes comme ça au dernier moment.

— Je sais bien. Mais dépêche-toi, sa mère est garée en double file...

— Bon, ça va. Tu as tes clés ?

— Ouais, te casse pas la tête.

— Eh bien, j'espère que...

Je n'eus pas le temps de terminer ma phrase, le bip-bip m'annonça que la communication était coupée. Je suppose qu'il avait déjà bondi hors de la cabine et que la bagnole de la bonne femme démarrait.

Je terminai mon poulet-coco comme si de rien n'était, sans le bâcler le moins du monde, mais seulement je n'avais plus très faim. J'étais encore en train de m'en occuper tandis que le jour tombait. C'est un plat assez long.

Pour finir, je n'y touchai pas. J'ouvris simplement la bouteille de vin et me contentai d'une tranche de mortadelle accompagnée d'un piment que j'allai manger dans le salon. Je connaissais bien le silence de cette baraque, je l'avais longuement pratiqué. Je savais quel meuble craquait, quel autre grinçait, quel carreau à demi démastiqué vibrait légèrement au vent, rien ne m'était étranger. Je connaissais ce silence comme ma poche et, si je puis dire, nous nous étions habitués l'un à l'autre. Surtout depuis que je n'écrivais plus, depuis que j'avais cessé de parler tout haut.

Ce que j'aimais par-dessus tout, c'était m'asseoir par terre, les reins calés contre le canapé. Je croisais mes jambes et, rejetant la tête en arrière, je considérais le plafond blanc en toute tranquillité. Il y avait tant de choses dans la vie qui me semblaient matière à réflexion que je n'avais pas l'impression de perdre mon temps. Comme par exemple cette histoire de poulet-coco qui me restait sur les bras, ces histoires entre un père et son fils.

Je n'aimais pas remuer le couteau dans la plaie mais j'éprouvais parfois le besoin de regarder de vieilles photos — ce qui n'est pas très malin —, et c'était ces moments-là que je choisissais, lorsque le silence et moi nous n'étions plus qu'un seul homme.

Par-dessus le marché, Eloïse Santa Rosa ne m'appelait toujours pas. Que j'en avais les mains moites, que j'en avais la chair de poule qui me hérissait les jambes. Voilà ce qui arrivait lorsque l'on commettait l'erreur de mettre tous ses œufs dans le même panier. Est-ce qu'un type normal ne devrait pas avoir au moins *une* petite amie de rechange, est-ce que je ne me débrouillais pas comme le dernier des imbéciles ? Oui, enfin c'était facile à dire et ce n'était pas à force de me lamenter qu'une femme allait tout à coup surgir devant moi et sans un mot me tendre sa culotte d'une main et me demander la mienne de l'autre.

Le vin m'avait légèrement assommé mais c'était

sans importance. Je me levai pour attraper l'album de photos et retournai à ma place, sur mon campement silencieux. Je le gardai un instant fermé sur mes genoux, sans me croire pour autant à la porte d'une église, mais je m'y prenais toujours de cette manière, je m'y préparais tout doucement.

J'avais réussi à planquer cet album lorsque Franck avait bouclé ses valises. Plus tard, elle me l'avait réclamé à différentes reprises mais je lui jurais que je n'arrivais plus à mettre la main dessus, était-elle absolument sûre, d'ailleurs, de ne pas l'avoir emporté, en avait-elle parlé à cet imbécile d'Abel, avait-elle *vraiment* regardé partout ? Je la voyais parfaitement se mordre les lèvres à l'autre bout du fil et je restais silencieux, je l'écoutais respirer, je l'écoutais défaillir pour ces quelques photos, et moi alors, est-ce que je n'avais pas hurlé pendant des nuits ?

Je me suis longtemps posé la question de savoir si c'était uniquement Hermann qui l'intéressait ou si elle voulait nous avoir tous les trois côte à côte, mystérieusement réunis sur la plupart des clichés depuis que j'avais découvert le système de déclenchement automatique, mystérieusement enlacés car en général je cavalais et j'en prenais un sous chaque bras, je n'avais jamais d'idée très originale. C'était une question intéressante. Il me fallut un bon moment pour me persuader que j'étais incapable d'y répondre et la chasser de mon esprit une bonne fois pour toutes.

Hermann avait neuf ans lorsque nous avions divorcé. Les dernières photos s'arrêtaient là, comme frissonnantes au bord d'un précipice. Tout allait tellement mal à cette époque que je me demande comment nous nous arrangions pour sourire encore et d'où nous venait cet entêtement désespéré à nous prendre en photo. Chaque fois que j'ouvrais cet album, j'avais l'impression qu'il s'agissait d'une autre vie, à coup sûr d'un autre type que moi, je n'arrivais pas à y croire. Je prenais l'un de ces clichés au hasard et je le tenais sous mon nez, l'observant avec insistance, l'étudiant dans ses moindres détails, essayant d'en percer le mystère jusqu'à en loucher. Ce n'était pas moi. Je n'avais pas de femme. Plus d'enfant à faire sauter sur mes genoux. Je n'avais pas le même sourire que ce type-là.

Elsie ne réapparut dans ma vie qu'une semaine plus tard, alors que pratiquement je ne dormais plus et que les yeux me sortaient de la tête.

— Oh merde, mais où étais-tu passée... ! ? balbutiai-je.

— Dan, Dan chéri, ça y est !... ÇA Y EST, JE VAIS LE FAIRE... ! ! !

— Nom d'un chien, Elsie, mais on ne s'est pas vus depuis trois semaines ! J'ai failli devenir fou, tu m'entends... ! ?

— Tiens-toi bien, Danny... J'AI SIGNÉ, J'AI ENFIN SIGNÉ... ! !

Nous nous sommes donné rendez-vous dans un bar du centre-ville, le *Durango*, un endroit très fréquenté dès que la nuit tombait et pratiquement désert le matin. Je la retrouvai sur une banquette du fond, devant un bol de chocolat chaud et une poignée de croissants. Elle m'envoya un sourire à illuminer toute une journée. Sa minijupe de cuir noir me fit l'effet d'un coup de couteau.

— Je vais prendre un grand café, dis-je à Enrique qui s'était amené sur mes talons en bâillant et qui s'en fut aussitôt, *muy bien*.

Je la regardai une seconde en souriant à mon tour puis plongeai par-dessus la table et m'emparai hardiment de ses lèvres. Ainsi, je me calmai un peu. A dire vrai, je n'étais pas un forcené du baiser, mais j'avais conscience de me trouver dans un endroit public avec toutes les réserves que cela impliquait. Au moins pouvais-je la respirer, m'assurer de sa réalité, glisser une main dans la tiédeur de sa nuque. Je repris ma place afin qu'Enrique puisse déposer ma tasse devant moi et s'en aille ricaner stupidement ailleurs.

Elle était tout excitée. Ce n'était pas moi qui la mettais dans un état pareil, naturellement, mais j'espérais bien être celui qui allait pouvoir en profiter. A ce qu'elle m'expliquait, les yeux brillants comme des lanternes, elle tenait enfin la vraie chance de sa vie. Les contrats étaient signés, le disque sortirait au printemps prochain, est-ce que je trouvais pas ça génial ? Et comment ! Je fis signe à Enrique qu'il nous envoie deux Tequila Sunrise pour fêter ça. Glissant une main sous la table, je lui reprochai tout de même un peu ces longues semaines de silence qui, le savait-elle au moins, m'avaient été atrocement pénibles. Mais quoi, je parlais de semaines, alors qu'elle avait attendu ce jour-là depuis bientôt deux ans, je ne devais pas me montrer aussi égoïste. Sous ma main, sa cuisse était d'une douceur à vous couper le souffle. Ah, qu'elle me pardonne puisque aussi bien je plaisantais, mais n'empêche qu'elle m'avait manqué. Elle était en Suisse. Est-ce que je connaissais la Suisse, est-ce que j'aimais le chocolat ?

— *Enrique, dos otros !* lançai-je.

Elle sortit de son sac les tablettes en question tout en bloquant ma main entre ses jambes. Elle avait tort de s'inquiéter, personne ne pouvait nous voir. Trouvait-elle que je brûlais les étapes, aurais-je confondu vitesse et précipitation ? Certes, ce n'était pas l'endroit idéal mais, au contact de sa peau, je perdais toute raison, j'aurais pu tenter n'importe quoi. Elle avait écrit de nouveaux morceaux, il lui tardait de me les faire entendre. Et moi, donc, de les écouter ! Je ne pouvais plus avancer ma main ni la reculer. Je me demandais si elle allait fondre. Elle était certaine d'avoir pris quelques kilos, je ne devais pas avoir peur de lui dire la vérité.

— Fort bien, lui répondis-je, en ce cas je dois me livrer à une observation autrement minutieuse.

Qu'elle me laisse régler les consommations et nous filerions tout droit dans sa chambre pour voir ça d'un peu plus près. Elsie, *est-ce que j'étais bien clair...* ? La nature de ma proposition ne laissait pas la place au moindre doute. Il y a peu de choses dans la vie qui soient aussi fabuleuses que de regarder une femme dans les yeux après avoir abattu ses propres cartes. Surtout qu'elle me souriait. J'étais devant les portes du paradis, lui pétrissant une cuisse autant que faire se pouvait, les pupilles dilatées par un feu d'enfer.

— Oh Danny..., me dit-elle doucement.

Elle me caressa gentiment la joue et ma barbe naissante se mit à crisser méchamment sous ses doigts.

— Oh Danny..., je les ai en ce moment. C'est vraiment pas de chance...

C'est bien simple, je refusai de la croire. Je retirai aussitôt ma main d'entre ses jambes et m'en mordis l'ongle du pouce en regardant ailleurs. Je commis ainsi une douloureuse bêtise car mes doigts étaient encore tout imprégnés de son odeur et je chancelai pratiquement sur ma chaise. J'en avais tellement envie que j'en étais presque effrayé.

— Moi non plus, ça ne m'amuse pas, murmura-t-elle. J'espère que tu t'en rends compte...

Non, ça franchement, je ne m'en rendais pas compte, je ne voyais pas pourquoi j'aurais menti.

— Bon sang, ne me regarde pas comme ça, se renfrogna-t-elle. On croirait que je l'ai fait exprès.

— Merde, eh bien, je me le demande !

Elle hésita un instant puis rangea tranquillement ses affaires et me planta là sans un mot. Je n'avais pas amorcé le moindre geste pour la retenir, j'avais joué avec ma boîte d'allumettes en prenant un air détaché.

Je dus piquer un sprint sur le trottoir pour la rattraper. Je m'accrochai à son bras mais elle se dégagea et continua à marcher.

— Bon, c'est d'accord, JE M'EXCUSE... !

— Je t'en prie, Dan, laisse-moi tranquille.

— Bon Dieu, ne complique pas tout, je te dis que JE REGRETTE, là, voilà, est-ce que c'est suffisant... ? !

— Oh, mais c'est trop facile...

— Ecoute, je t'ai appelée tous les jours, je ne savais même pas où tu étais passée !

— Je ne vois pas où est le rapport.

— Ah mais vous entendez ça ? Elle voit pas où est le rapport... !

— Je sais ce qui t'intéresse. Je le sais très bien.

— Merde alors.

— Oui. Ça et rien d'autre... !

Nous nous sommes arrêtés à un feu à cet instant précis et je l'ai forcée à me regarder. Il y avait une femme à côté de nous qui tenait un enfant par la main.

— Tu as raison, lui ai-je dit, en ce moment je ne pense qu'à ça. Le simple fait de te tenir le bras m'excite à un point que tu ne peux pas imaginer et si tu veux savoir, je vois à travers tes vêtements et je distingue parfaitement l'odeur de ton entrejambe. Je ne saisis pas la moitié de ce que tu me racontes car je n'ai qu'une seule chose en tête et je n'en éprouve pas la moindre honte, c'est comme ça. J'en ai l'eau à la bouche rien qu'à te regarder, Elsie, et tu as raison, rien d'autre ne m'intéresse, je suis en train d'en tirer une langue jusque-là...

Je remarquai que la femme à côté de moi bouchait les oreilles de l'enfant. Que le feu passe au rouge et elle pourrait retourner dans son monde de cinglés.

— ... Mais bon Dieu, est-ce que c'est une injure, Elsie... ? Est-ce que je ne peux pas avoir une folle envie de te baiser sans devenir une espèce de monstre... ? Enfin merde, il y a exactement trois semaines qu'on ne s'est pas vus, *trois semaines*, tu m'entends ?... Tu crois que c'est très malin de me dire que c'est la seule chose qui m'intéresse... ?

Enfonçant mes mains dans mes poches, je regardai

le ciel d'un air dépité, tout juste si je ne grimaçais pas comme un martyr. Au bout d'un moment, elle glissa son bras sous mon bras et nous restâmes encore quelques heures ensemble, à déambuler dans les rues, à discuter, à naviguer d'un banc à un autre en mangeant des marrons ou des cacahuètes enrobées de sucre rose, jusqu'à ce qu'elle se souvienne d'un rendez-vous important avec sa nouvelle maison de disques. Ces types-là sont toujours en train de vous filer des rendez-vous importants. Je lui expliquai que j'en voulais un moi aussi.

— Quelque chose de *sérieux* cette fois..., plaisantai-je.

Elle serra mon bras comme une gamine et me glissa à l'oreille que c'était pratiquement la fin, qu'après-demain pour être tout à fait tranquille la nuit entière serait à nous. Elle haussa les épaules lorsque je lui demandai si je devais apporter mon livre de prières.

De toutes les filles que j'avais connues après le départ de Franck, Eloïse Santa Rosa était la plus attachante. Je n'en avais pas connu tant que ça d'ailleurs mais Elsie se détachait singulièrement du lot. En voilà une qui ne s'était pas étranglée lorsque je refusai de l'amener chez moi. Je lui avais tout expliqué, surtout je ne voulais pas qu'elle le prenne mal, je voulais qu'elle essaie de comprendre et elle m'avait répondu que ce n'était pas grave, qu'elle s'en fichait de ma maison. Elle se doutait bien qu'un type de mon âge avait ses petites manies. « Tu sais, avant toi j'étais avec un type beaucoup plus jeune, dans les trente ans. Lui, il allait manger tous les dimanches chez sa mère. Alors je ne m'étonne plus de rien... » Une chance que ce connard soit passé avant moi, dus-je admettre.

Sarah la connaissait. Nous sortions quelquefois ensemble, mais pas trop souvent parce que les copains de Sarah ne me plaisaient pas en général. Elles s'entendaient plutôt bien. J'avais rencontré Elsie un soir, en allant chercher Sarah aux studios, j'avais trouvé cette fille sur le fauteuil de maquillage avec ses bas noirs et son bustier en lastex, elle passait dans cinq minutes. Elle était choriste. Cinq minutes plus tard, elle se levait. Sans la quitter des yeux, je continuais à prier de toutes mes forces. Grâce au ciel, le miracle se produisit. «Vous serez encore là lorsque je reviendrai... ? » me demanda-t-elle.

Je n'aimais pas non plus les copains d'Elsie. «Ouais, mais veux-tu me dire qui tu aimes vraiment ? me répétait Sarah, veux-tu me dire qui trouve grâce à tes yeux... ? ! » Elle exagérait, j'aurais pu lui citer des centaines de noms sans avoir à me creuser la tête, Bob Dylan, Mahler, Antonio Gaudí, John Cassavetes, Gérard Gasiorowsky, Isadora Duncan, Marlon Brando, Ian Tyson, Jack Kerouac, Melville, Jacques A. Bertrand, Janis Joplin, Lars Von Trier, Marilyn Monroe, Blaise Cendrars, Miller, Fante, la Callas, L. Cohen, Brautigan, R. Coover, Godard, Castaneda, Márquez, Schiele, Wenders... «AH AH, mais les trois quarts sont morts, imbécile !... » Je la coursais résolument à travers la baraque. «Morts... ? ! Ah parce que tu crois peut-être qu'un type comme Richard Brautigan est *mort*... ? ? ! ! AH AH AH... ! »

Enfin bref, c'était à cause de ses copains que je ne voyais pas Elsie plus souvent. Je ne trouvais pas grand-chose à leur dire. Les rares fois où nous avions échangé quelques mots, j'avais pu mesurer l'océan qui nous séparait. «Mais qui c'est ça, *Bob Dylan*... ? » gloussaient-ils en se poussant du coude. Parfois, lorsque je retrouvais Elsie au *Durango*, j'étais presque obligé de me les coltiner et je n'avais pas terminé mon verre qu'ils m'avaient déjà soûlé de paroles, s'étonnant tout haut que je ne connusse pas ni Un tel ni Un tel et essayant de me décrotter. Ils se foutaient de moi. Mais leur sourire se figeait au moment où je me levais et partais avec Eloïse Santa Rosa à mon bras. Voilà qui leur en bouchait un coin. Voilà qui dépassait leur compréhension du monde.

A mon avis, les types qui sortaient avec Sarah ne valaient pas mieux, en tout cas ceux que j'avais rencontrés. Heureusement qu'elle ne les gardait pas. « Pour quoi faire ? m'expliquait-elle. Je vois des nouvelles têtes tous les jours !... Enfin quoi, tu les trouves pas gentils ? » En général, c'était des types mariés que l'inquiétude rongeait lorsque nous dînions en ville, c'était un modèle répandu, c'était dans ce genre-là qu'elle donnait, des types qui d'après elle n'étaient pas collants pour un sou. Je ne disais rien mais je savais que Mat Bartholomi continuait à se retourner dans sa tombe. Je ne disais rien parce que Sarah était mon seul ami.

— Dînons ensemble, ce soir, me proposa-t-elle. J'ai un coup de cafard...

— Ouais, si tu veux.

— Je passe te prendre, j'ai l'impression qu'il va pleuvoir.

Il devait être huit heures, l'après-midi avait passé vite. Hermann et moi avions joué au ping-pong dans le garage. Il devenait meilleur que moi. Il était presque aussi grand que moi. Nous avions sorti chacun un billet de cent francs et le mien avait filé dans ses poches. Il s'était donné à fond. J'avais fait gaffe de ne pas m'envoyer un tour de reins.

Les nuages n'étaient arrivés qu'à la nuit tombante en compagnie d'un brin de vent d'ouest, mais ça ne voulait pas dire qu'il allait pleuvoir, je n'avais même pas jugé utile d'aller dépendre le linge dans le jardin. Nous avions regardé les actualités régionales parce qu'il y avait un truc sur le lycée, plus précisément sur l'équipe de basket des filles qui passait facilement en quart de finale et qui semblait tenir la grande forme à ce que le type racontait. Ils avaient filmé les filles durant leur entraînement. Elles avaient un regard farouche. « Sûr qu'on peut leur faire confiance ! déclarait Max en réajustant son pantalon pour la troisième fois en quelques minutes. Elles vont nous décrocher la coupe, je vous en fiche mon billet ! » Gladys semblait

avoir la préférence du cameraman car le bougre en-
chaînait les gros plans sur elle et son sourire envahissait régulièrement l'écran quand ce n'était pas son
profil et qu'elle ramenait une mèche blonde derrière
son oreille. Je regardais discrètement Hermann dans
ces moments-là.

Je n'aimais pas le laisser seul, le soir, non pas que je
craignisse quelque chose, mais j'avais une bonne expérience de la solitude, de l'ombre, du silence, et je ne
sais pas, je trouvais qu'il était encore un peu jeune
pour s'y frotter, peut-être que je me trompais, enfin je
n'aimais pas ça.

Avec toutes mes histoires, j'avais bien conscience de
ne pas être le père idéal. Quelle image lui donnais-je de
moi sinon celle d'un type que sa femme avait quitté,
que sa petite amie négligeait, celle d'un écrivain raté
qui planquait des bouteilles dans sa chambre, celle
d'un type qui n'était déjà plus très jeune, avec les reins
en miettes par-dessus le marché. Je me demandais
parfois comment il pouvait le supporter et quel était
celui de nous deux qui s'appuyait sur l'autre.

Hermann, je t'aime, mais ça ne suffit pas pour faire
de moi un saint.

— Qui c'était ?
— Sarah. On dirait que ça ne va pas très fort...
— Elle est malade ?
— Non, elle veut juste aller manger dehors, elle a
envie de se changer les idées.

Que fabriquait-il lorsqu'il était seul ? Qu'est-ce que
je fabriquais lorsque j'avais son âge, qu'était au juste
une maison silencieuse et vide, à quoi pensais-je,
comment était la nuit, avais-je peur ou froid ou bien
est-ce que je m'en fichais ou bien maudissais-je mon
père et ma mère ou est-ce que je me frottais les mains,
est-ce que j'attendais ce moment avec impatience... ?
Je ne me rappelais plus de rien, je mélangeais tout,
impossible de tomber pile sur mes quatorze ans. J'en

avais presque trente de plus à présent, ce n'était pas la porte à côté.

— Je vais m'installer devant la télé, me dit-il.

J'entendis les premières gouttes tomber. Dan, et ton linge, le linge que tu n'as pas rentré... Trop tard, c'est trop tard maintenant. Dan, il y a deux tranches de jambon dans le frigo, il reste du fromage et un peu de salade de thon et des œufs... Bon, c'est parfait, il ne va pas mourir de faim et il y a des pizzas dans le congélateur. Dan, tu sors de la cuisine et vos regards se sont croisés... Oui, mais je n'en sais pas plus, je ne sais pas ce qu'il pense de moi.

Sarah m'emmena dans un restaurant italien. Il y avait du monde mais par chance nous trouvâmes une table un peu à l'écart et les sièges n'étaient pas trop mauvais. Je voyais bien que ça n'allait pas mais nous n'étions plus des enfants et nous attendîmes bien sagement que le type se pointe avec ses deux grands verres d'Americano pour essayer d'y voir plus clair. J'étais content d'être avec elle. Qu'elle fît appel à moi lorsqu'un truc allait de travers, que je fusse celui dont la présence s'imposait dès qu'elle broyait du noir avait de quoi me rendre carrément euphorique. Trouvant qu'aussitôt la vie était belle, j'avais le chic pour lui remonter le moral, je devenais rapidement contagieux. Nous avions ainsi essuyé nos petits chagrins de nombreuses fois. Nous nous retrouvions terriblement près l'un de l'autre. S'il n'en avait tenu qu'à moi, nous aurions eu tôt fait d'en venir aux mains car après tout, l'amitié ne rend pas aveugle et Sarah était parfaitement à mon goût. Non qu'elle pût rivaliser avec le foudroyant sex-appeal d'Elsie, ce qui paraissait difficile, ce qui eût été à la limite du supportable, mais elle avait je ne sais quoi au fond des yeux qui me laissait pantois, qui très franchement me terrassait. Seulement voilà, elle ne voulait pas le faire avec moi, oh ça, pas question, elle reprenait toujours ses esprits lorsque par mégarde nous nous laissions aller, me repoussant subitement, déclarant qu'elle refusait de courir le risque, que rien ne pouvait remplacer ce qui nous unissait. «Peut-être que c'est une chose qu'un homme a du mal à comprendre, m'expliquait-elle. Je veux te garder comme tu es, je ne veux pas que ça change, comprends-tu...?» J'admirais sa force de caractère, au reste je me demandais comment elle s'y prenait. Car en ce qui me concernait si d'aventure j'avais effleuré sa bouche, plus rien ne m'importait. Aucun discours au monde, aucun serment, aucune résolution n'avait la moindre prise sur le démon qui s'éveillait en moi. «Dan, remercie-moi de garder la tête froide...», me conjurait-elle, tandis que mes bras se refermaient sur du vide.

Dès qu'elle reposa son verre, elle se mit à soupirer.

— Dan, je suis amoureuse...

Si ce n'était que ça, je ne me bilais pas trop, c'était la troisième fois depuis que je la connaissais. J'espérais simplement qu'elle n'allait pas nous tanner avec son nouveau flirt pendant toute la soirée.

— Ooh..., fis-je malgré tout.

— Mais je suis folle... Il a des enfants, il est marié...

Presque tous avaient des enfants, presque tous étaient mariés ou bien ils allaient manger chez leur mère, il y avait toujours quelque chose qui apparemment qui clochait. Passé trente ans, les bonnes occasions commençaient à devenir aussi rares que les edelweiss.

— Pourquoi, c'est un mari que tu cherches?

— Bon Dieu, Dan, est-ce qu'on peut savoir ce qu'on cherche...!? Il a les yeux bleus, me dit-elle après que nous nous fûmes décidés pour deux timbales napolitaines et un petit vin du Sud qu'un peu plus tard je me mis tranquillement à descendre pendant qu'elle m'indiquait la taille de son pénis. Je faillis en renverser un peu.

— Ooh oh Sarah... Je crois que tu exagères...

— Dan, je te le jure.

Bientôt, ce type-là n'eut plus aucun secret pour moi.

Hormis certaines mensurations qui à mon sens relevaient de la pure fantaisie, il n'offrait aucun intérêt. Qu'elle me jouât ainsi ce numéro de la fille amoureuse m'en disait beaucoup plus long qu'il ne m'en fallait. Le Dr Dan connaissait tous les symptômes du passage à vide, il vous diagnostiquait un mal de vivre au premier coup d'œil et toutes les nuances du désespoir n'avaient plus aucun secret pour lui, il les avait personnellement pratiquées, il était la preuve vivante qu'on pouvait s'en tirer, malheureusement.

Mat Bartholomi était peut-être l'exception qui confirmait la règle. Qui pouvait réellement savoir ce qui s'était passé sur ce pylône ? C'était un épouvantable accident, c'était un soir où elle était sortie et ils n'avaient même pas échangé un seul mot tous les deux. « Dan, c'était devenu un étranger pour moi... » Et quelques heures plus tard, Mat grillait comme une mouche, des types racontaient qu'ils avaient vu des flammes lui sortir de la bouche — et des yeux — pendant un bon moment. C'était un épouvantable accident, *n'est-ce pas...* ? C'était ce qu'elle se répétait depuis deux ans, pratiquement tous les jours, en évitant le regard de son fils. Il y avait de quoi avoir du vague à l'âme, de temps en temps.

Le Dr Dan était d'avis qu'il valait mieux parler de taille de pine et d'enculage dans ces conditions. Il n'était pas contre un peu de poudre aux yeux pour soulager une crise.

— Dan, je suis avant tout clitoridienne, tu le sais...

— Ah non, première nouvelle.

— Bref, les types qui veulent se donner un peu de peine ne courent pas les rues, tu t'imagines bien. Mais lui, je ne te mens pas, il m'arrache des larmes, c'est comme s'il devinait exactement ce que je veux...

— Hum, je reconnais qu'il est fort.

— Oh bon sang, je suis amoureuse de lui. Je suis incapable de faire un geste pendant qu'il se rhabille, je ne tiens plus sur mes jambes.

— Oui, naturellement, c'est énorme. Eh bien, je suis content pour toi.

— Je suis amoureuse et ça me rend triste, il y a vraiment de quoi devenir dingue... J'ai envie de lui téléphoner, uniquement pour entendre sa voix, qu'en penses-tu... ?

— Ouais, j'ai entendu dire que certains y arrivaient de cette manière, ça vaut peut-être le coup d'essayer.

— Tu vois, nous l'avons encore fait pas plus tard qu'hier et j'ai l'impression qu'il y a une éternité.

— Oui, je te comprends bien. Elsie n'est rentrée que ce matin, entre parenthèses, enfin tu vois ce que je veux dire... Nous sommes logés à la même enseigne. Hum, sauf que moi ça ne date pas d'hier.

— Dan, on n'a vraiment pas de chance avec nos histoires de cœur, c'est à vous dégoûter. Parfois j'aimerais ne plus avoir de sexe, tu m'entends, que disparaisse le trou de mon vagin !

— Holà, comme tu y vas...

— Je ne plaisante pas, tu sais. La vie est déjà bien assez compliquée comme ça. Ah, Seigneur, pourquoi suis-je attirée par les hommes, pourquoi m'avez-Vous fait ça... ? ?

Lorsque nous sortîmes du resto, la pluie avait cessé et nous étions résolus à repartir dans la vie d'un cœur vaillant. Ne suffisait-il pas, la plupart du temps, de trouver une oreille attentive pour que s'arrangent nos petites misères ? Et que dire d'une épaule amie lorsque la bagnole est garée à trois pâtés de maisons et que chante dans nos veines un sang impur, tout gorgé de chianti ?

Pendant tout le trajet, je reluquai ses jambes en souriant. « Ah, ce que tu peux être bête... », me disait-elle. J'avais ouvert mon carreau et l'air frais de la nuit s'engouffrait à l'intérieur. Lorsque nous parvînmes à la hauteur du stade, je respirai un bon coup, m'emplissant du parfum de la terre mouillée où macérait un mélange d'herbe et d'écorce, puis, m'étant souvenu de quelque haïku, j'expirai voluptueusement, les yeux mi-clos, à moins que je n'eusse soupiré d'aise.

> *Les feuilles mortes*
> *reposent l'une sur l'autre.*
> *La pluie tombe sur la pluie.*

— Tu n'as qu'à me déposer devant chez toi..., lui dis-je en bâillant. Ça me fera du bien de marcher un peu.

Autant le gin ou le bourbon me clouaient sur place et me poussaient à tirer les rideaux, autant le vin me donnait envie de prendre l'air. Il y avait un bon kilomètre de chez Sarah à chez moi, et d'avance je m'en réjouissais. Ah, me jeter sur mon lit ivre d'une saine fatigue, m'étaler sur mes draps le nez glacé, le souffle brûlant, les jambes traînant sur le sol, me demandant si j'aurais la force de me déshabiller et de me laver les dents, n'était-ce pas là une agréable perspective, aurais-je pu formuler un autre vœu ?

Sarah rentra la voiture directement dans le garage. Il n'était pas très tard, il y avait encore de la lumière dans le salon.

— Bien sûr, ils sont encore plongés dans cette fichue télé, grogna-t-elle.

J'étais en train de m'extirper de mon siège lorsque Gladys apparut tout en larmes, ce qui n'augurait rien de bon.

— Oh ! maman...! gémit-elle, s'élançant tout droit dans les bras de sa mère, ce qui confirma parfaitement ma première impression.

— Mais ma chérie, que se passe-t-il ?... Voyons Gladys, ma chérie... ?!

Moi non plus, je ne comprenais rien. Oh, si elle pleurait, si elle en avait gros sur le cœur ! Sarah avait beau lui caresser les cheveux et la serrer contre elle, ça ne semblait pas s'arranger. Pour ma part, j'avais des enclumes aux pieds.

— Holà, mais quelque chose ne va pas... ? demandai-je à mon tour afin de ne pas rester à la traîne.

Pas plus que Sarah je ne reçus de réponse, et voilà maintenant qu'un de ces hoquets carabinés vous la secouait.

Sarah la conduisit à l'intérieur de la maison. Passant devant moi, elle me lança un regard inquiet, aussi lui emboîtai-je le pas tout en espérant que le feu n'était pas au grenier, car je ne me sentais pas en mesure d'accomplir des miracles. Plus que jamais, je me rendis compte à quel point j'avais besoin d'air frais.

Nous débouchâmes en cœur dans le salon pendant que Gladys continuait à rendre l'âme. Effectivement, la télé était allumée. Richard était installé par terre, le menton sur les genoux, à environ un mètre du poste qu'il regardait fixement. Il ne tourna même pas la tête. Pourtant, Dieu sait que ce n'était pas captivant. C'était un de ces feuilletons débiles que j'avais personnellement écrit.

— Richard... ! l'apostropha Sarah.

La scène en question m'avait donné du fil à retordre et pour finir, je l'avais complètement loupée. Sans compter que les acteurs jouaient comme des manches. Richard voulait-il nous faire croire qu'on pouvait regarder une chose pareille, à qui donc pensait-il donner le change avec son air profondément captivé... ?

— Dis-leur ! DIS-LEUR C'QUE T'AS FAIT... ! se mit soudain à rugir Gladys, en avalant quelques voyelles au passage.

Elle crachait du feu tout à coup, les joues encore dégoulinantes de larmes. Mais son frère restait de marbre, c'est à peine si je remarquai une légère contraction de ses mâchoires, tout absorbé qu'il était à suivre *Les Play-Boys meurent seuls*, cette sinistre et regrettable série.

— Pour commencer, Richard, éteins-moi cette télé ! lui intima Sarah d'un ton qui laissait supposer qu'en dépit de quoi ça irait mal. Il ne bougea pas. Il semblait protégé par un mur invisible. Frappé de plein fouet par la luminosité de l'écran, la fixité de son visage se doublait d'une pâleur cadavérique du plus charmant effet.

— Richard, je ne te le répéterai pas, tu m'entends... ? !

Heureusement que personne d'autre que moi ne regardait la télé, j'en étais malade de honte. Je fus presque soulagé lorsque Gladys bondit en avant et ramassa un morceau d'étoffe qui se trouvait sur le sol. Je fus certain que plus personne n'écoutait.

— OH MAMAN !... REGARDE ÇA... !! REGARDE CE QU'IL A FAIT DE MA NOUVELLE ROBE... !! ESPÈCE DE SALAUD... !!

Ce qu'elle tenait à bout de bras comme un paquet de tripes encore fumantes, il aurait fallu se lever de bonne heure pour deviner ce que c'était. En tout cas, je n'en aurais pas voulu pour cirer mes bottes, et Sarah porta une main à ses lèvres et Gladys fut à nouveau prise de hoquet. Techniquement, la mise à mort était irréprochable. Trouée, déchirée, tailladée, et comme si un tel acharnement n'eût point été largement suffisant, cramée de bout en bout, la pauvre robe n'était plus qu'un torchon méconnaissable, un long cri repoussant.

— OH MAMAN... ! JE T'EN PRIE, FAIS QUELQUE CHOSE... !!

Sarah lui prit la robe des mains et s'avança vers Richard. Tout d'abord elle éteignit la télé. Ce n'était pas moi qui allais protester, mais Richard non plus ne dit rien, il continua à regarder droit devant lui comme si de rien n'était. Elle se pencha vers lui et l'attrapa sous le menton pour lui relever la tête.

— Richard, il va falloir que tu m'expliques..., lui dit-elle.

Il la repoussa. Je n'aurais pas aimé être à sa place, à la place de Sarah, j'en avais mal pour elle. Tout était tellement difficile entre elle et son fils, tellement tendu, tellement compliqué. Dès qu'ils se trouvaient l'un en face de l'autre, le temps se gâtait.

— Richard, j'attends...

Elle n'était pas la seule. Gladys essuyait ses larmes et retenait son souffle. Mine de rien, je posai une fesse sur l'accoudoir du canapé car une terrible fatigue me gagnait et le silence de la pièce devenait proprement étourdissant.

Lentement, il se tourna vers elle. L'espace d'une seconde, je crus que c'était Mat qui était là, mais le regard qu'il lançait à sa mère remit aussitôt de l'ordre dans mes sens abusés.

— Tu veux parler de cette *robe de pute* ? C'est de ça que tu veux parler... ? grinça-t-il.

— TU N'ES QU'UN PAUVRE CONNARD !! cria Gladys.

Sarah baissa les yeux sur la robe qu'elle sembla soupeser d'une main experte.

— Parce que toi, Richard, si j'ai bien compris, tu y connais quelque chose..., n'est-ce pas ?

— Ouais, je sais ce que je dis.

— Non, tu ne sais rien du tout. Ne te prends pas pour le bon Dieu du haut de tes quinze ans, crois-moi tu n'as encore rien vu.

— De toute façon, tu me le paieras, ça je te le jure...!! lança Gladys entre ses dents.

— Richard, ce n'est pas à toi de décider comment doit s'habiller ta sœur. Enfonce-toi bien ça dans la tête. Je t'assure que je ne plaisante pas.

Je comprenais les deux filles mais j'imaginais aussi ce qu'il ressentait. Je n'avais qu'une peur, c'était que l'un d'eux me prenne à témoin. Je n'avais qu'une envie, c'était d'oublier cette pénible histoire. N'ayant point bu, je me serais barré. Au lieu de ça, j'observais la scène sans dire un seul mot, l'esprit vaguement brouillé, profondément dégoûté par la manière dont se terminait cette soirée qu'un peu plus tôt je célébrais.

— Sur ce, lui dit-elle, je t'ai assez vu pour ce soir. Je monte me coucher. Gladys, viens avec moi...

Je les suivis des yeux tandis qu'elles grimpaient l'escalier serrées l'une contre l'autre. Richard n'avait pas bougé, si ce n'était que son cou avait disparu entre ses deux épaules. Je n'avais rien à lui dire de spécial mais je ne me décidais pas à le quitter tout de suite. Il n'était pas nécessaire qu'il me rangeât d'office dans le camp opposé.

Tout autour de nous, le silence sifflait. « Mat, pensai-je, si jamais tu l'as fait exprès, j'espère que tu connais toutes les flammes de l'enfer. »

Pour finir, Richard se tourna vers moi. Il n'était plus le même.

— Tu as vu ça ? Elle était transparente !
— Hum...
— Tellement mini qu'on lui voyait les fesses...
— Oh...
— Merde, est-ce que j'ai pas eu raison ?
— J'en sais rien, Richard.

Vraiment, je n'en savais rien.

Le soir de mon rendez-vous avec Elsie arriva enfin. J'étais vanné mais j'enfilai tout de même mon string façon léopard qu'elle m'avait offert pour mes quarante ans. Mon estomac débordait légèrement par-dessus. Par chance j'avais assez de poils sur le ventre pour créer l'illusion et faire passer la sanction des ans pour une ombre, du moins aimais-je à le croire, et ne racontaient-ils pas dans les journaux que les femmes trouvaient ça rassurant, je ne parle pas des poils bien sûr mais de ces quelques kilos embarrassants dont pour ma part aucun exercice ne venait à bout, aucune transpiration, d'après Max il fallait que j'arrête de boire sinon je n'arriverais à rien, ce n'était pas plus compliqué que ça. Pour sûr, c'était bien joli, mais mon corps n'était pas la chose la plus importante du monde, je n'en étais pas encore là. Je voulais bien essayer de limiter les dégâts, j'avais acheté un short et une paire de baskets, et je voulais bien faire le con quelques heures par semaine, seulement il ne fallait pas m'en demander plus que ça. L'important était que je tienne debout et que je sois en mesure de piquer un sprint aux côtés d'Hermann sans me couvrir de honte ou d'entamer une balade en montagne sans lui crier de m'attendre, sans glisser contre un arbre avec le cœur dans la bouche. Pour ce qui était des filles, je pouvais encore me montrer à poil, et ce que j'avais perdu en beauté je l'avais gagné en expérience. Si je ne leur donnais pas la beauté du ciel, n'en étais-je pas moins rempli de patience et d'attention, n'en étais-je pas plus doux, pouvait-on me reprocher de ne pas bander honnêtement, de ne pas me creuser la cervelle ?

J'avais particulièrement mal dormi tout au long de la semaine. Il y avait eu des orages et un changement de lune, et comme un fait exprès ma dernière nuit avait été la plus terrible, même que j'en étais tombé de mon lit en gémissant. Enroulé dans mon drap, je m'étais planté devant la fenêtre et j'avais regardé l'orage d'un œil hébété, c'était presque aussi reposant que de rester allongé.

J'avais dû boire tellement de cafés au cours de la journée que j'en avais les mâchoires toutes serrées, les jambes raides, et mes yeux étaient rouge coquelicot. Inutile de dire que ma séance avec Marianne Bergen avait été mouvementée. Je revoyais toutes ces feuilles voler dans la corbeille, je me revoyais en train de soupirer qu'on n'arrivait à rien, que tel passage me flanquait le vertige, qu'on ferait mieux de tout remettre au lendemain. Mais elle voulait continuer malgré tout, par-dessus tout, en dépit de tout, car d'après elle le meilleur arrivait lorsqu'on était au bout de ses forces. Mon Dieu, qu'est-ce qu'il ne fallait pas entendre, où se croyait-elle, sincèrement, s'imaginait-elle que nous écrivions quelque machin impérissable... ?! Tout ce qu'elle avait à la bouche c'était : « Je veux donner le meilleur de moi », à un moment où je pouvais à peine tenir debout, où je ne pouvais lire trois lignes de mes yeux irrités sans qu'il me vienne des larmes, où réfléchir m'était insupportable, où tout me faisait chier.

— Ecoutez, Marianne, je suis fatigué...

— Oh ! Allons-y ! Allons-y !! ALLONS-Y... !!

Le problème de cette fille, c'est qu'elle était à moitié cinglée. Je n'avais pas encore rencontré ses parents mais je prévoyais facilement le pire, il suffisait de jeter un coup d'œil sur la baraque, de s'asseoir un instant dans le salon pour imaginer la laideur des gens qui l'habitaient, et pourtant je ne suis pas un type méchant. Il n'y avait qu'à regarder ce qu'ils avaient fait de leur fille.

Elle était persuadée qu'un don sommeillait en elle, en *Marianne Bergen*. Elle avait essayé le piano, puis la peinture et la littérature, mais les résultats n'étaient pas à la mesure de ce qu'elle en attendait. Maintenant il s'agissait du cinéma. On était en droit de se demander ce qui viendrait après mais pour elle, à l'entendre, c'était ça ou la mort. Comme il y avait eu la peinture ou la mort, la littérature ou la mort, et qui sait, sans doute y avait-elle sincèrement cru sur le moment, il n'était que de l'écouter délirer sur son fichu scénario. Tous ses élans, toutes ses tentatives me la rendaient très vaguement sympathique. Il fallait voir l'urgence, la rage désespérée qui semblait l'habiter dès que nous nous mettions au travail. Mais pour combien de temps ? Toute la question était là. Peut-être que j'allais me pointer un matin et trouver à ma place un professeur de clarinette. Dans son genre, ils étaient légion, ceux qui se donnaient six mois ou un an, enfin deux *au maximum*. Quand je pense que si j'avais continué à écrire, je n'aurais pas eu assez de toute ma vie.

— Ça va ? me demandait Paul. Vous vous en sortez bien tous les deux... ?

— Mmm..., divinement bien !

— Dan, tu ne peux pas savoir à quel point je m'en veux...

— Tu as tort. C'est une vraie lune de miel... !

En sorte que lorsque je débarquai chez Elsie, je ne crachais pas des flammes.

— Mais à quoi penses-tu... ? me lança-t-elle brusquement.

Je sursautai. Nous venions juste de finir et je m'amusais à glisser le tranchant de ma main entre ses jambes, ma tête reposant sur son ventre, l'oreille collée aux doux et mystérieux borborygmes qui grondaient en elle comme des avalanches de montagne. Eh bien, que se passait-il ? La branlais-je de travers, n'y avait-il pas moyen de souffler une seconde... ?

— Dan, tu es sûr que tu ne t'es pas endormi ?

Je m'apprêtais à lui demander si elle voulait rire lorsque je sentis que ma main était *collée* dans sa fente et qu'un peu de salive séchée luisait sur son con épilé.

— Bon sang, Elsie, pardonne-moi... Figure-toi que je ne dormais pas, tu plaisantes, mais que je me sois mis à rêver, ce n'est pas impossible...

— N'empêche que tu n'as pas l'air en forme.

Je me composai un sourire lubrique et lui versai aussitôt une demi-bouteille d'huile parfumée sur le ventre que j'étalai sous son caraco en un tour de main.

— Tu sais, si tu n'en as pas vraiment envie..., minauda-t-elle.

— AH AH... ! !

— Oh Dan, allons-y ! Allons-y ! ! ALLONS-Y... ! !

Pourquoi ne s'étaient-elles pas battues autour de moi lorsque j'avais vingt ans, que mon corps crachait le feu, que ronronnait mon esprit immaculé ?

Vers le milieu du mois de novembre, une tempête de froid s'abattit sur tout le pays. Dans la rue, les gens parlaient de leur facture de gaz et de la fin du monde. Lorsque je partais en moto, je devenais tout bleu, mes articulations se pétrifiaient, et dès que j'arrivais quelque part, je fonçais sur le premier radiateur venu. Mon préféré se trouvait dans le bureau d'Andréa, un vieux modèle en fonte avec des éléments ouvragés d'où je ne décollais plus, me laissant offrir des cafés par les jeunes écrivains qui passaient et m'accordaient trois mots, des types à qui j'étais en train de sauver la vie par mon sacrifice et qui tenaient à me remercier et à m'encourager, à qui je répondais que ce n'était rien.

Tout le monde savait que Dan payait de sa personne. Andréa les avait tous mis au courant et je ne me gênais pas pour en rajouter discrètement, glissant quelques soupirs dans la conversation et ne me fendant, à la seule évocation de Marianne Bergen, que d'un sourire désabusé. « Bon sang, ça doit être moche ? me disaient-ils. Dis donc, vieux, j'espère que tu as lu mon dernier bouquin... ? !

Non, mais j'espérais qu'ils se donnaient au maximum et que tous mes efforts n'étaient pas vains. J'espérais sincèrement qu'ils ne se faneraient pas tous et qu'au moins l'un d'eux deviendrait un écrivain. Ce que j'aimais en eux, c'était le fantastique espoir qu'ils représentaient et j'estimais que lorsque l'on tombait en chemin, ainsi que ça m'était arrivé, il fallait se débrouiller pour repasser le flambeau. Bien sûr, mon dévouement n'était pas uniquement dicté par une intention aussi pure, mais il y avait quand même un peu de ça et j'y puisais quelque consolation.

Sortant de chez Paul, un beau matin, je me lançai dans un froid de canard et abordai la bretelle du périphérique en repensant à ce qu'il venait de m'annoncer. C'était une idée qui le travaillait depuis longtemps, une envie secrète, et il pensait que le moment était venu.

— Dan, c'est maintenant ou jamais. Pendant qu'il me reste encore des forces. Je vais tirer cette dernière cartouche.

— Ecoute, je sais pas si c'est une très bonne idée...

— Ah, comment te dire... Je *sais* que je dois le faire.

— Bon. Mais ne compte pas sur moi.

Je revoyais la scène. Il avait sorti une bouteille pour m'entretenir plus précisément de l'histoire, ce salaud me connaissait. Tout à coup, je me suis senti partir dans le virage et, revenant cruellement à la réalité, j'ai réalisé que la chaussée brillait d'une manière inhabituelle et que j'étais bel et bien en train de me casser la gueule.

Le choc ne fut pas terrible. Je lâchai la moto puis partis sur le dos en tournoyant sur ma plaque de verglas comme un champion de patin à glace. Je n'avais plus qu'à prendre mon mal en patience et attendre que cette ennuyeuse glissade s'arrête. Par chance, la bretelle était déserte et n'eût été le sifflement léger de mon blouson sur le tarmacadam gelé, je me serais cru dans mon lit, en toute tranquillité, les yeux fixés au plafond et embarqué dans quelque voyage dont j'étais le spectateur impuissant.

Grâce au Ciel, ma tête passa à deux centimètres de la glissière. Ce ne fut que ma jambe qui se brisa en deux.

Ce jour-là, le rempart que j'avais patiemment édifié autour de moi, qui tant m'avait coûté en sacrifices et dont l'histoire n'était que l'écho de déchirantes ruptures et de renoncements, tout soudain s'effondra. En un rien de temps, la baraque fut envahie, j'eus l'impression qu'il en arrivait de tous les côtés à la fois. Des hommes, des femmes, des enfants. Des *femmes*, oui parfaitement, et mon serment fut bafoué, ridiculisé, piétiné, balayé avant même que je n'eusse le temps d'ouvrir la bouche. Habitué que j'étais à n'en repousser qu'une à la fois, je fus aussitôt renversé par le nombre et c'est d'un œil atterré que j'allais ouvrir ma porte pendant que l'une d'elles chantonnait dans ma cuisine.

A croire que tout le monde s'était passé le mot. Plus je répétais que je n'avais besoin de rien, plus on me trouvait idiot et c'était à qui arrangerait mes coussins, s'ingénierait à me distraire, tout le monde se devait d'aller réconforter ce vieux Dan qu'un sinistre accident clouait entre ses murs.

Sarah passait presque tous les jours, enfin c'était Sarah, c'était différent, Sarah j'étais d'accord. Seulement que dire d'Elsie, de Marianne Bergen, d'Andréa, quand elles ne se pointaient pas avec une de leurs copines, que dire de toutes ces filles qui passaient à la maison au bras de leurs copains ? Bon sang, je le répète, est-ce que je n'avais pas juré que plus *aucune* femme ne mettrait les pieds chez moi... ? ! Ah, qu'elles fussent vieilles ou chiantes ou moches, qu'il n'y eût pas le moindre danger, là n'était pas la question, un serment restait un serment. Or, qu'en était-il advenu brusquement, n'en voyais-je point s'installer tranquillement dans mes fauteuils en croisant les jambes, n'envahissaient-elles pas mon salon de leur parfum, est-ce qu'elles ne touchaient pas à tout, ne pouvais-je constater après leur départ que régnait dans la pièce un invisible désordre, que le silence lui-même vibrait de leur empreinte... ?

Ainsi donc, ma douleur était double, mon serment

s'étant brisé à la suite de ma jambe. Lorsqu'on me laissait seul, je regardais fixement mon plâtre, mais au fond je me sentais ligoté sur ma chaise, définitivement trahi et le poids de ma jambe n'était rien comparé à cette épouvantable invasion. Qu'il s'en vînt un car tout entier, pendant qu'on y était, avec leurs brosses à dents et leurs sacs de couchage, qu'avant d'être enfermé je rigole un bon coup.

— Tu es ridicule, me disait Sarah.

— Oui. Profondément.

Il y en avait un toutefois que ce défilé amusait et qui rentrait de l'école avec le sourire aux lèvres. S'il s'était mis de mon côté, s'il avait manifesté la moindre contrariété à la vue de tout ce remue-ménage, j'aurais trouvé le moyen de jeter tout le monde dehors et j'aurais verrouillé ma porte et mon serment serait toujours debout.

— Tu sais, Hermann, tu n'as qu'un mot à dire. N'oublie pas que tu es chez toi ici. Moi-même, cet incessant va-et-vient...

— Oh non, tu veux rire ! Ça met un peu d'ambiance...

— Hum, bien sûr... Mais un peu de tranquillité n'a jamais fait de mal à personne, tu peux me croire.

— Bah, ça fait pas de mal non plus de voir un peu de monde...

Je savais très bien où était le problème, je savais qu'un jour ou l'autre il allait se poser, ou plutôt qu'il avait toujours existé et qu'il allait en s'amplifiant. Franchement, j'en avais assez vu et je nourrissais un sérieux penchant pour les îles désertes depuis quelques années, je crois que je n'aurais rien regretté, ou si peu lorsque j'y réfléchissais, je n'avais plus de besoins extravagants. Mais le bât blessait car à mesure que je me fermais au monde, Hermann s'y ouvrait. Et je n'avais pas l'intention de m'y opposer ni de l'abandonner pour pouvoir suivre ma route. Seulement ça ne m'amusait pas.

Trimbaler ce plâtre non plus ne m'amusait pas. Le jour du match de Gladys, j'en ai sué sang et eau pour grimper jusqu'en haut des gradins, je n'y serais pas arrivé sans l'aide de Richard et d'Hermann qui m'avaient empoigné chacun d'un côté et qui ne ménageaient pas leur peine. C'était une magnifique journée, fraîche mais pleine de lumière, et pour des quarts de finale, il y avait beaucoup de monde. Dès que nous fûmes installés, j'achetai plusieurs canettes de bière et du jus d'orange pour Sarah, et nous avons salué Max en les brandissant vers le ciel dès qu'il nous aperçut, qu'il nous fit un signe de la main. Il y avait Marianne Bergen avec nous.

Je lui avais téléphoné pour la prévenir que je ne pouvais pas bosser ce jour-là, je lui avais parlé du match de Gladys que je ne pouvais absolument pas manquer, mais qu'elle ne s'inquiète pas, demain on mettrait les bouchées doubles. « Oh, eh bien, ma journée est fichue..., avait-elle soupiré. Est-ce que je ne pourrais pas venir... ? » Je ne voyais pas pourquoi elle n'aurait pas pu venir.

Elle était assise à côté des deux garçons et, sous le soleil, sa peau paraissait encore plus blanche que d'habitude. Hermann et Richard la buvaient des yeux et je me souvins à cette occasion que lorsque j'avais à peu près leur âge, j'étais attiré par ces filles d'allure maladive, mais je n'aurais pas su expliquer pourquoi. Je soufflai cette pensée à l'oreille de Sarah qui me répondit que c'était tout simple, que je devais avoir envie de grimper une femme morte. « Pour un jeune type qui n'a encore jamais fait l'amour, c'est ce qui doit sembler le plus facile, est-ce que je me trompe... ? Enfin c'est un bon truc pour essayer... » J'ai hoché gravement la tête avant de me concentrer totalement sur ma bière qui moussait en toute simplicité.

En bas, Max tiraillait son pantalon, la partie allait sans doute bientôt commencer, d'ailleurs les plus tarés agitaient déjà leurs petits drapeaux aux couleurs des deux équipes. Dès que les filles entrèrent sur le terrain,

Marianne se leva en demandant où se trouvaient les petits coins. Il y a des gens comme ça. Il y a des filles qui vous pisseraient au beau milieu d'un enterrement pour histoire simplement de ne rien faire comme tout le monde. En général, c'en sont des dont les parents ont de l'argent, des qui ont la vie facile et qui donc à se la compliquer opiniâtrement s'emploient.

Le chemin n'était pas très évident à indiquer, il fallait descendre et s'appuyer toute une série de couloirs. Je lui demandai si ça ne pouvait pas attendre, mais Richard s'offrit de l'accompagner. Elle avait de la chance. Elle enjamba mon plâtre en s'excusant, tandis que la partie commençait.

— Drôle de fille..., murmura Sarah.

— Hum... Je te l'ai dit. Finalement, je crois qu'elle m'emmerde.

— Ah, tu exagères, moi je la trouve gentille..., s'indigna Hermann.

— Ouais, bien sûr qu'elle est gentille, mais toi et moi on ne la regarde pas de la même façon. Moi je ne suis pas sensible à ses charmes...

Je savais parfaitement qu'il allait rougir. Chaque fois que je débusquais le petit garçon qui restait en lui, ça me rappelait que j'avais vécu avec une femme et en ces occasions je ne ressentais aucune amertume mais au contraire un bonheur très particulier, tout bonnement indéfinissable, que je ne cherchais surtout pas à décortiquer. Mais plus les jours passaient, plus ces instants devenaient rares, aussi les distillais-je d'un sourire béat avec d'infinies précautions pour m'en imprégner de la moindre goutte. Ah, pour grandir, il grandissait, et lorsque le souvenir de sa mère me rongeait la nuit et que j'entrais dans sa chambre pour le regarder dormir, je me rendais compte à quel point tout nous filait entre les doigts, comme son corps s'était allongé, comme son odeur avait changé, et la tignasse qu'il se payait à présent, c'était encore ce qui m'étonnait le plus, des cheveux drus et puissants aussi épais que du fil de fer et qui s'étaient assombris tout doucement, je me rendais compte que Franck allait bientôt me quitter pour de bon.

C'est tout juste si je n'en souriais pas encore quand Richard et Marianne sont revenus. J'en profitai pour jeter un coup d'œil au tableau en plissant des yeux, car le plus bizarrement du monde nous étions dégoulinants de soleil, pis qu'une éclaboussure de printemps, c'était à ne pas croire que j'aie pu aller me chercher une plaque de verglas quelques jours auparavant. L'équipe de Gladys avait trois paniers d'avance. Tiens, me dis-je, mais c'est qu'ils sont restés drôlement longtemps pour une histoire de W.-C., je me suis demandé ce qu'elle avait encore pu inventer, peut-être qu'elle n'avait pas réussi à se décider... ?

— Nous sommes retournés en ville pour acheter du champagne, annonça Richard tout en nettoyant ses lunettes de soleil. C'est Marianne qu'il faut remercier.

Je me penchai en avant pour la regarder mais elle semblait complètement absorbée par le match. Elle cramponnait une de ses jambes et son menton reposait sur son genou. Au fond, je n'avais qu'à me féliciter de l'avoir amenée puisqu'elle plaisait bien aux garçons et qu'elle avait l'air de rester tranquille. C'était d'ailleurs la première fois que je la voyais en dehors du boulot, et depuis quelques jours, depuis qu'elle venait bosser chez moi et qu'elle croisait toutes mes connaissances, je la sentais intriguée, pour ne pas dire vivement intéressée, et dès qu'elle levait la tête pour voir entrer l'un de mes visiteurs, j'en profitais pour procéder discrètement à certaines coupes sombres dans le scénario, ce qui d'ordinaire lui aurait fait pousser des hauts cris et nous aurait entraînés dans d'interminables discussions, chose que par-dessus tout j'appréhendais.

Aimait-elle les artistes, les musiciens, les écrivains, s'excitait-elle à la vue de toute cette bande de cinglés... ? Dans ce cas, elle était servie et pour le compte elle ne tenait plus en place sur sa chaise et n'y posait plus qu'un genou et cherchait des poses. « Oh, Marianne, que je vous présente... », et tandis qu'ils se débrouillaient entre eux, je démarrais comme une fusée, raturant, griffonnant, semant l'effroi sur mon passage, m'épargnant en quelques minutes de longues heures de tiraillements.

J'avoue qu'une telle ambiance avait de quoi l'étonner mais mon histoire était connue de tous, on savait que j'avais dérouillé et que je ne laissais pratiquement entrer personne chez moi, c'était mon côté original, le bruit courait que c'était le chagrin qui m'avait rendu à moitié dingue et on n'insistait pas. Quoi de surprenant, dès lors, à ce que nous vissions débarquer un peu de monde si l'on songeait que j'avais plus ou moins barricadé ma porte depuis bientôt cinq ans et qu'enfin je l'ouvrais. Ma foi, on aime tout ce qui est un poil nouveau dans ce milieu et il passait pour à moitié largué celui qui n'avait pas encore fichu les pieds dans le sanctuaire du petit Dan.

Marianne était sciée. J'espérais qu'elle allait le rester, au moins jusqu'à ce que nous en ayons fini avec notre histoire, et je ne souriais pas encore mais ça en prenait le chemin, je pouvais presque sentir l'odeur de l'écurie.

Gladys aussi, sans aucun doute. Toutes les filles de son équipe avaient le sourire et ces dernières minutes de jeu étaient à ce point dénuées de suspense que je me surpris à bâiller. Heureusement, il restait une canette de bière, juste de quoi patienter en attendant mieux.

Nous sommes allés vider les bouteilles de champagne chez Max parce que c'était lui qui habitait le plus près et qu'il faisait encore si bon que nous voulions marcher un peu, si bon que même un type avec des béquilles pouvait en avoir envie. Max n'avait encore rien bu mais il sautillait littéralement à mes côtés.

— Bon Dieu, l'adjoint au maire est venu me serrer la main, piaffait-il. Ce connard, j'ai cru qu'il allait m'embrasser les pieds ! L'année dernière, paraît-il que j'étais devenu trop vieux, mais est-ce que tu l'as vu tout à l'heure, est-ce que t'as vu cette gueule enfarinée... ? !

Je lui répondis que je n'en avais pas perdu une miette, ce qu'entendant il passa la main par-dessus mon épaule.

— Danny, il faut que je la ramasse, cette coupe, tu m'entends, je la veux ! Non mais vraiment, tu l'as vu ce pauvre petit demeuré... ? !

Ça sentait la sueur, chez Max, la vieille sueur et les coussins étaient couverts de poils de chat et le moindre objet semblait fatigué quand ce n'était pas plongé dans un sommeil profond, mais il y régnait un certain ordre. Max vivait seul mais il essayait de ne pas se laisser déborder.

« Bientôt, tu te rendras compte d'une chose, me disait-il, c'est que plus on vieillit, plus le corps se met à puer... ! » En fait, je l'avais déjà remarqué, l'odeur de mes aisselles, entre autres, était devenue plus forte. « Ouais, mais y a pas que les aisselles, Danny... Tu verras... » D'après lui, il n'y avait rien à faire, il avait beau se laver tous les jours et ouvrir les fenêtres quand il pratiquait sa gymnastique matinale, l'odeur persistait. « Merde, et je suis allergique à tous ces machins en bombe, je te charrie pas... » Au fond, personnellement, je m'en fichais, ça ne me gênait pas particulièrement. D'ailleurs il se pouvait fort bien, et c'était l'avis de Sarah, que je n'eusse pas un odorat très développé. Ce que j'en disais, c'était pour lui, lorsque nous discutions ensemble et qu'il se plaignait de la solitude. « Bah, te fatigue pas, Danny, ça doit être ça l'odeur de la mort. Y a pas moyen de s'en débarrasser... » Je lui avais dit un jour qu'il nous les cassait avec son âge, qu'il n'était pas si vieux. « Ah vraiment... ? Mais dis-moi voir, Dan, qu'est-ce que tu sais de ces choses... Est-ce que t'as envie de prendre ma place pour savoir ce que je ressens... ? »

Enfin toujours est-il qu'il était ravi de nous avoir chez lui, à tel point qu'il s'emmêla avec ses clés pendant une bonne minute avant de pouvoir actionner la serrure.

— Holà, les enfants! Ouvrez-moi les fenêtres en vitesse, qu'on respire un peu...! lança-t-il aussitôt, avant même que nous n'ayons mis un pied dans la place. Vous ne sentez rien, mademoiselle...? ajouta-t-il d'un air inquiet à l'adresse de Marianne Bergen.

— Non, je suis enrhumée.

— Parfait. Eh bien, que chacun trouve un coin pour s'asseoir pendant que je m'occupe des verres... Je crois que nous ne l'avons pas volé.

J'en ai pris une bonne cet après-midi-là, si bien que je ne me souviens plus de grand-chose. Ce n'est pas dans mon habitude de me soûler en plein jour et j'évite de le faire en public, mais j'étais resté trop longtemps au soleil, je considère que ce fut comme un coup de poignard dans le dos.

Plus tard, j'ai raconté aux flics et à son père que nous avions passé quelques heures formidables, que nous avions discuté et ri ensemble, que nous avions fêté la victoire de Gladys pratiquement jusqu'à la tombée de la nuit et qu'elle semblait contente, qu'au lieu de nous serrer la main sur le trottoir, elle nous avait embrassés.

A ce propos et bien que j'eusse été complètement soûl, je revoyais parfaitement la scène et je me souviens avoir tiqué lorsqu'elle se pencha vers moi, que je m'en suis tout raidi sur mes béquilles, non pas que le contact de ses lèvres me fût désagréable, mais j'estimais qu'elle allait un peu vite. Bien sûr, je gardai cette réflexion pour moi, n'empêche que ça m'avait agacé.

— Attends, je vais t'aider à monter..., me proposa Hermann.

— Non, inutile.

Je ne sais pas comment ça se passe pour les autres mais en ce qui me concerne, je reste singulièrement lucide lorsque j'ai trop bu. C'est mon corps qui ne veut plus rien savoir et me cogné-je accidentellement contre un meuble que j'ai l'impression qu'il s'est jeté sur moi. Ça me contrariait qu'Hermann me voie dans un état pareil, j'aurais préféré qu'il montât se coucher, cependant il me fit gentiment remarquer que nous n'avions pas encore mangé et qu'il ne savait pas pour moi, mais il avait faim.

J'allai m'échouer dans un fauteuil, laissant tomber mes deux béquilles de chaque côté et poussant un faible gémissement, tandis qu'Hermann bifurquait vers la cuisine. J'abandonnai alors toute velléité de gagner ma chambre, je connaissais le chemin, ses deux virages et ses dix-sept marches, et ce qui n'était qu'une douce plaisanterie dans la journée pouvait se transformer, le soir venu, en un parcours redoutable où je faillis plus d'une fois me briser les reins. Il était tout à fait hors de question que follement je m'y aventurasse avec ma jambe plâtrée, d'autant qu'il suffisait qu'Hermann me passât une couverture et m'enlevât la lumière du plafond, c'était tout juste si je ne l'entendais pas ricaner et fourbir ses marches, ce bougre d'escalier.

— Tu veux quelque chose... ?
— Non, fils. Tout va bien.

Il s'était confectionné un sandwich dont je ne voyais dépasser qu'une feuille de salade molle, ce qui n'était pas de nature à me faire changer d'avis. Il s'était planté devant moi et me regardait en souriant.

— Je ne sais pas ce que tu en penses, lui dis-je, enfin j'avoue que j'ai un peu forcé...

L'espace d'un instant, j'avais eu l'intention de lui expliquer je ne sais quoi, mais il n'y avait rien à expliquer et je terminai ma phrase d'un geste las, ce qui le fit carrément rire. Aussi gloussai-je à mon tour.

— Merde, Hermann..., si ta mère était là... ! Bon Dieu, tu sais que je suis incapable de lever le petit doigt... ? !
— Oui, je vois...
— Ecoute... Je sais que par moments je ne m'y prends pas très bien, il ne faut pas m'en vouloir...

En temps normal, je haïssais ce genre de lamentations.

— Ouais... ajoutai-je, j'aime autant te dire que c'est dur.

Il cessa aussitôt de me regarder et mordit un bon coup dans son sandwich. Il y avait certain terrain sur lequel il ne voulait pas se laisser entraîner et j'avais de la chance de vivre avec lui, il savait couper court à toutes mes jérémiades. En fait, c'est grâce à lui si j'avais appris à serrer les dents. Entre autres. C'est incroyable tout ce qu'un père peut apprendre de son fils.

Il ne resta pas trop longtemps avec moi. Sans doute voyait-il les efforts que je faisais pour lui tenir un semblant de compagnie et finalement eut-il pitié de moi, de mon élocution de plus en plus difficile, de mon air abruti, de mes grands yeux vitreux. Il m'enveloppa dans une couverture en prenant soin de la coincer pour qu'elle ne tombe pas, mais je l'arrêtai en chemin, je lui dis que ça allait comme ça, que j'allais me débrouiller. Que je n'avais pas besoin qu'on s'occupe de moi. Il se redressa aussitôt et je me rendis compte que je l'avais blessé. Mais je n'étais pas en mesure de réparer quoi que ce fût. Je ne méritais rien.

Sur ce, je bus encore un verre ou deux après qu'il m'eut laissé. Pour me punir. Pour voir à quel point j'étais pitoyable. J'aurais voulu glisser de mon fauteuil et tomber par terre, mais je restais cloué dans mes coussins, riant tout seul, secouant la tête comme un âne. Je ne pouvais rien me cacher.

Ainsi que je devais l'apprendre un peu plus tard, c'est à l'heure environ où je me livrais tranquillement à ces tristes réflexions se rapportant à ma nature profonde que Marianne Bergen se fit taper dessus et violer quelque part derrière le stade, dans ce coin envahi de genêts où Max et moi allions courir quelquefois. Pourtant, comme de coutume, j'avais l'oreille dressée, et je puis affirmer que nul silence ne fut aussi

74

brutal qu'à cette heure de la nuit et oncques ne connut une telle intensité.

— C'est sûrement un Noir ou un Arabe, me confia l'inspecteur.
— Peut-être un croisement des deux... ? lui proposai-je.

Je faillis vomir mon café. Mais je le rattrapai dans ma bouche et me le ravalai.

Dès qu'il s'en fut allé, on sonna à la porte et je compris immédiatement que je ne voulais voir personne. Je ne répondis pas. On sonna et resonna. Il y en a qui ont de la suite dans les idées. M'approchant discrètement de la fenêtre, je reconnus vaguement un de ces écrivains, à moins que ce ne fût un des musiciens d'Elsie ou le copain d'un copain qui touchait peut-être à la peinture ou à je ne sais quoi, enfin c'était tout à fait le genre de gars que je n'avais pas envie de voir, je ne me sentais pas d'humeur à ce qu'on vînt me taper sur l'épaule ou à me laisser raconter la dernière histoire qui courait. Ça ne m'intéressait pas de connaître les nouvelles tendances de l'avant-garde. Ça ne m'amusait plus comme autrefois.

Lorsque la voie fut libre, je sautai sur mes béquilles et sortis. J'avais besoin de prendre l'air et de garder mon esprit au repos, tout au moins à l'abri de ces discussions inutiles qui n'avaient plus d'intérêt pour moi, particulièrement lorsque je me sentais fatigué. Et j'étais vidé, me payais un sérieux mal au crâne, m'avançais lourdement dans un brouillard nauséeux. Il me fallut marcher un bon moment avant que l'air frais ne me fît du bien, que ne s'envolât presque entièrement ma migraine sous l'effet d'un peu de sueur glacée.

Je ne me souvenais pas avoir décidé d'emprunter le chemin du lycée mais je tombai en plein dessus. J'ai parfois l'impression qu'où que je sois et sans savoir du tout où il est, je pourrais me lever et marcher tout droit en direction d'Hermann, c'est quelque chose que je n'arrive pas à expliquer mais c'est comme ça. C'est amusant et j'en suis le premier étonné. Il suffit d'un rien pour que s'éveille en moi ce réflexe animal. La plupart du temps, je ne sais même pas ce qui l'a déclenché.

J'aperçus Max en longeant les grilles du stade. Il avait mis une classe entière sur le dos et les pauvres pédalaient dans le vide, les mains croisées derrière la tête. Ce n'était que joues roses, grimaces et langues qui pendaient, j'entendais Max leur demander ce qu'ils avaient dans le ventre, d'autant qu'ils devaient tenir encore cinq bonnes minutes, au bas mot. Des feuilles mortes volaient dans le ciel et tourbillonnaient autour d'eux.

Je l'appelai, il les avertit qu'il gardait un œil sur sa montre et qu'il continuait à les surveiller, même s'il n'en avait pas l'air. Puis il s'amena au petit trot vers moi.

— Toi, tu devrais y aller mollo, me dit-il. Je ne sais pas si tu t'es regardé mais on dirait que tu files un mauvais coton...

— Ouais, mais c'est pas ce que tu crois. Marianne Bergen, tu sais la fille qui était avec nous hier, figure-toi qu'elle est à l'hôpital. Elle a été violée, on l'a retrouvée à moitié morte !

Il ouvrit la bouche sans rien dire puis empoigna lentement les barreaux de la grille.

— Tu vois, toi non plus tu n'as pas très bonne mine...

— Tu déconnes..., souffla-t-il.

— Non. Pas avec ce genre de choses.

— Mince... J'arrive pas à le croire... Mais comment ça... ?

— J'en sais rien. Le type lui a flanqué un tel coup sur la tête qu'il a failli la tuer.

— Oh merde...

Derrière lui, presque tous ses élèves avaient cessé de pédaler et les derniers tombaient comme des mouches en râlant. Je ne voulais surtout pas manquer Hermann et n'avais pas grand-chose à ajouter, sinon qu'on se verrait plus tard et qu'il trouverait sûrement tous les détails dans le journal. Il hocha la tête et m'envoya un long regard vide, puis s'en retourna sans un mot en titubant légèrement vers le terrain où l'exercice avait immédiatement repris dans les rangs avec le plus parfait ensemble.

Hermann eut l'air surpris et tout autant contrarié de me voir, et il y avait une bonne raison à cela. Nous tombâmes nez à nez juste à l'angle de la rue et je suis presque certain qu'il lâcha aussitôt la main de Gladys, mais je ne pourrais pas le jurer, enfin toujours est-il qu'ensemble ils étaient et qu'ensemble ils s'en rentraient et point de Richard à l'horizon. Pour ce qui est de réagir, les filles ont toujours une longueur d'avance et pour ce qui est de noyer le poisson, Gladys me sauta au cou.

— Oh ! Salut, Dan !

— Ben qu'est-ce que tu fais ici... ?

— Hum, rien de spécial. Je me baladais et je me suis dit que tu allais bondir de joie si ton père venait te chercher... Est-ce que je me trompe ?

Il se décida à sourire. Je serais bien resté jusqu'à la fin mais je fis en sorte que mon regard ne devînt pas trop insistant.

— On reste plantés là ? demanda-t-il.

— Non, mais n'essayez pas de me semer, dis-je.

Officiellement, Franck m'avait quitté parce que je m'étais mis à boire, elle prétendait que je n'étais plus le type qu'elle avait épousé et, d'une certaine manière, elle avait raison. Je m'étais pris pour un écrivain et le succès aidant j'y avais vraiment cru, jusqu'au jour où je n'avais plus été capable d'écrire une seule ligne et il me fallut du temps pour comprendre ce qui m'arrivait.

Au fond, ce n'était pas si terrible que ça de ne pas être un véritable écrivain, il y avait des choses beaucoup plus importantes dans la vie, mais à l'époque je le pris très mal, j'avais envie de le briser contre les murs ce crâne dont plus rien ne voulait sortir, j'en ai pleuré de rage et j'ai maudit tout l'univers, mais je me suis excité pour rien, les anges ne sont pas descendus du ciel et mes lecteurs m'envoyaient des lettres pour savoir ce que je fabriquais.

L'alcool ne m'a pas aidé à retrouver l'inspiration mais il m'a permis de me voir tel que j'étais réellement et Franck profita du spectacle. « On dirait un fou enfermé dans une cage ! me disait-elle. Sincèrement, je te plains, je te plains vraiment... » Ce n'était que vers la fin qu'elle me plaignait, lorsqu'elle avait trouvé cet imbécile d'Abel pour la consoler et qu'il semblait que nous eussions épuisé nos dernières forces à nous engueuler.

Ce n'était pas de sa faute, personne ne pouvait savoir ce que je ressentais, souvent c'était encore pire que de mourir, enfin c'était ce que je croyais et rien ne me dit qu'au fond je ne suis pas mort plusieurs fois, je me haïssais à un point tel que je m'imaginais en train de m'ouvrir le corps pour le remplir de terre.

— Tu charries ! me coupa Sarah.

— Non, ne crois pas ça, je suis encore loin de la vérité. Elle avait raison, j'étais devenu complètement fou. Dans mon esprit, la femme d'un écrivain devait pouvoir tout supporter, le problème c'est que je n'étais pas un écrivain, et ça, j'ai mis du temps avant de le comprendre, beaucoup trop longtemps. Sans compter que je n'entendais pas écrire un petit bouquin sans prétention, je te prie de me croire... Seulement voilà, j'avais placé la barre un peu trop haut. Tu sais, ce qui peut arriver de pire à un homme, c'est de ne pas connaître ses limites.

— Oui, mais maintenant, tu t'es braqué là-dessus.

— Non. Peut-être que je me remettrai à écrire dans vingt ou trente ans. Mais sûrement pas avant. Je suis un peu comme un type qui a tué sa femme dans un accident de voiture. Ce n'est pas demain la veille que je vais reprendre le volant. Je vais attendre de n'avoir plus rien à perdre.

— C'est pour Hermann que tu dis ça ?

— Bien sûr. Je ne le laisserai pas me voir plonger une deuxième fois, sois tranquille... N'oublie pas que je suis son père, je lui donne assez de soucis comme ça... Non, tu sais, j'ai longtemps cru que les choses ne pouvaient pas attendre, mais je n'en suis plus là.

— Ecoute... Paul a l'air sérieusement emballé. Moi à ta place, je réfléchirais.

— Ouais. C'est tout réfléchi.

— Je te comprends pas. Moi je trouve ça génial !

— Pfff..., quand je pense qu'avec tout cet argent, on aurait pu aller ouvrir un bordel à Hong-kong...

Sarah gara la voiture juste devant le bâtiment, mais il pleuvait et la nuit était tombée, on ne risquait pas de voir grand-chose de dehors. Les fenêtres du bas étaient allumées. J'espérais que Paul avait prévu quelque chose car je commençais à avoir faim.

— Ah, Sarah ! Dan, mon vieux, C'EST TOI... ? ? !

Il venait d'apparaître sur le perron, une écharpe blanche autour du cou, les cheveux ébouriffés par le vent, les bras tendus vers nous, le visage illuminé. Il dévala les marches. J'avais à peine sorti mon plâtre de la voiture qu'il se cramponna fermement à mon bras avec un sourire de conspirateur.

— Alors... Alors, Dan... ! Qu'en penses-tu... ? !

— J'y vois rien..., marmonnai-je.

— Formidable, n'est-ce pas ? Et tu n'as encore rien vu... !

— Ouais, c'est ce que je suis en train de te dire.

Non seulement il ne m'écoutait pas mais il ne se souciait pas de la pluie et, au lieu de m'aider à grimper les marches, il me prit par les épaules et me fit tanguer sur mes béquilles. Il planta ses yeux dans les miens tandis que des gouttes roulaient sur nos cils.

— Dan, on va faire un sacré boulot, tous les deux... !

— Non, Paul, ça m'étonnerait...

— Ah tais-toi. Ne dis rien. Tu es encore un enfant...

Il me regardait si intensément que j'eus pitié de lui et ne répondis rien.

— N'es-tu pas venu ? insista-t-il.

— Je suis venu parce que tu me l'as demandé, uniquement pour te faire plaisir. Ne commence pas à rêver. S'il te plaît.

Son visage se détendit. Il me tritura un instant les épaules puis soupira profondément mais avec douceur et indulgence, comme si mon entêtement était parfaitement dérisoire et qu'il se résignait à y gaspiller un peu de son temps.

— Allons, viens, me dit-il. Suis-moi.

Nous avons retrouvé Andréa à l'intérieur. Elle aussi paraissait excitée. Je l'ai embrassée puis nous avons aussitôt commencé la visite, sans prendre le temps de souffler, ni manger quoi que ce soit, ni même boire un coup.

Paul courait dans tous les sens, montait des escaliers quatre à quatre puis redescendait me chercher, il trouvait que je n'allais pas assez vite, et chaque fois qu'il ouvrait une porte, il me disait là on fera ça, là c'est encore un bureau, viens Dan, là on fera sauter les murs, là c'est un bureau si je me souviens bien, hein, n'est-ce pas, Andréa, enfin c'est ce qu'on veut, et il repartait à fond de train dans les couloirs, disparaissait puis réapparaissait le souffle court, les oreilles rouges, le visage empreint d'une béatitude céleste, Dan est-ce que tu imagines, me disait-il, ne te sens-tu pas gagné par la magie des lieux... ?

En vérité, je me sentais plutôt *écrasé* par une impression de vide et d'abandon, et l'atmosphère poussiéreuse m'irritait les narines.

— Sincèrement, Paul, je crois que tu ne te rends pas compte... Ne serait-ce que les travaux, ça va coûter une fortune.

Il s'immobilisa au milieu des marches qui menaient au dernier étage et, après quelques secondes d'hésitation, redescendit lentement vers moi. A cet instant, je compris que plus rien ne l'arrêterait.

— Ecoute-moi, Danny... Lorsque j'ai visité cet endroit pour la première fois, je n'avais même pas assez d'argent pour remplacer la moquette et pourtant cette question ne m'a pas effleuré une seconde, mais j'ai su, tu m'entends, *j'ai su* que ça allait marcher, c'était ici que j'avais rendez-vous avec le destin. Quand je t'en ai parlé, je n'avais pas la moindre idée de la manière dont on pouvait réunir une somme pareille, je ne voulais même pas y penser. Dan, il y a quelques jours encore, tu aurais pu croire que j'étais fou mais aujourd'hui, quel est le plus fou de nous deux... ? Si tu ne me crois pas, tu peux demander à Andréa si elle n'a pas vu les papiers signés dans mon bureau... !

— C'est vrai, Dan. Et les travaux doivent commencer la semaine prochaine, M. Bergen a donné le feu vert.

— Tu entends... ? Dans quelques mois, la Fondation Marianne-Bergen ouvrira ses portes, alors ne me demande pas combien ça va coûter parce que ça, tout le monde s'en fiche. Si elle s'en sort, cette pauvre fille restera sûrement paralysée, mets-toi à la place de son père. Il paraît que c'était la dernière chose dont elle lui avait parlé... Mais bon Dieu, Dan, secoue-toi, enfin quoi tu le fais exprès, ne me dis pas que tu ne comprends pas ce qui arrive... ? ! On va pouvoir se rendre vraiment *utiles*... ! !

Je ne suis pas un type cynique, aussi les regardai-je tous les trois sans leur dire ce que j'en pensais réellement, puis j'ouvris la marche et nous redescendîmes jusqu'à la grande salle du bas, tandis que Paul palabrait dans mon dos comme quoi que nous avions une chance absolument unique, comme quoi que c'était une nouvelle aventure, comme quoi qu'il ne me laisserait pas tranquille tant qu'il serait vivant.

Nous nous partageâmes deux canettes de bière et un paquet de biscuits qu'il avait oubliés là lors d'une précédente visite et qui avaient perdu tout leur croquant.

— Le plus incroyable, me confia-t-il, c'est que je n'ai parlé de ce projet à Marianne Bergen qu'une seule fois, et j'ai eu l'impression qu'elle ne m'écoutait pas vraiment...

— Mais le Ciel t'écoutait, c'est ce que tu essaies de me dire... ?

— Ecoute, reconnais que ça tient du miracle !

— Et que ce type lui soit tombé dessus, ça aussi c'est miraculeux... ?

Son regard se perdit par-dessus mon épaule. Je terminai ma canette silencieusement.

— Tout s'enchaîne, finit-il par m'annoncer. Chaque chose doit prendre sa place.

J'en frissonnai dans mon coin.

Les travaux commencèrent effectivement une semaine plus tard. Le froid était revenu tout doucement et s'étendait sur tout le pays comme un invisible maléfice, le ciel était gris et les corps douloureux dès qu'il s'agissait de mettre le nez dehors.

Paul passait des journées entières sur le chantier et, à ce qu'on racontait, il emmerdait tout le monde, les gars se plaignaient de l'avoir toujours dans les jambes, d'autant qu'il n'y connaissait pas grand-chose, que de sa vie il n'avait jamais vu un sac de ciment. C'était un coup de chance lorsqu'on le trouvait dans son bureau, je lui indiquais les traces de plâtre sur sa veste, quand ce n'était pas un bel accroc à son pantalon. Mais c'est à peine s'il levait la tête, soit qu'il fût penché sur les plans de la Fondation, soit qu'il fût en train d'y travailler en rédigeant quelque note qui ne souffrait aucune attente. Autour de lui, le monde n'existait plus. Ne le vit-on point, d'ailleurs, par un vent glacial, sortir dans la rue en petit pull, Andréa lancée à sa poursuite pour lui apporter son manteau ?

Il était certain, à présent, que Marianne resterait paralysée et certains travaux avaient été prévus en conséquence, notamment au niveau des escaliers, de manière à ce qu'elle pût circuler sans l'aide de personne dans son nouveau palais. Elle refusait toutes les visites. Cette décision m'arrangeait car je ne supportais pas de mettre les pieds dans un hôpital. Hermann et moi lui avions envoyé un petit mot, et sa mère nous avait appelés pour nous remercier, et nous l'avions écoutée pleurer à l'autre bout du fil, ça nous avait coupé l'appétit.

L'enquête n'avait rien donné. Le jour où l'équipe de Gladys a remporté la victoire en demi-finale, nous n'avons rien fêté du tout. Sarah n'était plus amoureuse, elle venait d'avoir une engueulade terrible avec le type en question et elle était d'une humeur massacrante, si bien qu'Hermann et moi nous n'avons pas traîné. Dans la soirée, Marianne me téléphona pour la première fois depuis son entrée à l'hôpital, elle voulait connaître les résultats de la partie. Je ne lui demandai pas comment elle allait.

Il y eut certains jours où le froid battit tous les records. On ne comptait plus les canalisations qui sautaient, les arbres qui gelaient jusqu'aux racines, les oiseaux qui tombaient des branches, les jambes cassées. A ce propos, je ne fus pas fâché qu'un beau matin on me débarrassât de mon plâtre, car bien qu'Elsie et moi eussions mis au point certaine technique de baisage légèrement tirée par les cheveux, nous remarquions pourtant que nos rapports s'étaient singulièrement appauvris, du moins manquaient-ils de plus en plus d'inspiration. Incapable de plier ma jambe et eu égard au danger inhérent à nombre de positions, nous en étions réduits à la portion congrue. « Eh bien, on peut dire que ce n'est pas trop tôt ! » me confia-t-elle, se retenant toutefois de la caresser, cette jambe, qui de fait semblait maigre et horriblement blanche et sinistrement poilue.

Le moins qu'on puisse dire, c'est qu'Elsie n'était pas du genre collante, mais depuis que j'avais réouvert ma porte au monde extérieur, nous la gardions quelquefois à manger, le soir, et j'observais Hermann du coin de l'œil pour essayer de savoir ce qu'il en pensait. Qu'il n'en pensât rien me paraissait malheureusement improbable. Cependant, j'avais beau multiplier certaines allusions ou me planquer l'oreille tendue derrière les portes après que je me fus arrangé pour les laisser seuls quelques minutes, je ne parvenais pas à en dégager une idée précise, je ne savais pas ce qu'il ressentait *vraiment*. Il y avait tout un côté en lui qui me demeurait totalement mystérieux, un versant qui jamais ne s'éclairait pour moi, mais c'est sans doute la raison pour laquelle je l'aimais si profondément.

Un matin, je l'ai embarqué sur ma moto et nous avons filé à travers la campagne gelée sous prétexte qu'un pâle rayon de soleil venait enfin de nous tomber du ciel. Au bout d'une heure, nous nous sommes arrêtés sur le bord de la route et nous avons marché un peu, et je lui ai dit tu comprends bien qu'Elsie et moi avons besoin de nous voir de temps en temps, je suppose que je n'ai pas besoin de t'expliquer pourquoi, mais n'empêche que je veux que tu saches une chose, je ne suis pas obligé de la faire venir à la maison, nous pouvons nous débrouiller autrement, il n'y a rien de plus facile, tu as parfaitement le droit de ne pas être d'accord, il suffit que tu me le dises, merde nous vivons ensemble tous les deux alors si tu crois que je déconne, dis-le-moi, je n'arrive pas à me mettre à ta place, et je veux que tu saches également que je ne suis pas ton copain, Hermann, on ne peut pas jouer à ça.

— Je sais, me dit-il.

Dans un moment de pur abandon, je me laissai aller jusqu'à lui passer un bras sur les épaules et il ne broncha pas une seconde, et nous continuâmes à marcher côte à côte sans que je puisse ajouter un mot car pour moi il n'y avait rien au-dessus.

Je me rendis compte un peu plus tard qu'en ce qui concernait Elsie, il ne m'avait pas réellement donné son opinion. J'y réfléchissais dans mon lit ou le matin en me levant ou lorsque j'allais me payer un tour en moto et que la route était libre mais je n'avançais pas beaucoup. Sarah trouvait que j'avais plutôt de la chance et qu'il ne fallait quand même pas exagérer et attendre d'Hermann qu'il me donnât sa bénédiction. Cette remarque me fit un mal de chien, car je n'avais pas encore étudié la question sous cet angle et, en y regardant de plus près, il n'était pas impossible que dans cette histoire je n'aie pas uniquement cherché à préserver Hermann et qu'une graine de faux cul se réchauffât dans mon sein.

Je repris mon entraînement avec Max et tentai de réduire ma consommation d'alcool qui avait grimpé en flèche depuis que des gens passaient chez moi, sans parler de mon plâtre et des journées entières où je restais cloué sur mon siège avec une bouteille à portée de la main, car ce n'était pas toujours très facile. Je m'astreignis donc à ne pas toucher un verre avant six ou sept heures du soir et j'eus le sentiment d'accomplir un grand pas en avant. Oh, rien de tel que de remporter une petite victoire sur soi-même, de temps en temps.

En moins d'un an, la Fondation Marianne-Bergen se retrouva sur pied. J'ai résisté. Durant des mois, Paul s'est traîné à mes genoux mais, tant qu'il me filait du boulot, je lui tenais la dragée haute, c'était des mon petit Dan par-ci, des têtes de mule par-là, des tu l'auras voulu espèce d'imbécile. Tous autant qu'ils étaient, je leur riais au nez et les reconduisais gentiment jusqu'à ma porte, les remerciant tout de même d'avoir pensé à moi.

Je ne savais pas au juste ce que Paul leur avait raconté sur mon compte, mais ils se pointaient chez moi par petits groupes ou se glissaient jusqu'à ma table lorsque j'allais descendre un verre au *Durango*, et plus moyen d'écouter la musique, plus moyen de discuter d'autre chose que de cette sacrée Fondation, à tel point qu'Elsie me laissait choir au bout d'un moment et partait s'installer dans un coin plus tran-quille en me fusillant du regard. Je n'irais pas jusqu'à dire que provoquer un tel intérêt me déplaisait tota-lement, loin de là, et n'ayant pas le cœur pur, je bichais de temps en temps, ça me rappelait l'époque où mes livres se vendaient comme des savonnettes et que des inconnues me tricotaient des pulls qui m'arri-vaient aux genoux.

— *Non sea pendejo*..., me soufflait Enrique. Lui aussi était d'avis que je devais accepter. Ils étaient tous d'accord. Mais je résistais.

— Mais nom de Dieu !... s'étranglait Paul. A qui

vas-tu faire croire que ça t'intéresse d'écrire ces petits feuilletons à la con et de te vautrer dans ce genre de littérature... ? ? ! !

— Ne sois pas grossier, Paul.

— MAIS QU'EST-CE QU'IL Y A... ! ! ? Est-ce que tu cherches à te mortifier... ? Est-ce que ça va durer encore *longtemps*... ? !

— Ouais. L'humilité, c'est assez long à apprendre.

— AH ! Je t'en prie, ne te moque pas de moi ! Enfin, ma parole, mais dis-moi un peu ce qui ne te plaît pas... !

— Bah, j'en ai pas envie... C'est tout.

— Comment ça, t'en as pas envie... ? ! Mais je *rêve*... ! On va éditer des bouquins, on va distribuer des bourses, on va organiser des expositions, on va loger des artistes qui vont arriver des quatre coins du monde, il y aura des spectacles, des rencontres, des séminaires...

— Maman, la tête me tourne.

— Dan... Tu ne t'occuperas que de ce qui t'intéresse.

— Il n'y a que la paix de mon âme qui m'intéresse.

Je ne voulais pas me mêler à toutes ces histoires. En fait d'humilité, je n'étais pas encore parvenu à la grande classe et je me voyais mal en train de me casser la tête pour éditer les bouquins des autres. Si je n'étais plus capable de remonter sur le ring, ce n'était pas pour accepter un boulot d'entraîneur. Et puis m'imaginais-je recevant ces jeunes artistes dans mon bureau et distribuant au compte-gouttes, selon l'humeur du moment, quelques-unes de ces méchantes bourses qu'humblement ils sollicitaient ? Y aurait-il eu un semblant de justice quand une fille en bas noirs, pour ne pas dire sans culotte, aurait pu m'en arracher deux d'un coup... ?

Il était préférable que je me tinsse à l'écart de tout ça, c'était mieux pour tout le monde.

Ce qui ne m'empêchait pas de passer régulièrement pour voir ce qui s'y tramait, saisir un peu de l'air du temps et rafler quelques billets gratuits au passage quand un spectacle me chantait. Avec une préférence pour le théâtre depuis qu'Hermann s'y était mis, chose qu'apparemment il prenait très au sérieux.

— Alors... Comment s'en sort-il ? me demandait Andréa.

— Bien ! Le matin, il s'entraîne à faire des séries de grimaces devant la glace. Mais je ne l'ai pas encore vu avec des cailloux dans la bouche...

— Ah, je l'adore ! Je suis persuadée qu'il a du talent... !

— Ouais. Il doit tenir ça de sa mère.

— Et vous, Dan... Toujours pas décidé... ?

Il était d'usage à la Fondation de toujours me demander si je n'avais pas changé d'avis, à croire que ce n'était qu'une question de temps et qu'un jour ou l'autre j'allais tomber dans leurs bras comme un fruit trop mûr. Il semblait que Marianne fût décidée à nous avoir tous les uns après les autres, d'ailleurs elle ne s'en cachait pas vraiment, elle prétendait que la Fondation était une grande famille et que c'était la raison pour laquelle tout marchait si bien.

Après Paul et Andréa, Max avait été le premier à passer dans son camp. Enfin il faut reconnaître qu'il n'avait pas vraiment eu le choix. Lorsque pour la troisième fois l'équipe de Gladys s'était ramassée en finale, on s'était empressé de le mettre à la retraite, on ne voulait plus en entendre parler, et de la grimace dégoûtée que lui avait envoyée l'adjoint au maire, il ne s'était pas remis. « Je suis maudit, Dan. Jamais un type n'a connu une poisse pareille. Je ne suis bon qu'à tourner en rond dans ma chambre et prier pour qu'on m'oublie. »

Le matin, j'allais le secouer pour qu'il vienne courir avec moi mais il grognait, il me demandait à quoi ça lui servait de se lever, s'il existait une chose plus ridicule que de vouloir garder la forme dans sa situation. Je le voyais mal parti. Puis un matin, je le trouvai debout et en tenue, et il m'annonça qu'on venait de lui proposer un boulot à la Fondation. « Un genre d'homme à tout faire, me confia-t-il en souriant. Quand je pense que j'ai été viré parce qu'on ne me trouvait plus bon à rien... ! »

Après Max, ce fut le tour de Sarah. Financièrement parlant, Paul lui proposa quelque chose d'intéressant, si bien qu'elle n'hésita pas une seconde. Avec tous ces spectacles, il se trouvait toujours une tête à maquiller, d'autant plus, ajoutait Paul, qu'on a besoin d'une fille comme vous pour veiller à ce qu'il règne un peu d'ordre de ce côté-là, c'est surtout ça. Et Sarah s'en tirait à merveille.

Paul me répétait qu'il ne manquait plus que moi. Y avait-il une seule personne qui ne partageât point l'avis général et me donnât raison ? Que l'existence ne fût avant tout qu'un long trajet solitaire et tout bonnement désespérant, voilà qui n'était pas nouveau.

Je comprenais vaguement où Marianne voulait en venir, mais ce n'était pas pour lui tenir tête que je refusais d'entrer à la Fondation. Elle avait ses raisons et j'avais les miennes. Je la voyais assez régulièrement, il m'arrivait même de la pousser dans son fauteuil lorsque je la rencontrais dans le hall ou que nous enfilions le même couloir, mais il ne se passait rien de neuf entre nous, nos rapports s'étaient complètement figés et nous n'avions rien à nous dire. Elle ne m'avait jamais reparlé du scénario. Je n'y avais plus touché, il était tel que nous l'avions laissé lors de notre dernière séance de travail et pourrissait tranquillement dans l'un de mes tiroirs. Il ne me gênait pas. Et puisqu'elle n'en disait plus un mot, ce n'était pas à moi de m'en soucier.

J'avais d'autres sujets de préoccupation. En particulier, il y avait cette histoire entre Hermann et Gladys qui s'était précisée au fil des mois et que la présence de Richard compliquait. Contrairement à l'idée largement répandue qui veut qu'un père éprouve quelque fierté, à tout le moins quelque soulagement, au dépucelage de son fils, je ne ressentais rien du tout. D'ailleurs, je ne cherchais pas à savoir ce qu'ils fabriquaient ensemble lorsqu'ils s'enfermaient dans sa chambre, je n'allais pas m'embusquer derrière la porte et je ne lui demandais rien, c'est tout juste si je me permettais de grimper à l'étage pendant qu'ils s'y trouvaient, ce qui me semblait être la moindre des choses.

J'avais été autrement ému le jour où Hermann avait eu sa première dent ou lorsqu'il avait su écrire son nom.

Ce que je n'aimais pas, c'était d'avoir à raconter des salades à Richard, et je n'aimais pas cet air malheureux qu'il prenait lorsqu'il passait à la maison et que je lui répondais que je ne savais pas où était Hermann, alors qu'il était juste au-dessus de ma tête, en compagnie de Gladys. Je n'étais jamais tout à fait certain que c'était Hermann qu'il cherchait, bien qu'ils fussent le plus souvent fourrés ensemble et qu'on eût dit que l'un n'allait pas sans l'autre à mesure qu'ils grandissaient.

— Mais *je ne peux pas* lui en parler... ! m'expliquait Hermann. Dès que je prononce le nom de Gladys, je vois sa figure se transformer, je te raconte pas des blagues. Il me regarde d'une telle façon que je me demande s'il me reconnaît... !

— Ecoute-moi... Tu sais ce qui va arriver ? Ne le prends pas pour un imbécile, un de ces quatre il va s'apercevoir de quelque chose et il va vous tomber sur le dos sans crier gare. Dis-toi bien que chaque fois que tu vois Gladys en cachette, vos chances de passer au travers diminuent.

— Oui, mais qu'est-ce que tu veux que je fasse... ?

— Je ne sais pas... Je n'ai pas l'impression qu'il y ait beaucoup de solutions. Tu aurais dû te trouver une histoire un peu moins compliquée pour commencer, si tu veux mon avis.

Finalement, mon rôle se limitait à fermer les yeux et à m'occuper de Richard, et je n'étais pas très fier de ça. Il s'agissait d'un malaise assez particulier que je n'avais encore jamais eu le loisir d'éprouver et dont je me serais bien passé, mais je n'avais pas encore trouvé le moyen d'agir autrement et je passais de longs moments à ruminer. Si je me fiais à ma propre expérience ou si objectivement je regardais autour de moi, j'avais la très nette impression que les choses avaient comme un penchant naturel à se dégrader, à s'avancer vers le chaos. Et au cœur de mes pensées les plus sombres, je trouvais que nous en prenions le chemin et pas seulement en ce qui concernait l'épisode Hermann-Gladys. C'était plutôt une vision d'ensemble contre laquelle il était difficile de lutter.

Cela dit, les petits événements quotidiens étaient là pour me secouer, et malgré que nous fussions emportés par le courant d'un grand fleuve, nous continuions à nous agiter.

Sarah me prit par la main et nous grimpâmes dans la chambre de Richard. Sa porte était fermée à clé mais elle en sortit une de sa poche en me faisant remarquer qu'aucune autre serrure ne fonctionnait dans la maison mais que lui, il avait trouvé le moyen de remettre la sienne en état.

— Tu vois... ! me dit-elle. J'ai l'impression d'avoir loué une chambre à un étranger.

— Mmm..., si jamais il s'aperçoit que tu as une clé...

— Eh bien, je lui expliquerai pourquoi j'en ai une.

Je connaissais la chambre de Richard. Elle ne différait pas essentiellement de celle d'Hermann, si ce n'était que l'odeur était différente, mais ce n'était rien de plus qu'une chambre d'adolescent, l'empreinte était encore timide. Sarah ouvrit un placard et en tira une boîte à chaussures. Nous nous assîmes sur le lit.

— Ce n'est pas ce que j'ai trouvé de plus drôle dans ma vie..., soupira-t-elle en soulevant le couvercle.

Ça, je voulais bien la croire. Il s'agissait d'un tas de photos où l'on voyait Mat Bartholomi, seul ou avec ses enfants, et sur certaines, un personnage avait disparu, adroitement écarté d'un coup de ciseaux.

— Je suppose que je ne devrais pas être étonnée, n'est-ce pas... ?

Il me semblait que les murs nous regardaient.

— Je suppose que je dois prendre ça avec le sourire et me répéter que je l'ai bien mérité... ? Enfin, je peux quand même te dire que c'est assez dur à avaler... J'ai toujours l'impression d'être sa mère, tu sais...

Pour Sarah non plus je n'avais pas de solution. Je me contentai de refermer la boîte en silence et me levai pour la remettre à sa place.

Heureusement, c'était une journée magnifique et nous avions pas mal de boulot sur les bras. Le moment était mal choisi pour se laisser aller à grincer des dents, nous n'avions pas beaucoup de temps à consacrer aux vieilles photos. Il faisait si chaud en cette fin d'après-midi que même la tristesse vous avait un goût presque sucré. Je la pris une seconde dans mes bras avant de retourner en bas, je lui dis qu'on devait se dépêcher.

Il s'agissait de sortir un vieux frigo du garage. D'après Sarah, il était encore en état de marche, mais au fil des ans il s'était transformé en placard à rangement et débordait à ce point de choses oubliées que plus personne ne songeait à l'ouvrir. Ainsi, on avait empilé tout un tas de fourbi devant sa porte, des caisses, des cartons, des malles, des pots de peinture et rien qu'à ce stade, pour ce qui était de le sortir de là, ce n'était déjà plus une mince affaire. Mais ce n'était pas tout. Le truc en question faisait également partie de tout un système d'étagères particulièrement étudié dont il était bien sûr l'élément principal, pour ne pas dire le seul soutien, et tout le bazar grimpait jusqu'au plafond en se serrant les coudes et vous envoyait un air de défi. J'hésitais à m'en approcher, je clignais des yeux.

— Tu es sûre que tu veux *réellement* t'en débarrasser... ? On aurait plus vite fait de lui en acheter un d'occasion...

— Non, surtout pas. Depuis le temps que j'ai envie de mettre un peu d'ordre dans ce garage, c'est maintenant ou jamais.

Chaque fois que je sortais sur le trottoir avec un carton dans les bras, je remarquais que le ciel avait changé de couleur. Du rose tendre, nous avions à présent viré dans un rouge orangé étonnamment lumineux, et j'avais alors l'impression de passer devant la porte grande ouverte d'un four, il n'y avait pratiquement personne dans les rues, personne en tout cas pour se donner de l'exercice. C'était à se demander si la nuit allait pouvoir venir, s'il existait une possibilité quelconque d'éteindre ça.

A l'intérieur du garage, Sarah continuait à trier. J'étais également chargé de lui descendre les gros paquets, les valises, les cartons qui s'éventraient par en dessous et tout ce qui était trop lourd pour elle, tout ce que Mat avait ramené et rangé et entassé au cours de ces années, toutes ces choses dont l'utilité pouvait échapper à une femme. D'un seul geste, elle était capable de se débarrasser d'une caisse pleine de roulements à billes ou lancer par-dessus son épaule un programmateur de machine à laver. Lorsque j'essayais de l'en empêcher, elle me disait de ne pas me gêner, que je n'avais qu'à les emporter chez moi, mais qu'elle ne voulait plus entendre parler de ces machins *qui peuvent toujours servir* et qui ne servent jamais à rien, d'autant que cette idée seule la déprimait. Parfois je les ramassais et les retournais entre mes mains, puis je les laissais retomber.

Finalement, nous réussîmes à dégager complètement le frigo, et en souvenir du mal qu'il nous avait donné, je le basculai brutalement en avant et le vidai par terre et le secouai un bon coup.

— Hé, ne va pas l'abîmer... ! s'inquiéta Sarah.

Elle voulait rire, c'était une vraie pièce de musée. A mon avis, si ce truc-là était encore vivant, il allait tous nous enterrer. Je sortis mon tee-shirt de mon pantalon pour m'essuyer la figure, puis m'en allai chercher des bières à la cuisine.

J'apportais ma dernière caisse de rebuts sur le trottoir et l'alignais proprement à la suite des autres, lorsqu'un minibus débouchant du coin de la rue à toute allure vint se ranger près de moi. Elsie en descendit la première pendant que le type qui était au volant rangeait ses lunettes de soleil dans la boîte à gants.

— Oh Dan... ! Je ne pensais pas te trouver là... ! m'annonça-t-elle en s'armant d'un tel sourire que l'espace d'une seconde j'eus l'impression qu'elle en rajoutait. Elle m'embrassa sur la joue.

— Je te présente Marc, mon nouveau bassiste. Marc, voici Dan...

Elle eut un petit rire idiot, ce qui était parfaitement compréhensible.

Je serrai la main du bassiste qui au demeurant ne me fit pas une mauvaise impression. Il m'avait l'air d'un type assez bien dans sa peau, dans les trente ans, un brun avec un regard intéressant.

— Je crois qu'on arrive après la bataille..., me dit-il.

— Non... Ce n'est rien.

Sarah passa un dernier coup de chiffon sur le frigo, elle ne voulait surtout pas qu'on la remercie, car ça la débarrassait et d'après ce que j'entendais, c'était grâce à eux si elle avait pu gagner toute cette place, je trouvais ça formidable. D'ailleurs, elle était tellement ravie qu'elle attrapa le dénommé Marc par un bras et, décidant qu'il était temps de prendre un verre, l'entraîna vers la maison.

J'en profitai pour coincer Elsie et lui roulai une pelle avec curiosité, mais manquai-je d'entrain, mes sens n'étaient-ils pas suffisamment aiguisés, n'employait-elle point quelque réserve d'habileté pour me donner le change ? Il n'empêche que je ne détectai rien qui clochait, tout semblait parfaitement normal.

Au fond, je pouvais me tromper. Finalement, ce baiser me laissa perplexe.

— Tout ce que je lui demande, c'est de me fabriquer des glaçons, disait Marc lorsque nous sommes rentrés.

Il s'était installé dans le fauteuil que je préférais mais c'était sans importance, je suis allé m'accouder sur le rebord de la cheminée. Le soir tombait, adoucissant légèrement la température de l'air. Marc nous expliquait qu'il revenait d'un long séjour à l'étranger et qu'il avait commis l'erreur de prêter son appartement à un copain.

— La seule chose qu'il n'a pas emportée, c'est la plaque électrique ! précisa-t-il en rigolant.

Les filles compatissaient. Il n'y en avait que pour lui, mais j'étais assez grand pour le comprendre. Personne ne pouvait nier que ce gars-là avait du charme.

Un peu plus tard, les enfants sont arrivés. Ils sont entrés d'une drôle de manière, Hermann et Gladys de front, épaule contre épaule, tandis que Richard qui se tenait derrière eux, presque dans l'ombre, tenta de s'éclipser vers l'escalier après avoir lancé un vague « Bonsoir tout le monde », ce qui n'était pas dans ses habitudes lorsqu'il y avait un inconnu à la maison. Aussitôt les deux autres s'avancèrent dans le salon et s'empressèrent de retenir notre attention en s'agitant dans tous les sens. Mais l'œil de Sarah avait tout enregistré.

— Hé, Richard, viens voir un peu ici... ! lança-t-elle.

Il se figea dans l'escalier.

— Tu entends, descends voir une minute...

— Tu es fait ! dis-je.

Les deux autres se regardèrent d'un air désolé pendant qu'un délicat silence s'abattait sur la maison. Richard baissa la tête. Puis se décida à pivoter vers nous.

— Seigneur ! Mais qu'est-ce que c'est que ça... ?! s'exclama Sarah.

— Ben, c'est un petit chat..., dit-il en le soulevant

délicatement à hauteur de ses yeux. Enfin, *je crois* que c'est un chat...

— Bon sang, je le vois bien que c'est un chat... !

— Je veux dire, je crois pas que ce soit une chatte...

— Oh, amène-le, dit Marc. C'est pas difficile à voir.

— On l'a trouvé dans la rue, expliqua Richard en descendant. Il nous a suivis tout le long du chemin.

— Oui, mais j'espère que tu comptes pas le garder ici... !

— Oh maman... ! fit Gladys...

— Oh ça non, pas question.

— Il a raison, c'est un chat.

— Je m'en occuperai, m'man. Gladys et moi on va s'en occuper...

— Oui, pendant quelques jours... Je sais ce qui arrivera ensuite.

— Mais non, je te jure.

— Ecoute, lorsqu'il vous vient des idées comme ça, je veux que nous en parlions *d'abord*... ! Tu ne penses pas que j'ai mon mot à dire sur ce genre de question... ?

Le chat sauta des genoux de Marc et se mit à cavaler dans la pièce, mais Richard et Sarah ne se quittèrent pas des yeux une seconde.

— Tu crois qu'il est abandonné ? demanda Elsie.

— Oh, eh bien, tout ce que je peux dire, c'est qu'il était au beau milieu de la rue, répondit Gladys. Et on a discuté avec une femme dans son jardin et elle l'avait jamais vu de sa vie, elle n'en avait jamais entendu parler...

— Mais bien sûr qu'il est abandonné... Ça se voit bien, ajouta Hermann.

— Je t'en prie, je veux le garder...

Sarah secoua la tête sans cesser de regarder son fils.

— J'avais le même lorsque je vivais à New York, fit Marc. Il était pareil, tout noir, enfin il était plus vieux...

— Oh, mais on va quand même pas le jeter dehors... ! s'inquiéta Gladys.

— Ce qui est marrant, c'est qu'il nous ait suivis

comme ça, tout le long du chemin. Richard l'a juste pris quand il s'est mis à miauler devant le jardin, oh merde, il fallait l'entendre... !

— Chez moi, il y en a un qui se balade sur le toit et qui vient me regarder par la lucarne de la salle de bains, déclara Elsie.

Richard abandonna le premier. Il baissa les yeux et enfonça ses mains dans ses poches, de sorte que son dos s'arrondit, que son cou disparut entre ses deux épaules. Je comprenais parfaitement que Sarah ne voulût pas s'emmerder avec un animal à la maison, mais j'étais tout de même persuadé qu'elle faisait une erreur, sans doute qu'elle n'avait pas pesé le pour et le contre. Pendant que les autres continuaient leurs histoires, Richard se tourna sans un mot et s'en alla récupérer le chat qui s'amusait sous la table. Il y avait un mélange de bruit et de silence dans la pièce, à la manière d'une cuillerée d'huile dans un verre d'eau.

Sarah était assise dans son fauteuil, les deux bras allongés sur les accoudoirs qu'elle cramponnait comme si elle allait bondir, à moins qu'elle ne luttât contre une force qui l'écrasait dans les coussins ou que ledit fauteuil ne fût en train de l'avaler. Les yeux braqués sur le dos de son fils, on aurait dit qu'elle se trouvait en face d'un serpent à sonnettes.

Lorsque Richard ouvrit la porte, elle poussa un profond soupir et une de ses mains s'envola en l'air.

— Bon... C'est d'accord, Richard... Tu peux le garder.

Plus tard, j'aidai Marc à charger le frigo dans le minibus. Je m'y pris de telle manière qu'un éclair se planta subitement dans mon dos. Mon Dieu ! un vent de panique me traversa l'esprit. Je me redressai lentement, *très* lentement, la bouche ouverte, à l'écoute de mon pauvre corps, proprement terrorisé à l'idée du coup de poignard qui n'allait pas manquer de me clouer sur place d'une seconde à l'autre quand mes vertèbres allaient se coincer.

— Hé, ça ne va pas ? me demanda Marc.

Par bonheur, je parvins à me remettre à la verticale sans que l'enfer me tombe sur la tête. J'en fus si heureux que de plaisir j'en couinai bruyamment.

— Je crois que je viens de me frôler un tour de reins... ! lui répondis-je. Tu es encore trop jeune pour comprendre ce que ça veut dire.

Je l'avais à ce point échappé belle que plus rien ne pouvait m'affecter pour le restant de la soirée. Il fallait que de telles choses vous arrivent pour vous faire prendre conscience de ce miracle absolu : avoir un corps en parfait état de marche, ne pas souffrir, pouvoir marcher et sauter et danser, être capable de grimper dans un arbre, de rattacher ses lacets, de brailler de plaisir en dévalant une colline. Qu'Elsie s'installât à ses côtés pendant qu'il cherchait ses clés de contact ne me fit ni chaud ni froid. Elle me regarda d'un air ennuyé mais j'allai jusqu'à lui fermer gentiment sa porte avec un magnifique sourire aux lèvres. J'avais envie de lui dire que je me fichais pas mal de ce qu'elle avait derrière la tête, que je ne voulais même pas le savoir tant j'étais submergé par l'infinie douceur de me sentir en vie. Rien ne pouvait venir me tracasser à cet instant précis, rien qui pût gâcher ma joie d'habiter un corps lumineux.

Je ne savais pas si l'air était doux ou si c'était moi. J'attendis quelques instants sur le trottoir, après que les feux du minibus eurent disparu au coin de la rue, sentant un flot d'images se déverser sur ma tête. Je souris en revoyant l'expression de Richard lorsqu'il s'était retourné vers sa mère, je ramassai un roulement à billes et l'envoyai filer le long du trottoir le plus adroitement du monde. Et quand le petit chat lui était tombé des mains. Et quand Sarah avait sorti la clé de sa poche et la lui avait tendue en disant : « Tu vois, Richard... A mon avis, il aura envie de se balader *dans toutes les pièces de la maison...* ! » J'entendais le roulement siffler sur le bitume mais je ne le voyais plus. Je ne voyais pas grand-chose, d'ailleurs, ce n'était pas un quartier très franchement éclairé.

J'en lançai quelques autres pour faire bonne mesure, puis me décidai à rentrer. Il s'en était fallu d'un poil qu'en cet instant je ne fusse qu'un pauvre misérable plié en deux, le visage tordu par une grimace et le front blême comme un agonisant, alors qui donc devais-je remercier, vers où devais-je me tourner pour que grâce Lui soit rendue, qu'on me donnât les pieds que je devais embrasser car tout ici-bas était miraculeux.

Sarah était toute seule lorsque je me pointai à nouveau dans le salon. Elle n'avait pas bougé de son fauteuil et me paraissait légèrement fatiguée. Elle regardait dans le vague, tout en réajustant les pinces qu'elle avait de plantées dans les cheveux.

— Tu t'en es bien tirée, lui dis-je après avoir enfourché un accoudoir du canapé. Bien sûr, s'il se met à pisser dans tous les coins…, mais c'était un risque à prendre.

— Hum… Tu sais, je ne lui demande pas la lune… Même si on n'est pas d'accord, on doit pouvoir trouver un moyen de se parler, de ne pas être complètement indifférents l'un à l'autre. C'est affreux de se dire qu'on n'est pas capable de se faire aimer par son propre fils.

— Ouais, mais rien n'est plus difficile, ma jolie. Il y a toujours quelque chose de méprisable chez un adulte et la plupart du temps ils finissent par le découvrir. Ça nous met dans une position délicate.

Nous les entendions bouger et discuter au-dessus de nous, sans savoir ce qu'il en était au juste.

Le chat fut baptisé Gandalf et son entrée dans la maison des Bartholomi coïncida avec l'amélioration des rapports qu'entretenaient la mère et le fils. Il n'y avait certainement pas de quoi crier au miracle, mais quand tu penses, me disait Sarah, que le matin en se levant il me dit bonjour, eh bien, je te prie de croire que ça change tout pour moi, quand bien même il ne dirait plus un seul mot de toute la journée. Il allait de soi que je saisissais parfaitement bien la nuance. Ne m'en eût-elle parlé que j'aurais malgré tout constaté certain assouplissement dans le comportement de Richard et ce n'était pas du luxe.

Il pouvait, par exemple, laisser Hermann et Gladys seuls, au moins quelques minutes, et les retrouver sans arborer une tête d'inquisiteur. De temps en temps, il lui arrivait également de sourire, de participer à un bout de conversation ou de faire trois pas à vos côtés. Ça n'avait l'air de rien, d'autant plus qu'à se laisser ainsi aller tous les jours il ne s'amusait pas, mais pour qui le connaissait bien, pour qui prenait le soin de l'observer et d'enregistrer certains détails, il était clair qu'il s'agissait d'une petite révolution.

Sarah prétendait qu'à présent elle pouvait sortir le soir sans qu'il lui décochât un de ces regards furieux et ne lâchât quelque parole blessante au moment où elle franchissait la porte. « Bon, je n'ai quand même pas l'impression que ça lui soit égal, tu sais, n'exagérons rien... N'empêche que l'autre jour, en me voyant partir, il m'a simplement demandé si j'avais pensé à acheter des boîtes pour son chat. »

Son chat ! Ah, qu'on ne s'avisât point de le virer des coussins, qu'un écart maladroit vous épargnât de lui écraser la queue ! Jamais chat n'était tombé entre d'aussi bonnes mains. Et que je te le caresse, et que je te l'embrasse, et que je te joue avec lui durant des heures entières, et que je te le prenne dans mon lit pour lui raconter des histoires et tous mes petits ennuis. Gladys trouvait qu'il était complètement gâteux avec son chat, ce à quoi je lui avais répondu que si j'étais elle, je n'irais pas trop l'emmerder avec ça, à moins qu'elle ne préférât qu'à la place de Gandalf, ce ne fût à nouveau d'elle dont il s'occupât.

Elle comprit très bien ce que je voulais dire. Elle plongea un matin dans ses petites économies et elle offrit à Gandalf son premier collier. Paraissait-il que depuis, lorsqu'en rentrant du lycée il les trouvait installés dans le salon — « Heu, tu sais, heureusement qu'Hermann est là pour m'expliquer le dernier cours de maths... ! » —, il ne poussait plus qu'un vague grognement et se contentait de hocher la tête avant de filer dans la cuisine pour attraper un carton de lait.

Ce qu'il savait exactement de la nature des relations qu'en douce Hermann et Gladys échangeaient, personne n'aurait été fichu de le dire. Il y avait pourtant un bon moment que ça durait mais il fallait reconnaître que pratiquement rien dans leur comportement ne trahissait leur petit secret. Pas de danger qu'on les surprît enlacés dans la cuisine ou les pieds emmêlés sous la table, pas plus qu'on ne les vît se couler des regards attendris, s'effleurer dans les coins, refuser quelque nourriture ou soupirer ou chuchoter ou se tordre les mains. Ce qui ne voulait pas dire qu'ils faisaient semblant de s'ignorer, au contraire, ils rigolaient ensemble et s'amusaient et s'envoyaient de menus objets à la figure et s'engueulaient le plus naturellement du monde, mais on sentait bien qu'il y avait une profonde complicité entre eux, qu'au moins ils se connaissaient depuis de nombreuses années s'ils n'avaient pas grandi ensemble.

A la longue, j'ai fini par prendre l'habitude de sortir lorsqu'ils se donnaient rendez-vous à la maison. Je n'imaginais plus que Richard pût présenter une réelle menace et j'en avais assez de lui mentir, d'autant que j'avais l'impression que ma voix s'étranglait et que la vérité s'étalait clairement sur mon visage. Je filais boire un coup au *Durango* et passais une bonne heure à écouter les derniers potins avant de me décider à rentrer. Enrique me tenait au courant des histoires qui traversaient notre petit monde et il était bien rare que, d'une visite à l'autre, je n'eusse pas quelque nouveau ragot à me mettre sous la dent. « *Ay Dios mios !* se lamentait-il. Mais tu ne sais donc pas qu'il n'est plus avec elle... ?!! » En général, je ne savais pas exactement de qui il me parlait mais je n'en perdais pas une miette, je trouvais le moindre détail passionnant. « *Amigo*, elle sort maintenant avec son meilleur copain, mais c'est juste pour le rendre jaloux. *Si hombre*, seulement ça n'a pas l'air de marcher... »

Je prenais un réel plaisir à l'écouter. Ça n'allait pas très fort entre Elsie et moi depuis que Marc était dans les parages, mais grâce à Enrique je n'avais pas l'intention de m'arracher tous les cheveux de la tête. Des histoires comme la mienne, il aurait pu m'en raconter pendant trois jours d'affilée. Je me sentais plutôt idiot.

L'idée que j'avais était qu'elle baisait tantôt avec l'un, tantôt avec l'autre, mais lorsque je lui dévoilais le fond de ma pensée, elle me jurait que c'était faux et boudait durant quelques minutes. Lorsque, à l'époque, je m'étais douté que Franck me trompait, je m'étais rapidement débrouillé pour en avoir la certitude, et quand on veut se donner la peine, ce n'est pas si difficile que ça. Pourtant, avec Elsie, je ne cherchais pas à en savoir plus long. Peut-être que je commençais à être un type fatigué ou que j'avais acquis un peu de sagesse. Je me bornais de temps en temps à interroger Enrique sur la question, mais ses réponses restaient assez vagues et je voulais bien m'en contenter. La nuit où j'avais surpris Franck et Abel dans le même lit, j'avais passé Abel à travers la porte vitrée et j'avais démoli tout ce qui me tombait sous la main. Mais je n'étais pas près de recommencer quelque chose dans ce goût-là.

Pendant plusieurs jours, Hermann et moi nous nous sommes demandé ce qu'ils fabriquaient dans la maison d'à côté. On entendait du bruit, des portes que l'on claquait, des clous qu'on enfonçait, des meubles que l'on traînait sur le sol. Puis un matin, le type sonna pour m'emprunter une clé à molette et nous annonça qu'il déménageait. Pour ainsi dire, je ne l'avais jamais vu, et si nous avions échangé trois mots depuis que

nous étions voisins, c'était bien le maximum. En général, je sortais lorsqu'il revenait de promener son chien.

— Hermann, mon vieux, j'espère qu'ils ne vont pas
louer ça à n'importe qui...! Que dirais-tu de *quelques
étudiantes*...?

Il se mit à rigoler puis replongea tranquillement son
nez dans son bol de café. Visiblement, c'était le dernier
de ses soucis. Je me demandais s'il lui arrivait de
regarder autour de lui, s'il était au courant qu'il existait d'autres filles de par le monde.

J'avais rendez-vous avec Paul dans la matinée. Je
déposai Hermann devant le lycée puis filai jusqu'à la
Fondation sous une lumière d'automne, profitant d'un
feu rouge pour enfiler mes gants.

Je tombai sur Max en entrant.

— Voyons les choses en face, dis-je. Depuis le temps
que ça dure ton drainage lymphatique, j'ai toujours les
reins aussi fragiles. Je vais encore être bon au premier
coup de froid, je le sens bien...!

— Bon sang...! Mais t'as *des nœuds* tout au long de
la moelle épinière, que veux-tu que je te dise...??

— Merde, si tu veux mon avis, j'ai l'impression que
je n'y crois plus beaucoup à tes séances. On ferait
mieux d'abandonner.

— Ah...! Mais tu n'y connais vraiment rien...!

A cet instant précis, la voiture de Marianne Bergen
se gara devant la Fondation. Le visage de Max se
contracta. Il empoigna aussitôt l'engin à roulettes et se
précipita sur le trottoir pendant que le chauffeur
ouvrait la porte. Max se pencha à l'intérieur, souleva
Marianne et l'installa dans son fauteuil roulant. Puis il
passa derrière elle et après avoir glissé une main dans
la ceinture de son pantalon pour vérifier que sa chemise était bien en place, il la conduisit vers l'entrée.

« Hello, Dan... », me fit-elle en me saluant du bout
des doigts tandis qu'un petit moteur électrique la
propulsait tranquillement à travers le hall.

Max fixait ses deux pieds d'un air sombre. Je lui
demandai si ses chaussures le faisaient souffrir.

— Ah ! Bon Dieu... ! marmonna-t-il. Je n'arrive pas à m'y habituer. Cette fille me fiche la chair de poule... !

Je ne répondis rien mais je n'étais pas d'accord avec lui, je trouvais Marianne plutôt agréable à regarder. Elle s'habillait avec fantaisie, se maquillait légèrement et gardait toujours un vague sourire aux lèvres. Qu'elle portât continuellement des lunettes noires n'était pas trop lugubre à mon goût, d'autant que c'était encore la mode et qu'un peu de mystère n'a jamais fait de mal à quiconque. Sa présence, quant à moi, ne dispensait aucun malaise, elle parlait, s'agitait sur son siège, et elle fourrait son nez partout, elle s'activait, elle ouvrait les fenêtres, et en dehors de Max je ne connaissais personne qui à la longue n'eût fini par oublier qu'elle était incapable de se tenir debout. Au point que certains nouveaux venus s'étaient tout d'abord demandé si cette histoire de fauteuil roulant n'était pas autre chose qu'un accessoire de mauvais goût au service d'un esprit excentrique.

Nul ne pouvait savoir ce qu'elle ressentait vraiment et si même l'on s'accordait à penser qu'elle ne rigolait pas tous les jours, bien malin celui qui aurait entendu Marianne pleurnicher sur son sort.

— Assieds-toi..., me dit Paul. Il va falloir malgré tout que tu comprennes quelque chose, me confia-t-il d'une voix douce. Il ne s'agit pas de la Fondation, cette fois, il s'agit de toi, il s'agit de ton boulot. Est-ce que tu me saisis bien... ?

— Assez mal.

— Naturellement... Alors je vais essayer de t'expliquer ce qu'il en est car je ne voudrais pas que tu te figures que tout va pour le mieux.

Ce que m'annonçant, il ouvrit un tiroir de son bureau et en sortit une petite liasse de feuilles agrafées qu'il déposa gravement devant lui. Puis il jeta un regard mélancolique par la fenêtre.

— Il fut un temps où j'étais dans le circuit, reprit-il sur un ton fatigué. Tu n'avais qu'à pousser la porte et choisir ce que tu voulais parmi tous les projets qu'on nous proposait, et tu sais pourquoi... ? Parce qu'à ce moment-là, *j'étais réellement dans le circuit* et Dieu sait que je connaissais du monde, Dieu sait qu'à chaque fois que j'allais dîner en ville, je ne revenais pas les mains vides...

Il croisa ses mains sur le bureau et se pencha vers moi en me couvant d'un air doux. Parfois, il devait s'imaginer que j'étais son enfant. C'était grâce à lui si j'avais publié mon premier livre et il y a certaines choses que même un ex-écrivain comme moi ne pouvait pas oublier.

— Dan... Il faut que tu saches que ce temps-là est fini. Tu m'écoutes ? J'ai trop de travail ici pour continuer à entretenir des relations avec tous ces gens, j'espère que tu le comprends, et plus le temps passe, plus je perds mes contacts, tu sais, ils n'attendent pas après moi, tu peux me croire. C'est un monde où l'on ne peut pas se permettre de traîner en chemin, Danny, il est plus facile d'en sortir que d'y entrer, je te le garantis... !

Il ne m'apprenait rien. Il y avait longtemps que j'avais perdu toutes mes illusions sur le monde en général. Je savais ce qui arrivait aux plus faibles d'entre nous, à tous ceux qui n'allaient pas assez vite. Je n'avais pas besoin d'aller voir ça d'un peu plus près. D'ailleurs, je n'étais plus en âge de lutter avec des types deux fois plus jeunes que moi et qui n'ont qu'une seule idée en tête. Enfin, pas pour ça.

Je ne répondis rien. Je me suis demandé s'il voulait ma photo.

— Tu sais ce que c'est... ? m'interrogea-t-il, du bout des doigts saisissant les feuilles et sous mon nez les brandissant comme une pincée de sous-vêtements féminins. Non... ? Eh bien, voilà... C'est tout ce que j'ai à t'offrir, je n'ai rien d'autre et je n'ai rien reçu de nouveau depuis quinze jours. Je crois qu'il s'agit de rajouter un épisode à la série *Je te suivrai jusque dans la tombe*, je crois qu'ils n'ont plus envie de le voir mourir à la fin...

106

— Ça me paraît délicat..., répondis-je après avoir réfléchi quelques secondes.

Paul se recroquevilla sur son siège et me scruta intensément.

— Oh... ! Et comment... ! siffla-t-il. C'est un problème de la plus haute importance ! Comment rendre une histoire idiote encore plus idiote, j'imagine que ça ne doit pas être facile...

Il envoya promener les feuilles à travers le bureau. Je les suivis des yeux en pensant que c'était mon boulot qui s'envolait. Il se leva d'un bond et fila se planter devant la fenêtre. J'avais déjà remarqué qu'un type qui vit dans un bureau est attiré par la lumière du jour.

— Enfin, bref..., je ne crois pas que tu pourras me reprocher de t'avoir pris en traître, soupira-t-il. Dan..., je ne te dirai jamais assez à quel point ça me désole de voir que tu t'obstines dans cette voie-là, mais crois bien que si je le pouvais je continuerais malgré tout à t'aider, je te laisserais écrire ces machins-là jusqu'à la fin de tes jours. N'empêche que c'est un beau gâchis.

Ils n'étaient plus qu'une toute petite poignée à penser que j'avais encore du talent, mais j'étais bien placé pour savoir qu'ils se trompaient. Malheureusement, il se trouve toujours des gens pour savoir tout mieux que vous et qui vous compliquent l'existence. Etait-ce si difficile à imaginer qu'un type s'arrêtât d'écrire au beau milieu de sa vie sans qu'il y ait une raison très précise ? Allait-on m'emmerder encore longtemps avec ça ? Pouvais-je espérer qu'un jour j'allais me débarrasser de ce fardeau stupide... ?

Paul me tournait le dos. Comme je n'avais rien à dire, je finis par me lever et me dirigeai vers la porte.

— Dan... Est-ce que tu sais que tu en as encore pour vingt-cinq ou trente ans ?

— Bon sang, je l'espère bien.

— Alors, n'oublie pas une chose...

— Dépêche-toi, ne me laisse pas dans les courants d'air.

— Quand tu seras sur le point d'aller t'inscrire au chômage, je serai là et je t'attendrai.

Il y avait longtemps qu'une telle ombre n'avait pas plané au-dessus de ma tête. Ça me rappelait quelques épisodes, des passages entiers de ma vie où j'avais dû apprendre à jouer serré mais qu'aujourd'hui je revoyais avec une certaine nostalgie, ce que John Fante appelle le *vin* de la jeunesse.

Avec une bonne vingtaine d'années de recul, je considérais d'un œil amusé la quantité de boulots que j'avais pratiqués avant de me mettre à écrire des livres. Je crois sincèrement qu'un vent de liberté avait soufflé sur ma vie durant toute cette période. Dès qu'un patron me passait la main dans le dos ou proposait de m'augmenter, je me sauvais en courant, parfois même je changeais de ville. Quand je voyais un type sauter des bancs de l'école pour aller aussitôt s'enfermer dans une boîte avec un soupir de soulagement, j'en attrapais des sueurs froides et je priais le Ciel pour que ça ne m'arrive que le plus tard possible.

J'ai cherché un instant à savoir si je me voyais une nouvelle fois en garçon de café, en veilleur de nuit ou en docker occasionnel, et je m'aperçus que je n'avais plus le même courage qu'autrefois et qu'embarqué vers mes quarante et quelques, ce genre de perspective ne m'emballait pas.

En rentrant chez moi, je fis l'inventaire de ce qu'il me restait. J'avais encore un feuilleton entier à écrire, plus un téléfilm et quelques bricoles parfaitement indignes de mon grand génie, mais l'un dans l'autre, et si rien de nouveau ne survenait entre-temps, j'en avais pour plusieurs mois avant de me retrouver au bord du vide. C'était par bonheur suffisamment loin pour que je ne me misse pas à trembler comme une feuille. J'avalai un verre en me promettant de rester vigilant et de retourner toutes ces questions dans ma tête à la faveur de mes nuits d'insomnie continuelles.

Je décidai de ne pas en parler à Hermann. De toute façon, en dehors de Gladys et de ses cours de théâtre, je ne voyais pas ce qui aurait pu l'inquiéter. Parfois, c'était moi qui lui demandais s'il avait besoin d'argent. Comme je devais l'envoyer s'acheter des trucs de temps en temps, Sarah me disait je crois qu'il a besoin de chaussures, tu devrais lui acheter un pantalon, son blouson est bon à mettre à la poubelle... J'avoue que je ne m'apercevais pas toujours à temps de ces choses, je n'allais pas voir ce qui se passait dans son armoire et de son côté il ne m'aidait pas beaucoup, à l'entendre il n'avait jamais besoin de rien ou alors il ne savait pas au juste. « J'ai horreur des machins neufs..., me disait-il. Je ne me sens pas bien dedans. » Ma tâche n'était pas facile. Un père est-il tenu d'aller régulière-ment vérifier le bon état des semelles de son fils ? Combien de temps avais-je mis avant de m'apercevoir qu'il tournait avec deux paires de chaussettes, m'en avait-il seulement touché un mot... ?

Quand il décidait de s'habiller, il empruntait une de mes chemises et pour lui, le tour était joué. Il n'avait plus qu'à s'envoyer un peu d'eau sur la figure et un coup de brosse dans les cheveux. Mais ça, je crois qu'il le tenait de moi, il ne pouvait pas le tenir de sa mère.

J'en avais parlé à Gladys un soir, je l'avais entraînée un peu à l'écart et je lui avais tenu un langage tout à fait clair.

— Ecoute-moi, tu es bien placée pour t'apercevoir de ce qui cloche dans son habillement, n'est-ce pas... ? Alors je ne sais pas, moi, tu n'as qu'à me prévenir discrètement avant que les choses ne dégénèrent, tu sais bien que je ne peux pas compter sur lui, je ne suis pas toujours là à vérifier si ses trucs ne sont pas usés jusqu'à la corde... Tu le connais, ce n'est pas lui qui va s'inquiéter pour ça... Enfin bref, j'ai besoin d'un obser-vateur qui soit toujours en première ligne.

— Bon, d'accord. Si tu veux. Mais tu sais, moi ça ne me gêne pas, je trouve qu'il est bien comme il est...

— Ouais..., la question n'est pas là. Essaie de le

regarder avec des yeux neufs, je t'en prie, rends-moi ce petit service... Je t'avoue que certains détails m'échappent complètement.

— Oh..., ben alors, ça doit pas être grave.

— Non, mais j'ai pas dit que ça l'était... Si je t'en parle, c'est que j'ai le sentiment que les femmes ont l'œil pour ce genre de choses. Enfin je ne sais pas, peut-être que tu t'en fiches après tout...

— Eh..., t'exagères de me dire ça, t'es pas très gentil...

Je cognai mon verre contre le sien en souriant et m'avalai mon Martini-gin en signe de repentir. Malgré tout, elle abandonna le méchant Dan dans son coin et s'en fut rejoindre les autres.

Au début de l'été, Hermann fit sa première apparition en public. Lorsque je le vis s'avancer sur la scène avec tous ces regards braqués vers lui, j'ai immédiatement senti qu'il était arrivé à un âge où la vie allait s'occuper de lui sans me demander mon avis et j'ai eu envie de lui crier : MÉFIE-TOI, HERMANN, FAIS TRÈS ATTENTION MAINTENANT... !

J'ai laissé retomber ma main sur le genou d'Elsie qui me glissa à l'oreille :

— Dis donc, qu'est-ce que ça le vieillit, j'imagine les ravages quand il aura vingt ans... !

Je lui répondis à voix basse de ne pas aller se rendre malade et qu'elle pouvait s'occuper de moi en attendant.

Nous étions tous venus pour le voir. Marc était là, mais au moment de nous asseoir, Elsie avait choisi de venir à côté de moi. Bien qu'elle s'en défendît, je restais persuadé qu'au fond elle n'arrivait pas à se décider. Je la surprenais parfois en train de nous regarder tous les deux avec une petite ride soucieuse et un sourire figé. Ça n'avait pas l'air d'être facile.

Je retirai ma main de son genou afin de pouvoir me concentrer sur Hermann. Il n'était pas très bon mais on sentait que le cœur y était, enfin moi son père, je lui aurais donné la moyenne, surtout qu'au fur et à mesure que la pièce avançait, son jeu gagnait en souplesse. Elsie me passa son paquet de chewing-gums en me coulant un regard énamouré qui m'aver-

111

tit que ses sentiments penchaient de mon côté pour l'instant, peut-être même pour le restant de la soirée. Eh bien, voilà qui était parfait.

La dernière grande fête que j'avais donnée à la maison remontait à quelques mois avant que Franck ne m'ait plaqué. Je me souvenais vaguement de la fin, des dernières poignées de main sur le trottoir pendant que le jour se levait et de Franck qui restait silencieuse dans mon dos. Je n'arrivais déjà plus à écrire à ce moment-là, sauf que je ne m'étais pas encore résigné et que je traversais ma période de sevrage la plus douloureuse. Je n'en étais plus à me rouler par terre avec des crampes dans le ventre mais j'étais presque anéanti et je buvais pour ne plus y penser. Ça ne marchait pas à tous les coups mais j'avais au moins l'impression qu'il s'agissait d'un cauchemar et qu'au réveil j'allais pouvoir de nouveau m'installer devant ma machine et travailler.

Franck était montée sans un mot mais je savais très bien ce qu'il en était. Je m'étais soûlé une fois de plus et j'étais tombé sur une femme qui ne le supportait pas. Pourtant, je ne l'avais jamais battue ni frappée, jamais je n'avais touché un seul cheveu de sa tête, je l'adorais. Seulement elle ne me croyait plus, elle prétendait que je ne me conduirais pas comme ça si je l'aimais vraiment, et je n'avais pas réussi à lui faire changer d'avis. A cette époque-là, tout me filait entre les mains.

Il y avait de cela environ sept ou huit ans. Je crois que ce fut l'une des pires engueulades que nous ayons eues ensemble. Nous hurlions tellement fort tous les deux que nous avions fini par réveiller Hermann. Il pleurait devant la porte de sa chambre. Franck aussi pleurait. J'ai pensé que j'allais devenir fou. Et peut-être qu'au fond j'en avais pris le chemin. En fait, je n'étais redevenu raisonnable que de nombreux mois plus tard, une fois que tout était fini et que j'allais avoir à m'occuper d'Hermann tout seul.

Dès que la pièce fut terminée, nous nous sommes

regroupés dans le hall. Nous étions convenus d'attendre qu'Hermann et ses copains se fussent changés afin de se répartir dans les voitures, mais comme j'étais en moto, je décidai de prendre les devants et de me transformer en maîtresse de maison. Elsie insista pour venir avec moi. Ce soir, elle était amoureuse de moi, il n'y avait plus aucun doute.

Je m'arrêtai en chemin pour acheter des cigarettes et quelques bouteilles supplémentaires pour le cas où j'aurais visé un peu court. La nuit était douce et légèrement poisseuse. Vu la taille de mon jardin, tout le monde n'allait pas pouvoir en profiter et je prévoyais certaine bousculade autour de mes transats.

Je fis le tour par les périphériques pour nous donner un peu d'air. Elsie avait glissé une main entre deux boutons de ma chemise et me caressait l'estomac. Elle avait appuyé sa tête dans mon dos. Je regrettais que Franck n'ait pas connu ça, j'étais certain qu'elle aurait aimé. En général, les filles aiment bien se retrouver à cheval sur une selle, c'est ce que je me plais à imaginer.

Pour commencer, elle se pendit à mon cou pendant que j'essayais d'introduire ma clé dans la serrure. Ça ne m'a pas facilité la tâche, elle devait bien peser dans les soixante kilos. Voyant qu'elle n'était pas disposée à reposer ses pieds sur le sol, j'ouvris la porte et nous transportai à l'intérieur d'une démarche un peu raide.

Je pris le risque de la refermer d'un coup de pied, ce qui l'espace d'une seconde nous vit en équilibre sur une seule guibolle. Je n'allumai pas. L'éclairage de la rue nous gardait gentiment de l'obscurité complète.

Malgré qu'elle fût en train de me couvrir le visage de baisers enragés, je parvins à sourire. Quelle mouche l'avait donc piquée, quelle pilule avait-elle avalée pour se retrouver dans un état pareil ? Ses mains couraient dans mes cheveux, m'ébouriffant de la belle manière, ses lèvres ne tenaient pas en place, tout son corps gémissait, au point que n'étant pas averti de la nature de ces choses j'aurais pu en nourrir une certaine inquiétude, d'autant qu'elle respirait bruyamment et qu'entre deux couinements elle me jurait que de moi tout entier elle n'allait faire qu'une malheureuse bouchée.

Je la laissai glisser à mes genoux. D'un geste précis, elle fit sauter la boucle de mon ceinturon. Tout de même, je regardai l'heure. Le moindre calcul dans ces conditions n'était pas particulièrement aisé mais j'estimai que nous n'avions guère plus de dix minutes. C'était juste. Peut-être les autres s'étaient-ils déjà mis en route et je n'avais pas remarqué beaucoup de circulation sur le chemin. J'écartai les cheveux qui lui tombaient sur la figure pour regarder un instant ce qu'elle fabriquait. Je me sentis pris d'un élan de tendresse pour elle. « Quelle insouciance...! me dis-je. Quarante personnes vont rappliquer d'une minute à l'autre et la voilà qui prend tout son temps, qui les a carrément rayées de son esprit...! »

Je l'écartai de moi avec d'infinies précautions et rejetai mes fesses nues en arrière. Ce n'était pas de gaieté de cœur.

« Mais Dan...!? » murmura-t-elle en levant les yeux vers moi. Je plaçai mon index sur ma bouche car cette fois, les mots ne servaient à rien, il n'y avait pas une seconde à perdre.

Je tendis une main vers elle pour l'aider à se relever. Dans ma tête, le compte à rebours était commencé. A peine debout, elle essaya de s'emparer de mes lèvres et d'attraper mon engin, mais j'esquivai et la soulevai dans mes bras. Par chance, mon pantalon n'était descendu qu'à mi-cuisses, je pouvais encore marcher et le canapé n'était pas à des kilomètres. Durant le voyage, je lui mordillai le bout d'un sein.

Son odeur faillit m'étourdir au point de tout envoyer promener et de nous barricader dans la baraque. Je serrai les dents, nous étions installés sur un baril de poudre. Je la déposai rapidement. Ses collants luisaient dans la pénombre, ses yeux brillaient, ses mains étaient magnifiques. La sagesse aurait voulu que je la prenne sur-le-champ mais je ne pouvais m'y résoudre.

Pressé par le temps, je me contentai de trousser sa petite jupe et dégrafai le haut.

« Dan chéri... ! » me lança-t-elle en se dressant soudainement car elle en voulait encore à ma bouche.

J'ai réglé ça en vitesse puis j'ai réussi à la faire tenir tranquille. Je ne pus m'empêcher de la contempler un instant, j'étais penché au-dessus d'un brasero.

Une voiture qui passait dans la rue me glaça les sangs. Ce n'était pas le moment de m'endormir. La soirée n'était pas commencée, il n'était donc pas question que je fisse voler son collant en mille miettes. Malgré tout, si j'analysais les choses froidement, je devais quand même tenir compte du fait que je n'allais pas en rajeunissant, je ne pouvais pas me leurrer là-dessus et j'étais parfaitement conscient qu'il me fallait sauter sur de telles occasions et en tirer le maximum, car enfin, ça n'allait pas durer toujours, et qui s'enverrait alors la tête contre les murs, qui se maudirait de n'avoir su prendre soin de son âme pendant qu'il en était encore temps ?

Je résolus de ne pas traîner mais refusai de brûler les étapes. Sa poitrine me tentait. J'y fis un bref détour, lui arrachant un de ces gémissements à vous couper les genoux. « Bigre... ! » pensai-je, car je la connaissais suffisamment pour m'apercevoir qu'elle était vraiment *très* excitée. L'affaire se présentait encore plus mal que je ne l'imaginais. A moins d'un sacré coup de chance, je perdis subitement l'espoir de régler ça en quelques minutes. Je sentis un peu de sueur perler à mon front.

Je dressai l'oreille une dernière fois. En dehors d'Elsie, tout le quartier semblait bâillonné, il n'y avait aucun signe de vie derrière ma porte.

— Oh, mais Danny..., le temps presse ! pleurnicha-t-elle.

Qu'est-ce qu'elle croyait, que j'étais en train de bayer aux corneilles... ? Elle se souleva légèrement et je lui roulai son collant jusqu'en bas des chevilles. Je fus heureux de constater qu'elle n'avait pas de culotte, c'était toujours ça de gagné.

J'allais lui écarter les genoux mais elle avait passé la vitesse supérieure et elle ouvrit ses cuisses sans que je lui demande rien. De tièdes, mes oreilles devinrent brûlantes. Elle ne m'attendit pas pour commencer à jouer avec ses bouts de seins.

— Si ça ne t'ennuie pas, lui dis-je, j'aimerais que tu m'en laisses un... !

Elle s'exécuta de bon cœur. Je posai une main dessus et sentis le mamelon me chatouiller la paume. Je me suis demandé incidemment combien de temps je pouvais laisser les autres poireauter sur le trottoir avant qu'ils ne m'enfoncent la porte, puis je me souvins qu'Hermann avait ses clés. Le cœur serré, je descendis entre ses jambes qu'aussitôt elle ouvrit un peu plus. C'était on ne peut plus clair. Le message était qu'il ne s'agissait plus de tergiverser et qu'elle n'avait pas l'intention de se livrer à certains jeux comme à l'ordinaire, ni de s'entourer d'une batterie d'accessoires. Fallait-il me mettre les points sur les « i » ?

« Très bien, Dan... ! » me lança-t-elle du regard, et comme si j'étais un enfant perdu sur le bord de la route, elle plongea ses deux mains entre ses jambes et m'indiqua le chemin en écartant sa fente du bout des doigts.

Avant de m'y mettre, je posai un instant ma joue sur la face intérieure de sa cuisse. C'était une espèce de rituel que cette courte halte et je m'y abandonnais régulièrement toutes les fois que je passais par là. Je ne connaissais rien de plus délicat, la douceur de sa peau en cet endroit précis me subjuguait littéralement et j'éprouvais d'habitude toutes les peines du monde à m'en détacher. Que je sache, il n'existait pas de contact plus agréable et je finissais par fermer les yeux pour m'imprégner d'une telle félicité, l'esprit au repos et les narines offertes pendant que d'une main je m'amusais avec son sexe et qu'elle m'envoyait des ah Dan, des oh mon Danny chéri.

Malheureusement, je ne me bornais cette fois qu'à marquer un arrêt symbolique le long de sa cuisse. J'en étais presque malade, j'en ressentis une espèce de haine pour le monde entier. Bref, il s'agissait de sauver ce qui pouvait encore l'être, et vite... !

Elle se dressa sur ses coudes.

— Mais enfin, Dan, qu'est-ce que tu fabriques... ?

Je ne répondis rien. Bien sûr, ce n'était pas la même chose pour elle. A son âge, l'idée qu'on ne pourra pas baiser jusqu'à la fin de sa vie ne vous effleure même pas. Je me suis dit que ça ne servirait à rien de lui expliquer ce qu'il en était quant à moi. Ce qui l'intéressait en ce moment, c'était de tortiller son bassin et de me faire entendre le chant de ses fesses sur le vieux cuir de mon canapé.

Je n'y fus pas insensible. Oubliant mes regrets, je lui plantai soudain ma langue à la base du coccyx et ratissai le terrain jusqu'à son nombril. S'étranglant à demi, elle se cabra de telle manière qu'il s'en fallut d'un poil que nous n'allions à terre. Se raidissant, elle m'attrapa solidement par les oreilles.

— Encore... ! grogna-t-elle.

Le contraire m'eût étonné. D'ailleurs, j'étais tout prêt à recommencer, mais à condition qu'elle perdît cette manie de m'empoigner de la sorte.

— Oh Danny... ! Je t'ai fait mal... ?

Danny les avait en marmelade mais se fendit d'un sourire bienveillant. Qu'à cette heure la baraque fût encore plongée dans le calme tenait à ce point du miracle que rien ne pouvait me chagriner réellement. « Qui sait si tu n'as pas une bonne demi-heure devant toi... », me taquinai-je, soulevé par un élan de fol optimisme. « Qui sait s'ils ne sont pas en train de discutailler devant les voitures pendant que tu te retournes les sangs... ? »

Je n'y croyais pas trop mais je pris quand même le temps de lui enlever tout à fait son collant et, par jeu, le lui nouai tendrement autour de la cuisse. Non pas que dans mon esprit cette séance eût quelque chance de laisser un souvenir impérissable, mais j'espérais tout de même en garder un détail qui fût cher à mon cœur.

Elsie soupira presque douloureusement tandis que je lui passais une jambe par-dessus le dossier du canapé. Je m'étonnais qu'elle fût muette, elle qui d'habitude ne tārissait pas de franches obscénités, mais au fond rien ne tournait très rond dans cette histoire. Ça ne devait pas être si facile d'avoir deux types dans la tête et de garder du goût pour la plaisanterie. Sans compter que, si je ne m'abuse, la perspective de baiser en quatrième vitesse n'était pas de nature à rendre une fille particulièrement bavarde. Je me penchai à nouveau entre ses jambes.

— Je vais te branler jusqu'à l'os... ! l'avertis-je d'une voix sourde.

Mais moi, je pouvais m'y prendre comme je voulais, je n'avais aucune imagination pour ce genre de choses, mes mots sonnaient toujours de manière assez ridicule. Parfois, Elsie m'encourageait mais je ne me trouvais pas encore très convaincant. Je me demandais même si j'y parviendrais un jour. Je crois bien que, même sexuellement, les mots n'avaient plus aucun attrait pour moi.

— Ecoute, lui dis-je, tu comprends bien que je ne vais pas pouvoir m'éterniser... Alors, pour l'amour du ciel, tâche de ne pas traîner... !

Elle battait des paupières. C'était parti. La seule chose qu'il restait à faire à présent, c'était de prier.

En ce qui me concernait, l'épilation d'Elsie était un bonheur de tous les instants. Elle était d'ailleurs à cet égard ma première expérience et j'étais très rapidement devenu un ardent fanatique de la chose. J'applaudissais des deux mains ce mélange d'innocence et de perversité, je ne trouvais plus le moindre charme à la toison pubienne. Je pouvais y aller franchement avec Elsie, je ne risquais pas de m'étrangler avec un poil au fond de la gorge.

Il s'agissait de la cramponner solidement tout au long de l'exercice, surtout ne pas croire qu'elle allait se contenter de gigoter tranquillement et de rouler des hanches comme la plupart des autres. J'étais curieux de savoir de quelle manière Marc s'en était tiré la première fois, n'ayant tenu pour ma part qu'une ridicule poignée de secondes avant d'atterrir sur la descente de lit sans avoir compris ce qui m'arrivait. Ah, Elsie...! A peine aviez-vous piqué du nez entre ses jambes que se levait une forte houle, et quand par malheur l'un de vos doigts venait lui frôler l'anus, la tempête se déchaînait brutalement et l'on eût dit que le ciel tout entier cherchait à vous jeter par-dessus bord.

Mais j'avais à présent une assez bonne expérience de la chose. Aurait-elle mangé du cheval, aurions-nous roulé jusqu'au milieu de la rue que je n'aurais pas lâché prise. Pour l'heure, je lui avais bloqué la tête contre l'accoudoir du canapé et la maintenais fermement tout en gardant une relative souplesse, ce qui me permettait d'amortir certain coup de reins vicieux et d'éviter de m'éclater les lèvres sur les os de son bassin.

Elle m'avait attrapé par les cheveux mais c'était de bonne guerre et je n'y étais pas particulièrement sensible. J'espérais qu'elle ne m'arrachait que les blancs. Je luttais silencieusement tandis qu'elle se contorsionnait et m'invitait d'une voix sourde à ne pas m'arrêter pour l'amour du ciel. Je me sentais toujours important dans ces moments-là, comme si j'étais sur le point de faire jaillir du feu d'un morceau de silex. J'étais moi-même terriblement excité et attendais mon tour avec beaucoup d'impatience, mais je n'en restais pas moins vissé à ma place et continuais docilement à lui astiquer le berlingot.

— Oh, je t'en supplie...! grogna-t-elle. Oh, nom de Dieu, je t'en *supplie*...!!

Elle se mit à trembler des pieds à la tête. Sentant

des forces nouvelles m'envahir, je lui glissai un doigt dans la bouche et le lui enfonçai ensuite dans le derrière. Elle se dressa sur un coude pour me jurer tendrement qu'elle m'aimait. Ça me fit plaisir et je lui souris mais je n'en croyais pas un mot. J'en profitai pour respirer un peu et me sortir une jambe de mon pantalon.

— Je ne rigole pas, tu sais...

Je ne répondis rien. Je m'essuyai un peu le menton et m'apprêtai à retourner entre ses jambes mais elle m'attira contre elle et me décocha un de ces baisers du tonnerre de Dieu dont je ne voyais plus la fin. Je me suis retrouvé à quatre pattes au-dessus d'elle. Ses deux bras s'étaient refermés autour de mon cou, ses jambes s'étaient nouées autour de mes reins, enfin autant dire qu'elle était suspendue à moi et que la situation menaçait de s'éterniser. Elle était partie pour embrasser chaque centimètre carré de mon visage et ça ne m'ennuyait pas spécialement, mais je ne perdais pas de vue que nous jouions avec le feu et que le pire risquait encore d'arriver. Nous avions joui jusqu'à présent d'une superbe chance, je me rendais parfaitement compte du cadeau qui nous avait été fait et je n'avais pas l'intention d'en demander davantage, tirer sur la ficelle me répugnait.

Je l'enfilai donc à l'aveuglette, ce que d'un adorable feulement elle accueillit tout en me talonnant les fesses.

— Ah, viens plus près, mets-la-moi tout au fond, Danny... !

Je la rassurai en tricotant des hanches, qu'elle pût ainsi constater que j'étais en tout bout de course et certainement pas en train de lésiner. Je l'embrassai dans le cou.

— *E non ho amato mai tanto la vita, tanto la vita !* fredonnai-je les yeux à demi clos.

— Oh ! mon Danny..., roucoula-t-elle, je suis sûre que nous avons encore le temps... !

Je lui passai un rouleau de Sopalin en ricanant.

— Voyons, Elsie... Sois raisonnable. Ils seront là d'une minute à l'autre.

Elle attrapa le rouleau en soupirant, tandis que je remontais mon pantalon. Je me penchai vers elle en souriant pour l'embrasser dans les cheveux. Je savais très bien qu'elle ne se rendait pas compte. J'avais beau me trouver dans une forme relativement acceptable pour mon âge, je n'étais plus en état de baiser coup sur coup comme ça pouvait m'arriver lorsque j'avais vingt ans de moins et qu'il m'était donné de bander durant une bonne partie de la nuit. Je devais à présent m'accorder un petit break. Je n'en rougissais pas mais ce n'était pas l'un de mes sujets de conversation préférés.

— Ne me tente pas, murmurai-je. Je t'en prie, remets cette jupe en place ou nous sommes fichus...

Elle hésita une seconde, les jambes écartées, le con luisant. A cet instant, j'ai pensé que j'en serais peut-être capable. Je n'en étais pas absolument sûr. J'ai baissé les yeux et je suis allé ouvrir un peu les fenêtres histoire d'aérer. La rue était déserte, le ciel étoilé. Quand on se demande si on va y arriver, ce n'est même plus la peine d'essayer. Je me suis servi un verre sans me retourner pendant qu'elle s'essuyait, puis je l'ai entendue cavaler vers la salle de bains et je suis resté un petit moment immobile en souvenir du temps passé.

Lorsque nous entendîmes le cortège de voitures stopper devant la baraque, Elsie m'envoya un regard amer. Nous avions poireauté un bon quart d'heure sur le canapé et dans son esprit il allait de soi que je m'étais dégonflé et que nous aurions pu utiliser toutes ces précieuses minutes autrement qu'à discutailler, et je crois bien qu'elle m'en voulait. Je lui clignai de l'œil à tout hasard, puis me levai pendant que les portières claquaient dans la rue et qu'elle s'emparait sans un mot d'une poignée de cacahuètes.

J'ouvris ma porte en grand et me reculai en prenant soin de garder mon verre serré contre ma poitrine. La première vague s'engouffra, colorée et bruyante, pendant que les plus vieux attendaient sagement leur tour sur le trottoir avec un sourire amusé. J'envoyai ceux qui avaient les bras chargés directement à la cuisine. Un tas de vêtements s'amoncela au pied de l'escalier. Il fit nettement plus chaud d'un seul coup. Quelqu'un s'occupa de la musique alors que tous n'étaient pas encore entrés. En passant devant moi, Paul glissa une poignée de *Monte Cristo* numéro 3 dans la poche de ma chemise. Je ne connaissais pas tout le monde. Certains me posèrent une main sur l'épaule, d'autres m'embrassèrent, d'aucuns me lancèrent un regard atrocement vide. Au total, je comptai soixante-cinq personnes. Je me suis demandé si je n'étais pas un peu malade.

Comme je l'ai dit, il y avait un fameux bail que je n'avais pas donné de fête à la maison et durant quelques minutes je suis resté cloué dans l'entrée à danser d'un pied sur l'autre, à ruminer de vieux souvenirs, à me demander à quoi tout ça pouvait bien servir ou si c'était moi qui ne savais plus m'amuser. Je décidai d'aller remplir mon verre et d'étudier la question de plus près.

Hermann s'était déjà débarrassé de sa chemise et arborait un de ses élégants tee-shirts aux fibres avachies qu'il conservait précieusement. Ses yeux brillaient, il semblait au meilleur de sa forme, il parlait fort et s'assurait que chacun eût quelque chose à boire et ne manquât de rien. Je m'étais moi aussi régalé de ce genre de soirées, j'avais passé une bonne partie de ma jeunesse dans des pièces noires de monde et j'avais le même sourire que lui, j'aimais voir les gens, les observer, les écouter et discuter avec eux et me retrouver dans la rue avec le jour qui se levait et peut-être une inconnue à mon bras et la voix cassée par les cigarettes et les yeux grands ouverts et le sang fouetté par un dernier verre d'alcool. Ce qu'Hermann était en train de découvrir, je l'avais pratiqué pendant vingt ans et je ne savais pas ce que cela m'avait apporté, mais je ne regrettais rien. Je levai mon verre au-dessus de mon nez et bus secrètement à la santé de mon fils avant de m'approcher de lui.

— N'hésite pas à les laisser se démerder..., lui glissai-je à l'oreille. Sinon tu vas y passer toute la soirée.

— Ouais, sois tranquille.

Une fille du genre effronté se glissa entre nous deux et lui demanda où se trouvaient les petits coins dans cette fichue baraque, car il fallait qu'elle change son tampon et pas plus tard que tout de suite. Hermann lui indiqua le chemin gentiment.

— Dis donc, tu la connais... ? m'enquis-je.

— Hum..., elle fait du théâtre.

— Elle accroche bien, je trouve...

Je me préparai à lui rappeler que cette soirée était un peu en son honneur et qu'en toute franchise ses copains et lui l'avaient bien méritée, mais nous fûmes malheureusement séparés et je remballai aussitôt ma tendre marchandise en claquant ma langue dans ma bouche. Du coin de l'œil, je repérai Elsie et Marc qui discutaient ensemble et à mon avis ils ne parlaient pas de musique, ils se tenaient dans un coin et se regardaient dans les yeux. Dans l'ensemble, j'étais assez curieux des changements qui s'opéraient dans mon comportement et je notai que les errements de ma petite amie, qui en d'autres temps m'auraient prodigieusement déplu, n'éveillaient plus grand-chose en moi. Je ne m'en fichais pas pour autant mais je restais sans réaction et n'éprouvais aucune colère. J'étais en train de me demander si je devais considérer mon attitude comme un pas en avant vers une plus grande solitude lorsque Sarah m'attrapa par la taille et me présenta un type d'une quarantaine d'années qui me serra la main d'une manière virile, m'assurant qu'il était enchanté de me connaître. Sa main était moite,

123

ses dents trop blanches, parfaitement alignées. Celui-là, je ne pensais pas qu'il allait faire long feu.

Je m'éloignai en vitesse. Sarah me retrouva du côté des boissons fortes auprès desquelles je venais de m'agenouiller et elle s'accroupit à mes côtés.

— Alors... Qu'est-ce que tu en penses... ?

— Ecoute, Sarah..., je voudrais que tu perdes cette manie. C'est pas moi qui couche avec eux, j'en pense rien de ces gars-là, tu devrais le comprendre une bonne fois pour toutes...

Je sortis une bouteille du lot et la gardai entre mes mains. Malgré que je la connusse par cœur, je relus l'étiquette.

— Tu veux que je te dise... ? Que ce type puisse poser les mains sur toi, j'aime mieux ne pas y penser. Mais au fond, qu'est-ce que ça peut bien faire... ? J'ai l'impression que tu es assez grande.

— Bon sang, il faut toujours que tu compliques tout... !

— D'accord. Puisque tu veux mon avis, je trouve qu'il a un grand nez.

Elle se releva en soupirant. Je me versai un verre avec le sourire puis m'en allai discutailler ici et là en dévisageant toutes les femmes que je rencontrais sur mon chemin car le mystère demeurait absolu.

Hermann continuait à tenir les choses en main. Gladys le secondait efficacement, et de temps en temps Richard sortait de la cuisine avec un plat sur les bras et Gandalf perché sur l'une de ses épaules. Tout marchait comme sur des roulettes. Un type s'occupait de la musique, un barbu qui, si je ne m'abuse, écrivait des bouquins, mais tant qu'il ne touchait pas à mes disques classiques, il avait ma bénédiction. Ça dansait dans le jardin, ça se tenait à deux dans mes transats, ça s'allongeait dans l'herbe en regardant le ciel ou ça rigolait, ça palabrait, ça fondait sur les amuse-gueule. A l'intérieur, l'ambiance était aussi agréable, les visages semblaient éclairés, les regards brillaient, les femmes renversaient leurs têtes en arrière et les types

124

se tenaient prêts à les cueillir au vol. Tranquillement, la nuit se mettait en place et se laissait doucement aller. C'était comme ces jouets que l'on secouait brusquement, remplis d'eau et de neige artificielle. Il fallait encore attendre un peu avant d'y voir tout à fait clair.

Sur les coups de trois heures du matin et malgré que mon esprit fût légèrement engourdi, je fis une espèce de bond en entendant Kiri Te Kanawa attaquer « *Ruhe sanft, mein holdes Leben...* » et mes poils se hérissèrent sur mes avant-bras. Vivement contrarié, je me levai en maudissant ce fils de pute et m'avançai vers lui avec un air sombre.

Il me tournait le dos. Je l'empoignai par l'épaule.

« Ecoute-moi bien, mon garçon... » l'apostrophai-je. Il se tourna vers moi les yeux clos, un doigt en travers de la bouche, la pochette serrée contre sa poitrine. Son visage était empreint d'une telle béatitude que toute colère s'évanouit subitement en moi et qu'à mon tour je retins mon souffle.

Dans l'ensemble, tout le monde en avait un coup sur le crâne et les conversations qui roulaient encore çà et là avaient suffisamment perdu de leur éclat pour que l'on pût écouter un peu de musique.

Je ne lâchai pas mon barbu avant la fin du morceau mais j'avais desserré ma poigne et ma main reposait amicalement sur son épaule. C'est une chose très étrange que d'éprouver de l'intimité avec une personne que l'on ne connaît pratiquement pas. Surtout dans mon cas, quand par surcroît il s'agissait d'un écrivain, et du sexe masculin, avec une barbe de vingt centimètres. Lorsqu'il ouvrit les yeux, je l'accueillis avec une espèce de sourire.

— Tu ne laisses personne d'autre s'approcher..., murmurai-je.

Je retournai m'asseoir auprès de Paul qui tentait de m'expliquer la différence entre un type à l'esprit ouvert et une tête de mule. Je ne l'écoutais qu'à moitié, je regardais Hermann et ses copains regroupés dans un coin de la pièce et je me demandais ce qu'ils fabriquaient sans pour autant envisager de me relever. Elsie était assise à côté de moi depuis un moment, en fait depuis que Marc avait attrapé une guitare et s'était confectionné un parterre de filles dans le jardin. Par moments, elle se serrait contre moi et je passais ma main dans ses cheveux sans chercher à comprendre. Elle se plaignait auprès de Sarah que son disque fût mal distribué et que les stations de radio fussent aux mains d'une poignée d'abrutis, à l'entendre une bande de mongoliens qui auraient baisé leur mère. Andréa, ma petite secrétaire chérie, était penchée au-dessus d'elle et hochait la tête d'un air entendu, les genoux serrés, assise sur la pointe des fesses, répétant que c'était exactement la même chose dans l'édition et qu'ils se valaient tous. Elles étaient d'accord pour déplorer que la plupart des rênes atterrissaient fatalement entre les mains d'une poignée de salauds mais pensaient que c'était inévitable.

Le type que m'avait présenté Sarah s'était finalement endormi dans un fauteuil. Sans réellement se montrer distante, elle ne l'avait pas encouragé tout au long de la soirée et le type avait traîné autour d'elle en prenant un air malheureux. Je ne savais pas si ma conversation avec Sarah y était pour quelque chose, mais si tel était le cas, je finissais par le regretter. Je m'en voulais de ne pas avoir su tenir ma langue. Si j'avais gâché une seule minute de la vie de Sarah, si je l'avais privée ne fût-ce que d'un seul petit instant de bonheur, j'étais une espèce d'assassin et sans véritable mobile par-dessus le marché. Au fond, je pensais me connaître mais on n'en finit jamais de découvrir les noirceurs de son âme.

Une bonne moitié de l'assistance nous avait peu à peu quittés. Ne restaient en place que les plus jeunes, les insomniaques, les délaissés, les insouciants. La Callas, *Norma* de Bellini, enregistrement de 1957 à la Scala de Milan. Je poursuivais ma route au Jack Daniel's, à grand renfort de glaçons en forme de cœur ou de sapin de Noël.

Je m'occupais du verre de Paul. Toutes les demi-heures, il succombait à un élan de nostalgie et, me prenant la main, il me demandait si je me souvenais du temps où nous n'étions que tous les deux, où pour tout horizon nous n'avions que la Littérature et tout juste de quoi nous payer quelques sandwiches. En général, je n'aimais pas tellement y penser. Mais il insistait et quand par hasard Andréa saisissait deux ou trois bribes de la conversation, je la voyais sur le point de défaillir sur son siège, ses joues se coloraient et elle nous couvait des yeux comme si nous étions ses enfants chéris. Je les laissais dérailler. J'étais arrivé à un état où plus rien ne parvenait réellement à me toucher.

Parfois, un éclat de rire jaillissait d'un groupe que l'on aurait cru endormi, ou un connard me brisait un verre, ou une fille sortait des petits coins en tirant la chasse d'eau. Un groupe d'affamés s'était retranché dans la cuisine et ratissait les invendus en vidant mes dernières bouteilles de vin. Au bruit, j'étais capable de savoir ce qu'ils fabriquaient, quel tiroir ils ouvraient, quel placard ils investissaient et s'ils faisaient couler l'eau chaude ou l'eau froide, et combien de fois ils actionnaient la poignée du frigo. Si je me sentais plutôt bien, ça venait en grande partie de ce que je me trouvais chez moi et j'éprouvais presque la sensation d'être partout à la fois, je connaissais l'odeur du jardin, je savais ce que c'était que d'y rêvasser la nuit dans les bras d'un transat, il n'y avait pas dans cette baraque un seul endroit qui me fût secret et je n'avais pas besoin de changer de place pour goûter un peu tout.

D'une main je caressais la moquette. Je m'étais appuyé le dos au mur et j'avais étendu mes jambes devant moi. Jouissant d'une agréable position, je pouvais apercevoir deux ou trois culottes de filles et j'étais perdu dans leur contemplation sans pour autant penser à mal. En fait je m'instruisais, je remarquais que la mode revenait au blanc et qu'il y avait une percée du côté de la dentelle et des trucs satinés. Un léger pincement me brisait le cœur lorsque l'une d'elles croisait les jambes, mais qu'elle reprît le mouvement en sens inverse et tous les morceaux se recollaient comme par enchantement.

Malheureusement, Elsie étouffa un bâillement en se cachant dans mon cou et elle en profita pour me demander si je voulais être un amour, ce que bien entendu je ne pouvais pas refuser, si je voulais bien aller lui chercher un verre d'eau fraîche, qu'alors je serais si gentil. Il valait mieux ne pas réfléchir et je me suis dit qu'en moins de trente secondes j'allais pouvoir reprendre ma place, peut-être même que j'allais ne m'apercevoir de rien.

Je m'arrachai du sol dans l'instant qui suivit, étonné d'être encore capable d'un tel ressort. Au fond, je n'avais pas encore tellement de choses à envier à un gamin de vingt ans, ou si peu à condition d'aller couper les cheveux en quatre. Finalement, c'était une bonne idée que de se dégourdir les jambes, d'autres que moi semblaient y avoir pensé et j'en croisai quelques-uns qui tenaient toujours debout, errant d'une pièce à l'autre, et nous nous souriions en passant ou prenions réciproquement de nos nouvelles.

A vue de nez, j'estimai qu'il me restait une marge de deux ou trois verres avant que les choses ne se compliquent sérieusement, peut-être un peu plus si je me décidais à manger un morceau, mais rien ne me tentait vraiment. Tout ce qui pouvait encore vous tomber sous la main vous tirait une triste mine ou agonisait purement et simplement sur le soleil couchant qui décorait mes assiettes en carton. Retranchés dans la cuisine se tenaient quelques jeunes écrivains, une petite partie du sang neuf de la littérature de mon pays. Il y avait une certaine animation car ces gens-là ont l'habitude de parler tous en même temps. Et c'était parti pour durer jusqu'au petit jour car rien n'est plus résistant qu'un cerveau inquiet et rien n'est plus rassurant que de se bercer de paroles.

« Alors, est-ce que ça va, les gars... ? » les interpellai-je sur un ton joyeux, mais aucun d'eux ne leva le bout de son nez vers moi. Ils ne m'avaient sûrement pas entendu mais il était possible que le son de ma voix eût baissé depuis que je n'étais plus un écrivain. Je ne devais m'en prendre qu'à moi.

Je traversai donc la cuisine incognito, emplis mon verre d'eau puis ressortis sans laisser aucune trace. En certaines occasions je regrettais l'époque de mon succès et j'aurais aimé qu'à nouveau il s'en traînât à mes pieds, ne fût-ce que durant quelques minutes, rien que pour y goûter encore une fois et vérifier que mes souvenirs étaient exacts. Pendant que je traversais le salon, j'aurais donné la moitié de ce que je possédais pour qu'une poignée de jolies filles, rougissant à mon passage, m'aient murmuré en chœur, d'une petite voix troublée : « Dan... T'es not' gourou... ! »

Légèrement grisé par ce joli rêve, je donnai le verre d'eau à Elsie mais renonçai à m'asseoir auprès d'elle. Paul s'était endormi et toutes les trois discutaient d'une nouvelle technique pour se boucher les rides en deux séances d'injections. Je ne voulais pas en savoir davantage, d'autant que l'alcool aurait plutôt tendance à vous bouffir les traits. Je jetai tranquillement un coup d'œil circulaire dans la pièce puis m'étirai discrètement avant de choisir un nouveau point de chute. Allais-je me mêler à ceux qui entamaient une partie de cartes, me sentais-je de taille à affronter une théorie sur l'avenir du roman, avais-je envie d'aller respirer dans le jardin et de chanter *Return to sender* avec la chorale de Marc ?

Pour finir, je m'approchai du groupe serré que formaient Hermann et ses copains. Il y avait un moment que je me demandais ce qu'ils fabriquaient mais je n'avais pas tellement envie d'y aller voir de plus près. Dans l'ensemble, je ne trouvais pas que la compagnie de la jeunesse fût plus intéressante qu'une autre et je me méfiais autant d'une figure imberbe que du reste. Ce qui m'attira vers eux, au bout du compte, c'est qu'ils étaient assez nombreux pour qu'on pût se glisser dans les rangs sans trop se faire remarquer, ainsi que s'en extraire aussitôt que le cœur vous en disait et sans blesser personne.

Je me plantai derrière un type qui buvait du Coca-Cola et tenait sa petite amie par la taille pour le cas où il y aurait du vent. Par-dessus son épaule, j'aperçus Hermann, assis par terre au milieu de quelques autres, avec tous nos albums de photos empilés à côté de lui, sauf un qu'il tenait grand ouvert entre ses jambes. C'était d'ailleurs mon préféré, celui que je regardais le plus souvent. J'ai pensé que c'était un drôle de moment pour sortir des photos mais ça semblait les amuser, et celle où je m'étais rasé le crâne obtint un franc succès. Leur avait-il montré celle où mon œil gauche avait doublé de volume à la suite d'une piqûre de moustique, un jour que nous avions campé au bord d'un marais ?

Il tourna la page et tomba sur une photo de Franck que tout particulièrement j'affectionnais. Je l'avais prise environ seize ans plus tôt, un peu avant la naissance d'Hermann, et j'étais fou du regard de sa mère sur ce cliché, j'en avais fait tirer une dizaine d'exemplaires que j'avais essaimés un peu partout dans la maison en prévision d'un cambriolage.

La fille qui était à côté d'Hermann lui toucha le bras en soupirant. Je la reconnus et me demandai si son tampon n'était pas en train de lui créer des ennuis.

— Bon sang, qu'est-ce qu'elle était belle...! confia-t-elle à Hermann. C'est affreux cette histoire de parachute...

Il se contenta de hocher légèrement la tête en souriant à la photo.

Je m'éloignai rapidement. Je traversai tout le salon et filai jusqu'au jardin sans me laisser distraire, mais malheureusement c'était bien ce que je craignais, je pus vérifier d'un seul coup d'œil que tous mes transats étaient pris. J'ai pesté intérieurement, même que je pouvais constater que certains n'en avaient pas bougé leur cul de toute la soirée et ne paraissaient pas sur le point de le faire. Dans le fond, adossé au grillage, Marc discutait avec les musiciens d'Elsie, des types qui donnaient dans le genre cadavérique avec les yeux maquillés et des fesses comme des petites pommes. Il me fit signe d'approcher mais je regardai ailleurs et ne bougeai pas d'une semelle.

Comme par enchantement, j'aperçus une bouteille à demi cachée par une touffe d'herbe. Je n'avais plus du tout envie de parler ni d'écouter quoi que ce fût.

Quelques jours plus tard, deux nouveaux venus s'installèrent dans la maison qui jouxtait la nôtre et qui s'était libérée un peu plus tôt. J'étais assis dans le jardin et relisais tranquillement les dernières pages de *Moby Dick* lorsque je les entendis arriver. Ils étaient deux, un blond athlétique d'une trentaine d'années et un autre avec le dessus du crâne lisse comme un œuf et une barbe courte, soigneusement taillée. Je les suivis des yeux à travers la haie clairsemée qui nous séparait, tout en pensant que je n'avais plus qu'à tirer un trait sur mon repaire d'étudiantes. C'est une des causes des malheurs de ce monde qu'on ne puisse pas choisir ses voisins.

Quand j'annonçai le truc à Hermann, il se montra très intéressé et voulut aussitôt en savoir davantage.

— Mais enfin, grand Dieu..., comment diable pourrais-je te répondre...?!

— QUOI...? me lança-t-il en me regardant comme si j'étais en train de léviter. Tu veux dire que t'es même pas allé les voir...?!

— Ecoute-moi, je ne suis pas chargé de recenser tout le quartier... Et puis j'étais en train de relire les dernières paroles d'Achab, tu sais quand il commence par annoncer : « *Je me détourne du soleil.* »

Il n'eut pas l'air de se rendre compte. Il dodelina de la tête en levant les yeux au plafond, ce qui ne l'empêcha pas de continuer à se beurrer une tartine de la taille d'une petite planche de surf.

— Ah bon sang... ! reconnut-il. Toi alors, t'es pas du genre curieux... !

Il faisait une chaleur épouvantable et le ciel était si lumineux que nous portions des lunettes de soleil du matin au soir. J'avais pour ma part renoncé à les ôter même lorsque je déambulais dans la maison et que je tirais une langue de trois mètres de long en m'arrêtant devant le thermomètre. Dans la rue, certains s'écroulaient sur un banc et, se protégeant de la main, jetaient un coup d'œil inquiet vers le ciel.

— Je t'avouerais que je me suis senti un peu déçu, lui confiai-je. T'imagines-tu seulement le ravissant spectacle d'une jeune femme ouvrant ses volets le matin, prête à te décocher son premier sourire... ?

Il s'attaqua à son sandwich en prenant position près de la fenêtre, les deux yeux braqués sur la baraque d'à côté. Il avait pas mal grandi tout au long de l'année, il avait la même taille que Richard et des épaules plus larges, mais il n'était pas aussi musclé et ses joues étaient encore lisses. Je n'arrivais pas à comprendre comment l'on pouvait manger toute la sainte journée et rester aussi mince.

Je me confectionnai un verre de café glacé puis retournai sous mon parasol pour profiter du calme et méditer un peu. Il y avait quand même du bon dans le métier d'écrivain et j'avais beau me creuser la tête, je ne voyais pas dans quelle branche je pourrais retrouver une telle liberté si par malheur j'étais un jour contraint de me reconvertir. J'essayais de ne pas trop y penser, je savais que m'asseoir derrière un bureau me *tuerait*. Je priais tous les jours un peu plus pour obtenir du Ciel qu'un genre d'héritage nous tombât sur la tête, et la nuit je jetais secrètement une pièce de monnaie par la fenêtre.

Hermann vint s'installer près de moi. Il tira une chaise longue en plein soleil et s'y allongea avec son walkman branché dans les oreilles. L'année scolaire touchait à sa fin, aussi ne fichait-il plus grand-chose en rentrant. Il se retranchait derrière son 11,5 de moyenne qui lui permettrait de passer dans la classe supérieure et jugeait qu'il en avait assez fait. Je voulais bien le croire puisqu'il me le disait, moi tout ce qui m'intéressait c'était de le voir lire. J'avais réussi à lui caser presque tout Hemingway depuis le printemps dernier ainsi que le premier tome des œuvres complètes de Blaise Cendrars, et j'estimais que c'était du bon boulot, qu'au moins ces choses-là, il allait les garder toute sa vie et qu'elles lui serviraient d'une manière ou d'une autre. Si tout se passait bien, je comptais lui présenter le grand Jack dès les premiers jours de l'été.

Richard, lui, redoublait, si bien qu'à la prochaine rentrée, ils allaient tous les trois se retrouver dans la même classe. Mais ce petit incident de parcours ne semblait pas l'affecter, d'ailleurs nous pensions tous qu'en définitive ses résultats étaient plutôt bons, il suffisait de revenir quelques mois en arrière, à l'époque où il emmerdait tout le monde, pour s'étonner du chemin qu'il avait parcouru. Si bien sûr en agneau ne s'était converti un cœur empli de rage, il fallait tout de même se réjouir que Richard eût trouvé un certain équilibre. Sarah en tremblait encore d'émotion à l'idée qu'elle avait failli dire non. «Bon sang, Dan, mais souviens-toi... J'étais prête à lui flanquer son chat dehors !! Ah Seigneur, j'ai dû avoir une illumination... ! Car comment aurais-je pu imaginer qu'un rayon de soleil allait entrer dans la maison... ? » Elle en était complètement retournée et parfois elle me poussait du coude lorsque nous sortions et nous regardions Richard installé devant la télé, le visage détendu et une main posée sur Gandalf qui ronronnait entre ses genoux.

En sa présence, Hermann et Gladys se tenaient encore à carreau, mais j'avais le sentiment qu'ils étaient parvenus à lui faire accepter qu'au bout du compte ils n'échangeaient qu'un amour platonique, ce qui n'était pas si méchant que ça. Gladys m'avait confié qu'elle planquait sa boîte de pilules sous une lame de parquet qu'elle coinçait avec le pied de son lit.

« Ouais, peut-être que c'est pas pratique, mais je n'ai pas envie qu'il tombe dessus. Je crois que moins il en sait et mieux ça vaut pour tout le monde, tu crois pas... ? » Oh la la, c'était bien mon avis, et tous nous étions aux petits soins pour Gandalf, tous nous le couvions des yeux et tout un stock de pâtées pour chats occupait un placard entier dans la maison des Bartholomi.

Nous étions prisonniers de la chaleur qui tombait dans le jardin, nous étions immobiles et rêvions derrière nos lunettes de soleil. Hermann était en train d'en prendre un coup sur le nez et sur les bras, ce qui me faisait doucement ricaner sous mon parasol. Au prix où je payais ma lotion au ginseng, ça m'aurait ennuyé que la peau de mon visage s'en allât en lambeaux.

Un peu plus tard, Richard et Gladys se sont amenés, mais c'était à croire que ce parasol avait la peste ou que l'ombre avait un côté vieux jeu. Ah comme par moments l'on voudrait que pèle cette insolente jeunesse, comme l'on aimerait que leurs os grincent et qu'ils tâtent un peu à tous nos petits ennuis. Hermann avait enlevé ses écouteurs et ils étaient en train de se demander tous les trois si vu l'heure ça valait encore le coup de tenter quoi que ce fût. Le ciel rosissait lentement. J'adorais, pour ma part, ces fins d'après-midi bordées de silence, encore pleines de chaleur, mais je devais reconnaître qu'elles engendraient un sentiment d'indécision très proche de l'apathie et qu'elles vous réduisaient à l'impuissance par cette simple question : « Est-il trop tard ou trop tôt... ? » Gladys était presque partante si ça leur disait d'aller passer une heure à la piscine, mais les deux garçons grimaçaient en soupirant. Gladys était le genre de fille qui vous aurait proposé de faire de l'escalade à mains nues. A seize ans, elle se bourrait déjà de vitamines pour augmenter son tonus et il fallait la voir courir, il fallait voir un peu les jambes qu'elle se payait et cette silhouette élancée qu'elle n'entretenait pour ainsi dire plus qu'avec de l'eau minérale. Les deux autres, à côté d'elle, semblaient sortir tout droit d'un sanatorium.

— Merde, vous êtes pas marrants...

Elle arracha une touffe de mon gazon et la lança en l'air, mais bien sûr ça ne lui aurait pas plu qu'on en fît autant avec ses cheveux, ai-je pensé.

L'on entendit à ce moment-là un cri terrible. Ça provenait du jardin d'à côté : « AAAHH... !! », suivi d'une longue plainte. C'était nos nouveaux voisins. Nous nous sommes levés d'un bond tandis qu'une voix gémissait derrière la haie :

— Mes doigts, ohouloulou... Oh ! mon vieux, qu'est-ce que tu peux être brutal... !

Je regardai Hermann.

« Ça commence bien... » lui dis-je, puis nous nous sommes avancés vers la clôture et nous les avons épiés à travers les branches.

J'avais enlevé ma casquette pour m'éventer. Le chauve, avec sa barbe d'un centimètre de long, était en train de souffler sur ses doigts. Il y avait une grande table à demi engagée dans le hall d'entrée, basculée sur deux pieds, et le blond s'impatientait derrière, on le voyait baisser la tête et secouer ses cheveux dorés en maugréant.

— Je t'en prie, Harold, n'insiste pas..., plaida l'autre. Tu sais bien que je n'ai pas ta force, je n'y arriverai pas... ! Enfin, tu n'as pas l'air de te rendre compte, mais je me suis bien esquinté la main...

— Très bien !! rugit Harold. C'est très bien ! Moi, ça ne me gêne pas. Tu n'auras qu'à passer par la fenêtre pour entrer... !

— Harold...

— Bon Dieu, Bernie... ! Tu n'as vraiment rien dans les bras. Ce n'est qu'une malheureuse table, mon petit vieux. Sans blague, j'ai encore jamais vu quelqu'un d'aussi maladroit. Je t'assure, j'aimerais mieux que tu me dises que tu le fais exprès, parce que sinon tu vas encore baisser dans mon estime, c'est ça que tu veux... ? Bernie, c'est ça... ??!

Bernie se figea littéralement. Puis il tira un foulard de la poche arrière de son jean et l'enroula sans un mot autour de sa main. Harold semblait l'avoir piqué au vif. Pieds nus dans ses Docksides, on aurait dit un professeur d'université embarqué dans un week-end sportif. Et Harold aurait pu être son élève, celui qui se permettait de suivre les cours en jogging et le forçait à baisser les yeux. Malgré que le ciel fût rouge, Bernie devint tout blanc. Il empoigna soudain la table et, se mordant les lèvres, il la poussa du bassin.

— Ouais, ben ils vont jamais y arriver ! murmura Richard.

J'ai prêté la main à tant de déménagements au cours de ma vie que j'en finis par me demander si ce n'est pas moi qui les attire et si je dois y découvrir une signification profonde. Ne serions-nous que de passage, ici-bas ?

Lorsque nous sommes arrivés derrière eux, Bernie grimaçait sous l'effort, mais la table ne bougeait pas d'un millimètre. C'en était tout de même une d'assez lourde, en chêne massif, du genre qu'on aurait pu voler dans un château fort. Harold avait les yeux qui lui sortaient de la tête.

— Encore un effort, *oh ! Bernie, pour l'amour du ciel...* !! braillait-il.

« Enfin, Max !... Est-ce que tu te sens bien... ? ! gro-gnai-je en trottinant de concert avec lui aux petites heures d'un dimanche matin. Est-ce que c'est pas complètement ridicule... ? HEIN... ? ! ! »

Le trottoir que nous enfilions grimpait un peu. D'un côté, nous étions coincés par un long mur de brique, de l'autre par une rangée de voitures en stationne-ment, et chaque fois que l'on rencontrait un lampa-daire, je devais bondir sur le côté et prendre garde à ne pas m'empaler dans un rétroviseur.

Au lieu de me répondre, il regardait droit devant lui, le visage fermé, et un peu des lueurs de l'azur cha-toyait dans ses cheveux blancs.

Je le forçai à s'arrêter.

— Hé, attends une seconde..., lui dis-je.

Je m'appuyai le dos au mur et tirai sur la serviette que je portais autour du cou pour m'éponger la figure. Il en profita pour remonter son pantalon, puis, se tenant la taille, il respira un grand coup.

— Max, dis-moi franchement... Tu es sûr qu'on n'a égorgé personne dans cette rue... ? Tu n'as pas senti de mauvaises vibrations... ? le questionnai-je sur un ton acide.

Il prit un air ennuyé et fixa un point sur l'horizon.

— Parce que sinon, dis-le-moi, on peut encore chan-ger d'itinéraire... !

D'où l'on se trouvait, on apercevait le stade en contrebas et le grand terrain vague qui démarrait juste derrière, le seul endroit où il faisait encore bon cavaler, où l'on trouvait un peu d'herbe le long des sentiers, et quelques arbres, et d'énormes massifs de genêts silencieux qui exhalaient un épais parfum sous les rayons du soleil levant. La dernière de Max me rendait furieux.

— Merde, mais c'est un coin comme un autre...! ajoutai-je. Qu'est-ce que tu vas chercher...?! Tu trouves que c'est agréable de courir en pleine rue, tu trouves que ça sent bon...?! Mais bon sang, tu es encore pire qu'un gosse...!

— Ouais, mais tu comprends pas, soupira-t-il. Moi, c'est pas la même chose... Moi, je la vois *tous les jours*.

— Je sais... Je sais que tu la vois tous les jours! Mais bon Dieu, si on l'avait agressée dans le métro, *tu te le prendrais plus le métro...???!*

Il eut tout l'air de se poser la question et je ne suis pas là pour raconter des blagues. Pour finir, il secoua la tête.

— Ne me demande plus de passer dans ce coin-là, Danny... Je veux plus y mettre les pieds... Je suis désolé. N'essaie pas de m'expliquer quoi que ce soit... Ça se commande pas, tu sais.

En rentrant, nous sommes passés par la salle de massage. Nous avions terminé le trajet côte à côte, sans échanger un seul mot. Nous continuâmes à rester muets sous la douche et nous nous séchâmes dans le plus grand silence. Il avait une mine renfrognée et je n'étais pas de taille à lutter contre des trucs qui ne se commandaient pas.

Ce n'est que lorsque je m'allongeai sur la table qu'il retrouva un air habituel!

« On va essayer le cyprès... » me proposa-t-il, et j'éprouvai bientôt, dans la région des reins, de vifs picotements à mesure que son huile essentielle me traversait la peau. Mais je ne devais pas me tracasser avec ça, au contraire, c'était plutôt bon signe.

— Ça prouve que ça agit, m'assura-t-il. Que ton corps en a besoin.

J'étais heureux d'apprendre que mon corps résonnait avec un arbre, j'aurais été ennuyé que ce fût avec un quelconque légume, mais au fond, je n'étais guère étonné. Le spectacle d'un arbre ployant sous le vent m'avait toujours arraché une grimace et me conduisait machinalement à me tâter les reins. Dès que le froid arrivait, je m'enroulais une ceinture de flanelle rouge autour de la taille et plus le thermomètre descendait, plus je me sentais nerveux. J'y pensais moins durant les saisons chaudes, je menais la vie d'un type normal, oubliant qu'aux alentours de zéro ma colonne pouvait se changer en citrouille et me déposer au beau milieu d'un champ de mines. Max prétendait que les Gémeaux ont souvent les reins fragiles, que facilement ils ont tendance à se casser en deux.

— Mais dis-moi... Tu n'aurais pas un peu grossi ?

— Hum... Peut-être un poil. Vois-tu, c'est difficile de ralentir la bière en ce moment.

Le fait est que depuis un bon mois j'arrosais mon morceau de gazon tous les matins et vaporisais mes plantes d'intérieur. Les journées étaient si chaudes que le temps était inversé et que l'on ne se sentait revivre qu'aux premières heures de la nuit. Dès que le soleil disparaissait, je sortais de sous mon parasol et embarquais toutes les canettes vides. Puis je commençais par me prendre une douche froide.

Lorsque je redescendais, j'étais en pleine forme, les cheveux encore bien humides et soigneusement ramenés en arrière.

— T'es en train de t'abîmer la santé..., soupira Max tout en cherchant des points le long de ma moelle épinière.

— S'il te plaît, ne me fais pas peur..., ricanai-je.

Il ne savait pas que Bernie Goldstein, notre nouveau voisin, m'avait initié à la bière mexicaine et qu'on venait juste de me livrer une centaine de canettes de *Corona Extra*, enfin dans un premier temps.

Bernie attendait que le jour s'en aille pour se montrer dehors. Il ouvrait sa porte et s'assurait que la lumière fût à son goût avant de sortir, autrement il tournait les talons et retentait sa chance un peu plus tard. S'il estimait que tout allait bien, il s'installait alors dans le jardin et glandait jusqu'au retour d'Harold en compagnie d'une bière qu'il buvait à petites gorgées. J'avais immédiatement et vivement été intrigué par la canette en question car elle était d'une forme qui m'était inconnue. C'est ainsi que pressé d'en savoir davantage, je fis les premiers pas vers lui. En ce qui concerne l'amitié qui nous lia par la suite, s'il fallait nommer l'étincelle qui fut à son origine, *Corona* serait tout indiqué, *Corona Extra, la cerveza mas fina.*

Abandonnant mes reins, Max m'attrapa délicatement par la tête et commença à me l'arracher, tandis qu'à son signal je me cramponnais à la table et tirais en sens inverse.

— Je sais que c'est bon..., mais il s'agit d'y aller mollo, m'expliqua-t-il d'une voix que l'effort altérait. Ça peut casser comme du verre.

Bernie Goldstein avait six mois de plus que moi. Très vite je me suis rendu compte à quel point Mat Bartholomi m'avait manqué. Depuis sa mort, je n'avais pas eu l'occasion de renouer avec un type de mon âge et l'arrivée de Bernie me fit un drôle d'effet, un peu comme de rencontrer un compatriote dans un des coins les plus reculés du monde.

Pendant que je me rhabillais, j'entendis un long sifflement et pensai aussitôt à une terrible fuite de gaz. Je relevai la tête, les sourcils froncés.

— Hé, Max... T'entends ça... ?

Il sortit de derrière la porte de son vestiaire avec une bombe de déodorant à la main.

— J'entends quoi ? marmonna-t-il.

Une odeur de citron vert me descendit dans la gorge.

— Mince... ! Je croyais que tu étais allergique à ces machins-là... !

— Ouais, je te l'ai déjà dit..., me lança-t-il d'un air sombre. Ça me donne des rougeurs sur la poitrine...

Dès qu'il se levait, Bernie enfilait un peignoir de soie et s'installait à sa table de travail. Il m'avait expliqué que c'était surtout le matin que ça venait, qu'il trouvait les formes les plus originales. Puis il commençait à dessiner ce qui lui passait par la tête, des tables, des sièges, des lampadaires, des flacons de parfum, des portemanteaux.

Un fauteuil signé Bernie Goldstein, je n'étais malheureusement pas près de pouvoir m'en payer un.

« J'avais un très bel appartement en ville mais rien qui valût ce calme et ce morceau de jardin... », répétait-il inlassablement lorsque nous nous retrouvions dehors, aux heures où la chaleur s'évaporait dans le jour finissant. « Hum... tu l'as dit...! » que je renchérissais. « Bernie, sais-tu que cette bière est à damner un saint...?! »

Parfois nous fermions les yeux. Un jeune type à côté de moi aurait gesticulé, aurait inventé *quoi que ce soit* d'une manière ou d'une autre, et un gars comme Paul ou comme Max se serait endormi, et j'aurais pu entendre *geindre* son pauvre corps.

— Bernie...

— Humm...?

— On se croirait au Mexique.

— Bien sûr, Dan... Dans un village abandonné.

Vers huit heures, Harold rentrait de sa séance de musculation et se vidait un carton de jus de pamplemousse, tandis que nous émergions de nos chaises longues comme d'une balade en vol plané. Harold avait vingt-six ans. Il préférait rester assis sur ses talons et s'inquiétait de savoir ce que Bernie avait prévu pour le dîner. Lorsque ça traînait, il s'en allait voir s'il trouvait Hermann pour une partie de ping-pong, c'était comme si rien ne pouvait le fatiguer, comme si rien ne pouvait le faire tenir en place. « Je

141

crois qu'il est encore en pleine croissance..., me confiait Bernie. Je t'assure qu'il me vide une bouteille de lait tous les matins et pas loin d'une grande boîte de céréales... ! »

Quand il me parlait d'Harold, j'avais parfois l'impression qu'il me parlait de son fils et je comprenais alors parfaitement bien ce qu'il me racontait, je lui prêtais une oreille confraternelle et souriais d'un air entendu. D'une certaine manière, nous partagions la même joie douloureuse et regardions grandir nos enfants.

Je profitais du soir pour travailler. Même lorsque je sortais, je trouvais toujours quelques heures pour m'y mettre en rentrant. Je m'étais suffisamment reposé dans la journée pour ne pas tomber de sommeil avant trois ou quatre heures du matin, dans le meilleur des cas. La chaleur est une véritable malédiction pour un candidat à l'insomnie et il m'arrivait plus souvent qu'à mon tour d'être encore sur le pont quand le jour se pointait. Il ne me restait plus alors qu'à éteindre le salon et sortir dans le jardin et orienter le parasol de façon à ce qu'une lumière trop vive ne vînt pas m'esquinter, aussitôt que j'aurais fermé l'œil et commencé à compter mes moutons, et attraper une chaise longue et fumer ma première cigarette du matin avec une bouche en papier mâché.

Je me maintenais la tête hors de l'eau grâce au héros de *Je te suivrai jusque dans la tombe* que la maison de production refusait de voir mourir. Chaque fois que je rajoutais un épisode, je sentais que le titre nous pesait un peu plus, mais on me demandait de ne pas m'occuper de ça parce que enfin tout le monde s'en foutait qu'il la suivît ou non, ce qu'on voulait c'était de l'aventure, et pas de ces promesses insensées qui vous paralysent le bonhomme, et j'avais qu'à jeter un œil sur le courrier si je ne les croyais pas, les gens voulaient que ça *continue* et que mon gars se relève à chaque fois, qu'il n'eût qu'à s'épousseter un peu et que sa grimace se transformât en sourire. Avaient-ils oublié que le Christ était tombé sept fois, ne poussait-on pas le bouchon un peu loin en attaquant d'une manière tranquille le quarante-troisième épisode... ?

« Bah, ne sois donc pas plus royaliste..., me raisonnais-je. Ne t'avise pas de mordre la main qui te caresse, surtout quand c'est la dernière qui se tend vers toi...! » J'étais tout à fait conscient du problème et j'avais fort bien compris que le jour où mon type allait mourir, ce serait moi qui le suivrais jusque dans la tombe, qui allais brusquement me retrouver dans la merde. Dans ces conditions, certains liens se créèrent entre mon personnage et moi. Je le haïssais mais, par la force des choses, j'étais devenu son ange gardien et j'étais vert lorsque cet imbécile traversait en dehors des clous. Je me tenais prêt à lui greffer un cœur artificiel et même à faire du bouche-à-bouche.

Lorsque je voyais Paul, il se caressait le menton et m'observait en souriant tranquillement. « Alors... Tout va bien... ? me demandait-il avec un air de ne pas y toucher. *Il* n'est pas encore mort... ? »

Chaque soir, en dehors du week-end, je me penchais sur ma créature et lui insufflais un peu de vie, ce qui me permettait de respirer dans la journée et de toucher mon chèque. Je regrettais amèrement de pas avoir appris le piano. J'aurais pu tout envoyer promener et m'en aller gagner ma vie en jouant dans les bars comme n'importe quel type qui a plusieurs cordes à son arc. Ou le saxo.

— Sans blague, tu rigoles..., me coupa Sarah sur le coup d'une heure du matin, une nuit que je lui parlais de mes regrets touchant aux instruments de musique. Je trouve que tu as une tête à jouer du saxo... Non, je t'assure, Dan, tu aurais eu un charme fou...

— Ouais..., c'est surtout que t'hésites moins à te jeter dans le vide quand tu sais que tu vas retomber sur tes pieds. Par moments, je me contenterais de l'accordéon...

Elle venait de plaquer un type dans un restaurant et elle n'avait pas envie de dormir. Ni de s'asseoir sur mes genoux, comme je le lui avais proposé. Elle fumait une cigarette, allongée sur le canapé, un bras derrière la tête, et elle avait croisé les jambes pour couper court à toutes mes mauvaises pensées, enfin c'est ce qu'elle s'imaginait.

Hermann, Gladys et Richard étaient partis camper ensemble depuis une dizaine de jours, et Sarah détestait se retrouver dans une maison vide. Dès qu'elle sortait de la Fondation, elle rappliquait chez moi, m'embrassait sur le bout du nez et fonçait au premier étage pour se faire couler un bain d'eau froide, sinon elle allait mourir à ce qu'elle prétendait. Parfois, au bout d'un moment, je l'entendais fredonner et je renversais la tête pour jeter un coup d'œil au plafond.

Lorsqu'elle n'avait rien de prévu, elle passait la soirée avec moi et nous mangions tous les deux dans la cuisine, elle me racontait toutes ses histoires et je hochais la tête d'un air content quand par miracle son peignoir s'entrouvrait et qu'elle suivait mon regard et qu'elle le refermait d'une main jusqu'au ras de son cou et qu'elle me disait tu n'écoutes pas c'que j'te dis et arrête de penser à *ça* ! Mais ses yeux ajoutaient *oh pour l'amour du ciel*... avec une lueur attendrie, si bien que je me balançais sur ma chaise avec le sourire d'un bouddha glissant sur des pétales de roses. « C'est quand même autre chose que si tu la baisais, me répétais-je. Je t'assure que si. »

Pour plus de sûreté, elle rentrait dormir chez elle. Je trouvais cette lubie complètement ridicule, surtout qu'elle s'endormait parfois sur le canapé pendant que je travaillais, mais elle s'était fourré ça dans la tête, que tant que je n'étais pas couché c'était pas la même chose, et j'avais renoncé à lui demander pourquoi.

— Tu sais qu'ils commencent à me manquer sérieusement..., soupira-t-elle. Je me fais l'impression d'être une vieille fille et de ne servir à rien...

— Hum... Il va falloir tenir encore une bonne semaine...

Elle s'est redressée et s'est assise contre l'accoudoir en se bloquant un coussin derrière les reins, et c'est une des positions les plus agréables qu'on puisse trouver sur ce canapé, j'avais déjà longuement essayé toutes les autres, mais celle-là, on y revenait toujours, inlassablement et sans le moindre regret, ce qui m'avait d'ailleurs donné à penser que ce serait la position idéale pour attendre la mort, ma foi en relisant *Le Bruit et la Fureur* ou quelque chose dans ce goût-là.

— Et toi... Ça ne te fait rien... ?

— De quoi..., fis-je.

— Eh bien, de te retrouver tout seul, de te retrouver sans Hermann...

— Oh... Je crois qu'il vaut mieux qu'on s'y habitue, ça nous fait un peu d'entraînement...

Elle a serré ses genoux contre sa poitrine mais les a rabaissés aussitôt en avisant la direction de mon regard. Je crois que cette volonté de ne pas coucher ensemble n'avait pas que des côtés positifs, surtout en ce qui me concernait, et par moments on m'aurait montré du doigt et à juste raison traité d'obsédé sexuel. Mais je n'y pouvais rien. J'avais déjà assez de peine à rester en place, il ne fallait pas me demander la lune. Et puis je n'avais pas peur de me montrer tel que j'étais réellement quand j'étais avec Sarah, je le payais assez cher le tribut de l'amitié.

La nuit était si chaude que je me suis levé pour me servir un verre. Au moins savais-je que la température n'était pas étrangère à la fixation de mon esprit, ni la taille de sa minijupe, ni les fines bretelles de son corsage de soie mauve, et réflexion faite je ne voyais pas comment j'aurais pu me comporter autrement quand doux Jésus il me fallait subir ces incessants assauts et tendre la joue gauche.

— Oh... Richard m'a écrit... ! fit-elle comme je pliais des jarrets et basculais dans un fauteuil en cramponnant mon verre. Bon sang, j'ai lu cette carte en me levant ce matin et tout s'est mis à aller de travers, je te jure que je ne savais plus ce que je fabriquais, je n'arrivais même pas à me préparer... Je ne sais pas si tu t'imagines *une carte de Richard*... Il aurait pu neiger dehors que ça ne m'aurait pas étonnée...! Seigneur, c'est vraiment bête, mais tu ne peux pas savoir ce que j'ai ressenti, c'était formidable...!

— Ah..., et qu'est-ce qu'il te racontait?

— Eh bien, je ne sais pas, rien de spécial... Il me dit qu'ils vont bien et qu'il m'embrasse. Enfin c'est lui, Richard, qui écrit et il me dit : « Je t'embrasse. »

— Holà, mais dis-moi...

— Bon sang, je te crois... Attends, je vais te la montrer.

Elle sauta à l'autre bout du canapé pour fouiller dans son sac et j'admirai la courbure de ses reins et le fin duvet blond de ses cuisses, tandis que son odeur irradiait jusqu'à moi.

— Sarah, murmurai-je, si un jour tu changeais d'avis, tu sais que tu peux compter sur moi...

Elle fit celle qui ne m'avait pas entendu et se planta à côté de moi en agitant la fameuse carte. Je l'attrapai par une cuisse et posai ma tête contre sa hanche.

« Mince, ils sont au bord de la mer...! » dis-je en tremblant à l'idée qu'elle ne s'envolât. La photo représentait une suite de dunes avec la mer et quelques oiseaux au second plan. Elle tourna la carte afin que je pusse lire les fameux mots entièrement écrits de la main de Richard. Je savais que j'aurais commis une lourde erreur en essayant de bouger un seul doigt en direction de sa culotte et je m'en gardais bien, une biche aurait pu s'approcher de moi tant j'étais immobile, une libellule se poser sur ma main.

Je me tenais tout de même prêt à agir pour le cas où j'aurais senti qu'imperceptiblement elle écartait les jambes, mais il ne fallait pas rêver et je me contentais de ce qu'elle m'accordait. C'était déjà beaucoup en l'occurrence. Sa hanche m'était un oreiller de plumes, la douceur de sa cuisse une bénédiction.

— Ouais, *je* t'embrasse que c'est écrit. Y a pas d'erreur...

— Dan..., soupira-t-elle. Je m'aperçois que j'ai attendu ça pendant des années.

J'ai failli aussitôt la porter en courant dans ma chambre, mais j'ai vite compris que nous ne parlions pas de la même chose.

— Bon sang, je te jure que ce salopard m'en a fait voir... ! Et c'est vraiment aujourd'hui que je m'en rends compte, tu sais, regarde un peu dans quel état je me mets parce qu'il m'envoie une carte postale. Dan, peut-être que je n'ai pas été la mère qu'il lui fallait mais je ne l'ai pas emporté au paradis, tu peux me croire... !

J'étais au courant de tout ça. Mais l'écouter ne m'ennuyait pas le moins du monde tant que je restais enchaîné à sa cuisse. Je me demandais si elle me laisserait y poser mes lèvres aussi longtemps que je tiendrais ma main au-dessus d'une chandelle ou si elle accepterait l'une de mes oreilles.

— Enfin... ! poursuivit-elle d'un air las en s'éventant avec la carte. J'aimerais qu'on m'explique ce qu'il fallait faire... Est-ce que je devais rester enfermée et porter un voile sur la tête, est-ce que je devais simplement travailler et rentrer le soir pour m'occuper d'eux... ? Mais qui oserait demander un truc pareil à une femme, dis-moi...

Je ne pipais mot, engourdi que j'étais par son odeur corporelle. Avec l'âge on acquérait une bien meilleure maîtrise de soi et mon esprit avait beau s'emballer, je ne bronchais pas d'un pouce. Comme s'il se fût agi d'une essence infiniment rare, je m'enivrais avec soin du sentiment quasi incestueux que j'éprouvais à son contact et elle avait raison en ce sens que nulle autre n'avait un tel effet sur moi et qu'un désir inassouvi n'était au fond pas si moche.

Y a-t-il ou non des risques à baiser avec sa meilleure

amie... ? A la fin, je n'en savais plus trop rien. L'acte sexuel est-il de nature à tout flanquer par terre... ? Si c'était le cas je préférais m'incliner et grappiller quelques bons moments ici et là et dans mon cœur continuer à cultiver le doux piment de l'Inaccessible qui n'est qu'un pur velours aux palais avertis.

Je la laissai regagner le canapé au bout d'un moment, il le fallait bien, et je la vis chanceler comme une fleur butinée, mais ce n'était pas moi, ce n'était que son talon qui venait de se briser, ce n'était pas moi avec mon sex-appeal.

— Oh ! merde... ZUT... !!

— C'est rien. Fais voir...

— Seigneur, j'en ai marre... C'est la deuxième paire depuis le début de l'année, je le crois pas... !

Je me penchai sous la lampe pour examiner le talon lorsque nous entendîmes du bruit dans la baraque d'à côté. Des éclats de voix, de la vaisselle qui se brisait et tout ça aux alentours de deux heures du matin, par une de ces nuits calmes et baignées de lune, invitant au repos ou aux veilles silencieuses, aux mots doux plutôt qu'aux engueulades, enfin n'empêche que ça ne rigolait pas chez Bernie Goldstein, et Sarah et moi on s'est regardés, et pendant ce temps-là le ton montait et des lumières s'allumaient à tous les étages de la baraque, et il y avait de la cavalcade dans l'escalier, ils se le grimpaient et se le dévalaient quatre à quatre mais on ne savait pas lequel poursuivait l'autre, d'entre les deux on ne savait pas lequel braillait et lequel gémissait parce qu'on était trop loin.

— Eux..., si calmes d'habitude... ! fis-je après avoir longuement sifflé entre mes dents.

— Mmm... Moi ça ne m'étonne pas..., déclara Sarah en se débarrassant de sa seconde chaussure.

Je me levai et passai dans le jardin. On n'y voyait pas grand-chose car j'avais cassé le seul lampadaire du coin pour pouvoir profiter d'un peu de la nuit et jouir de la pénombre quand le cœur m'en disait. En un certain endroit, la haie qui séparait nos deux jardins était suffisamment clairsemée pour livrer passage à un homme et lui éviter de faire le tour par la rue, c'était une des conséquences du gel, et Bernie et moi avions décidé de ne rien replanter, c'était une porte entre nous qui devait rester ouverte, c'était la volonté du Ciel. Je m'en approchai mais point ne la franchis, m'aperçus que j'étais sorti sans mon verre.

Dans l'air, un léger changement m'avertit que Sarah m'avait rejoint et se tenait dans mon dos.

« Bon Dieu... Entends-moi ça... ! » murmurai-je, tandis que d'en face nous parvenaient les échos, quoique largement étouffés, de la dispute. « Ma vieille, c'est du double vitrage... sinon ils auraient déjà réveillé toute la ville. » J'étais tiraillé entre l'envie d'aller chercher mon verre et la crainte de louper un moment important du match.

Soudain, la porte d'entrée s'ouvrit et Harold apparut dans un cube de lumière jaune. Il semblait furieux, il avait l'air de vouloir sortir une valise de la maison, mais apparemment, quelqu'un était agrippé à l'autre bout.

— MAIS VAS-TU ME LÂCHER ÇA... ! ! grognait-il. TU CROYAIS QUE JE PLAISANTAIS, HEIN..., N'EST-CE PAS... ? ! !

Il était rouge de colère, une longue mèche de cheveux blonds lui pendait entre les deux yeux. Il se figea une seconde. Puis il poussa alors un véritable rugissement et tira un grand coup sur la valise.

Bernie fut éjecté dehors. Il se rattrapa de justesse à la petite barrière de bois du perron.

— Je t'en prie, Harold... Ne sois pas stupide..., bredouilla-t-il en s'armant d'une grimace douloureuse.

J'étais sidéré de voir à quel point il paraissait vieilli, et pour un peu je n'aurais même pas reconnu sa voix. Il fit un geste en direction d'Harold mais l'autre s'écarta vivement et sauta dans le jardin avec la souplesse d'un chat. Bernie gargouilla quelques mots incompréhensibles.

— MERDE... ! lui lança Harold. TU AS SANS DOUTE CRU QU'ON ÉTAIT MARIÉS, TOI ET MOI... ! !

Sarah m'attrapa par la taille. Je me demandais comment elle s'y prenait pour résister à l'engrenage, au demeurant innocent, de ces élans affectueux qui nous rapprochaient l'un de l'autre. Même si je n'étais pas son idéal masculin, je voyais un peu les types qu'elle s'envoyait, et sincèrement il était ridicule de penser que je pouvais la laisser de glace, il fallait écarter cette éventualité stupide si l'on voulait réfléchir sérieusement. Qui sait si ses seins ne durcissaient pas lorsqu'elle me passait une main dans les cheveux. Alors quel était son secret, de quels prodiges était armée la volonté d'une femme... ? Pendant qu'Harold traversait le jardin en courant, je constatai amèrement qu'il suffisait à Sarah de croiser les jambes, et que le tour était joué.

Harold lança violemment sa valise à l'arrière et enjamba la portière de la MG ainsi que d'aucuns s'y prennent couramment avec le modèle décapotable. Parallèlement, Bernie glissa sur ses talons et, se retenant à la rampe, il appuya son front contre un barreau.

— Harold... Je n'ai plus la force de crier... Je t'en prie... J'avoue que j'ai eu tort... Je te demande d'oublier tout ce que j'ai dit... Harold, ne fais pas ça...

— Mince, pourquoi il se relève pas... ?! ai-je marmonné.

— Hum... Il est bientôt K.-O., je pense.

Brusquement, le moteur de la MG se mit à vrombir, déchirant la nuit d'une manière méprisante et cruelle, quasi sadique eu égard aux supplications de Bernie. Les feux arrière s'allumèrent. Bernie se releva, raide et pâle comme un étendard sous la mitraille. Je serrai le bras de Sarah.

— IL N'Y A PAS QUE TOI AU MONDE, TU SAIS... !! cria Harold sans se retourner. MA VIE COMMENCE TOUT JUSTE... !!

Et ainsi, ce que voulant sur-le-champ illustrer, il démarra en trombe.

Bernie chancela sous le choc. Il cramponna la

rampe à deux mains et baissa la tête. « Voilà... Je crois qu'on peut jeter l'éponge... » murmura Sarah qui songeait déjà à faire demi-tour avant même qu'à nos oreilles ne se fussent évanouis les ronflements du moteur.

Seulement je regardais Bernie et je ne pouvais pas me décider à la suivre. Je lui fis signe que j'allais la rejoindre dans une seconde, j'avais l'impression qu'elle ne comprenait pas très bien ce qui venait d'arriver ou bien alors qu'elle s'en fichait, c'était difficile à dire.

Je me suis glissé à travers la haie et j'ai pris pied dans le jardin de Bernie. Il n'avait toujours pas bougé et, les yeux rivés à ses pieds, il m'offrait le dessus de son crâne, aussi lisse et brillant qu'une boule de cristal, et tout aussi vulnérable si l'on voulait mon avis. J'ai marché jusqu'à lui. J'étais emmerdé pour lui.

Je me suis allumé une cigarette. Je ne savais pas s'il avait remarqué ma présence. J'ai tiré une longue bouffée et je l'ai soufflée dans le silence revenu, voulant lui signifier par là que tous nous n'étions que pauvres feuilles soulevées par le vent, ici-bas, et qu'à un sort commun tous nous étions soumis. Mais me faisais-je bien comprendre... ?

Je me suis appuyé une fesse sur la rampe. Par goût personnel, je serais bien resté silencieux, mais nous n'étions pas encore suffisamment intimes, Bernie et moi, pour nous passer des mots et j'en cherchais quelques-uns qui ne trahiraient pas ma pensée, si c'était possible. J'essayais de trouver mon inspiration en regardant son profil et je me disais que la calvitie lui allait bien. Le reste de ses cheveux étaient coupés très court, pas plus d'un centimètre, de même que la barbe qui prenait le relais et qui donc ne lui déformait pas le visage et commençait à grisonner. A ce propos, Sarah nous avait déclarés à égalité, car si mes poils brillaient encore d'un éclat sombre, paraissait-il que ma figure était plus marquée. Encore que ça se discutait, Hermann me donnait bien un ou deux ans de moins. J'observais Bernie, j'observais tranquillement un type dans la force de l'âge, et si l'on faisait abstraction du coup de barre qui visiblement le diminuait, je trouvais qu'il tenait bien la route et, d'une certaine manière, je l'en remerciais.

Tout à coup, il se redressa et croisa ses mains sur la tête. Il regarda droit devant lui en se mordillant les lèvres. A plusieurs reprises, il respira profondément.

— Ne me dis rien..., me glissa-t-il d'une voix faible.

— Rien de rien... ? risquai-je, secouant discrètement mon tee-shirt pour avoir de l'air.

— Oh bon Dieu, quel petit salaud... ! gémit-il.

— Ecoute, mon vieux, n'y pense plus...

— *Quel petit salaud... ! !*

— Reprends-toi, Bernie... Bien que chaude, regarde comme cette nuit est douce, il n'y a pas lieu de s'affoler.

— AAaahh... ! fit-il en rejetant la tête en arrière avec une grimace de damné. AAaahh, je le hais, je le hais, je le *hais...* ! !

— Ouais... Que veux-tu, on n'est pas tous les jours en train de rigoler, je ne vais rien t'apprendre... Il faut savoir encaisser par moments.

— Dire que j'ai failli le gifler... Ah, mais pourquoi me suis-je retenu, *pourquoi est-ce que je me retiens toujours...* ? ! !

— Oh, eh bien, c'est sans doute à cause de cette fameuse *expérience*, je crois qu'on se rend mieux compte de la valeur des choses. On y réfléchit à deux fois avant de tout envoyer promener. On sait ce que ça coûte...

— Mais bon Dieu, Dan... ! Il me brise le cœur à chaque fois... !

Il se tourna vers moi et durant un instant j'ai craint qu'il ne fondît en larmes. Sa lèvre tremblait un peu et l'éclat de ses yeux présageait le pire, mais il parvint toutefois à se contrôler, il enleva ses mains de son crâne et se les enfonça dans les poches.

— Bon sang... Je suis anéanti..., fit-il en rentrant sa

nuque dans ses épaules. Je suis désolé de te mêler à tout ça...

Je l'attrapai par les bras et le regardai en face.

— Ecoute, Bernie... Ce n'est pas à moi qu'il faut raconter que ça fait mal... Seulement crois-moi, je suis bien la preuve vivante que c'est juste un mauvais moment à passer et je n'ai pas envie de te mentir, tu sais, je ne m'amuserais pas avec ça...

Il tenta vainement de me sourire, un peu comme si j'étais en train de lui écraser les pieds.

— Oh Dan..., c'est complètement idiot, mais je ne sens plus mes jambes... Je suis paralysé...

— Mmm... Bernie..., si je te disais que lorsque ma femme m'a quitté, je suis resté pendant trois jours sans pouvoir poser un pied par terre...

Rien que d'y penser, ma peau se tendit sur mon front. Je pouvais presque entendre le fantôme de mes gémissements tournoyer au-dessus du jardin et par là j'ai serré les bras de Bernie un peu plus fort, car rien n'est aussi terrible qu'une blessure de cœur, sincèrement ce n'était plus quelque chose qui me faisait rigoler.

— Dan, écoute..., me lança-t-il dans un souffle. Je crois que je vais tomber si je ne m'assois pas... !

Je voyais parfaitement bien que ce n'était pas une plaisanterie. Je sentis qu'il allait choir d'une seconde à l'autre et qu'il n'était plus temps d'aller chercher une chaise. Il sortit ses mains de ses poches et tâtonna dans le vide des fois qu'un siège se fût matérialisé dans son dos. Si je n'avais pas été là, il se fichait par terre.

« Holà, Bernie, où vas-tu... ? » le questionnai-je en le rattrapant in extremis. Je le soulevai dans mes bras et flanquai un coup de pied dans la porte qui s'était à demi refermée. « J'en connais un qui serait mieux dans son lit avec une poignée de somnifères... » ajoutai-je sur le ton de la plaisanterie, et tandis qu'il passait un bras autour de mon cou : « Dàn, j'ai honte que tu me voies dans un état pareil... » Et moi : « J'espère que tu veux *rire*... » Et lui : «Tout d'un coup, j'ai eu cette espèce de trou noir... »

Bernie devait tout de même peser dans les soixante-dix kilos. J'ai marqué une brève seconde d'hésitation avant de m'engager dans l'escalier, mais son autre bras pendait dans le vide et j'en déduisis que les forces lui manquaient. Le moment était mal choisi pour penser à mes reins.

— Bon, accroche-toi, lui dis-je. Mais n'en profite pas pour poser ta tête sur mon épaule...

Lorsque je rejoignis Sarah, elle me dit qu'elle voulait m'offrir un aquarium, que le type qu'elle avait plaqué au restaurant en avait un chez lui et que c'était fascinant et qu'on pouvait rester des heures à le regarder, elle ne savait pas pourquoi mais elle avait subitement envie de m'offrir quelque chose. Je lui souris.

— Eh bien..., c'est surtout l'intention qui compte... Mais ne te tracasse pas, tu es toujours la première dans mon cœur, si ça peut te rassurer...

— Ô Seigneur..., soupira-t-elle. Qu'est-ce que tu peux être idiot par moments... !

— Ah Ah... Je te connais comme si je t'avais *faite*... Tu sais qu'il y a certaines choses que tu ne peux plus te permettre avec moi. Souviens-toi que devant moi, tu es *toute nue*... !

De rage, elle siffla mon verre mais elle retrouva son sourire en le reposant.

— Merde, qu'est-ce que vous dites de ça... ? ! Je voulais simplement lui offrir un aquarium...

Du pouce, je fis sauter le bouchon d'une bouteille de cognac car je sentais encore le poids de Bernie dans mes bras et je l'avais longuement regardé pendant qu'il était allongé sur le lit, luttant à plat ventre contre une poigne invisible et gémissant faiblement au cœur de l'oreiller où il avait plongé la tête.

— Je me demande s'il s'est rendu compte qu'Harold

154

s'est tiré en lui embarquant sa bagnole..., déclarai-je d'un ton rêveur. C'est dur de se réveiller et de s'apercevoir que c'est encore pire qu'on s'imaginait.

Lorsque plus tard je la raccompagnai à sa voiture, elle me demanda de réfléchir à cette histoire d'aquarium, car finalement elle se fichait pas mal de ma *navrante* et *ridicule* interprétation de la chose, elle avait envie de me faire un cadeau et je pouvais en penser tout ce que je voulais.

Je suis resté debout sur le trottoir avec un doux sourire aux lèvres pendant qu'elle cherchait ses clés. A peine voilées par les efforts de sa minijupe, ses deux longues cuisses brillaient sur le siège comme dans une image de l'Eden.

— Bon, c'est d'accord..., fit-elle en me jetant un regard par en dessous. Je me donnerai à toi dans vingt ans... Jour pour jour !

Je me penchai un peu pour qu'elle vît bien mon sourire.

— Salut ! Demeure chaste et pure..., dis-je.

Harold refit surface cinq jours plus tard. Les réconciliations durèrent une bonne partie de l'après-midi et lorsque je revis Bernie dans la soirée, sa peau avait repris de bonnes couleurs et il n'était plus le même homme.

— Sincèrement, Dan, c'est à se demander si la joie des retrouvailles ne vaut pas cent fois la souffrance d'une séparation... !

Je ne connaissais pas personnellement le problème mais je trouvais qu'il avait la mémoire un peu courte.

Quand il s'était traîné pendant trois jours. Quand il ne pouvait même plus avaler un œuf. Quand il me répétait qu'il préférait mourir au cas où l'autre ne reviendrait pas. J'avais passé une bonne partie de mon temps avec lui et j'en avais encore les oreilles toutes ramollies de ses soupirs et de ses Harold ceci et de ses Harold cela.

Il n'ouvrait même plus ses volets. Il restait assis sur son lit, dans la pénombre, et j'avais dû renoncer à le sortir de là tant qu'il y avait de la lumière dehors, et c'est tout juste s'il se permettait quelques pas dans le jardin après la tombée de la nuit. Et il refusait de s'éloigner du téléphone des fois qu'Harold appellerait.

« Mais qu'attend-il... ?! Il *sait bien* qu'il je lui pardonne... je lui ai *pardonné* les autres fois...!! » A présent, je connaissais toute l'histoire : « Dan, je me moque pas mal qu'il couche avec une fille de temps en temps, *mais pas pendant une semaine de suite...*! » Ou encore : « Dan, je sais que je ne trouverai jamais le bonheur car tous les types que j'ai aimés étaient de vrais hommes, Dan, ma vie est une histoire impossible...! »

J'en convenais aisément. J'ai toujours pensé que c'était facile pour personne. Je voulais bien reconnaître que son inclination ne rendait pas les choses plus simples, mais je pouvais bien l'assurer que c'était tout aussi compliqué pour moi, pour ne pas dire impossible, et pourtant je ne m'attaquais qu'aux femmes.

Il refusait de me croire. Il était persuadé que son cas était la pire épreuve qui se pût concevoir car chaque partie était perdue d'avance. « Que dirais-tu, me disait-il, que dirais-tu d'un jeu où tu n'as aucune chance, que dirais-tu d'aimer quelqu'un justement parce qu'il *ne peut pas* t'aimer... ? Dan, est-ce que tu imagines les tourments qu'on doit endurer quand on est fichu comme ça... Bon sang, comment veux-tu que je puisse lutter avec une femme, va-t'en faire le poids avec une gamine de vingt ans et une paire de nichons...! Dan, tous mes amants m'ont quitté des femmes et Harold rejoindra le troupeau comme les autres, car tout finit par rentrer dans l'ordre un jour ou l'autre et c'est un monde où je n'ai pas ma place. »

Il vous donnait froid dans le dos. Je me levais et allais m'amuser près de la fenêtre, dans la lumière que filtraient les volets. Je m'arrangeais pour détourner la conversation et m'essayais aux ombres chinoises sur le mur d'en face pendant qu'il regardait le plafond.

Le jour où Harold est revenu, j'ai eu l'impression de rendre mon tablier et j'ai soufflé un peu. Non pas que les liens qui m'unissaient à Bernie se fussent usés ou simplement détendus tout au long de ces navrantes journées, mais je commençais à en avoir marre, j'avais de la chance quand il ne me filait pas le bourdon.

J'ai refusé de dîner avec eux ce soir-là. J'ai inventé une histoire comme quoi Sarah m'attendait en ville et j'ai sauté sur ma moto dans la minute qui suivait et j'ai tracé dans le soleil couchant et pas question de jeter un seul coup d'œil dans le rétro.

Je me suis ramené à la Fondation avec la certitude d'avoir échappé au pire. J'ai salué quelques jeunes écrivains de ma connaissance en traversant le hall, et de nouveau j'ai pu constater que ma popularité baissait lentement mais sûrement, que l'époque était loin où je m'étais sacrifié pour eux en me collant ce boulot avec Marianne Bergen et qu'il faudrait probablement que je me mette à bosser avec Paul, que je sois un peu le grand manitou qui distribue toutes ces putains de bourses si je voulais retourner dans leurs petits papiers. Mais je ne leur en voulais pas à tous ces petits cons. Je suis descendu à l'entresol, j'ai emprunté le couloir qui menait derrière la salle de spectacle et je suis entré dans le bureau de Sarah. Elle était en train de discuter avec Elsie.

— Alors, c'est dès qu'on a le dos tourné..., fis-je.

Deux sourires d'un seul coup, c'est comme on n'en a pas idée quand on vient de se traverser la vallée des ombres, et je poussai une espèce de grognement satisfait.

Nous sommes allés dîner tous les trois dans un restaurant mexicain qui venait de s'ouvrir. L'ambiance était bonne mais le chili était carrément sans âme. Les filles le trouvaient bon mais moi je ne me mêle pas de donner mon avis sur la crème à dérider les seins. Cela dit, nous étions d'accord sur la musique et la tequila,

Los Lobos d'un côté et *Herradura* de l'autre. Evidemment, il y avait presque de quoi vous faire prendre des vessies pour des lanternes et une poignée de haricots rouges pour le plat susnommé, sauf que malheureusement on ne me la jouait pas à moi et je pouvais rigoler à propos de bien des choses mais jamais quand je donnais mon avis sur un chili.

— Ecoute, tu ne vas pas nous bassiner avec ça..., m'enjoignit Sarah. Tu es vraiment un emmerdeur... !

J'avalai donc mes haricots sans plus moufter. A vrai dire, le retour d'Harold m'incitait à la clémence, je me sentais libéré d'un poids et j'étais prêt à pardonner au cuistot pour peu qu'il fût amoureux. La salle était pleine. Mais je me souciais à peine des regards d'envie qui pesaient sur moi, car je n'oubliais pas que la vérité était moins rose et que ça ne suffisait pas de sortir deux jolies filles. Vous preniez celle de gauche et celle-là refusait de se donner à moi, c'était tout à fait clair. Quant à celle de droite, celle dont la poitrine vous coupait le souffle, eh bien, elle m'échappait tout doucement et je ne voyais fichtrement pas comment j'aurais pu renverser la vapeur. Je me sentais un peu de vague à l'âme en les regardant discuter toutes les deux. Par moments, c'est difficile de savoir si on est content ou pas. Si c'est possible, n'est-ce pas, que l'on soit triste et gai en même temps.

Nous en étions aux bananes flambées lorsque je me rendis compte que j'avais été absent tout le long du repas, ou à moitié présent si l'on veut chipoter, si hocher la tête et répondre par oui ou par non peut être considéré comme une preuve de quoi que ce soit. Je ne savais pas si les filles s'en étaient rendu compte, si elles avaient secoué mon corps en vain pendant que j'étais ailleurs ou bien si je les avais rassurées d'un sourire énigmatique. Je suis sorti de mon engourdissement à la seconde où j'ai réalisé que les flammes n'étaient pas celles de mon bûcher, et au même instant j'entendis Elsie qui disait :

— Oh, eh bien, ça va durer une quinzaine de jours...
J'espère que je ne vais pas avoir le mal de mer... !

J'ai levé les yeux.

Ce n'était pas à moi qu'elle s'adressait. Sans doute y avait-il un bon moment qu'elles m'avaient oublié, et quant à savoir si je leur avais manqué ou non, ça ne se lisait pas sur leur figure.

— Enfin on verra bien..., poursuivit-elle. Mais tu sais, je n'ai pas hésité une seule minute, je crois que je l'aurais fait gratuitement... Sarah, tu ne peux pas savoir à quel point *j'ai besoin* de chanter... !

Sarah posa son coude sur la table et lâcha un de ces merveilleux soupirs de femme en calant son menton dans sa main.

— Sincèrement, ma chérie, je te jure que je m'y verrais bien... Lézarder sur le pont pendant une quinzaine de jours, je crois que ce serait tout à fait dans mes cordes... !

Je m'ébrouai mentalement. Subitement, ma banane ne me fit plus envie et je reposai mes couverts et je pêchai un numéro 3 dans la poche de ma chemise et je me l'allumai.

— Excusez-moi, dis-je, mais de quoi êtes-vous en train de parler exactement... ?

Elles se tournèrent vers moi qu'un éclair de contra-riété venait subitement d'ombrager mais qui tentais de rester lumineux. Prenant les devants, Elsie biaisa :

— Oh, c'est très agréable, tu sais..., je te remercie infiniment pour ton attention... Mais qui sait si tu m'as *vraiment* écoutée une seule fois, je t'assure que je me le demande... !

Elsie était le genre qui savait d'instinct que l'attaque constitue la meilleure des défenses. Mais je gardai tout mon flegme :

— J'ai cru entendre parler d'un bateau..., dis-je.

— Bon sang, c'est vrai que jamais tu ne m'écoutes..., soupira-t-elle sur un ton à vous fendre l'âme.

— Hé, une petite minute... Ne mélangeons pas tout,

s'il te plaît. Tu ne m'as jamais rien dit de cette histoire de bateau...

Elle baissa la tête et se mit à fouiller dans son sac.

— Evidemment, pour toi que je chante ou non, oh alors ça, tu t'en fiches complètement... ! Tu crois que je suis aveugle... ? !

C'était l'éternel problème. Un sujet particulièrement sensible, un foie malade qu'il ne convenait d'appréhender qu'avec d'infinies précautions quand on sait que le moindre effleurement vous arrache déjà une petite grimace. Pendant qu'Elsie continuait à fourailler dans son sac, j'ai jeté un coup d'œil en direction de Sarah. Et elle me regardait. Et les bananes étaient en train de refroidir. Et je sentais qu'à mon corps défendant je me laissais entraîner sur une pente savonneuse.

— Hum... Je crois savoir ce qui ne va pas, déclarai-je. On n'est pas en train de discuter de la même chose...

Elle se désintéressa aussitôt du contenu de son sac et releva la tête. Si l'on m'avait demandé de mesurer son degré d'assurance à cet instant précis, je lui aurais donné 8,5 sur 10. On n'est jamais au maximum de sa forme quand on n'a pas la conscience tranquille, et c'est encore heureux qu'il y eût un semblant de justice ici-bas, que l'ombre n'eût pas constamment l'avantage.

— Ce qu'il y a, c'est que tu ne t'intéresses pas *vraiment* à moi ! me lança-t-elle sur le ton d'un animal blessé. Sinon tu saurais ce que ça représente pour moi. Enfin merde, j'ai *ça* dans le sang... ! Est-ce que tu le comprends pas... ? !

— Ouais, j'entends bien. Je suis toujours celui qui est assis au premier rang quand tu grimpes sur une scène, au cas où tu ne l'aurais pas remarqué.

— Seigneur ! Et tu trouves que c'est suffisant... ? !

J'écrasai mon cigare dans le cendrier. Et encore. Et encore.

— Et si l'on parlait de cette croisière..., grinçai-je. Dis-moi, Elsie, mais ça m'a l'air génial... !

Je vis très distinctement ses mâchoires se contracter.

— Figure-toi que je sais *exactement* à quoi tu penses... ! siffla-t-elle.

— Tant mieux ! fis-je entre mes dents.

— Eh bien, nous y voilà, j'en étais sûre ! Je savais bien ce que tu allais t'imaginer... !

Je ne comprenais pas très bien ce qui m'arrivait. J'avais envie de lui sauter dessus. Il y avait si longtemps qu'une femme ne m'avait pas rendu furieux que j'en étais estomaqué. Et pourtant, Dieu sait que je n'aurais pas misé grand-chose sur la fidélité d'Elsie, Dieu sait que je ne me leurrais pas et que je savais à quoi m'en tenir sur la fragilité de mes aventures amoureuses. Pourtant, moi qui d'ordinaire prenais toutes ces choses avec philosophie, moi qui me félicitais secrètement d'avoir passé l'âge, voilà que d'une manière lamentable et pour quelque raison tout à fait mystérieuse, j'étais sur le point de me payer un coup de sang.

— Merde..., lui dis-je en vrillant mes yeux dans les siens, et si tu me donnais un peu tous les détails, si tu laissais un peu la musique de côté... ? !

Naturellement, l'imminence de la querelle l'électrisait, elle soutenait mon regard et je la trouvais belle comme jamais. Que dire de la beauté d'une femme qui est en train de vous échapper... ? Peut-on jeter sur le monde un sourire qui ne soit pas amer lorsque l'on est témoin d'une pareille injustice... ?

— Je sais ce que tu as sur le cœur... ! fit-elle.

— Nan, ça m'étonnerait...

Je ne le savais pas moi-même. J'avais oublié toutes ces choses-là.

— Si c'est à cause de Marc, laisse-moi te dire que...

— Ouais, c'est à cause de Marc... ! grinçai-je. Tu viens de poser le doigt en plein dessus... !

Sarah nous observait tranquillement. Me reconnaissait-elle au moins ? N'étais-je pas tout défiguré par une affreuse grimace, était-ce bien moi, était-ce le Dan qui avait appris à ne plus se casser la tête avec ce genre d'histoire ? Au fond, il n'y avait qu'à lire les *Lettres d'amour à Brenda Venus* pour savoir qu'on n'en sortait jamais. J'ai levé un bras en l'air pour que le type m'apporte à boire pendant qu'Elsie jetait sa serviette sur la table.

— Bon sang ! Je ne vois vraiment pas ce qu'il y a de nouveau... ! J'ai besoin de mes musiciens chaque fois que je chante quelque part... !

— Merde..., j'ai soupiré. Mais à quoi joues-tu *exactement*... ?

Elle ne répondit pas. Sans doute à mon égard éprouvait-elle encore assez d'affection pour qu'un brin de remords lui pesât sur le cœur et la meurtrît un peu, enfin toujours est-il qu'elle baissa la tête et recommença à fouiller dans son sac.

— C'est les billets que tu cherches... ? demandai-je.

Elle se figea. Sarah me fit signe de laisser tomber mais je trouvais qu'elle n'avait qu'à s'occuper de ses affaires, de même que certains qui des tables voisines à nous lorgner se mettaient.

Je l'aimais vraiment bien, Elsie. Sans sortir le grand jeu, nous avions tout de même réussi à partager quelque chose et je me rendais parfaitement compte que ce n'était pas rien et qu'on ne trouvait pas ça tous les jours. J'avais déjà un joli bout de chemin derrière moi, j'étais comme une vieille main courant le long de la rampe, je n'avais plus besoin de mes yeux pour savoir quand je m'accrochais à un truc de solide.

— Elsie..., je crois que tu me fais vraiment chier, conclus-je d'une voix blanche.

Elle m'envoya un regard dont je me suis éperdument fichu malgré qu'il contînt toute une foule de messages, mais comme on dit il n'y a pas plus sourd que celui qui ne veut rien entendre. L'espace d'un éclair, je me suis demandé lequel de nous deux avait le plus mal. Ne serait-ce que sexuellement, j'étais en train de me suicider.

— Chérie, je ne te reconnais plus..., fredonnai-je en plissant des yeux de façon mélancolique.

Elle se leva d'un bond, hésita une seconde, puis se dirigea vers la sortie. Je décochai un clin d'œil aux curieux qui avaient suivi la scène.

— Oh, eh bien, on dirait que ça va mal !... me confia Sarah.

— *Peut-on cacher du feu dans son sein Sans que les habits s'enflamment ?* lui ai-je répondu.

Je suis resté si longtemps sans baiser après cette histoire-là que j'y ai vu une sorte de punition, un peu comme si Elsie m'avait jeté le mauvais œil avant de grimper sur le pont de son bateau, avec une valise remplie de petites culottes à ce que j'imaginais. Ou bien alors j'avais perdu tout mon charme, car dès que je m'approchais d'une fille c'était un coup d'épée dans l'eau. La vie est ainsi faite qu'un jour vous êtes une terre inondée et qu'un autre vous voilà traversant de vos pieds nus le grand désert sans la moindre petite goutte de flotte.

Parfois, lorsque je m'asseyais tout seul à la terrasse d'un café, j'en voyais passer de formidables, et j'y repensais le soir en préparant un peu de cuisine, je me demandais où elles allaient et pourquoi nos chemins ne se croisaient-ils pas.

J'y réfléchissais, allongé sur mon lit. Ou bien je me plantais devant l'aquarium que Sarah m'avait offert et je regardais mes Chirurgiens Bleus, le nez collé à la vitre, je contemplais le Monde du Silence et le type avait collé une étiquette sur le bord : « PENSEZ TOUJOURS À LA QUALITÉ DE L'EAU », et j'y voyais une remarque profonde, du genre : « PENSEZ TOUJOURS À LA PURETÉ DE VOTRE CŒUR. » Bref, j'essayais de ne pas trop m'affoler mais il m'arrivait de ronchonner le matin, et quand ça me tenaillait, je m'en allais courir une petite heure histoire de me calmer un peu et de garder la forme au cas où quelque chose se présente-rait.

Une fois, à une soirée qui se donnait à la Fondation, j'ai cru que ça allait m'arriver avec une artiste peintre. Sur les coups de trois heures du matin, j'avais réussi à la coller contre un mur et je l'embrassais dans le cou sans qu'elle s'en défendît, au point que j'y voyais un heureux présage.

C'était une Italienne. Je ne comprenais rien à ce qu'elle me racontait, mais chaque fois que je lui montrais nos verres vides elle hochait la tête. Ce n'était pas une fille d'une beauté renversante mais elle était bien assez jolie pour moi et j'avais tout de suite vu qu'elle avait l'air de s'ennuyer.

La lutinant, j'étais en train de tirer des plans sur la comète lorsque Hermann se pointa et me demanda si je ne pouvais pas venir une minute. Je lui répondis que ça me paraissait difficile. Il insista. Ça ne m'a pas étonné. Comment aurait-il pu comprendre que ça ne vous tombait pas du ciel, une fille, quand tout baignait pour lui et qu'en conséquence il ne connaissait rien au douloureux problème de la ceinture qu'à se serrer un sort malencontreux contraint ?

— Bon sang... Heu, écoute..., fis-je d'un air soucieux. Est-ce que ça ne peut pas attendre ?

Il ne me répondit pas mais baissa les yeux. « *Ah Seigneur Jésus...!* » me dis-je en mesurant le désastre, car je ne me berçais pas d'illusions, je savais parfaite-ment bien que si j'abandonnais cette fille dans l'état où elle se trouvait, un autre que moi allait cueillir les fruits que j'avais patiemment semés, c'était couru d'avance. Mais y avait-il quoi que ce fût qui aurait pu me retenir lorsque Hermann me demandait de le suivre, n'étais-je pas harponné par ces fameux liens du sang et prêt à vider mon cœur de tout le reste ? J'espérais malgré tout qu'il ne me dérangeait pas pour rien et qu'il avait bien conscience du mauvais tour qu'il jouait à son père, alors que celui-ci touchait pratiquement au but.

« Gladys s'est enfermée dans les toilettes... » m'annonça-t-il au débotté après qu'il m'eut conduit hors de la salle et prenant un air de merlan frit. Puis il se tut. Sans doute se figurait-il que j'allais me trouver mal ou bien que j'en suffisamment savais pour partager ses craintes, ce qu'à des kilomètres je me trouvais pour être honnête, tout pensant que j'étais à ma douce Italienne, à mon oiseau des îles qui s'envolait.

« Hum... Et il y a longtemps... ? » le questionnai-je de manière à goûter l'eau du bain. Il semblait contrarié et nerveux, et ses joues étaient rouges, et je me demandais s'il n'était pas en train de danser sur place, l'animal.

— Merde, elle est furieuse contre moi... ! grogna-t-il.

— Ecoute, Hermann, je ne veux pas me mêler de vos histoires... Et je ne crois pas qu'elle va rester là-dedans toute sa vie.

— Mais si ! Elle est *coincée*... ! J'ai voulu trafiquer la serrure et maintenant *elle est coincée*..., soupira-t-il.

J'ai secoué la tête, levé les yeux au ciel. J'ai murmuré *ciao bambina* en tirant sur mon nœud papillon.

J'ai cogné à la porte.

— Gladys... ?

— FICHE LE CAMP, HERMANN... ! JE NE VEUX PLUS TE VOIR... !

— Non, c'est moi...

— Dan... ? Oh bon sang, je ne sais pas ce qu'il a fabriqué, mais maintenant je suis *enfermée* là-dedans... !

J'actionnai vivement le loquet dans tous les sens, mais sans obtenir de résultat. Sincèrement, je ne me voyais pas en train de défoncer la porte, ce n'était pas le modèle en carton ondulé avec une serrure de fer-blanc et c'était mon costume préféré, un lin noir que j'espérais garder jusqu'à la fin de ma vie, celui-là

167

même que j'avais sur les épaules lorsque Franck m'était tombée dans les bras.

— Bon sang, vous êtes marrants..., j'ai grincé.

— AH JE T'EN PRIE, DAN... SORS-MOI DE LÀ...!!

— Hum, c'est facile à dire...

— Enfin, écoute...! Je ne vais pas rester dans ce *machin*...!!

— Eh bien, que veux-tu que je te dise... Je ne te cache pas qu'on va avoir du mal à trouver un serrurier si tu veux mon avis. Je te signale qu'il est quatre heures du matin...

— Oh *noonnn*...! Merde...

— Bah, j'en ai bien peur...

J'étais sincère. Hermann tournait en rond dans le couloir, les mains enfoncées dans les poches, grommelant. Il s'arrêta tout net lorsque Gladys se mit à crier : TU ES LÀ, ESPÈCE DE SALAUD...! JE SAIS QUE TU ES LÀ ! JE TE CONSEILLE DE TROUVER UN MOYEN POUR ME FAIRE SORTIR D'ICI...!! Puis il se remit en marche.

— Oh Dan, reprit-elle, je suis folle de rage...!

— Oui, naturellement...

— Je t'en supplie, trouve-moi une échelle... Je sens que je commence à en avoir assez.

— Comment ça, *trouve-moi une échelle*... Tu en as de bonnes !

— Bon sang, mais tu ne vas pas me laisser tomber...?!

— Non..., je veux pas avoir d'histoires avec ta mère.

Nous sommes donc retournés au rez-de-chaussée et j'en ai profité pour demander à Hermann ce qu'il s'était passé exactement et il m'a dit oh rien, rien du tout, elle exagère, je n'ai même pas eu le temps de comprendre ce qui m'arrivait. Ce n'était pas très clair mais je n'ai pas insisté car au fond ça ne m'intéressait pas tellement, je voulais simplement régler cette affaire en vitesse et m'en retourner auprès de mon Italienne pour me frotter contre elle quand par miracle elle n'aurait pas disparu.

J'ai cherché Max. C'était lui s'il y en avait un qui

pouvait nous aider à mettre la main sur une échelle, un qui connaissait la Fondation comme sa poche, des greniers jusqu'au sous-sol. Nous avions bu un verre ensemble au tout début de la soirée, puis je l'avais abandonné dans un coin fréquenté par le troisième âge et c'est au même endroit que je l'ai retrouvé, discutant de basket-ball avec un jeune gars boutonneux qui hochait la tête en gardant la bouche ouverte.

Parfois, quand je regardais Max, la vieillesse me faisait peur. Je lui ai dit que j'avais besoin de lui et je l'ai entraîné un peu à l'écart pour lui parler de nos ennuis et qu'à tout prix il fallait qu'on se trouve une échelle.

— Mais enfin ! Qu'est-ce qu'elle est allée fiche dans les toilettes du premier, cette idiote... ? Pourquoi pas au dernier étage, pendant qu'elle y était... ? !

— Oh..., ne me demande pas ça à moi... ! le stoppai-je.

— Non mais c'est vrai... !

— Bon, allons-y... Dépêchons-nous... ! s'impatienta Hermann.

Je ne fus pas fâché que Max d'emblée prît la direction des opérations, et lorsqu'il insista pour se coltiner l'échelle à lui tout seul, je n'ai pas tenté le moindre geste pour l'en empêcher. Il n'aurait plus manqué que je me fisse un accroc dans cette histoire, et puis, je n'avais pas envie de discuter. En cet instant, j'aurais dû être en train de m'occuper d'un soutien-gorge, et ça, je ne pouvais pas me l'ôter de l'esprit.

Nous sommes sortis par-derrière, dans le noir complet. Max donna de la lumière et nous indiqua du doigt les toilettes du premier étage. Hermann siffla, le nez pointé en l'air.

— On est plus bas que le niveau de la rue, fit Max.

En moins de deux, Hermann et lui dressèrent l'échelle contre le mur.

— Très bien. Parfait, dis-je.

Une seconde échelle coulissa en grinçant à l'intérieur de la première et s'éleva par à-coups vers la fenêtre des vécés. J'ai regardé Hermann. Ce n'était pas la première fois qu'il s'engueulait avec Gladys, mais je mettais ma tête à couper que c'était la plus sérieuse. Ma foi, c'était une année où tout le monde s'engueulait, il faut bien le croire.

Lorsque le premier barreau atteignit le dessous de la fenêtre, j'avais le cœur chaviré au souvenir de mon ancienne compagne et je mesurais à quel point je me faisais chier à présent pour m'en trouver une autre, comme il est bon de n'avoir plus à se casser la tête et d'occuper son esprit à autre chose. Ah, que n'avais-je fermé les yeux ! Ah, mais le pouvais-je... ?!

Hermann voulut grimper le premier mais Max l'envoya promener en lui disant que ce n'était pas une affaire de gamin et qu'il devait plutôt veiller à ce que l'échelle ne bougeât pas pendant la manœuvre.

— Hé, vous ne serez pas trop de deux... ! me lança-t-il avant de s'élever dans les airs.

Hermann m'envoya un regard inquiet :

— J'ai pas confiance... Je te jure que j'ai pas confiance... !

— Voyons..., il a fait du sport toute sa vie. Je t'assure qu'il est en meilleure forme que toi ou moi.

— Il est quand même drôlement vieux...

— Tu veux rire, il a encore de longues années devant lui... !

— Tout va bien ! nous cria-t-il en envoyant des coups de poing dans la fenêtre. Mais le bois a dû jouer un peu...

— Ouais, mais fais quand même attention... ! lui dis-je.

Il s'excitait si fort là-haut que toute l'échelle vibrait et qu'il commençait à me ficher la trouille.

— Max... ! Bon Dieu, tu vas te flanquer par terre... !! beugla Hermann.

— Ma parole, mais tu es *dingue* de gesticuler comme ça ! fis-je.

Lorsque la fenêtre céda, il faillit passer au travers tant il s'y prenait brutalement.

— Merde, qu'est-ce que tu as voulu prouver...? demandai-je.

— Tout va bien ! Tout va bien...!! nous rassura-t-il. N'allez pas ameuter tout le quartier...!

— Bon sang, j'ai attrapé une de ces frousses...! murmura Hermann.

— En fait, c'est pas tellement qu'il vieillit, c'est qu'il devient cinglé...! soupirai-je.

Des étoiles brillaient dans le ciel et un vent léger balayait les feuilles sèches et sifflait dans les arbres de la rue, mais il ne faisait pas froid. Je me suis dit que j'allais pouvoir filer dans quelques minutes et que pour une fois, peut-être, j'allais avoir La Chance de mon côté, que contre toute attente la fille n'aurait pas bougé d'un pouce et m'attendrait tranquillement. Ne sont-ce pas les rêves les plus fous qui parfois se réalisent ?

En voyant apparaître une jambe de Gladys par-dessus le rebord de la fenêtre, je me suis senti joyeux comme un type qui va bientôt rentrer au pays. Au fond, je ne m'étais pas absenté aussi longtemps que ça, tous les espoirs étaient encore possibles.

Max descendit quelques échelons tandis que la seconde jambe de Gladys venait s'ajouter au décor et prenait appui sur le plus haut barreau de l'échelle. Durant un instant, je suis resté bouche bée.

— Tout n'est pas mauvais dans ton époque..., dis-je à Hermann. Imagine-toi que j'ai vécu durant les années sombres des collants.

Un léger souffle de vent souleva la petite jupe de Gladys qui se gonfla comme un parachute puis retomba délicatement sur un désordre de fanfreluches aux reflets satinés. J'étais agréablement surpris, j'étais en train de réaliser qu'elle n'était plus la gamine que j'avais connue et je me demandais comment ce changement avait pu m'échapper, comment je m'y étais pris pour avoir loupé ça.

« Hé, on ne va pas passer la nuit ici...!! » lança Hermann en direction des deux autres, bien qu'à mon avis ce fût tout particulièrement à Max qu'il s'adressait, car celui-ci s'était figé sur place, le regard braqué sur les dessous de Gladys.

— Tu peux y aller, Max..., lui dit-elle. Je ne risque rien.

Il descendit lentement quelques barreaux mais sa tête restait basculée en arrière et les cuisses de Gladys se balançaient doucement sous son nez.

— Ben dis donc, il faut pas te gêner... ! l'apostropha Hermann dont les joues rosissaient.

— Tu ne pourrais pas descendre un peu plus vite... ! s'impatienta Gladys. J'ai failli te marcher sur les doigts... !

Vers le milieu de l'échelle, il s'arrêta carrément.

— Merde ! Tu n'es pas *drôle*... ! grogna Hermann.

— Mais enfin, qu'est-ce que tu fabriques... ? ! gémit-elle.

Il redescendit un ou deux échelons avec une lenteur exaspérante mais j'éprouvais de la pitié pour lui, j'imaginais ce que c'était de voir une chose pareille quand on était passé de l'autre côté des grilles une bonne fois pour toutes et qu'on s'était chopé des cheveux blancs. « Bon sang, tout sera fini dans moins d'une minute..., me dis-je. Nous pourrions considérer tout cela comme le prix de son labeur. »

Hermann envoya en pestant un bon coup de poing sur le montant de l'échelle. A vrai dire, nous connaissions Max depuis si longtemps — du diable d'ailleurs s'il ne les avait pas fait sauter tous les deux sur ses genoux — qu'il était assez difficile de le traiter comme le premier venu et de l'arracher de là sans qu'il fût besoin de prendre de gants. Je m'apprêtais néanmoins à l'avertir que je n'avais pas beaucoup de temps à perdre et qu'il ne devait pas me forcer à compter jusqu'à trois. C'était une chose que de jeter un coup d'œil en passant, que d'être un amateur de dessous féminins, au reste ne m'en étais-je moi-même aucunement privé et plutôt deux fois qu'une, mais à présent il dépassait la mesure, il poussait le bouchon un peu trop loin.

A l'instant précis où j'allais la ramener, il s'immobilisa à nouveau, si près de nous que bondissant j'aurais pu frôler du bout des doigts le bas de son pantalon.

La suite se déroula alors si vite que je ne compris pas immédiatement ce qu'il venait de fabriquer. Gladys poussa un cri épouvanté pendant que la tête de Max s'enfonçait sous sa jupe. Elle regrimpa aussitôt quelques barreaux à toute vitesse.

— NON MAIS BON DIEU, TU AS VU ÇA...?!! s'étrangla Hermann.

— MAX...!! MAIS TU NE VAS PAS BIEN...?! fulmina Gladys.

Nous étions complètement estomaqués tous les trois. La scène avait été si rapide que j'en étais encore paralysé et que mes lèvres restaient à demi ouvertes. Max éclata de rire puis sa tête bascula en avant et il se mit à descendre lestement les derniers échelons.

Soulevées par le vent, une poignée de feuilles mortes s'envolèrent par-dessus le portail et s'en vinrent crépiter à nos pieds. Ils arrivèrent pratiquement dans un mouchoir, tous les deux, et Max riait encore. Il profita du fait qu'Hermann et Gladys se trouvèrent immédiatement face à face et qu'une fille ne gaspille pas ses forces quand il s'agit de lutter contre l'ennemi. Subitement, il n'y avait plus qu'une seule chose qui comptait pour elle. Peut-être aussi que cette histoire avec Max la gênait et qu'elle préférait l'oublier, n'en même pas dire un mot.

« TOI, LAISSE-MOI TRANQUILLE...! » hurla-t-elle sous le nez d'Hermann. J'essayais de voir la tête de Max, mais il s'était déjà écarté et me tournait le dos. « NE ME TOUCHE PAS, ESPÈCE DE PETIT CRÉTIN...!! » rugit-elle, tandis que l'autre avançait prudemment une main vers son bras nu.

L'ambiance était très chaude. Le regard de Gladys était un condensé de pur poison.

Soudain, elle partit en courant et fonça vers l'entrée,

et Hermann se lança derrière elle sans hésiter. J'espérais qu'ils n'allaient pas continuer à jouer avec les portes, si c'était possible.

Au milieu du silence revenu, quelques feuilles raclèrent le sol mais ne purent s'envoler et s'entassèrent au pied du mur en compagnie des autres. Max était en train de replier l'échelle et les poulies gémissaient doucement à mesure que l'engin se rétractait.

— Max... C'était pas un truc à faire, lui ai-je dit.

Il continua son petit boulot sans s'occuper de moi, sans me regarder. Il se reculotta, bascula l'échelle et la chargea sur son épaule.

— Est-ce que ça y est ? Est-ce que tu es devenu gâteux... ? renchéris-je d'une voix plus forte.

Un coup de vent dressa les cheveux de Max sur sa tête. Il passa près de moi sans répondre mais je l'accrochai par un bras. Je me sentais maladroit car c'était la première fois qu'il éveillait une réelle colère en moi et c'était difficile de lutter contre cette espèce d'amitié que j'éprouvais pour lui depuis si longtemps.

Il me glissa un regard terrible qui fondit presque immédiatement, au point que je ne fus même pas certain d'avoir bien vu.

— Ma parole, en voilà des histoires pour une petite blague... ! m'annonça-t-il en ricanant.

J'ai hésité une seconde, puis j'ai lâché son bras.

Il y avait une dizaine de chambres au dernier étage de la Fondation. Elles n'étaient pas très grandes mais elles avaient chacune un coin pour préparer un peu de cuisine, une petite salle de bains et un lit, et surtout un bureau avec une lampe car les artistes qu'on recevait ici étaient censés travailler ou prendre au moins quelques notes de temps en temps.

Il y avait toujours un gros bloc de papier blanc et une poignée de stylos dans l'un des tiroirs, Marianne y tenait beaucoup et les femmes chargées du ménage devaient chaque matin s'assurer qu'il restait suffisamment de munitions pour le cerveau qui occupait les lieux. Pour beaucoup de gens, ce qu'il se passait au

174

dernier étage de la Fondation Marianne-Bergen était auréolé du mystère de la créativité et d'aucuns s'imaginaient que la marmite bouillait tout au long de la nuit et que les petits anges baignaient bien sagement en pleine inspiration et suçaient leur bout de mine.

C'était une erreur. Les bruits qu'on entendait derrière les portes n'étaient pas le résultat de quelque torture cérébrale. Tous ces jeunes gens se retrouvaient loin de chez eux et tentaient d'oublier le mal du pays bien qu'il fût interdit d'introduire de l'alcool dans les chambres ni aucun visiteur. Dès que la nuit tombait, une certaine activité régnait en ce dernier étage, mais c'était des ressorts qui grinçaient ou une canette qui roulait sur le plancher, pas une tête qui s'envoyait contre les murs, pas un cri de désespoir, mais des roucoulements, des chasses d'eau, des gazouillis.

Mon Italienne avait le numéro 12 avec une fenêtre qui donnait sur la rue. Lorsque je la renversai sur le lit, après d'aussi longs mois d'abstinence (en ce qui me concernait), j'en éprouvai une réelle émotion et ça n'avait rien à voir avec le côté sexuel de l'histoire, c'était simplement la joie de me sentir vivant et en bonne santé. J'ai souri au plafond, content d'avoir surmonté toutes les épreuves de la soirée et fin prêt à recevoir ma couronne. Je regrettais de n'avoir pas connu quelques mots d'italien lorsqu'elle m'enfourcha et tendit tranquillement ses deux mains vers les boutons-pression de ma chemise.

Tout se passa merveilleusement bien durant un long moment, tant que nous nous amusâmes, qu'il ne fut pas question de copulation proprement dite. Mais ces choses-là ne pouvaient durer qu'un temps et c'est en voyant le jour se lever que je décidai d'y aller. Mon cœur battait car j'avais bien conscience qu'allait se briser la malédiction qui pesait sur moi depuis qu'Elsie était partie en croisière. D'ailleurs, j'en étais presque arrivé à conclure qu'elle m'avait jeté un sort et j'avouais que ces derniers temps je n'en menais plus tellement large, craignant qu'elle ne s'acharnât sur

175

moi et ne fût brusquement tentée de me nouer l'aiguillette. Ah, qu'elle me vît en cet instant et qu'elle s'arrachât les cheveux par poignées tout entières !

Je m'imaginais déjà en elle lorsque j'enjambai ma nouvelle chérie, et c'est dans un état second que je repliai lentement ses genoux contre sa poitrine. Mais elle me caressa la joue en me décochant un sourire.

Je me suis figé dans un silence interdit en la voyant sauter du lit. J'ai suivi son corps nu se déplacer dans la pénombre tandis que ma gorge se desséchait. Franchement, je sentais bien que ça ne présageait rien de bon.

Elle exécuta un bref aller et retour dans la salle de bains pendant que je l'attendais, assis au bord du lit, avec un air désabusé.

Lorsqu'elle revint près de moi, je respirai, je la serrai dans mes bras et pressai ma figure contre son ventre. Elle s'y prêta docilement, ne manifestant pas le moindre signe d'impatience et jouant avec mes cheveux du temps que je divaguais. Pour ma part, j'aurais pu rester ainsi durant un long moment mais je ne voulus rien exagérer et la renversai une nouvelle fois sur le lit en espérant que c'était la bonne.

Malheureusement, elle se dressa en riant sur un coude et me colla tendrement un préservatif dans le creux de la main. Que je faillis m'en avaler de travers.

— Jésus Marie... ! lui dis-je en tenant le truc entre deux doigts. Tu n'y penses pas sérieusement... ? !

Elle hocha vigoureusement la tête et croisa nerveusement les jambes. Je l'implorai du regard mais elle était animée d'une volonté farouche et me fit bien sentir qu'il était inutile d'insister et que c'était ça ou rien. J'ai réfléchi une seconde. Puis je me suis assis sur le bord du lit et j'ai considéré le truc avec un sourire dégoûté.

La dernière fois qu'une chose pareille m'était tombée entre les mains devait au moins remonter à une trentaine d'années et je me souviens qu'à l'époque il m'avait suffi d'un seul coup d'œil pour comprendre que ce machin-là ne me convenait pas, d'un point de vue sentimental, et je l'avais rayé de mon esprit. Je me suis senti un peu de vague à l'âme lorsque d'un geste sec j'ai déchiré l'enveloppe du préservatif, car j'eus bien peur tout à coup que ce ne fût que le premier d'une longue série. Je lisais le journal, comme tout le monde. Mais c'était ma première rencontre avec la triste réalité. J'ai jeté l'emballage par terre. C'était une petite couronne de fleurs que j'envoyais sur le tapis.

Je suis parti de chez elle au petit matin. Je ne l'ai pas réveillée mais j'ai remonté la couverture jusqu'au ras de son épaule et j'ai coincé les rideaux avec une chaise pour qu'elle puisse dormir le plus longtemps possible. Je n'avais pas sommeil. Je suis allé récupérer ma moto et je me suis baladé en ville, j'ai roulé doucement dans les rues désertes sans penser à rien de particulier car dès qu'une idée m'effleurait, je la chassais. Le vent soufflait par violentes saccades et grondait.

La maison était vide lorsque je suis rentré. J'ai filé dans la salle de bains et je me suis pris une douche pour faire comme si la journée commençait. J'avais le crâne légèrement engourdi. J'aurais dû être en train de me frotter les mains pour avoir rompu le charme, une petite chanson gaie aurait dû sortir de ma bouche... mais le cœur n'y était pas. Au fond, je n'avais pas réellement l'impression que nous avions baisé ensemble, cette fille et moi. Et ce n'était pas un mur qui nous avait séparé, ce n'était qu'une fine membrane de caoutchouc. Pourtant, le résultat était là.

J'ai enfilé mon peignoir en regardant de gros nuages plonger derrière le vasistas. Je sentais l'annonce des premières pluies d'automne me chatouiller les reins.

Hermann est arrivé au moment où je me servais deux œufs sur le plat. Dès que j'ai entendu la porte claquer, je m'en suis préparé deux autres.

A sa tête, je vis que son histoire n'avait pas dû

s'arranger mais je ne savais pas s'il avait envie d'en parler ou non. J'allumai la radio. Je me suis assis en face de lui et nous avons mangé nos œufs en silence car la station nous envoyait comme par miracle *Diamonds on the soles of her shoes* et nous aimions ça tous les deux, nos goûts se rejoignaient lorsqu'il s'agissait du fameux *Graceland* de Paul Simon.

— Merde, elle veut même pas m'écouter... ! soupirat-il enfin. Je ne sais vraiment pas quoi faire... !

— Hum... Je ne te dis pas ça pour t'effrayer, mais je crois que ce n'est que le *début* de tes soucis... Et je ne te parle pas de Gladys en particulier mais de ce qui t'attend en général. Il n'y a rien de très simple dans cette vie, quoi que tu puisses imaginer...

Je ne savais pas si ce que je lui racontais l'intéressait mais il regardait dehors comme si la solution allait s'illuminer dans les arbres et le tirer de ce mauvais pas. Finalement, ce n'était peut-être pas une attitude plus mauvaise qu'une autre, j'arrivais à un âge où l'on n'est plus sûr de rien.

— Je ne la connais même pas, cette femme, je t'assure... ! gémit-il en serrant le poing sur la table.

Je n'avais pas encore les détails mais je voyais très bien dans quel genre d'histoire il avait pu se fourrer. J'en bâillais d'avance.

— Mais qui ça... ? fis-je par pure bonté d'âme.

Le ciel n'était pas très noir mais une petite pluie fine vint cingler le carreau à l'horizontale puis retomba.

— Je ne sais pas où elle est allée chercher que je l'avais embrassée, poursuivit-il d'une voix lasse. C'est vraiment dingue... ! Jamais de la vie je l'ai embrassée... Merde, et elle a le culot de me dire qu'elle m'a *vu*... ! Tu peux croire un truc pareil... ?

— Mmm, c'est vrai que par moments elles devraient porter des lunettes... Je suis bien de ton avis.

— Ah ! Cette histoire me rend malade... ! Je te jure que je n'ai pas envie de rigoler...

Il semblait abattu. Malgré tout, je n'avais pas envie de me moquer de lui car je me souvenais que ma première peine de cœur m'avait rendu patraque pendant plus d'une semaine.

— Bah, ne t'inquiète pas... Demain elle aura oublié... !

— Ffff... Tu parles qu'elle aura oublié... ! Je suis resté tout ce temps-là devant la porte de sa chambre sans qu'elle me dise un mot !

— Oui, mais vois-tu, il faut savoir attendre... Je ne prétends pas qu'elle va aussitôt se jeter à ton cou et que tu vas t'en tirer aussi facilement, mais le gros de l'orage sera passé et le pire sera dans ton dos, voilà ce que je veux dire. Tu vas pouvoir reprendre ton rocher et te le rouler jusqu'au sommet. Enfin ça, personne n'y échappe...

Il se leva pour boire un verre d'eau, mais au bout d'un moment c'est toute sa tête qui passa sous le robinet. Jamais je n'avais déclaré que c'était facile. Je lui passai la serviette que j'avais autour du cou et balançai tous nos couverts dans le lave-vaisselle.

— Et Richard..., qu'est-ce qu'il pense de tout ça ?

— Oh... Lui au moins, il a bien voulu m'écouter... Je serais incapable de la reconnaître, cette fille, tu me crois pas... ?

— Écoute, peut-être que ça va être dur pendant quelques jours, mais je crois qu'elle tient vraiment à toi. Tu peux aller dormir tranquille...

— Oh la la, je ne risque pas de pouvoir fermer un œil, gémit-il. Je n'arrête pas de retourner cette histoire dans ma tête... ! Bon sang, mais c'est vraiment trop *con*... ! !

— Mmm, c'est le mot exact.

Nous nous sommes approchés de la fenêtre et nous avons regardé la rue battue par le vent et la pluie qui refusait de tomber. J'ai mangé un yaourt tranquillement, en le guettant du coin de l'œil, tandis qu'il grimaçait avec son chagrin d'amour. « D'un autre côté, comme c'est bon d'être amoureux », me dis-je, enfin autant que je pouvais m'en souvenir.

— Bon Dieu, tu parles d'un dimanche... ! me dit-il.

— Mmm, pas un temps à mettre un chien dehors.

— Non mais quel dimanche *de merde*... ! me confia-t-il en secouant la tête. J'arrive pas à croire ce qui m'arrive...

J'eus la version de Gladys le lendemain après-midi. Elle avait séché un cours pour venir récupérer ses affaires et elle se pressait un jus d'orange dans la cuisine pendant que je regardais une séance de catch féminin à la télé en me disant que le pire ne m'était pas encore arrivé.

— Ecoute, me lança-t-elle à travers le mur, il a tort de me prendre pour une imbécile ! Il aurait baisé cette fille sous mon nez qu'il serait encore là en train de me dire : *Oh tu te trompes... Oh je suis si malheureux...* ! Ah Seigneur, je me retiens de ne pas le piler sur place, tu m'entends, Dan... !

Je ne tenais pas la grande forme. J'avais encore cette histoire de préservatif sur le cœur car n'ayant pas beaucoup dormi, j'avais longuement réfléchi au problème et j'éprouvais quelque difficulté à m'en remettre. Au vrai, je ne m'en étais pas réellement soucié jusqu'à ce jour et voilà que tout d'un coup je me rendais compte que le danger était juste derrière ma porte et que je ne pourrais plus l'ignorer. Je me sentais donc d'une humeur maussade et je trouvais que par les temps qui couraient, ces deux-là feraient tout aussi bien de rester ensemble. Ce n'était vraiment pas la peine que tous nous nous retrouvions sur la brèche.

— Je t'assure, j'aurais voulu que tu voies cette fille... !

Elle venait de se planter devant moi et secouait la tête en regardant le plafond.

— Tu respirais son parfum à cent mètres, oh je n'exagère pas... !

Elle avait échangé son porte-jarretelles contre une tenue de sport et ses cheveux étaient sagement noués en queue de cheval. La jeunesse l'inondait à ce point que je n'arrivais pas à la prendre au sérieux, que je ne la voyais pas avec des problèmes de femme. Et je savais que je me trompais, mais je n'y pouvais rien et je tordais discrètement le cou pour suivre la fin du match.

— Oh, je te prie de croire qu'il va le regretter...! fit-elle entre ses dents. D'ailleurs, je ne lui adresse plus la parole !

— Eh bien, tu sais, il n'est pas vraiment dans son assiette. Il est parti sans rien avaler ce matin.

— Alors là, tu ne peux pas savoir comme je m'en fiche...! Ce n'est pas moi qui vais aller le plaindre !

— Ouais, je m'en doute bien. Mais vous devriez avoir une bonne explication tous les deux, ça vous ferait gagner du temps.

— Ah *surtout* ne viens pas te mêler de ça ! Et garde tes conseils à la manque, tu seras gentil.

— Bah, je plaisantais..., dis-je.

C'était elle qui ne plaisantait pas. Les jours passaient mais elle continuait à lui tenir la dragée haute et refusait d'échanger le moindre mot avec lui, lequel se traînait dans la maison comme un type évadé d'un sanatorium. Et personne ne savait ce qu'elle avait dans le crâne, personne ne devait se mêler de ses affaires, ni moi, ni Richard, ni Sarah.

— Mais *c'est ta fille*... Tu dois bien savoir quelque chose... ? !

— Ecoute... Je ne vais quand même pas la battre...! Que veux-tu que je te dise...? Elle refuse d'en parler, un point c'est tout. Dan, je n'y peux *rien*...!

— Ouais, enfin toi tu t'en fous...! Ce n'est pas toi qui as une espèce de zombie à la maison. Surtout, n'essaie pas de te casser la tête...

Avec Hermann, nous avions passé en revue toutes les techniques pour reconquérir une femme, mais rien n'y faisait, tous nos plans tombaient régulièrement à l'eau et je ne me sentais pas fier, incapable que j'étais de trouver le chemin qui menait au cœur d'une fille de seize ans, je me demandais à quoi servait tout ce que j'avais appris.

L'affaire traînait depuis une quinzaine de jours et Hermann semblait décidé à porter sa croix jusqu'à plus soif. Contrairement à ce que prétendait Gladys, il m'avait juré cent fois qu'il n'avait pas embrassé cette fille mais je n'étais pas certain qu'il me disait la vérité, et d'ailleurs on ne sait pas toujours très bien ce qu'on fabrique lorsqu'on s'enfonce dans la nuit jusqu'à une heure avancée. Une seconde d'égarement et vous voilà plongé jusqu'au cou dans les ennuis sentimentaux. Qu'une fille un peu folle vienne vous serrer d'un peu trop près et vous êtes bon, jamais vous n'irez expliquer un machin tel que ça et j'avais quelques souvenirs très précis sur le sujet, je savais qu'au fond la vérité ne les intéressait pas et que seul importait ce qu'elles avaient *cru* voir. Après tout, j'avais tort de m'étonner, il n'y avait aucune raison pour que les choses aient changé. Peut-être qu'elle avait décidé de le faire chier avec ça jusqu'aux premiers jours de l'hiver. Pour une histoire semblable, juste avant la naissance d'Hermann, j'avais dormi durant toute une semaine sur le canapé du salon. C'était déjà beaucoup une semaine, à l'époque. J'avais l'impression qu'aujourd'hui les prix avaient drôlement grimpé.

Lorsque par hasard ils se trouvaient ensemble, Gladys l'ignorait totalement. Sarah était d'avis qu'il ne fallait pas s'en occuper et je devais reconnaître que malgré tout Hermann n'était pas sur le point de rendre l'âme. Ça ne voulait pas dire qu'il avait l'air joyeux et qu'il rigolait toutes les deux minutes, mais il semblait tenir le coup et acceptait son châtiment avec un certain courage. D'une certaine manière, il forçait mon admiration.

Bien entendu, elle ne rentrait plus avec lui après la sortie des cours, elle marchait devant avec une petite bande de copines et Richard me confirmait qu'elle ne jetait pas un seul coup d'œil derrière elle et même lui trouvait qu'elle y allait un peu fort.

— Ah, je ne sais pas à quoi elle joue..., Dan, je te jure que j'aimerais pas être à la place d'Hermann.

— Vous avez encore rien vu. Vous êtes encore trop jeunes pour vous figurer l'horrible complexité de la vie. Ce qu'il endure en ce moment n'est rien ! Toi aussi, tu vas bientôt t'apercevoir qu'on ne peut pas passer sa vie avec un chat. Attends qu'une fille te tape vraiment dans l'œil et tu comprendras ce que je te dis... !

— Eh bien, ça me donne pas tellement envie... !

— Rassure-toi..., tu n'as pas besoin d'en avoir envie.

Parfois, je les regardais s'emmerder tous les deux devant la télé et Gladys n'était plus là pour les remuer. Je leur disais de ne pas charrier avec la *Corona*, parce qu'ils étaient en pleine croissance, mais je fermais un œil de temps en temps pour ne pas les effaroucher car leur présence m'était réellement agréable, surtout lorsque je travaillais et qu'un petit bout de conversation surprise en plein vol m'arrachait à mon sale boulot.

Lorsque Harold pointait son nez, je leur servais de quatrième au ping-pong et c'était à qui ne m'aurait pas dans son camp. N'empêche qu'il m'arrivait quelquefois de les étonner et d'aller rattraper des balles on se demandait comment. Harold était le meilleur et le plus souvent je me retrouvais avec lui pour que le jeu soit équilibré. « Dan..., me disait-il avant que la partie ne commence, Dan..., je compte sur toi ! Il faut qu'on les descende, ces petits jeunes... ! » Il revenait de sa séance de musculation et vibrait encore d'énergie. Il jouait bien mais il me cassait les couilles. Je loupais des points faciles uniquement pour le rendre malade, simplement pour le faire enrager.

Ensuite, lorsque Richard et Harold s'en allaient, je restais seul avec mon Roméo du dimanche et on évitait de se parler des femmes. Bien que nous fussions tous deux malmenés par le sort, ce n'était pas le genre de la maison que d'aller leur casser du sucre sur le dos.

Ce n'était qu'une mauvaise passe que nous traversions, j'en étais pratiquement convaincu et jour après jour je m'attendais à ce que nous vissions enfin la sortie du tunnel. Il pleuvait assez souvent. On apprenait que des rivières débordaient dans certaines régions et la nuit tombait de plus en plus tôt. Et puis un matin, les types qui me payaient m'annoncèrent que la fête était terminée et que je pouvais attaquer le *dernier* épisode de mon feuilleton, et que je n'oublie surtout pas de faire mourir mon gars cette fois-ci.

Tout d'abord, je n'en parlai à personne. Pendant un long moment, je fus incapable de savoir quel sentiment l'emportait, si je devais rire ou pleurer. Autant gloussais-je de plaisir à l'idée que j'en avais fini avec cette couillonnade, autant paniquais-je à celle de ne plus recevoir mon chèque. Une joie sourde m'habitait tandis que mes cuisses tremblaient comme des feuilles.

Deux ou trois jours plus tard, j'appelai les types et je leur annonçai qu'ils n'avaient qu'à se débrouiller sans moi. Ils s'étranglèrent ainsi que je le souhaitais et jurèrent que je venais de me griller sur la place. Je *hurlai* de rire, au point que s'ensuivit une sorte de gémissement à l'autre bout. Puis je raccrochai et grimaçai presque d'effroi.

Cela dit, je ne me trouvais pas dans la situation d'un gars qui est éjecté d'une boîte. Je n'avais pas eu à ranger mes affaires et je n'étais pas resté sur le trottoir à m'écouter les portes se refermer dans mon dos. Personne n'était venu me poser une main sur l'épaule, personne ne s'était senti obligé de me dire que j'allais certainement m'en tirer, d'une manière ou d'une autre. Si bien que je ne réalisais pas vraiment que j'avais perdu mon boulot. Rien n'avait changé autour de moi, rien dans ma vie n'avait été bousculé, ce n'était qu'un coup de téléphone. C'était comme si une lance m'avait traversé de part en part sans atteindre un seul organe vital et sans me déranger dans mes occupations. Je ne le prenais pas à la légère mais ma douleur était abstraite et je me retrouvais simplement avec un peu plus de temps devant moi.

Par chance, le dernier John Fante venait de sortir et j'avais encore deux Gardner, un Algren, un Coover, deux Updike et un Pynchon d'avance. Plus un peu d'argent à la banque. Au fond, ce qui m'arrivait était tellement abominable que je ne voulais pas y réfléchir tout de suite. Je voulais profiter de ce sentiment de liberté qui m'agitait par la même occasion, de cette sensation d'avoir un esprit neuf, et je n'aurais gâché ça pour rien au monde. J'étais dans les meilleures dispositions possible pour me plonger dans ces bouquins. Sachant que rien ne vaut la compagnie de certains écrivains quand il s'agit de reprendre des forces, sachant qu'à tout moment ils vous tendront une main amie.

C'est à cette occasion que je me suis rendu compte que ma vue se fatiguait. Soyons précis, j'avais toujours un œil de lynx pour tout ce qui se trouvait de cinquante centimètres à l'infini et l'ophtalmo m'avait juré que c'était de la rigolade, que ça n'avait rien à voir avec des lunettes *de vue*, mais qu'elles me serviraient uniquement pour la lecture. Autour de moi, tout le monde y était allé de son petit commentaire à la noix, en dehors de Bernie qui avait rencontré ce problème depuis quelques années déjà. Enfin c'était ainsi, que cela me plaise ou non, et je ne devais pas espérer que les choses aillent en s'arrangeant.

« Regarde comme la vie est courte... » ai-je dit à Gladys pendant qu'elle essayait mes verres. Mais j'ai eu l'impression de cracher face au vent.

Le moment venu, je passai quelques coups de téléphone et envoyai une bonne poignée de lettres. Je leur demandai s'ils se souvenaient de moi, enfin peut-être que le nom de Paul Sheller leur disait quelque chose, bref je leur expliquais que j'avais travaillé pour eux, je leur donnais tous les détails et, prenant mon courage à deux mains, je leur annonçais que j'avais du temps libre.

Je n'étais vraiment pas fier de moi. Je leur laissais entendre que le petit Dan pourrait bien se contenter des fonds de tiroir et cet exercice me donnait soif. Mais je m'interdisais la moindre goutte d'alcool. Je voulais être pleinement conscient pendant que ces mots sortaient de ma bouche ou bien si ma main devait trembler tandis que j'écrivais ces tristes lettres, que ce ne fût pas d'ivresse mais d'une rage impuissante et comique contre le pétochard que j'étais.

Je sentais bien que ce n'était pas uniquement à cause d'Hermann que j'agissais ainsi. Tout cela remontait assez loin, quelque chose s'était brisé en moi à un certain moment et je ne savais toujours pas ce qui m'était arrivé exactement — mais *quelque chose* s'était envolé, subitement *quelque chose* s'était éteint à l'intérieur de moi. L'inspiration n'était que la partie visible de l'iceberg, j'avais en fait perdu beaucoup plus que ça. J'avais longtemps cherché les raisons de ce châtiment, passant et repassant ma vie au peigne fin, puis j'avais fini par admettre qu'il n'y en avait pas de raisons, enfin aucune que je puisse comprendre, et que le ciel pouvait vous tomber sur la tête sans prévenir et vous reprendre d'une main ce qu'il vous a donné de l'autre. Si je m'accrochais, si j'implorais tous ces connards, ce n'était pas simplement parce qu'il y avait Hermann. C'était parce que mes ailes n'avaient pas suffisamment repoussé.

Et j'avais beau souffrir de me traîner à leurs pieds, je n'avais plus le courage d'affronter tous les emmerdements de la vie quotidienne, du moins tant qu'il y avait une chance de l'éviter. Tout ce que je désirais, c'était de continuer à régler mes factures et j'étais prêt à subir quelques humiliations pour y parvenir sans trop de dégâts, j'étais prêt à choisir la Voie de la Facilité, car si je considérais que gagner sa vie était un mal nécessaire, je ne voulais lui consacrer qu'un minimum d'énergie. Je me voyais mal en train de m'exciter pour un nouveau boulot, je n'arrivais même pas à l'imaginer. Je repensais avec nostalgie à toutes ces années où le sort m'avait épargné, je mesurais à présent comme il avait été doux de ne pas s'en faire et je me revoyais penché au-dessus du bureau de Paul, ne sachant que choisir parmi tout ce qu'il me proposait et jouant la fine bouche et me plaignant que la mariée fût trop belle.

Malheureusement, et quels qu'eussent été les véritables motifs de mon léchage de cul, la partie n'était pas encore jouée. Jusqu'à présent, mes efforts n'avaient rien donné, mais je continuais d'espérer, comme s'il suffisait de quelques concessions pour se voir épargner les ennuis matériels, comme s'il suffisait de le demander pour qu'on vous accorde le minimum. J'avais l'impression d'avoir fixé un prix en dessous duquel ma raison ne pouvait pas aller. Sinon je vendais mon âme au Diable.

Sarah fut la première à s'apercevoir que quelque chose ne tournait pas rond. Un soir que nous prenions tous deux un dernier verre au *Durango*, elle plongea ses grands yeux dans les miens et me demanda ce qui n'allait pas. C'était une de ces périodes où elle était entre deux amants, à savoir qu'elle avait remercié le dernier en date et ne l'avait pas encore remplacé, et ainsi donc sortions-nous bien plus souvent ensemble et sans doute étions-nous encore plus proches l'un de l'autre, ce qui parfois me suffoquait littéralement. Je ne pouvais pas comparer l'amitié que j'avais eue pour certains gars dans ma vie avec ce que j'éprouvais pour Sarah. A mon avis, elle savait lire en moi bien plus précisément que le plus cher d'entre eux et, quoi qu'on en pense, je ne manquais de rien en sa compagnie, je me passais très bien de ces longues empoignades viriles et je n'avais besoin de personne pour me soûler. Je ne me souvenais pas avoir posé ma tête sur les genoux de l'un d'entre eux, si j'ai bonne mémoire. Ni m'être abandonné, dans la seconde qui suivait, au plaisir insensé qu'ongles filant doucement sur mon cuir chevelu éveillaient en moi.

Je lui expliquai la situation en deux mots, lui précisant qu'il n'y avait pas encore le feu et que j'attendais un certain nombre de réponses et que je restais confiant. Elle m'écouta attentivement puis hocha la tête.

— Pourquoi n'essaierais-tu pas de te remettre à écrire... ? murmura-t-elle en glissant une main sur la mienne.

— *Enrique...* ! La même chose... ! fis-je en me dégageant.

Il soufflait un vent glacé sur le trottoir, et pas question de cavaler jusqu'à la voiture de Sarah et de monter le chauffage au maximum car, manque de chance, Richard venait de se l'emboutir joliment et nous avions dû prendre la moto. Rien que d'y penser, j'en avais déjà les fesses qui se gelaient sur place. Sarah s'était enroulé une longue écharpe autour du nez et contemplait avec un air désolé ma *Triumph* enchaînée à son lampadaire.

Je lui frottai le dos pendant qu'elle m'énumérait en frissonnant les avantages d'une conduite intérieure et que le vent sifflait tout autour de nous. J'attendais le moment où elle allait me dire que ce n'était plus de mon âge. Mais cette remarque me fut épargnée car soudain nous tombâmes nez à nez avec Elsie qui se pointait au *Durango* en compagnie de deux autres filles.

Je croisai son regard sans m'y arrêter et me baissai pour m'occuper de mon antivol pendant qu'elle embrassait Sarah. C'était la première fois que je la voyais d'aussi près depuis qu'elle était rentrée de cette fameuse croisière. En général, je m'éloignais calmement et sans me retourner aussitôt que je l'apercevais, de même que je raccrochais le téléphone quand par hasard il lui prenait l'envie de m'appeler. Jusque-là, j'étais parvenu à conserver une certaine distance entre elle et moi, pas moins d'une cinquantaine de mètres. Je demeurai immobile dans l'air glacé. Je n'entendais plus rien mais je ne m'y trompais pas, son regard était planté dans ma nuque. Ah, j'enrageais de m'être ainsi laissé coincer, putain quel sort contraire, quel fichu manque de bol !

Je me raidis lorsque se posa une main sur mon épaule. Malgré le froid, malgré l'épaisseur de mon cuir et bien qu'il fallût me créditer également d'un gros pull, d'une chemise d'hiver et d'un tee-shirt molletonné, je crus sentir une petite brûlure sur ma peau.

— Dan... Il faut que je te parle... !

Je me relevai et enfourchai résolument mon engin comme si de rien n'était, les yeux plissés et fixés droit devant. Je mis le moteur en route. Elle allait bientôt se demander si elle n'avait pas rêvé.

— Bon, Sarah... On y va... !

— Oh je t'en prie... Ne sois pas *stupide*... ! me supplia-t-on d'une voix exaspérée.

C'était elle qui m'avait plaqué et c'était moi qui étais stupide. Soit, mais j'actionnai la manette des gaz afin que l'on ne s'entendît plus. Sarah grimpa derrière moi tandis qu'un vif sentiment de puissance m'envahissait. Je n'avais pas plus pitié d'elle qu'elle n'avait eu pitié de moi et j'allais m'évanouir sous son nez et la planter sur le trottoir avec son drapeau blanc, qu'elle ouvre bien les yeux.

Seulement au même instant elle se pendit littéralement à ma manche.

« EST-CE QUE TU M'ENTENDS... ? ! ! » me hurla-t-elle dans les oreilles, alors que tout ahuri j'étais d'encore me trouver là.

— Ah ! nom de Dieu... ! grognai-je.

— Dan... ! Je *veux* te parler... !

Je dégageai brutalement mon bras et lui coulai un regard sombre.

— Ecoute..., je t'en prie... ! murmura-t-elle.

Naturellement, elle me plaisait toujours autant,

mais il faut savoir se refuser certaines choses dans la vie et ne pas céder à tout bout de champ.

— Bon sang, Elsie... Va te faire foutre... !

Fallait-il que je fusse complètement idiot pour la quitter des yeux la connaissant, fallait-il que mon instinct fût engourdi jusqu'à l'os pour ne pas m'avertir de la réponse inévitable que j'encourais à ces mots. Je pris toutefois conscience de mon erreur et grimaçant je me tournai vers elle, juste avant qu'elle n'abattît son sac sur ma tête.

Je n'eus même pas le temps de lever un bras ou pousser un cri, mais je remarquai qu'elle avait pris tout son élan et qu'elle était méconnaissable, tant l'effort et la rage brisaient l'habituelle harmonie de ses traits.

Le choc me laissa sans voix. J'en vis trente-six chandelles et faillis dégringoler de ma selle, et juste avant que la douleur n'envahît mon cerveau, je m'étonnai de la violence du coup. Y avait-il un fer à cheval dans son sac ou une petite enclume ?

A travers un léger brouillard, j'aperçus Elsie qui entrait au *Durango* et les lumières qui vacillaient à l'intérieur.

— Dan... Comment te sens-tu... ?

— Bien..., dis-je.

Je m'imaginais qu'elle m'avait ouvert le crâne en deux. Parallèlement, j'éprouvais une furieuse envie de cavaler à sa poursuite mais je me sentais très faible. Lorsque Sarah, que je venais de rassurer, s'intéressa de plus près à la chose, je braillai de douleur et lâchai quelques paroles grossières.

— Mince... ! reconnut-elle. C'est de la taille d'un œuf de poule... !

Durant le retour, tandis que nous enfilions les rues quasiment désertes et qu'un vent polaire nous harcelait, le froid me transperça jusqu'à la moelle et souffla sur la braise qui rougeoyait sur le sommet de mon crâne. Sarah m'avait proposé d'écraser une pièce dessus mais je n'avais pas voulu en entendre parler, tout ce que je désirais, c'était de m'avaler des comprimés d'arnica le plus vite possible. Je n'en revenais encore pas de toute cette histoire. C'était la première fois de ma vie qu'une fille me faisait une bosse pareille.

Il était sacrément tard quand je garai la moto devant chez Sarah, mais la lumière brillait toujours au rez-de-chaussée. Les garçons n'étaient pas encore couchés, ils étaient en train de se regarder une fille qui chantait avec deux obus effrayants et pointus à la place des seins.

« C'est qui ? » demandai-je, m'écroulant dans un fauteuil et n'écoutant pas la réponse. Je fermai un instant les yeux, peu sensible aux contorsions de la fille et trop content que ce ne fût point du hard rock.

Sarah m'apporta un glaçon puis fila me chercher de la pommade. Il faisait bon dans la baraque. Renversant la vapeur, je commençais à me réchauffer tout en refroidissant ma bosse et je me levai bientôt pour me servir un verre. Je me souvenais qu'un jour Franck m'avait cassé une assiette sur la tête, mais c'était à peine si elle m'avait décoiffé et nous avions continué à nous disputer. Cette histoire ressemblait au coup de pied d'une mouche comparée à cette cinglée d'Elsie. Sans compter qu'au moins Franck avait eu des raisons de me détester, elle, à présent je le reconnaissais volontiers.

Les garçons voulurent savoir ce qui se passait quand ils virent Sarah se pencher au-dessus de moi avec son tube de pommade et moi m'avalant mes granules.

— Oh... eh bien, ton père vient de croiser Elsie dans la rue..., soupira-t-elle en écartant mes cheveux.

— Bon sang ! Racontez-nous ça... !

Richard s'empara de la télécommande et coupa le son tandis qu'Hermann s'amenait aux nouvelles.

— Hé les gars, on dirait qu'un rien vous amuse... ! grognai-je.

Hermann se campa devant moi et siffla entre ses dents.

— Oh mon vieux ! Viens voir ça... ! lança-t-il à l'intention de Richard. Ça mérite le coup d'œil !

Celui-ci se leva d'un bond en embarquant son chat dans les bras. Il ne fallait surtout pas que Gandalf loupe quelque chose de si intéressant, le pauvre petit minet. Qu'il vienne un peu se documenter sur les misères de l'espèce humaine.

— Oh la la, regarde-moi ça comme ça brille... !

— Ouais, vise un peu comme c'est *rouge*, nom de nom... !

Je vidai mon verre pendant que Sarah les priait de s'écarter un peu si ça ne les gênait pas, vu qu'elle en avait pour une minute et qu'ensuite ils auraient toute la place.

— Mais comment que ça s'est passé... ? !

— Il s'est rien passé, elle m'a balancé un coup de sac sur le crâne, voilà tout ! Je ne sais pas encore si elle a essayé de me tuer ou non...

— Ouais, mais y a bien une raison... ? !

Je les ai doucement regardés et ils m'ont arraché un sourire.

— Ah... ! Vous me faites bien rigoler, tous les deux... Vous êtes à peine en train de venir au monde.

Sans que je m'y attendisse, les soins délicats que dans mon dos Sarah prodiguait à ma bosse m'en déclenchèrent une autre, sûrement ses doigts enduits de pommade, supputai-je, inutile d'aller chercher plus loin. Puis tout à coup, comme si j'étais passé dans un autre monde, je me vis plongeant sur le corps nu d'Elsie et ce fut si réel que je faillis murmurer son nom.

— Holà, tout doux... ! me secouai-je, tout frais émoulu du mirage.

Par chance, personne n'avait rien remarqué. Je me penchai en avant et mon cœur blêmissant encore de la prégnance de cette vision, je me mêlais de savoir où ça en était.

— Ne bouge pas... Ça y est presque.

— N'empêche que c'est pas le genre d'Elsie, insista Hermann.

— Ouais... Pas du tout !

— Hé..., mais vous allez pas me lâcher la jambe avec cette histoire, tous les deux... ?!

— Bon, je crois que ça ira..., m'informa Sarah. Veux-tu que je te laisse le tube... ?

Après une seconde de silence, ils pouffèrent tous les trois. Je croisai les jambes puis renversai la tête en arrière pour regarder Sarah.

— Tu ne vaux pas mieux qu'eux, tu sais...

Ils me trouvèrent encore plus drôle. Mais ça ne m'ennuyait pas qu'ils rigolent de moi, je les regardais rire et ils avaient ma bénédiction. Avec Gladys, ils étaient tout ce que j'avais. La bosse qui palpitait sur mon crâne me rappelait qu'il fallait saisir les bons moments.

Sarah nous abandonna pour se laver les mains. J'en profitai pour les taquiner un peu :

— Au fait... Vous ne m'avez pas parlé de votre sortie de ce matin... Je n'ai pas encore eu le temps de vous féliciter... !

Après une seconde de flottement, Richard secoua la tête d'un air navré :

— Merde..., cette bonne femme est arrivée *sur ma gauche*... !

— Non, vraiment... ?!

— Ouais, elle nous a foncé dessus, Richard l'a évitée de justesse... !

— Dan, bon Dieu, il s'en est fallu d'un poil... Merde, et on avait la priorité, j'aime autant te le dire... !

Je l'observai en souriant d'une oreille à l'autre. Je me souvenais de la première fois où j'avais tourné la clé de contact et du sentiment qui m'avait envahi lorsque j'avais desserré le frein à main. Et de la tête de mon père quelques heures plus tard.

— Hum, c'est pas de chance pour un coup d'essai, fis-je.

— Hé... Tu ne me crois pas... ?

— Ecoute, tu m'embarrasses... Que vaut la parole d'un gars qui n'a même pas son permis de conduire... ?

Ses yeux brillèrent, mais il refusa d'entrer dans mon jeu. On sentait qu'il ne manquait pas grand-chose pour qu'il se mette à rigoler franchement.

— Je ne pouvais rien faire, lâcha-t-il. Elle a vraiment surgi de nulle part... Ecoute, Mann était assis à côté de moi...

— Ouais, et elle a pas donné un seul coup de frein, elle a pas jeté un seul regard vers nous...

— Je reconnais que sur le nombre il arrive que certaines se dévoilent au grand jour, soliloquai-je.

— Eh bien, ne te gêne pas, donne-leur ta bénédiction... ! m'enjoignit Sarah en s'amenant avec un plateau de bols fumants. Avec un peu de chance, ils écraseront quelqu'un la prochaine fois.

Ça ne sentait rien, ce devait être une pincée de tilleul.

— Non, ils savent ce que je pense de tout ça, répondis-je en remplissant mon verre.

— Oh..., alors je suis rassurée... !

Elle posa le plateau et se redressa comme une fleur sur sa tige. Nous restâmes tous les trois assis à la regarder pendant qu'elle ôtait les pinces de ses cheveux et le spectacle nous clouait le bec. On n'entendait plus que le vent qui couinait derrière la porte. Je me demandais qui était en train de s'occuper de l'éclairage. Pourtant ce n'était qu'une femme, une simple mortelle. Où avait-elle appris tous ces gestes... ?

— Richard, je ne veux pas me bagarrer avec toi..., lui dit-elle gentiment.

Je vidai mon verre d'un seul coup. Peut-être bien que j'allais finir par la violer, un de ces quatre. J'y pensais de plus en plus sérieusement. Par moments, mon épreuve était inhumaine. D'autant que personne d'autre ne la méritait autant que moi et sûrement pas toute cette poignée de connards qui me la soufflaient, en toute franchise. Je pourrais la violer et lui demander de m'épouser.

— Tu n'as plus que deux mois à attendre, poursuivit-elle. On en reparlera quand tu auras passé ce fichu permis.

Il secoua la tête. Il semblait satisfait de s'en tirer à si bon compte et il voulait bien promettre à peu près tout ce qu'on voulait. Il flottait un tel sentiment de paix dans la baraque — Gladys dormait chez une copine et ceci explique cela — que j'en avais oublié ma bosse. Je ne me sentais pas du tout dans la peau d'un type qui a perdu son boulot et qui n'a même pas une femme sous la main pour continuer d'espérer. Je me sentais même plutôt bien. Par moments, on peut rire des blessures que la vie vous inflige. La bave du crapaud n'atteint pas le visage de l'homme.

Le lendemain, nous allâmes faire quelques emplettes, Hermann et moi. Le ciel était gris. Le vent avait disparu mais les premiers flocons voltigeaient dans les airs avec une bonne avance pour la saison. Ce n'était pas que je tenais absolument à l'accompagner mais il n'y avait pas d'autre moyen à ma connaissance, il était capable de rentrer les mains vides si je l'envoyais tout seul, m'annonçant qu'il avait rencontré Un tel en chemin ou qu'il s'était souvenu d'un truc urgent, et puis qu'au fond rien ne pressait. Je considérais que c'était une espèce de miracle qu'il songeât à s'habiller le matin.

Je l'avais coincé au moment du petit déjeuner et j'avais réussi à dresser avec lui une liste de ce dont il avait besoin. J'avais dû le traîner jusque devant son armoire. Je l'avais félicité pour sa collection de tee-shirts. Je voulus savoir s'il avait l'intention de se les enfiler les uns sur les autres lorsque nous naviguerions en dessous de zéro, s'il ne trouvait pas malheureux que je fusse obligé de m'occuper de ces histoires.

Je l'attendais près des caisses en cramponnant ma carte de crédit, frémissant à chaque fois qu'on demandait l'autorisation par téléphone. Je ne savais plus au juste où j'en étais dans mes comptes car je ne consultais plus mes relevés bancaires. Je savais que ça allait mal, de toute façon, je n'avais pas besoin de me lancer dans les détails. J'espérais que mon banquier avait des enfants, lui aussi, et qu'il se souviendrait de l'époque où il s'engraissait sur mon dos, sans que je dise rien.

Pendant qu'Hermann se choisissait un blouson, je ne pus résister à la tentation d'essayer une paire de bottes en autruche, de vraies merveilles, indépendamment du prix. Le vendeur prétendait qu'elles m'allaient divinement bien. Je n'étais pas aveugle, seulement c'était une jolie somme dans ma situation. Nous hochions du chef l'un et l'autre en admirant mes pieds. D'après lui, je ne devais pas hésiter plus longtemps, mais je ne répondais pas. Je n'étais pas tout à fait sûr qu'on pouvait soigner le mal par le mal. Quoi qu'il en soit et au terme d'une courte réflexion, je me sentis d'humeur à marcher sur la queue du tigre. Je relevai la tête et, m'allumant une cigarette, je demandai au gars de me les emballer.

Durant un bref instant, je doutai de la réalité de mes ennuis d'argent et plaisantai avec le type qui m'attendait derrière son tiroir-caisse. J'étais particulièrement content d'avoir traité ce problème avec autant d'énergie. Un léger et délicieux vertige m'électrisait, au point que je reluquais le plus sérieusement du monde une paire de gants en pécari sous la vitre du comptoir.

Hermann me tira de ma rêverie en s'amenant avec un superbe blouson de cuir entièrement fourré. J'entendis le vendeur siffler discrètement entre ses dents. Un éclair de panique traversa mon esprit tandis que je caressais le col de fourrure, une main glacée se posa sur ma nuque. Bien qu'imperceptiblement, je tressaillis en découvrant dans la foulée l'irrésistible qualité de la peau, sa stupéfiante souplesse. J'eus l'impression de me coincer un doigt dans une porte.

— Comment tu le trouves... ?

— Bien... Vraiment très bien... Parfait..., lâchai-je d'une voix mécanique.

— C'est bizarre, je n'ai pas vu de prix...

— Ça ne fait rien, lui dis-je. Détends-toi...

Je levai les yeux sur le vendeur. Il me souriait tendrement. Au lieu de m'annoncer le prix et comme s'il se fût agi de quelque chose de honteux, il griffonna la somme sur un bloc de papier et le tourna vers moi.

Je m'accoudai au comptoir pour me soulager les jambes.

— Vaut mieux voir ça que d'être aveugle... ! dis-je.

— Sûr... ! qu'il me répondit.

La neige tombait à plate couture lorsque nous sommes rentrés. Les voitures avaient leurs phares allumés en plein après-midi et déjà les rues étaient glissantes. A la réflexion, ce n'était pas toujours drôle d'avoir une moto. Les raisons qui m'avaient poussé à vendre l'*Aston Martin*, après le départ de Franck, n'étaient plus aussi claires. M'avalant des flocons à la pelle et clignant des yeux, je berçais un instant l'idée d'acquérir une petite voiture pour échapper aux intempéries, dans le genre d'une *Fiat 500*, et me réservant la *Triumph* pour les beaux jours. J'étais ravi d'avoir trouvé la solution idéale. La neige tombait follement et commençait à nous recouvrir, mais je riais intérieurement car cette fois serait sans doute la dernière. D'autant que cette histoire ne devrait pas me coûter les yeux de la tête.

« Mais bon Dieu, pauvre fou... ! *Pauvre fou...!!* me dis-je dans la seconde qui suivit. Comment peux-tu encore envisager la *moindre* dépense à partir d'aujourd'hui... ?! Comment cela peut-il même t'effleurer... ?! Est-ce que tu es *malade...*?!! » Bref, je sentis mon cœur se glacer.

Il neigea ainsi tout au long de la soirée. De temps en temps, on se levait pour jeter un coup d'œil, il y en avait bien quarante centimètres dans le jardin et des flocons de la taille d'un pruneau vous dégringolaient tranquillement du ciel. Sur les coups de huit heures, Bernie me téléphona pour savoir si je n'avais pas un peu d'origan.

— J'ai.

— O.K. Je t'envoie Harold. Dis-moi, as-tu vu ce qui tombe... ?

— Et comment !

— Ah ! bon sang ! J'aime vraiment ça, tu sais... J'ai l'impression d'être un enfant.

— Ouais, nous en sommes tous là.

J'avais à peine raccroché que je vis Harold traverser le jardin. Un éléphant dans un magasin de porcelaine. Je n'avais pas besoin d'aller le regarder sous le nez pour savoir qu'il était en train de râler. Ça lui montait jusqu'au-dessus des genoux et il levait bien haut les jambes, serrant le capuchon de son duffel-coat sous son menton et crachant autant de vapeur qu'une locomotive. On aurait dit un moine luciférien égaré sous une pluie d'hosties.

Il faillit arracher ma porte-fenêtre en entrant. Je lui avais répété cent fois qu'on n'ouvrait pas forcément une porte en lui mettant un coup d'épaule, mais j'avais fini par abandonner et je ne savais pas s'il le faisait exprès ou non.

— La vache... ! pesta-t-il pendant qu'un bloc de neige glissait sur son épaule et s'écrasait sur mon tapis. Et il paraît que ça ne va pas s'arranger de sitôt... !

— Ouais... Allons dans la cuisine... ! décidai-je.

— Où est Mann ? Il est pas là... ?

— Hum, j'espère qu'il s'en tire... Il est en train de ranger son armoire...

Harold n'était jamais très à l'aise lorsqu'il se trouvait seul avec moi mais ça m'était égal, c'était son problème après tout. Pourtant je n'avais rien contre lui, nous ne nous étions jamais engueulés et j'étais son partenaire au ping-pong, simplement ne m'intéressait-il pas spécialement malgré qu'il fût le copain de Bernie Goldstein. Il avait une espèce de beauté qui le rendait transparent à mes yeux. Enfin, ça ne m'empêchait pas de lui taper sur l'épaule, de temps en temps, quand par hasard je parvenais à le localiser.

Je lui donnai son origan tandis qu'une petite mare se formait à ses pieds.

— Eh bien, que dis-tu de ça...?! s'égaya-t-il en suivant mon regard.

— A la guerre comme à la guerre..., opinai-je.

De nouveau le téléphone sonna. J'invitai Harold à ne se soucier de rien et à ne pas s'occuper de la porte, car j'en avais encore besoin. Je le regardai s'éloigner dans le jardin puis je décrochai.

— Dan ? C'est Sarah...

— Ouais, j'ai couru parce que je savais que c'était toi.

— Dan, ma chaudière vient d'exploser...!

— ... *Vient de QUOI... ??!!*

— Oh, est-ce que je sais...?! Je n'y connais rien...

— *Sarah, dis-moi, tout va bien...!??*

— *Tout va bien...?!* Mais la maison est transformée en glacière...! Nous sommes pratiquement morts de froid, je n'exagère pas...!! Je ne t'ai pas dit qu'elle nous avait explosé *à la figure*...

— Ah tais-toi...!

— Bon sang, je claque des dents, tu ne m'entends pas...? Enfin bref, le gars vient de s'en aller. Il paraît qu'on va rester trois ou quatre jours sans chauffage. Seigneur ! As-tu vu toute cette neige qui tombe...?

— Ouais, il paraît que ce n'est qu'un début.

— Ecoute, Dan, te sens-tu de taille à nous héberger quelques jours...?

— Je sais pas. On peut essayer.

— Ça peut être drôle, non ?

— Mmm... Faut voir...

Je me versai un verre puis m'en allai annoncer la nouvelle à Hermann. Il secoua la tête puis s'inquiéta un peu de ses rapports avec Gladys et des risques d'une aussi brusque intimité, mais je le rassurai, je ne voyais pas ce qu'elle pouvait bien lui faire de pire, peut-être même que c'était une bonne occasion, qui sait ? Il soupira puis m'annonça qu'il n'y croyait pas trop, malheureusement.

— Tu n'es pas encore au bout de tes surprises, ricanai-je. Ne te figure jamais que tout est joué avec une femme, aussi bien dans le meilleur que dans le pire des cas.

— Ouais..., j'espère que tu as raison...

— Hé, regarde-moi... Tu peux être sûr de ce que je te dis.

Nous décidâmes que ma chambre deviendrait celle des filles et que Richard prendrait le canapé du bas. Pendant que nous changions les draps de mon lit, nous entendîmes le vent se lever.

Ah, de quelle indifférence glacée usait-elle quand par hasard elle posait les yeux sur lui ! Elle me donnait froid dans le dos et j'en gesticulais sur mon siège. Apparemment, j'étais le seul à m'en soucier. Sans doute n'avais-je pas eu l'occasion, aussi souvent que les deux autres, de les examiner ensemble et je ne m'y étais pas encore habitué, j'avais l'impression d'entendre comme un fouet claquer dans la pièce et c'était sur le dos de mon fils que ça tombait.

Ah, mes amis, comme ça devait lui faire mal et de quel triste et douloureux sourire s'armait-il lorsqu'elle le fustigeait ainsi... ! Ah, n'avait-elle plus la moindre petite goutte de cœur... ? ! N'avait-elle point pitié de ce garçon gémissant à ses pieds, avait-elle décidé de terrasser un ange... ? ! Hermann était d'une sobriété époustouflante. Il se débrouillait pour ne pas trop accuser le coup et c'était comme si personne n'avait rien vu. Tout se passait en quelques secondes mais j'en grimaçais pour lui. Ça m'a rappelé le jour où je l'avais serré dans mes bras pendant qu'on l'opérait des végétations et que je voyais du sang couler de sa bouche. Je lui avais presque fêlé une côte.

Bizarrement, leur conduite ne fichait pas tout par terre. Quand elle ne foudroyait pas Hermann du regard, Gladys affichait une bonne humeur qui ne me semblait pas feinte. Tout le monde savait qu'il n'y avait qu'une seule fille qui comptait pour lui, et peut-être plus encore depuis qu'ils s'étaient disputés et quand je dis tout le monde, je veux dire que même Gladys le savait parfaitement bien. Je ne voyais pas pourquoi elle aurait perdu le sourire dans ces conditions et pour tout dire, je la trouvais encore plus charmante qu'à l'ordinaire. Ils semblaient ravis tous les trois de passer la nuit à la maison. « Oh mes chéris, on n'avait tellement *pas* envie de se retrouver à l'hôtel...! » s'était écriée Sarah.

Nous avions l'habitude d'être ensemble, nous nous étions retrouvés ainsi peut-être des centaines de fois et chacun pouvait faire ce qu'il voulait sans s'occuper des autres et sans rompre cette espèce d'harmonie qu'il y avait entre nous. Il fallait des années de patience pour en arriver là, il avait fallu du temps, des heures et des journées entières d'attention réciproque avant qu'il ne s'agisse d'employer les grands mots. Et quand bien même le torchon brûlait entre Hermann et Gladys, l'édifice tenait bon et la soirée se passait d'une manière agréable.

Je m'écoutais les *Kindertotenlieder* au casque pendant que les autres regardaient *Massacre à la tronçonneuse*. Je n'y jetais qu'un œil de temps en temps, avec la voix de K. Ferrier dans les oreilles, et jamais plus d'une minute d'affilée car je n'avais pas du tout l'esprit à ça. J'aimais autant regarder tomber la neige ou observer Sarah se vernissant les ongles, son petit flacon serré entre les genoux. Je ne savais pas si c'était l'âge qui voulait ça, mais certaines fois, lorsque je me trouvais ainsi en leur compagnie, il me prenait de violentes envies d'avoir une vraie famille, d'avoir une femme et plusieurs enfants, que ça m'en asséchait brutalement le gosier et que j'en déglutissais péniblement. Je passais un sale quart d'heure. Comment Hermann pouvait-il me pardonner de n'avoir ni mère, ni frère, ni sœur...? Généralement, je finissais avec les larmes aux yeux et un verre à la main.

Quand vint le moment d'aller se coucher, le caractère inhabituel de la séance nous sauta enfin aux yeux. Il se produisit un léger flottement dans l'air, plutôt amusant, puis finalement les deux filles décidèrent de se replier sur la salle de bains. On sortit des draps et des couvertures pour Richard, tandis qu'il déballait les affaires de Gandalf et lui racontait je ne sais quoi dans le creux de l'oreille, comme à son habitude. Je me faisais un peu de mouron pour mes Chirurgiens Bleus et je lui dis : « Tu crois pas que... ? » en pointant le menton sur mon aquarium, mais il me haussa les épaules d'une façon rassurante, enfin si l'on veut.

On déplia le canapé. Richard se laissa tomber dessus les mains croisées derrière la tête et nous garantit que ça irait. Je n'en doutais pas une seconde. Quand j'avais son âge, j'aurais pu dormir sur un lit de pierres.

Gladys apparut en haut de l'escalier pendant que nous arrangions les draps. Nous nous redressâmes. Elle était en petite tenue, et positivement ravissante, et son sourire dégringolait gentiment les marches et roulait jusqu'à nos pieds. Elle voulait savoir si je n'avais pas de Kleenex. Je lui proposai un rouleau de Sopalin.

— Nan, ça fait rien, tant pis... ! qu'elle me dit en se caressant la nuque.

Elle traîna quelques instants sur le palier avec l'air de se demander si elle n'allait pas changer d'avis, puis elle nous adressa un signe de la main et tourna tranquillement les talons.

Hermann avait blêmi. Il n'y avait plus rien à voir mais son regard restait obstinément fixé dans la même direction. Je lançai un coup d'œil désabusé à Richard et l'aidai en silence à terminer son lit.

Je les entendis échanger quelques mots tous les deux alors que je me buvais un coup dans la cuisine. On ne voyait pratiquement rien de ce qui se passait dehors car un mur de flocons tourbillonnaient devant ma fenêtre, mais tout ça me paraissait diablement blanc et surtout *fichtrement* épais. Je ne me rappelais pas en avoir observé autant d'un seul coup.

— Bon... je vais me coucher... ! m'annonça Hermann sur un ton las.

Je faillis le retenir et lui dire ce que je pensais du numéro de Gladys, à quel point ça crevait les yeux, mais une espèce de langueur me prenait à la contemplation de ce fouillis neigeux, et je me contentai de secouer la tête sans me retourner.

Je le suivis un peu plus tard. Je n'étais pas vraiment fatigué, seulement je ne trouvais rien de mieux à faire avec Richard dans le salon, d'autant plus qu'il avait éteint la lumière. Malgré tout, malgré que cette histoire sentît l'insomnie à plein nez, je grimpai au premier sans la moindre amertume et nullement contrarié à l'idée que le sommeil ne viendrait pas. Ça ne m'ennuyait pas toujours de rester éveillé et de garder les yeux ouverts dans le noir. Ça dépendait comment je le prenais.

Je bifurquai sur le palier pour aller me laver les dents. J'avais l'impression que tout le monde dormait, mais en ouvrant la porte de la salle de bains je tombai sur Sarah. Elle était presque nue, elle aussi. Au lieu d'entrer, je refermai tranquillement la porte en m'excusant.

« Tu peux venir... Ça ne me gêne pas... ! » me dit-elle pendant que je m'éloignais dans le couloir. Bien souvent, j'aurais sauté sur l'occasion de me rincer l'œil, mais il m'arrivait également de me sentir si éloigné des choses du sexe que j'en étais le premier étonné.

Le lendemain matin, il y avait un mètre de neige devant l'entrée. A présent, le ciel était parfaitement dégagé et le soleil scintillait sur la rue immaculée. Ils racontaient à la radio qu'on n'avait pas vu ça depuis deux cents ans et qu'en dehors de quelques grands axes le trafic était presque entièrement paralysé.

« Le père de mon père n'a même pas vu une chose pareille... ! » murmurai-je, complètement fasciné par le spectacle.

C'était à peine croyable. Il n'y avait plus ni voitures, ni trottoirs, ni bancs, mais un grand fleuve étincelant, ondulé et immobile d'où jaillissaient des formes bizarres comme la courbe d'un lampadaire ou la vague silhouette d'un arbre aux branches rabattues.

— Eh bien, au moins, c'est réglé pour les cours... ! ricana Richard.

Il y avait du monde dans la cuisine. Le grille-pain carburait sans relâche, les casseroles se relayaient sur les feux et l'on pouvait avoir des œufs si l'on voulait, il suffisait d'attendre son tour. Heureusement, nous n'étions pas pressés, en tout cas plus maintenant, et le petit déjeuner s'étirait en longueur, au rythme des mesures qu'il y aurait à prendre aussitôt qu'on en aurait fini.

Je trouvai une pelle dans la cave, quelques vieilles paires de bottes et un râteau. A peine de quoi s'amuser. Pendant que les filles se servaient de la salle de bains, nous avons tenté une sortie sur la rue pour voir ce que ça donnait. Au bout de cinq minutes, nous avions compris que ce ne serait pas facile. Nous avions pourtant creusé une tranchée jusqu'à la porte du jardin mais nous n'étions pas plus avancés. Je fis grimper Hermann sur mes épaules. Il était si lourd que je fermai les yeux et souffris en silence, car c'était sans doute la dernière fois que je le portais ainsi. Il y avait déjà tant de choses que je ne referais plus jamais avec lui, tant de petites flammes qui s'éteignaient avec le temps que j'en étais presque effrayé.

— Bon sang ! Je ne vois rien qui bouge... ! nous annonça-t-il. Tout le quartier est enseveli... !

Sur les coups de midi, nous avons opéré une jonction avec Harold et Bernie, mais sans l'aide d'aucun instrument, rien qu'au prix d'un solide corps à corps avec cette montagne de neige. Les filles étaient de la partie. Horde hilare, nous avancions pratiquement de front et au mépris de toute logique, mais foin d'un passage proprement dégagé, au diable le triste ennui d'un boulot de professionnel, c'était à qui crapahuterait le plus vite et personne ne songeait à se retourner pour admirer le travail, on devait nous entendre rigoler jusque tout en bas de la rue.

— Eh bien, vous parlez d'une histoire...! soupira Bernie en s'épongeant le front. Grandiose, mais éprouvant...!

— Salut, tout le monde...! lança Harold. Ça biche au bois...?

Le ciel était d'une pureté sans nom mais Bernie venait d'appeler la météo et, à les en croire, il allait de nouveau neiger dans la soirée et l'on ne prévoyait pas d'amélioration avant deux ou trois jours.

— Mes enfants, si l'on doit tenter quelque chose..., c'est maintenant ou jamais, poursuivit-il. Si l'on attend, on risque d'être emmerdés...

— Ouais, on n'a plus une seule goutte de lait...! précisa l'autre.

Nous n'étions pas très riches non plus. Cependant, Sarah tint à nous rappeler que nous n'étions pas perdus en pleine campagne et qu'aux dernières nouvelles on avait mis l'armée sur le coup et ils allaient nous dégager ça en moins de deux.

— Bien sûr, ma chérie, je ne demande qu'à te croire..., répliqua Bernie. Mais tous ces pauvres gars vont avoir un drôle de travail, rends-toi compte, on ne peut pas leur demander l'impossible...! Et puis, qu'avons-nous de mieux à faire pour le moment...?

Elle ne répondit pas, elle ferma les yeux et inclina tranquillement son visage au soleil. Pendant ce temps-là, il fut décidé qu'on enverrait une équipe de secours en direction du supermarché. Bernie semblait si satisfait qu'il nous promit des crêpes au sirop d'érable. Tout le monde était prêt à foncer. On se levait tous pour les crêpes de Bernie Goldstein.

Notre petite troupe s'ébranla un peu plus tard. Ayant prétendu qu'elle n'avait pas la grande forme et qu'elle se proposait de surveiller le campement durant notre absence, Sarah seule manquait à l'appel, je n'avais qu'à lui ramener quelques paquets de tisane si jamais j'y pensais. Forte malgré tout d'une bonne douzaine de bras, notre progression était satisfaisante et nous remontions la rue inexorablement tandis que confirmant nos craintes le soleil se voilait.

Harold en mettait un sacré coup. Mais pour une fois je ne trouvais rien à y redire, en aurait-il remué le double que j'aurais applaudi des deux mains. Hermann et Richard, qui se tenaient sur ses flancs, avaient du mal à garder la cadence et parfois l'autre les asticotait en rejetant ses cheveux blonds en arrière : « Hé...! Mais qu'est-ce que vous fichez tous les deux...?! » les raillait-il, se tournant pour nous cligner de l'œil, de préférence en direction de Gladys. « Qu'est-ce que vous avez dans les bras...?! »

A la longue, j'avais cessé de me demander ce que Bernie fabriquait avec un numéro pareil. Je savais qu'il l'aimait parce qu'il me l'avait dit, mais sincèrement je n'arrivais pas à comprendre. Chaque fois qu'il me parlait d'Harold, je l'écoutais avec un sourire médusé. Je crus longtemps qu'il se moquait de moi, mais il était tout ce qu'il y a de plus sérieux au monde. A l'entendre, Harold était le compagnon rêvé. Si bien que je m'efforçais, lorsque le comportement de son protégé me tapait sur les nerfs, de lui accorder le bénéfice du doute. Je me retenais de ne pas le considérer comme le parfait modèle du crétin intégral.

Il nous fallut un petit moment avant de nous sortir de l'avalanche, mais point tant finalement que nous ne l'eussions imaginé. Au second croisement, nous débouchâmes sur une avenue pratiquement déblayée. Il ne restait plus guère qu'une légère couche de neige sur les trottoirs et des types grimpés sur des camions balançaient du sable tout autour d'eux. Nous nous sommes sentis un peu idiots. Et pour ce qui était d'enfoncer les portes ouvertes, on nous pria de nous écarter du chemin vu qu'un chasse-neige manœuvrait déjà devant nous et s'apprêtait à dégager la rue que nous venions d'emprunter.

Il y eut du flottement dans les rangs. Tout à coup, le parfum héroïque de l'expédition se volatilisa dans les airs et le sang de la jeunesse cessa pratiquement de battre. On piétina un temps sur place, on se demanda si vraiment tous nous étions obligés d'y aller finalement et ce que Bernie et moi on en pensait.

Ainsi donc, ils nous abandonnèrent sur la côte avec les filets à provisions. Je ne dis rien, par esprit de justice, car nous n'en avions pas fichu une rame tous les deux quand il s'était agi de se frayer un passage à travers le grand manteau blanc. Nous demeurâmes d'autant plus fair-play que le magasin n'était pas au diable vauvert et qu'une température presque douce s'employait sournoisement à nous racoler. Bernie me prit par le bras. Ça ne me gênait plus comme au début de me balader bras dessus, bras dessous avec lui, à présent c'était à peine si j'y prêtais attention, et lorsque j'en prenais conscience, je trouvais que c'était bon d'avoir un ami et mes poils ne se hérissaient plus depuis belle lurette.

Nous fîmes nos courses tranquillement, tout en discutant de choses et d'autres. Il n'y avait pas trop de monde. J'évitais de m'intéresser aux femmes que l'on croisait car j'avais maintes fois remarqué que ma cote baissait sérieusement quand je me trouvais avec lui. A l'œil glacé qu'elles me lançaient, je sentais bien qu'elles nous fourraient tous les deux dans le même sac et je les regardais s'enfuir, aussi raides que des piquets. « Bon sang, Dan..., je suis vraiment désolé... ! » me glissait-il avec un large sourire pendant que je grimaçais.

Au rayon du lait, Bernie s'en attrapa huit cartons d'un seul coup et ajusta le paquet sur son épaule.

— Merde, j'ai jamais rien vu d'aussi ridicule... ! dis-je.

— Bah, tu sais..., ce n'est pas si lourd que ça.

— Ecoute, pourquoi n'essaies-tu pas de le mettre au lait en poudre... ?

— Oh, tu plaisantes... Il en a horreur !

— Ouais, mais *huit cartons*, Bernie... ! A quoi ça rime... ? ! Je te signale que nous sommes à pied !...

— Oui, ne t'inquiète pas...

— Bon sang, je te préviens, je veux être pendu si je t'aide à les porter.

— Mon Dieu, mais je ne veux *surtout pas* que tu m'aides...! J'ai *envie* de les porter! Est-ce que c'est si difficile à comprendre...?

Je levai les yeux au ciel et accélérai vers les caisses. Je m'en voulais de m'être occupé de ce qui ne me regardait pas, mais cette histoire de lait m'exaspérait souverainement et mon humeur s'obscurcit comme le ciel qui ne jetait plus qu'une pâle lueur dans la rue.

— Tu vois, il va sans doute reneiger..., déclara-t-il dans mon dos.

Cette fois, je signai un chèque au lieu de me servir de ma carte, avec le vague sentiment de brouiller les pistes. Je ne savais plus au juste à partir de quelles sommes un banquier se réveillait, ni combien de temps il vous laissait encore courir dans la nature avant de vous harponner, mais je trouvais que son silence était pire que tout. J'avais gagné beaucoup d'argent à l'époque où j'écrivais des livres. J'avais été l'un de ses clients préférés. Ah, se pouvait-il que de cette main chaleureuse, si souvent tendue vers moi, il se servît aujourd'hui pour me serrer la gorge...?

De gros nuages sombres se chevauchaient et culbutaient dans les airs pendant que le jour déclinait. A présent, la neige semblait morte et sans âme. Les gens courbaient la tête et se rétamaient en jurant. Malgré ce qui se préparait, je n'avais pas envie de rentrer tout de suite. Surtout, je n'avais pas envie de regarder Bernie traîner ce machin tout au long de la route, je n'avais pas envie de me trouver là quand l'autre ouvrirait la porte.

— Bernie, ne m'attends pas..., lui annonçai-je. Je fais un saut jusque chez Max pour voir s'il n'a besoin de rien.

Il m'envoya un coup d'œil puis me dit : « Bon sang, tu es vraiment terrible...! » Ce à quoi je répondis qu'il se trompait lourdement et que des cartons de lait il pouvait s'en porter des douzaines tous les jours si ça lui chantait sans que j'y visse le moindre inconvénient, puis l'assurant que j'avais heureusement d'autres choses dans la tête, je m'éloignai rapidement.

— Tu crois peut-être que je ne vais pas y arriver... ? me cria-t-il. C'est ça... ? !

Je ne me retournai pas. Je remontai la rue en sens inverse tandis que les lampadaires éclosaient comme des œufs translucides et illuminaient en douceur la chaussée verglacée. Il n'était pas plus de cinq heures de l'après-midi, pourtant déjà la nuit tombait.

J'étais d'assez mauvaise humeur. Je ne savais pas d'où ça m'arrivait exactement. Je pouvais facilement extraire de mon cœur cette insignifiante prise de bec que nous venions d'avoir Bernie et moi, ce n'était pas ça qui me pesait sur le système et l'oubliais-je pratiquement que je ne me sentais pas mieux. Plus je cherchais les causes de mon état, plus ça m'énervait.

J'entrai dans un bar pour me calmer. Je ne savais pas non plus pourquoi j'avais pensé à Max brusquement, mais maintenant que j'y réfléchissais, je ne me sentais plus le droit de me défiler. J'étais conscient que mon tour viendrait un jour ou l'autre, que l'âge finirait par me clouer vivant sur mon siège et que je ne pourrais plus m'en sortir tout seul. Je m'avalai deux bourbons sans reprendre mon souffle et quittai les lieux en vitesse comme s'ils étaient hantés.

Je cognai chez lui. J'entendis son chat miauler dans le fond de l'appartement, puis des pieds qui se traînaient sur le plancher. Lorsqu'il m'ouvrit la porte, une bouffée d'air confiné s'envola sur le palier et s'abattit sur moi comme le fantôme de Monte-Cristo. Le coup m'étourdit presque.

— Hello... ! fis-je, en me reculant d'un pas.

Puis je retrouvai mes esprits et m'avisai alors de l'épouvantable mine qu'il se payait.

— Je venais voir si tout allait bien... ajoutai-je, tant interdit par la pâleur cireuse de son teint que par l'éclat fiévreux de son regard.

– Entre…! me répondit-il d'une voix qui sifflait comme une forge.

– Toi, ça ne va pas…! affirmai-je sans détour.

Je déposai mon filet à provisions dans l'entrée et refermai la porte pendant qu'il s'occupait de regagner son lit. L'unique éclairage de la pièce provenait d'une petite lampe de chevet dont l'abat-jour était taillé dans une vessie de chameau, ce qui ne dispensait qu'une triste lumière jaunâtre et ajoutait à l'apparence lugubre du décor. Je sentis aussitôt une nuée de microbes s'égailler autour de moi, j'en vis même quelques-uns de la taille d'une tête d'épingle flotter paresseusement dans le halo sinistre. Même le chat me semblait malade.

« Mince, alors…! Mais comment te sens-tu…? » murmurai-je, ouvrant mon blouson pour affronter la pénible moiteur de céans. Il se laissa choir sur le bord de son lit aux draps éparpillés et m'affranchit d'un geste vague, cependant que je repérais une pile de médicaments dans la pénombre.

Je ne l'avais encore jamais vu malade, enfin couché avec de la fièvre, et il me parut très vieux d'un seul coup. Ses cheveux étaient emmêlés, les os de ses épaules saillaient à travers le survêtement et il avait un air de déterré malgré que ses yeux brillassent plus que de coutume et qu'il essayât de me sourire.

– Tu tiens ça depuis longtemps…? lui ai-je demandé.

Il haussa les épaules puis m'annonça qu'il n'en savait rien, peut-être cinq ou six jours, et qu'il n'avait pas eu le temps de dire ouf, il pensait que c'était une grippe carabinée, une comme il n'en avait encore jamais rencontré autant qu'il s'en souvenait.

– Merde, tu te réveilles et tu n'as plus de jambes, tu n'as même pas la force d'aller te préparer un café…!

Tout à coup, en le regardant, j'eus la vision d'un type retranché tout au fond d'une caverne et que la lumière du jour tuerait. J'aurais mis ma tête à couper qu'il n'avait pas ouvert une seule fois les fenêtres.

L'atmosphère était si dense, si étonnamment et intimement emplie de Max que j'en étais presque indisposé de l'avaler.

— Bon sang, lui dis-je, mais tu ne peux pas prévenir quand il t'arrive un truc pareil... ?!

Il se leva en grimaçant.

— Merde, pour quoi faire... ?!

— Comment ça, *pour quoi faire*... ?! me rembrunis-je.

Nous échangeâmes un regard brutal puis il me tourna le dos et se pencha sur ses médicaments. Je sentais bien que les choses se compliquaient avec lui. Ça ne datait pas d'aujourd'hui mais plus ou moins de l'époque où on l'avait viré du lycée. Nous nous étions tous rendu compte qu'il avait accusé le coup et que ça ne faisait qu'empirer. Je finissais par être le seul à prendre sa défense. Je ne courais plus si souvent avec lui, je reconnaissais que sa compagnie n'était pas devenue très marrante, mais j'essayais de ne pas trop y penser ou bien je réglais la question, somme toute d'une manière bougrement cavalière — quoique définitive à mes yeux —, en me disant que l'âge était la cause de tout, que vieillir n'était pas ce qui pouvait vous arriver de mieux au monde.

— Tu n'imagines pas tous les trucs que j'ai à prendre... ! soupira-t-il.

Je restai silencieux. Je me penchai pour ramasser le téléphone et amenai entre mes doigts l'extrémité du fil sectionné.

— Je ne trouve pas que ce soit tellement malin..., déclarai-je.

— Bah... Pourquoi me jouerais-je la comédie... ? lâcha-t-il en se tournant vers moi. J'en avais assez de répondre aux faux numéros.

Il rejeta la tête en arrière pour avaler ses comprimés. J'en profitai pour constater que je n'avais pas besoin d'un souci supplémentaire et me mordis doucement les lèvres.

— Personne s'est jamais réellement soucié de moi,

reprit-il. C'est pas aujourd'hui que ça va commencer.

J'hésitai une seconde puis m'allumai une cigarette sans le quitter des yeux. Il ne tenait pas très vaillamment sur ses jambes mais parvenait à me toiser d'un sourire sardonique.

— Max, je ne suis pas venu pleurnicher avec toi et me lamenter sur ton sort. Je ne suis pas encore mûr pour les bonnes œuvres...

— Bon Dieu, je ne t'ai rien demandé...! s'étrangla-t-il en serrant le poing sur son cœur.

— Alors, demande-moi quelque chose, demande-moi d'aller te chercher ce que tu veux...! Je suis venu *exprès* pour ça....!

J'écrasai ma cigarette tandis qu'il retournait dans son coin en tiraillant le bas de son survêtement orné des couleurs du lycée.

— Que dirais-tu si l'on ouvrait la fenêtre une minute ?

— Oh bon sang, fais ce que tu veux...!

Je m'exécutai en vitesse et me penchai radicalement au-dessus de la rue. L'air me parut glacé, si pur que j'en suffoquais presque. J'étais couvert de sueur et frissonnai un instant. Quelques flocons tombaient à nouveau çà et là, mais de délicieuse manière, tout empreints d'une grâce à vous serrer le cœur. Je respirai longuement puis refermai la fenêtre à l'espagnolette. Mais je ne bougeai pas et continuai à regarder dehors.

— Max... Comment peut-on se démerder pour se retrouver aussi seul que ça...?! murmurai-je.

— Tu veux rire, Danny... Y a rien de plus facile...! grinça-t-il dans mon dos.

Je fermai les yeux pour contenir le torrent de rage qui me submergea tout à coup. Je me sentis aussi furieux contre lui que contre moi, de même qu'infiniment accablé, ce qui tordit un peu mon visage dans tous les sens. Je dus lui offrir une grimace terrible en me tournant vers lui et je hurlai, avant que mes lèvres ne se missent à trembler comme des feuilles :

— Mais je ne peux pas m'occuper de toi, bougre d'imbécile...!! J'ai pas assez de courage pour faire un truc pareil, *tu le comprends pas...?!!*

Il avait repris sa place sur le lit et l'image de la grotte s'imposa de nouveau à moi. La lumière semblait venir d'un petit feu de brindilles se mourant à ses pieds, ça n'éclairait même pas les murs mais le regard de Max en était tout illuminé et distillait une lueur féroce.

— Je veux rien...!! Je t'ai rien demandé...! me lança-t-il d'une voix sourde. Je demande rien à personne, tu peux aller voir dehors si j'y suis...!!

D'une main, je m'attrapai la nuque et expirai profondément. Je m'appuyai les fesses contre la table, les mâchoires serrées, l'œil sombre, l'esprit tendu. S'ensuivit un affreux silence qu'à intervalles réguliers sa respiration rompait d'un bien sinistre sifflement.

« Très bien, essayons de regarder les choses en face...! » soupirai-je, mais je n'allai pas plus loin car les pensées affluaient sous mon crâne dans le plus grand désordre.

« Tu as tort de t'inquiéter pour moi... » maugréa-t-il au bout d'un moment. Je remarquai avec plaisir que sa mine s'était adoucie, mais je déchantai bien vite car le vague et triste sourire qu'il me glissait était encore pire que tout. Le corps penché en avant, les coudes plantés sur les genoux comme s'il usait de ses dernières forces avant de s'affaisser pour de bon, il me paraissait encore plus vieux, plus déprimé, plus malade.

— Tu as tort de t'inquiéter pour moi, Danny... Crois-moi, j'ai eu le temps de me faire une raison, j'ai pratiquement été seul toute ma vie...

— Seigneur, ne me raconte pas d'histoires... Tu crois vraiment que je suis aveugle...? Veux-tu que je te dise depuis quand ça ne tourne pas rond chez toi...?

Tout à coup, son regard devint plus attentif, mais je n'eus pas le cœur de remuer le couteau dans la plaie.

L'étagère au-dessus de son lit était garnie de coupes, de photos, de fanions, était-il nécessaire d'en dire plus... ?

— Max..., je ne serai pas toujours là quand tu auras besoin d'un peu de compagnie, je ne crois pas que j'en aurai la force... Je suis désolé de te dire ça mais c'est la vérité...

J'aurais préféré qu'il me traite de salopard, malheureusement son sourire ne m'avait pas quitté et je trouvais ça d'autant plus pénible qu'il y poignait une ombre d'amitié. Mais ce qui était dit était dit.

— Je suis bien heureux que tu m'épargnes ta pitié, Danny... Vois-tu, je pourrais pas supporter d'être un fardeau pour qui que ce soit... J'ai mené une vie sans intérêt, je voudrais pas qu'elle se termine de manière ridicule. Je crois que ce serait injuste, je veux dire pour la personne qui se donnerait du mal... Je crois que le Ciel le permettrait pas, tu sais.

Lorsque je le quittai, il neigeait sans vergogne, les flocons descendaient en rangs serrés sur la rue mais il n'y avait pas un souffle de vent et la lenteur de leur chute était d'une délicatesse infinie. Si j'en prenais un au moment où il me passait devant les yeux, disons un moyen, et si je ne le perdais pas de vue, j'avais le temps de compter doucement jusqu'à six avant qu'il n'atterrisse par terre. C'était merveilleux. J'étais si content de me retrouver dehors que je me serais arrangé d'une pluie de grêlons. Le trottoir me chantait un negro-spiritual.

Je marchais d'un bon pas. J'avais laissé une partie de mes provisions sur le Frigidaire de Max, si bien que j'étais libéré d'un poids et que le filet ne me coupait plus la main comme à l'aller. Au bout de quelques minutes, je me sentis étrangement bien. Je me débrouillai pour emprunter des rues calmes et m'appliquai à ne penser à rien, ne croisant pratiquement personne tout au long de ma route et ne m'arrêtant qu'une fois pour tendre l'oreille. Ah, la neige qui tombait en silence, l'éternel éblouissement de l'homme devant les beautés de ce monde.

Je me secouai tendrement sur le pas de ma porte. Toutes les lumières étaient allumées, mais une fois à l'intérieur je ne trouvai personne dans le salon ni dans la cuisine. Je pensai à mes factures d'électricité mais m'en voulus aussitôt pour tant de mesquinerie. « Voyons, Danny..., c'est une chose d'avoir des ennuis d'argent, mais cela mérite-t-il d'y abaisser ton âme... ? »

M'admonestant, je m'emparai d'une bouteille et me servis un verre avant d'aller rejoindre les autres. J'étais en train de me demander si dans ces conditions j'allais éteindre quand je sortirais, mon esprit vagabondait d'une solution à l'autre sans que j'y fisse très attention, courbé que j'étais devant mon aquarium, lorsque j'entendis des pas dans l'escalier. Je me retournai et je tombai sur Sarah.

— Oh, tu es là..., me dit-elle, après avoir croisé mon regard en quatrième vitesse.

Elle fila jusqu'au canapé. Je me repenchai sur mon aquarium.

— Je me demande s'ils vont rester bleus..., murmurai-je.

Il me semblait qu'ils avaient légèrement pâli depuis qu'ils étaient chez moi, enfin je n'en étais pas certain. Je l'entendis tourner vivement les pages d'un magazine.

— S'ils viennent des Philippines, ils vont rester bleus..., ajoutai-je en tapotant sur la vitre pour leur montrer qui était là. Sinon, ils vont virer au jaune...

Je n'étais pas pressé de savoir ce qu'elle avait. Je pariais qu'elle ne s'était pas follement amusée durant mon absence et que si je prononçais un mot de travers, ce serait sur moi que ça allait tomber. C'était certainement quelque chose que je pouvais faire pour elle au demeurant, ce n'aurait pas été la première fois que je lui aurais prêté mon dos pour se calmer les nerfs, mais, très franchement, il me semblait que j'avais suffisamment donné tout au long de la journée et je n'étais pas très chaud pour monter au casse-pipe.

Je m'enfermai donc dans un silence prudent et feignis de ne m'être aperçu de rien. Parfois, ces petits orages avortaient d'eux-mêmes. C'était le seul vœu que j'avais en tête pour le moment. Je n'étais pas, comme on l'aurait pu croire, autrement hypnotisé par le doux va-et-vient de mes Chirurgiens Bleus mais je demeurais parfaitement immobile.

Au bout d'un moment, je me suis demandé ce qu'elle fabriquait. Je commençais à en avoir assez de cette journée, j'espérais qu'on allait bientôt me lâcher la jambe et, n'y tenant plus, je m'avisai de jeter un coup d'œil sur elle.

Je fus surpris de la trouver rêvassant, la nuque renversée sur le dossier, les yeux mi-clos et fumant une cigarette dont je n'avais rien subodoré. Visiblement, elle ne s'intéressait pas du tout à moi. C'était lâche de ma part, mais je respirai, mentalement me frottai les mains. Je remarquai qu'elle portait une robe que j'aimais bien, noire et largement ouverte dans le dos, et qu'elle s'était légèrement maquillée. Je trouvais que c'était une délicate attention, même si ce n'était — *surtout* si ce n'était — que pour aller manger les crêpes de notre camarade. « Eh bien, te voilà rassuré... ? me fis-je. Ne dirait-on pas que l'alerte est passée... ? ! »

Je m'avançai jusqu'à la porte-fenêtre et, prenant un air irrésistible, je lui annonçai que j'étais prêt à la porter dans mes bras à condition qu'elle m'accordât un sourire.

— Non... Je n'y vais pas..., me répondit-elle d'un ton las, sans quitter le plafond des yeux.

— D'accord, le sourire n'est pas indispensable...

— Non, je te dis que je n'y vais pas... On vient me chercher.

Je ressentis pour la première fois, et sans que je m'y attendisse, un violent dégoût pour cette espèce de seconde vie qu'elle menait. Je n'aurais pas su dire ce qui me prenait tout à coup, car j'avais vu défiler tous ces types un par un sans réellement y accorder d'importance. Si cela m'avait agacé quelquefois, c'était simplement parce que ce n'était pas moi qui étais à leur place, mais ça n'allait pas plus loin et je n'y pensais jamais plus de cinq minutes.

Ebranlé, je tentai vainement de me ressaisir. Je fermai les yeux et les rouvris rapidement, tandis qu'elle se levait et tranquillement s'éloignait vers la cuisine.

« Eh bien, que dis-tu de ça... ? ! murmurai-je en me croisant les mains sur la tête. N'est-ce pas la plus mauvaise blague que l'on puisse imaginer... ? ! »

Sur ce, j'allai m'asseoir, mes jambes n'en pouvant supporter davantage. Ainsi libéré du fardeau de me tenir debout, j'empoignai les accoudoirs et grimaçai à mon aise. « Tu parles d'une salope... ! » me dis-je. Je regrettai aussitôt de m'être embarqué sans mon verre mais je n'avais pas le courage de me relever. Est-ce qu'elle n'aurait pas pu se débrouiller pour passer la soirée avec nous, est-ce que c'était si difficile de se tenir tranquille durant les quelques jours qu'elle passait sous mon toit... ? ! Et dire que je m'étais demandé ce qu'elle avait... ! Seigneur Jésus, j'en renversai la tête en arrière et ricanai en silence. A présent, c'était moi qui avais quelque chose. Mais qui songerait à nier qu'à l'occasion cette vie brillait par son absurdité... ?

Je repensai sombrement à Mat, son défunt mari et mon ami d'alors, à l'époque où elle filait sous son nez pour aller retrouver un quelconque imbécile garé un peu plus haut. Je m'étais toujours figuré que je savais ce qu'il ressentait, de même que j'avais cru me mettre à la place de Richard quand il avait pris la relève. A présent, je mesurais l'étendue de ma stupidité en la matière, je voyais quel ridicule petit farceur j'avais été.

Lorsqu'elle réapparut dans la pièce, j'envoyai un coup de talon sur le variateur de mon lampadaire, non dans le but de créer une ambiance plus intime – pour lors, j'en haïssais jusqu'à l'idée – mais parce qu'il y avait trop de lumière et que je ne voulais pas qu'elle m'interroge sur la tête que j'avais. Je fixai le tapis pour éviter de la regarder. Je n'étais pas sûr de pouvoir me contenir si jamais je levais les yeux sur elle.

Elle passa devant moi pour regagner le canapé. Inspirant inutilement dans son sillage, je me portai un coup terrible, mais j'étais si furieux contre elle que je ne bronchai pas. Durant quelques secondes, je cherchai les mots blessants, la petite phrase assassine qui nous vengeraient tous les trois de son affreux penchant. Malheureusement, je ne trouvai rien d'assez fort, à mon avis rien qui pût lui faire assez mal en comparaison de ce que nous subissions, et l'eussé-je trouvé que j'aurais hésité, de crainte que la rage ne m'étranglât.

Chemin faisant, je me rendis compte que je n'avais rien à lui dire. Je me voyais plutôt la prenant par un bras, la conduisant sans un mot jusqu'à la porte et me fendant sur le seuil du sourire méprisant qu'elle avait cent fois mérité. J'aurais donné n'importe quoi pour savoir ce qu'elle pensait à cet instant précis. S'était-elle seulement aperçue qu'une sourde colère m'habitait ? Au fond, n'eût été le silence glacé que je cultivais, mon comportement pouvait lui sembler normal. Mais non, c'était impossible, elle me connaissait trop bien, d'ailleurs j'étais certain qu'elle me regardait, tout un côté de mon visage me picotait.

Eh bien, elle pouvait me regarder, car je ne fatiguais pas du tout. D'ailleurs, j'allais me lever pour rejoindre les autres, elle pouvait bien aller au diable. Je n'avais pas l'intention de la retenir. Tout ce que je pouvais lui proposer, c'était une bassine d'eau froide. Ça n'avait que peu de chances de marcher.

Le gars klaxonna sur un ton joyeux, par petits coups brefs et désopilants. Je me suis maudit d'encore me trouver là comme un imbécile, ruminant ma peine et mon désenchantement tandis qu'elle se levait et re-passait à nouveau devant moi. N'était-ce pas se boire la coupe jusqu'à la lie que d'avoir attendu l'arrivée de ce crétin et d'à présent m'entendre dire : « J'y vais, Dan. A plus tard... », et la porte d'entrée se claquer lourdement ?

Je dressai l'oreille mais ils ne semblaient pas pressés de démarrer. J'avais beau avoir quarante-cinq ans, je comptais chaque seconde qui passait en me tortillant sur mon siège et j'imaginais le pire, bien sûr. Malgré tout, je m'allumai un *Hoyo de Monterrey*. C'était la seule différence entre un gamin de seize ans et un type de mon âge. C'était une espèce de philosophie de la vie.

Lorsque Hermann se pointa un peu plus tard, j'avais rempli mon verre et je m'écoutais *The Swan of Tuonela* de Sibelius. La petitesse de mon esprit se trouvait écrabouillée par le souffle des grands paysages du Nord, mon âme se nettoyait de ses saletés et reprenait son vol peu à peu, au point que j'en avais complètement oublié ces fameuses crêpes. Je l'accueillis en m'excusant. A l'heure où je lui parlais, j'avais pratiquement réussi à écarter Sarah de mon chemin, m'imposant certaines techniques mentales comme la miniaturisation ou la récitation de quelques haïkus.

> *La longue nuit*
> *Le bruit de l'eau*
> *dit ce que je pense*
>
> (Gochiku).

Il ne fit aucun commentaire quand je lui appris qu'elle ne se joindrait pas à nous et sûrement que ça ne surprendrait personne. J'étais légèrement ivre. Je posai un instant ma main sur son épaule, les lèvres serrées autour de mon cigare, les yeux plissés, puis je hochai la tête et allai enfiler mon blouson.

— On n'éteint pas... ? me demanda-t-il avant de sortir.

— Bah, laissons donc quelques lumières briller pour ce soir...

221

Et comme il se tournait vers moi, je m'empressai d'ajouter :

— Ce n'est rien... Ne fais pas attention.

Lorsque je me levai le lendemain, je trouvai la maison vide. Tout était sens dessus dessous, à la manière d'un cyclone qui n'aurait embarqué que les occupants et semé le plus effroyable bordel au passage. Apparemment, j'étais le seul à n'avoir pas quelque chose de précis à faire.

Je passai un long moment à ranger, calmement et sans acrimonie, allant même jusqu'à me grimper l'aspirateur dans les chambres et retapant les lits et ramassant les vêtements qui traînaient en leur donnant un pli malgré que tout allât de travers, absolument *tout*, et de quelque côté que je me tournais. Il était presque apaisant de remettre la baraque en ordre. Quiconque m'eût vu à l'œuvre m'aurait tiré son chapeau, mais ce n'était que réellement peu de chose, eu égard à la quasi-sérénité que j'y puisais. *« Mon magasin ayant brûlé de fond en comble, plus rien ne me cache la vue de la lune qui brille. »* (Masahide.)

Il ne neigeait plus, le soleil ne perçait pas vraiment mais le ciel était si lumineux que je décidai d'aller acheter un sapin de Noël. J'avais au moins deux semaines d'avance. Lorsque Hermann était encore un petit garçon, je me bataillais régulièrement avec Franck à ce sujet-là, car elle voulait toujours attendre le dernier moment, elle trouvait ridicule de décorer la baraque dès les premiers jours de décembre. « C'est déjà bien assez de ces fichus magasins ! fulminait-elle. Tu ne trouves pas qu'ils gâchent tout ? ! Veux-tu me dire à quoi riment des vitrines de Noël au mois de novembre... ? ! » Et de fil en aiguille, elle en venait à me reprocher la façon dont je m'occupais d'Hermann, pour ainsi dire pas du tout si je l'écoutais ou alors j'en faisais trop, ce qui revenait au même, ce qui *prouvait* que je n'avais pas la conscience tranquille. Il n'y avait rien de tel que d'aborder ce sujet pour me rendre furieux, on m'entendait claquer des portes dans toute la baraque et prendre le Ciel à témoin. Est-ce qu'elle croyait que c'était facile d'écrire un livre, est-ce qu'ils manquaient de la moindre chose tous les deux... ? ! « Bon Dieu... ! Maintenant ma journée est fichue. Merde alors... ! ! » Je me mordais les poings de rage. « Hein, que dirais-tu si je travaillais dans un bureau... Je ne le verrais que le soir, juste en temps pour aller l'embrasser dans son lit, ça serait formidable, n'est-ce pas ? Ah, bien sûr que là, tout serait parfait, j'imagine... ! » Lorsqu'elle était remontée contre moi, elle ne reculait jamais d'un pouce. « Eh bien, peut-être que ce serait mieux que rien... ! répliquait-elle. Toi, tu n'es *jamais* là, tu es là *sans y être*... ! »

Enfin bref, je venais de décider d'acheter un arbre de Noël. En l'occurrence, peu me chalaient toutes ces histoires de dates. Je trouvais que c'était une excellente réponse à la somme des tracas qui fondaient présentement sur moi, une manière de tendre la joue gauche considérée comme un acte de résistance, le clin d'œil de la victime à son bourreau.

Je ne voulais pas un petit machin givré, je voulais un sapin d'au moins deux mètres de haut et d'une belle envergure. A regret, car l'air frais semblait aussi pur qu'un torrent de montagne, je renonçai à sortir la moto et me fis descendre en ville. Des petits panneaux de tôle emboutie, fixés derrière le siège du chauffeur, vous invitaient à ne pas lui adresser la parole, à ne pas fumer, à ne pas cracher par terre, à ne pas ouvrir les vitres, mais rien ne pouvait briser mon élan, pas même le regard éteint qu'il me glissait dans son rétroviseur et qui vous eût plié les genoux d'un cheval.

Je passai environ une heure au rayon des guirlandes. Je m'étais juré d'y aller mollo mais j'avais bien vite oublié mes bonnes résolutions car ils avaient un choix considérable et tout brillait sous vos yeux, tout était aligné en pleine lumière et vos oreilles sifflaient. Au bout d'un moment, je m'étais constitué un tel stock de boules, et toutes plus belles les unes que les autres, que deux sapins n'y auraient pas suffi. J'en étais tout à fait conscient mais j'étais pris d'une sorte de frénésie. J'avais passé autour de mon cou une énorme gerbe de ces guirlandes scintillantes, en forme de chenille, et un type en civil tournait autour de moi et m'observait discrètement et je lui souriais. La caissière passa de longues minutes à relever tous les prix, j'en profitai d'ailleurs pour rajouter quelques trucs au passage, puis je payai avec ma carte en évitant de regarder le total et filai au rez-de-chaussée pour me choisir un arbre.

Aux environs de midi, j'étais planté sur le trottoir avec mon sapin et un gros sac de carton dont le contenu chatoyait sous le soleil. Le ciel n'était plus qu'à peine voilé et de beaux rayons dorés passaient tranquillement au travers. J'y étais sensible, mais au bout de cinq minutes je commençai à trouver le temps long.

Quand ils passaient devant moi, les taxis accéléraient. Je n'en croyais pas mes yeux de cette bande de salopards. Se pouvait-il qu'on pût me jouer un tour pareil, emmerdé comme je l'étais ? Allais-je moisir ici comme le dernier des damnés, n'y en aurait-il pas un que mon calvaire attendrît ?

J'écumais littéralement lorsqu'une splendide limousine se rangea à ma hauteur, mais je n'avais encore qu'un flot d'injures à la bouche et l'avisai sans aménité. Les vitres étaient teintées comme des lunettes d'aveugle. Je pris l'air aimable d'une porte de prison tandis que l'une d'elles s'abaissait avec une douceur désarmante. La fille que je découvris à l'intérieur, c'était Marianne Bergen, et elle me dit : « Oh, mais regardez qui est là... ! » cependant que je m'efforçais de sourire.

— Dan... Y a-t-il un problème... ?

Quelques minutes plus tard, tout était arrangé. Et bien au-delà de mes espérances car voilà que je me traversais la ville avec un verre de bourbon à la main, les jambes croisées et devisant gaiement avec Marianne Bergen tel un pinson sorti du bois. Tout marchait comme sur des roulettes. J'avais attaché mon sapin contre un réverbère et Hans, le chauffeur, devait passer le reprendre après nous avoir déposés, ce qui était sincèrement la solution idéale, la vie ne devrait pas être autre chose, pensais-je.

Quand je lui avais expliqué que j'avais l'intention de décorer la baraque, Marianne s'était enthousiasmée pour le projet et subitement avisée qu'elle n'avait rien d'urgent à faire. Ce à quoi je lui avais répliqué que le Ciel nous avait mis sur le même chemin ou je n'y connaissais rien.

Je la félicitai pour sa nouvelle voiture tandis que nous filions le long des trottoirs enneigés et que j'étais déballant mes trésors entre nous sur le doux cuir de la banquette arrière. Marianne les saisissait et les examinait un par un, car le moindre lampion valait le coup d'œil ainsi que je le disais.

— Oh, mon père vient de me l'acheter pour mes trente-deux ans, me répondit-elle. Qu'en dis-tu... ? !

Je me demandais ce que le bougre allait lui offrir pour Noël.

A peine garé devant chez moi, Hans bondit de la voiture et fonça ouvrir le coffre pour attraper le fauteuil de Marianne. On lui demanda de ne pas traîner en chemin car j'étais pressé d'installer l'arbre.

Je conduisis Marianne jusque dans le salon.

— Il y a longtemps que je ne suis pas venue ici..., remarqua-t-elle. Oh, mais je ne connaissais pas ton aquarium...

Je lui appris qu'ils pouvaient perdre leurs couleurs en vieillissant, même si l'on veillait à ce que le pH de l'eau ne fût pas trop bas. Après quoi, je me caressai le menton et, me plantant au milieu de la pièce, je demandai par où nous allions commencer.

— Si ça ne te gêne pas, me répondit-elle doucement, j'aimerais m'installer dans un fauteuil normal...

Je secouai la tête et m'armai d'un sourire hollywoo-dien.

— Bien sûr..., dis-je.

Je la soulevai en un clin d'œil. Elle passa un bras autour de mon cou — ce qui ne fit qu'ajouter au trouble qui m'avait aussitôt envahi et que je mettais sur le compte du grand désert sexuel que je traversais malheureusement et qui me rendait hypersensible à tout contact féminin — pendant que je lui demandais si elle avait une préférence.

Elle choisit celui qui se trouvait près de la fenêtre. C'était mon préféré, en général c'était celui que tout le monde choisissait, sans que j'aie jamais très bien compris pourquoi. Je l'y déposai donc, tout en prenant garde à mes reins, fléchissant, j'en convenais, les jam-bes de façon ridicule, mais je n'avais plus rien à prouver et ainsi ne rencontrai la moindre embûche. Je m'empressai ensuite de sortir le fauteuil à roulettes, je m'en allai le garer dans l'entrée, à l'abri des regards. Je la revoyais arpenter cette pièce ou bondir de son siège, je m'en souvenais comme si c'était hier.

C'était la première fois que nous nous retrouvions en tête à tête depuis son « accident ». J'étais agréable-ment surpris de la facilité avec laquelle nous venions de franchir ce pas et du plaisir que j'avais d'être en sa compagnie. Dieu sait que je l'avais trouvée emmer-dante lorsque nous bossions ensemble sur ce fichu scénario, et bien souvent carrément imbuvable, Dieu sait qu'elle n'était pas le genre de fille qui encombrait mes pensées jour et nuit. Ce n'est que plus tard que j'avais commencé à changer d'avis à son sujet, au fur et à mesure que les mois passaient et que nous nous croisions ici ou là, mais mon refus de travailler à la Fondation avait jeté un froid entre nous et lors je me contentais de noter certains détails qui éveillaient mon intérêt. Je n'étais pas le seul, d'ailleurs, à penser qu'elle s'épanouissait, aussi incroyable que cela pouvait sembler.

Avec du fil, elle s'occupa de fabriquer un système pour accrocher les boules. J'en pendis quelques-unes au plafond pour me faire la main, puis je vérifiai que toutes les guirlandes électriques fonctionnaient bien. Pendant que nous bavardions, je l'observais tout à mon aise. On eût dit qu'elle allait sacrément en s'arrangeant, si l'on peut ainsi parler d'une fille à tout jamais clouée dans un fauteuil à roulettes. Sans doute que diriger la Fondation y était pour quelque chose, d'ailleurs Paul était en admiration devant elle, d'après lui je ne pouvais pas imaginer le travail qu'elle accomplissait : « Danny, tu ne me crois pas mais cette fille est *transfigurée*...! » Sans aller jusque-là, je convenais qu'elle était devenue plus attirante, enfin d'une certaine manière, et je la trouvais bien attachante cet après-midi-là et pas chiante pour un sou.

Lorsque nous en vînmes à parler de ce qui occupait mes journées, en dehors des sapins de Noël, je lui avouai que je ne fichais plus rien depuis un bon moment mais que je n'en étais pas encore mort.

— Tu veux rire...?! me dit-elle.

— Ma foi non, j'ai bien peur que non...

Je me sentis en veine de confidences, tout à coup. La mis au courant de mes problèmes. Mais la lumière du jour était si douce que j'étais incapable de noircir le tableau et bien vite l'assurais qu'il n'y avait pas de quoi se mettre martel en tête.

— Rien, c'est trois fois rien, au regard du grand mystère de la vie..., soliloquai-je.

— Dan... Tu sais que je suis prête à t'aider... Enfin, tu le sais très bien et ça ne date pas d'aujourd'hui...

— Hum, je te remercie... Bah, je ne sais pas..., je n'ai encore rien décidé. Et puis, à quoi pourrais-je te servir au juste...?

— Oh, n'aie pas peur... Je trouverai bien.

— Voyons, Marianne, je ne sais rien faire de particulier...

A cet instant précis on sonna à l'entrée. C'était Hans, avec mon sapin. Son visage était sans expression mais je sentis que la balade lui avait déplu. « *Les larmes valent mieux que le rire, car l'adversité améliore le cœur* », lui dis-je, seulement il fit celui qui n'avait rien entendu et s'en retourna sans un mot jusqu'à la voiture.

— Dan, je ne peux pas te forcer à travailler pour moi..., reprit-elle, cependant que je traversais le salon avec mon arbre sur l'épaule. Mais me diras-tu enfin *pourquoi*... ?

Je déposai mon fardeau dans un coin et constatai que j'avais visé un peu grand : la cime rabotait salement le plafond, formant un angle disgracieux. Tout en examinant distraitement le problème, je lui répondis que je n'en savais rien au juste, puis je me tournai vers elle et la regardai en souriant, les deux bras écartés du corps.

— Marianne, je crois qu'au fond j'ai envie de travailler pour *personne*...

Sans me quitter des yeux, elle me tendit une grappe de boules en les tenant par la queue et inclina légèrement la tête sur le côté.

— Si j'ai bien compris, rien ne t'empêchera de venir me voir quand tu auras de nouveau les pieds sur terre...

J'étais déjà reparti et commençais à me les suspendre ici et là, avec un certain goût.

— Est-ce que je me trompe... ? s'empressa-t-elle d'insister.

Je n'étais pas en état de l'envoyer promener. Sa voix était douce et amicale, et l'approche de Noël m'enclinait à plus d'aménité, autant que la perspective des effroyables emmerdements qui m'attendaient si bientôt je ne trouvais pas un moyen d'en gagner.

— Oh oh... ! roucoulai-je. Ah ça, aurais-je un don irremplaçable, une qualité que je ne me serais pas figurée... ?

— Et pourquoi non ?

M'étant accroché la dernière de la première série, je relâchai mes épaules et pivotai tranquillement. J'étais content car le salon commençait à prendre de la gueule.

— Je crois que tu te fais des idées sur mon compte..., soupirai-je gaiement. Vois-tu, la seule chose qui m'ait vraiment excité dans la vie, c'est d'écrire des livres, tout le reste me paraît terne à côté. Or donc, ça m'étonnerait que je sois une bonne recrue pour la Fondation, il vaut mieux que tu le saches...

— Qui sait..., peut-être que je te demanderai d'en écrire un... ?

Je rigolai comme un bossu. Je décidai que le moment était venu de se boire un verre.

— Il y a bien longtemps que cette grâce ne m'est plus accordée, ricanai-je en m'emparant de la bouteille de bourbon. J'ai bien peur qu'il ne faille trouver un boulot qui soit plus à ma portée.

Elle ne semblait pas réellement convaincue, mais après tout, c'était son affaire. Avant elle, d'autres avaient dû se résigner et admettre que la Belle Fée m'avait quitté pour de bon et que nous n'y pouvions rien. J'aurais été ravi de pouvoir lui annoncer le contraire. Pour moi, le plus pénible était ce sentiment que l'on me reprochait quelque chose, comme si l'on m'en voulait de n'être plus ce que j'avais été. Sincèrement, croyait-on que ça m'amusait et qu'il me suffisait de claquer les doigts... ?!

J'en riais encore après qu'elle fut partie. J'avais terminé la décoration de la pièce en songeant que, malgré tout, j'avais eu la chance d'avoir connu ça. « Dommage que ce fût si court..., me disais-je avec une once de mélancolie. Dommage qu'elle m'eût abandonné si vite... ! » Ce que me répétant ce n'était nullement à Marianne que je pensais. Je ne me sentais pas vraiment amer, au fond. Eussé-je mis de côté suffisamment d'argent pour terminer mes vieux jours que je n'aurais rien regretté.

Je n'étais pas mécontent de mon travail finalement

et sans me lancer de fleurs, j'avouais que je m'étais bien démerdé et que le résultat était très convaincant. J'allumai mes guirlandes dans la mourante lueur du jour, un vrai régal, une réelle aubaine ainsi que je m'y attendais, instant merveilleusement choisi pour s'écouter du Scriabine par exemple.

Je fus littéralement couvert de compliments et loué pour mon initiative à l'unanimité moins une voix, celle d'Harold qui trouva le moyen de critiquer je ne sais quel petit détail, ce pauvre pinailleur d'Harold. Autant dire que tout le monde trouvait ça parfait. Au point que nos soirées en compagnie des Bartholomi, et eu égard aux motifs que nous avions de nous plaindre Hermann et moi, se déroulèrent sans le moindre incident et presque en furent auréolées, presque en devinrent plaisantes.

Le jour venu, je me sentis cependant satisfait qu'à nouveau leur chaudière fût en état de fonctionner, car fragile était l'équilibre, étroit le chemin sur lequel nous avancions et par conséquent dangereux, tout scintillant qu'il nous apparût. Pour ma part, j'avais craint que Sarah ne nous faussât compagnie une seconde fois. Fort heureusement, je passai au travers. « Mais pour combien de temps... ?! n'avais-je cessé de me répéter. Sera-ce pour demain soir ou pour après-demain... ?! » Ce qui n'était pas éternellement vivable.

Ensuite, les fêtes arrivèrent au grand galop, et de neige il n'y en eut point. En revanche, la température dégringola sauvagement. Chaque fois que nous prenions la moto, je repensais à la petite *Fiat 500* de mes rêves et des larmes de tendresse gelaient au coin de mes yeux.

On se le disait tous les deux qu'une petite bagnole

eût été formidable, on le répétait à qui voulait bien l'entendre.

Hermann était au courant de nos ennuis d'argent, mais c'était le cadet de ses soucis. Lorsqu'il faisait mine de s'y intéresser, je savais très bien que c'était uniquement pour moi, simplement parce qu'il me voyait ennuyé à l'occasion, et lors il me parlait doucement, il était persuadé que ça allait s'arranger. C'était peu dire que je m'en voulais de l'emmerder avec ça. Je n'avais pas l'impression d'œuvrer pour l'épanouissement de son âme quand par malheur nous abordions ce méprisable sujet. Je pensais à tout ce qu'il avait encore à découvrir, toutes les beautés insensées de ce monde, tous les grands secrets, et moi son père, dans quel cloaque je l'entraînais avec mes histoires sordides, de quelle grossière nourriture le pourvoyais-je ! Il avait beau ne m'écouter que d'une oreille, je trouvais que c'était quand même de trop et parfois je me retenais pour ne pas lui grogner : « Hermann... *Je ne veux pas* que tu t'occupes de ça, tu m'entends... ? ! »

Il était d'assez bonne humeur en raison d'un détail que je n'avais pas remarqué lors de la dernière soirée que nous avions passée avec les Bartholomi. Paraissait-il qu'elle avait fait équipe avec lui au cours d'une partie de cartes.

— Et tiens-toi bien..., c'est *elle* qui l'a demandé !

Je convenais avec lui que la chose était d'importance et je me réjouissais qu'enfin nous retrouvions un peu d'espoir de ce côté-là.

— J'ai toujours dit qu'elle finirait par te pardonner. Enfin, je sais que parfois tu as dû trouver le temps long...

— Non..., ça ne fait rien. Je ne lui en veux pas du tout. Bon sang, je n'y pense déjà plus.

Je ne savais pas si les choses étaient liées, mais il prenait un double petit déjeuner le matin et il était un peu plus bavard que d'habitude. Il était convenu entre nous qu'en période de vacances il pouvait se coucher et se lever à l'heure qui lui plaisait, et on aurait dit qu'il voulait en profiter au maximum. Toujours persécuté par mes nuits d'insomnie, je le retrouvais le matin sur les coups de onze heures et me rebuvais un café avec lui, sauf que moi j'étais debout depuis bien avant l'aube. Je trouvais que ça me coupait gentiment la matinée.

La nuit tombait si tôt que le jour ressemblait à une petite éclaircie. J'avais moi aussi l'impression d'être en vacances. Mes guirlandes clignotaient vingt-quatre heures sur vingt-quatre et ça me chagrinait de penser que viendrait un moment où il faudrait les éteindre, car que deviendrait alors la légère euphorie qui nous saisissait à leur vue ? Il me semblait qu'on tiendrait les ennuis à distance tant que leur petit cœur palpiterait.

Ça n'empêcha pas Elsie de me téléphoner un beau matin et de me traiter de fils de pute avant que je lui raccroche au nez. Mais voilà qui n'était pas bien grave. J'avais d'autres chats à fouetter qu'Elsie pour le moment. Et sans être d'un naturel particulièrement rancunier, je n'arrivais pas à oublier le coup de massue qu'elle m'avait flanqué sur la tête. Hermann l'aimait bien, il trouvait que j'étais un peu trop dur avec elle. Moi aussi je l'aimais bien, mais les choses n'étaient pas aussi simples. De temps en temps, il m'arrivait de penser au ridicule de mes amitiés et de mes amours. Au fond, plus rien n'avait vraiment tourné rond depuis que Franck m'avait quitté. Les résultats étaient là. Il fallait tâcher de faire contre mauvaise fortune bon cœur et ne plus s'attendre à découvrir l'eldorado.

Par chance, de si amères pensées ne m'étaient pas de ces visiteuses quotidiennes qui m'eussent étendu pour le compte, et j'étais encore si curieux de la vie que je pouvais passer une journée entière à sourire pour rien. Je le devais à Hermann s'il m'était épargné de plonger dans le trente-sixième dessous, simplement parce qu'il était à mes côtés, c'était bête comme chou, voilà pourquoi j'étais encore debout huit ans après qu'elle m'eut laissé tomber, enfoncé dans les emmerdements jusqu'au cou mais à la moindre occasion fin prêt à me réjouir. « *Sanctuary ! Sanctuary...!!* » aurais-je pu beugler à mon tour tant parfois sa présence me protégeait du reste. Je trouvais même qu'ils ne leur donnaient pas assez de vacances dans ce putain de lycée.

Nous traînâmes quelques après-midi en ville pour régler cette histoire de cadeaux. Les magasins étaient noirs de monde et je me sentais un peu plus rassuré, j'avais le sentiment que mon banquier aurait du mal à me repérer dans la foule et que mes malheureux chèques passeraient inaperçus sous l'avalanche. Hermann se creusait la tête pendant ce temps-là. Il me répétait à tout bout de champ qu'il ne devait pas se louper et qu'en quelque sorte en dépendrait la victoire finale. J'espérais qu'il ne perdait pas de vue que c'était seul le geste qui comptait.

On était invités à passer le réveillon chez les Bartholomi. Dans l'état d'esprit où je me trouvais, j'étais ravi que d'autres prissent la direction des opérations, franchement je n'aspirais à rien d'autre. Je n'aurais nullement songé à nier que je terminais l'année sur un K.-O. debout et pratiquement incapable de m'occuper de quoi que ce fût. Rien que réfléchir au cadeau de Gladys m'était un exercice éprouvant que je ne pouvais soutenir plus d'une minute. D'ailleurs, il ne me demandait rien, il se contentait de réfléchir tout haut. Moi, j'avais aimé sa mère au point d'apprendre à tricoter et d'en cachette lui pondre un pull de trois couleurs différentes quand j'aurais pu lui en payer des armoires entières. J'imagine qu'il y avait de quoi en mettre plus d'une sur le cul, malgré que les manches fussent un peu longues. Je n'avais peut-être pas été un type très facile à vivre, mais de là à tout jeter comme pour finir elle s'y était résolue, n'était-ce pas un peu fort de café, n'était-ce pas l'un des plus beaux gâchis auquel j'aie jamais assisté ?

On se pointa chez Max un après-midi, mais je ne le trouvai pas en meilleure forme, contrairement à ce que je lui assurais. On en profita tout de même pour tirer les rideaux et ouvrir un peu les fenêtres, malgré qu'il grimaçât comme un vampire. Il n'avait pas non plus l'intention de faire réparer son téléphone, ce dont je le félicitai une nouvelle fois, et quant à venir passer le réveillon avec nous, il me demanda si je plaisantais, si je tenais à le tuer pour de bon. Il était de si charmante humeur que nous nous taillâmes en vitesse, non sans nous être coltiné quelques courses à son intention, dont une minibûche de Noël que j'enfournai dans son frigo.

Du côté des Bartholomi, on ne se montra pas excessivement contrarié de son refus, mais pas plus qu'à la vérité nous ne l'avions été, Hermann et moi. Gladys était même soulagée. D'ainsi s'en être allé lui renifler sous les jupes, sans doute qu'elle n'était pas prête à l'absoudre. J'étais comme Hermann, je la trouvais resplendissante en ce moment et je me demandais si c'était toutes ces vitamines qu'elle avalait, ou bien la proximité des fêtes et de tout ce tralala.

Jésus ! Comme il faisait froid, comme la nuit tombait vite... ! Aussitôt rentré, je m'empressais d'avaler un verre et me frottais les reins contre un radiateur. J'y allais mollo lorsque je passais la soirée seul avec Hermann, sinon je me dissipais un peu mais sans qu'on s'aperçût de rien car je ne dépassais jamais les bornes. J'avais autant de soucis que de raisons d'être gai en cette étrange fin d'année, le moment était mal choisi pour me mettre à la diète. Je ne me versais que des fonds de verre, au demeurant. Avec mes lunettes de lecture sur le nez, je sentais que je donnais le change. Avec un bouquin sur les genoux, je créais l'illusion. Quoi de plus naturel qu'un type dodelinant de la tête quand il se trouvait en compagnie d'Henry Miller, je veux dire de bonheur, d'admiration... ?

Je passai ces derniers jours sur un nuage, traversant un décor brumeux et difficilement analysable, mais dont je m'accommodais parfaitement bien, je dois dire. Cette douce anesthésie m'allait comme un gant, presque je sentais que je la méritais, qu'une grâce m'était accordée.

Le dernier jour, j'eus carrément l'impression que tout le monde tournait dans tous les sens, en dehors de moi, et à travers toute la ville. Et avec quel flegme je regardais ça, quelle agréable distance...! Sarah m'avait appelé puis m'avait dit oh et puis non, reste où tu es, je préfère ne pas t'avoir dans les jambes. Elle m'avait l'air de faire plusieurs trucs à la fois et bon sang je n'avais pas envie de m'y frotter et qu'on m'oublie, je ne demandais que ça. Tout ce qu'il voulait, Danny, c'était de prolonger le miracle et continuer à se balancer les pieds dans le vide. Au moins jusqu'au nouvel an si c'était possible.

Je m'habillai assez tôt dans l'après-midi puis m'en allai dans mon fauteuil. Avec mon livre. J'observai les allées et venues d'Hermann et répondai aux coups de téléphone tandis que l'heure approchait, que la tension était à son comble. La lumière brillait chez Bernie, je les voyais passer d'un étage à l'autre, comme lorsqu'ils s'engueulaient, sauf qu'on n'entendait pas leurs cris ni rien mais bien plutôt de la musique, et ici Hermann se changeait pour la seconde fois, à peine si j'en croyais mes yeux, et quant à ce qui se passait chez les Bartholomi, j'espérais que Gandalf songeait à garer ses pattes.

Lorsqu'ils furent prêts, Bernie et Harold passèrent à la maison pour voir où nous autres en étions, ce qui me permit de tester mon sourire et de m'ébrouer un peu. J'eus bien peur, les voyant, que ma veste ne fût légèrement froissée, que les poils de ma barbe n'eussent bougrement poussé depuis le matin, mais Bernie m'assura que j'étais en beauté. Satisfait, je versai une tournée générale qui me fouetta les sangs. Après quoi l'on plia bagage.

Une bise glacée nous guettait sur le seuil. M'était avis que nous ne serions pas allés très loin avec le ventre vide, malgré tout je chassai de mon esprit le désir de retourner nous en descendre un autre. Jamais je n'aurais grimpé ivre sur ma moto, quand j'avais Hermann derrière moi, et Bernie ne pouvait pas nous prendre dans la MG car il y avait les cadeaux. Enfin bref, le froid nous mordit de tous côtés. Je n'aimais pas non plus qu'il ne se tînt pas à moi et gardât les mains enfoncées dans les poches. « Bon Dieu, on aurait l'air malin... ! » me disait-il. Et il n'en démordait pas, du moins tant que nous restions en ville. Heureusement, j'avais fini par comprendre que tout ne pouvait pas aller comme je le voulais dans cette vie et m'épargnai ainsi une occasion de me geler stupidement la langue.

Nous sommes arrivés les derniers, à demi mort quant à moi, mais Dieu qu'il faisait bon chez Sarah et comme il est réconfortant d'aussitôt déclencher une flambée de sourires par la simple magie de votre apparition. Que subito mon sang repartit dans mes veines. J'embrassai Sarah dans le cou, lui soufflant qu'elle était la plus belle et que j'étais un beau salaud de n'être pas venu l'aider. « Bon sang, j'ai à peine eu le temps d'enfiler ma robe... ! » qu'elle me dit tandis que, me débarrassant de mon manteau, je l'admirais, me demandant si elle était parvenue à passer quelque chose dessous.

A nouveau j'ai su que j'en mourrais si je ne la baisais pas un de ces quatre matins. Je n'avais pas oublié ce qu'elle m'avait promis, mais pour un type de mon âge, ça commençait à faire loin *dans vingt ans*. Elle risquait de ne plus me trouver au meilleur de ma forme.

« Je regrette de ne pas avoir été là pour m'occuper de la fermeture Eclair... » lui répondis-je en la couvant d'un regard lubrique qui tout au moins l'amusa, si bien qu'elle s'accrocha résolument à ma taille et de ce pas m'entraîna dans le salon.

Il y avait beaucoup de monde pour le réveillon des Bartholomi. Un rapide coup d'œil au buffet me confirma que je l'avais échappé belle, d'autant que l'on percevait encore une certaine agitation dans la cuisine. Je renonçai à saluer tout le monde mais serrai les premières mains qui se tendaient et embrassai quelques femmes parfumées en attendant qu'on m'apportât un verre de n'importe quoi. Paul m'étreignit carrément sur son cœur : « Danny, bon sang... ! Mon petit vieux... ! » gloussa-t-il en m'examinant comme s'il m'avait cru mort. Ah, j'imaginais que pour lui je serais toujours un peu son fils, quand bien même le dernier de mes livres serait passé au pilon. « Sincèrement, Andréa... comment le trouves-tu... ? ! poursuivit-il sans me lâcher les bras, le front tout plissé d'aise. Mais depuis combien de temps est-ce que je ne t'ai pas vu... ? ! »

J'embrassai Andréa qui dans son dos venait d'à l'instant surgir avec un verre à mon sujet.

— Oh, eh bien, peut-être un mois..., fis-je. Mais je n'aurais pas pu tenir encore très longtemps...

La manière dont ils me regardaient tous les deux m'arracha un véritable sourire. Lorsque je les avais connus, je n'étais encore qu'un jeune type un peu énervé avec un manuscrit sous le bras et ils m'avaient porté jusqu'au sommet, ils n'avaient pas ménagé leurs forces. Et lorsque j'avais épousé Franck, Paul avait été mon témoin. Il y avait si longtemps que nos chemins se côtoyaient. De l'écrivain à succès au triste pisseur de copie, ma vie n'avait pas beaucoup de mystère pour eux. Ils avaient toujours été là. J'étais sincèrement désolé que leur poulain se soit rétamé en si bon chemin, j'estimais qu'ils ne l'avaient pas mérité.

— Eh bien, joyeux Noël..., j'ai dit, levant mon verre.

Nous trinquâmes tous les trois. Je ne savais pas depuis combien de temps ils étaient arrivés mais Paul me semblait particulièrement allumé, à telle enseigne qu'il faillit briser mon godet contre le sien.

— Ah, Danny... !

Puis comme soudain repris d'un élan d'affection à mon endroit, il me passa un bras sur les épaules. Je m'y prêtai de bonne grâce, mais pensai qu'à ce train-là il allait finir le réveillon sur mes genoux avant même qu'il ne fût commencé.

Or, je n'avais pas l'intention de m'asseoir tout de suite. Je venais d'à peine terminer ma *Tequila Sunrise* et ça m'avait l'air de terriblement se bousculer au stand de ravitaillement. J'avais déjà repéré, au milieu de l'assistance, quelques sérieux leveurs de coude, et Herbert Astringart, l'un des directeurs adjoints de la Fondation, s'était mis aux commandes, et à la cadence où je le voyais remplir les verres, je compris qu'il me laisserait à peine le temps de respirer si je choisissais de ne pas rester à la traîne.

— Ne bouge pas, Paul. Je vais revenir..., murmurai-je.

Je tentai alors de rejoindre le bar mais Sarah me barra le chemin et m'entraîna fermement à l'écart pour une partie de messes basses.

— J'espère que tu n'es pas idiot..., me dit-elle.

— Mmm, c'est un combat perpétuel...

— Oh, je t'en prie, ne gâche pas cette soirée...! Essaie d'être un peu gentil pour une fois...

— Mais, ma chérie, je suis *naturellement* gentil, qu'est-ce que tu me chantes...?!

Elle pouvait me regarder droit dans les yeux, je n'avais absolument rien sur la conscience. Je me sentais même d'une humeur d'ange, si elle voulait savoir, et n'éprouvais d'inimitié pour personne au sein de cette sympathique assemblée. Au fond, je m'attendais à ce qu'elle me sortît un de ces types de derrière un placard, mais manque de chance je m'y étais préparé tout au long de l'après-midi. Elle avait tort de s'affoler. A moins que celui-ci ne fût encore pire que les autres et qu'ainsi m'avertissant elle songeât à m'attendrir.

— Rassure-toi..., ajoutai-je. Je n'ai pas l'intention de gâcher quoi que ce soit, je n'en ai pas la moindre envie.

— Bon, écoute... Elsie est là.

— Très bien. Alors moi je me barre...!

Au vrai, je cherchais déjà des yeux un coin pour

abandonner mon verre, mais sa main se referma promptement sur mon bras. Durant quelques secondes, nous nous sommes regardés en chiens de faïence, sauf que je me retenais pour ne pas la mordre. L'ennui, c'est qu'elle n'avait pas peur de moi et c'est en pure perte que je lui envoyais des éclairs, si bien que doublement j'enrageais.

— Seigneur... ! Tu es vraiment le type le plus impossible que je connaisse... !

Pour seule réponse je dégageai mon bras.

« Rien de tel qu'un ami pour vous frapper dans le dos... » ajoutai-je après tout, car je craignais que mon silence ne fût point si éloquent que je le désirais.

— Oh, je t'en prie... Arrête... ! soupira-t-elle.

On aurait dit que c'était moi qui m'amusais à l'emmerder, je pouvais à peine le croire.

— Bon sang, Dan... Elle était toute seule...

— Vraiment... ? ! la coupai-je. Où est donc passé l'autre abruti... ? ! !

Je n'avais bien évidemment pas envie de le savoir, mais ainsi me confectionnai le sourire méprisant qui seyait à ma rancœur.

— Dis-moi, Sarah... Mais de quoi te mêles-tu au juste... ? !

Voyant que je me raidissais et menaçais d'occuper une position inexpugnable, elle rompit souplement et changea son angle d'attaque, resurgit là où je ne l'attendais pas. Elle me prit tendrement les mains. Le temps que je comprenne ce qui m'arrivait, sa lame se plongeait dans mon cœur de crétin.

— Oh voyons Dan... Oh écoute, mais *c'est Noël...* ! ! me chuchota-t-elle sur un ton à vous tirer des larmes d'attendrissement.

De plus, tout le monde semblait joyeux autour de moi, j'étais comme un pou dans une robe de princesse si je la comprenais bien. Mes yeux se plissèrent tandis que je me décidais à ravaler ma rage.

— J'espère que tu viendras me soigner quand je me serai attrapé un ulcère à l'estomac... ! murmurai-je.

Elle posa un baiser rapide sur mes lèvres, du genre qui me donnait envie de bâiller et qu'elle aurait bien pu administrer à un jeune prêtre sans risque aucun de le troubler.

— Je crois qu'elle n'ose pas sortir de la cuisine..., me confia-t-elle.

— C'est parfait. Qu'elle y reste... !

Ah ! mais voilà qu'à présent elle se serrait contre moi. Voilà qui était mieux. Et qu'elle me demandait d'accomplir un dernier effort. Je ne pus résister à la tentation de monnayer ma peine.

— Alors ne disons plus vingt ans..., fis-je.

— Quinze... ? proposa-t-elle.

— Dix, et tu enlèves le morceau... !

Elle se mordit les lèvres. J'espérais qu'elle plaisantait ou bien alors ce lui était une véritable corvée que de coucher avec moi, de quoi me ficher un drôle de coùp s'il en était ainsi, mais à ce qu'envisager je ne m'essayais même pas. D'ailleurs, elle m'annonça qu'elle était d'accord. Ah, que Dieu me donnât encore la chance de faire des étincelles dans dix ans... !

Avant de me rendre à la cuisine et malgré que Sarah des yeux ne me lâchât pas d'une semelle, je m'arrêtai au stand d'Herbert Astringart et plaisantai quelques instants avec lui. J'avais encore pas mal de monde à voir mais décidai de tout d'abord me retirer cette épine du pied sans quoi nulle tranquillité d'esprit ne m'était possible. Tous ils semblaient si joyeux, si détendus que je me sentais pressé de venir les rejoindre et de m'offrir un réveillon à tout casser, d'en profiter tant qu'allait durer la fragile et stupéfiante insouciance qui m'apesantait ces derniers temps et dont jusqu'au bout je voulais jouir.

Lors en deux pas j'y fus, m'y présentai l'air sombre et embrassai la pièce d'un seul coup d'œil.

« Hello ! Marty... ! » fis-je au gars qui alignait un assortiment d'amuse-gueule sur un plateau d'un mètre de long. Je n'aimais pas beaucoup ce qu'il écrivait mais je trouvais qu'il valait mieux que ses romans et lui il avait de la chance car sa femme le trouvait génial, un de ces bonheurs que je n'avais malheureusement pas connu.

« Hello ! Josy... ! » lançai-je dans la foulée, car bien entendu elle ne le quittait pas d'un pouce et personne d'autre ne comptait à ses yeux.

J'imagine que mon histoire était connue de toute la ville car primo ils s'éclipsèrent sur-le-champ, m'assurant que l'on se retrouverait tout à l'heure, et secundo plus personne ne s'avisa d'entrer. Le moment était venu de me tourner vers elle. Je lui décochai un de ces sourires à vous glacer les os sur place :

— Juste un mot... J'ai promis à Sarah que je n'allais pas te manger. Tu vas pouvoir circuler dans toute la baraque...

— Oh Dan...

— Y a pas de Oh Dan.

« Seigneur Jésus ! » pensai-je. En fallait-il du courage pour rembarrer une fille aussi jolie, surtout dans ma situation, quand on songeait que ma dernière aventure remontait à mon Italienne et qu'aucune lueur ne se profilait à l'horizon, absolument rien de rien... !

Elle fit un pas vers moi mais je reculai d'autant.

— Qu'il n'y ait pas de malentendu. Je n'ai pas l'intention de t'adresser la parole.

— Mais Dan...

— Y a pas de Mais Dan qui tienne... !

Et sur ce, je la plantai là sans lui prêter plus d'attention. Une fois encore, je m'applaudissais sans réserve car de fille plus attirante, on n'en eût pas déniché de toute la ville, et des qui m'aient tant allumé non plus. « Ah Danny... ! Tu me réchauffes le cœur... ! As-tu vu comment tu lui as cloué le bec... ?! » Ma foi, je n'en avais pas perdu une miette, non plus que le délicieux empourprement de ses joues. Sincèrement, je me sentais assez fier de moi, j'étais certain qu'un autre aurait flanché à ma place, d'autant que sa robe était fendue jusqu'au milieu du ventre, de la plus déloyale façon qui fût. J'avais tout simplement été formidable et je le savais. Aussi filai-je droit vers le bar et le sourire aux lèvres priai Herbert Astringart de me servir sans détour.

Du coin de l'œil je la vis qui sortait de la cuisine. Naturellement, il y avait un point faible dans ma cuirasse et ce méchant défaut m'empêchait de pleinement savourer ma victoire : d'un point de vue sexuel, Elsie était le plus beau cadeau que le Ciel m'eût envoyé de toute ma vie. Et, n'est-ce pas, ça me chiffonnait, surtout lorsqu'elle était dans les parages, ça me rendait nerveux. Rien n'avait jamais été simple avec les femmes en ce qui me concernait, et je me demandais parfois ce qui clochait chez moi et pourquoi je ne m'en trouvais pas une qui fût gentille tout simplement, une fille que j'aurais pu garder dans le creux de mon bras sans histoire et je n'avais pas besoin qu'elle fût d'une beauté fulgurante ni qu'elle eût un esprit hors du commun, ah donnez-m'en seulement une avec une rondelle de charme et un sourire agréable, et sur-le-champ je me sortais des rangs. Il ne se passait pas de semaine sans que mon regard tombât sur une ou deux inconnues qui m'eussent a priori amplement satisfait, c'est dire que je ne demandais pas la lune. Alors que se passait-il au juste, est-ce que je leur faisais peur, est-ce qu'il était *interdit* de m'approcher, était-il écrit que j'allais m'emmerder comme ça jusqu'à la fin de mes jours... ?! Parfois, la seule vue d'un couple heureux me rendait malheureux. Ça, et la poitrine d'Elsie. Que je reluquais discrètement tandis qu'elle se tenait à l'autre bout de la pièce et que Marty m'entretenait de son nouveau livre. Au fond, je n'étais pas loin de penser que ce gars-là avait tout compris. Quand je voyais avec quelle ferveur sa Josy l'écoutait, toute frissonnante d'amour et d'admiration et buvant la moindre de ses paroles, je me disais que peut-être elle n'était pas très jolie mais cela avait-il la moindre importance ? Je l'écoutais à peine, ce maudit veinard, tout perdu que j'étais dans mes réflexions et constatant le cruel désordre de ma vie. Je m'en voulais de la regarder, j'avais honte d'encore me sentir attiré par elle après ce qu'elle m'avait fait et je baissais la tête comme un type enchaîné. Grâce pouvait être rendue au Ciel de m'avoir donné un minimum de forces, sans quoi je serais allé me traîner à ses pieds. Je regrettais déjà de ne pas avoir claqué la porte. Mais pour quelle sorte de superman m'étais-je donc pris, comment avais-je pu songer une seconde que je pourrais tenir le coup et me ficher d'elle comme de l'an quarante dans l'état de dénuement où je me trouvais ?! Je commençais d'ailleurs à trouver que finalement j'avais été trop dur avec elle et que sans doute lui parler ne m'engagerait à rien, car quand bien même passer les derniers jours de l'année dans ses bras eût été ce que je pouvais souhaiter de plus merveilleux au monde, il y avait loin de la coupe aux lèvres, je n'étais fort heureusement pas prêt à m'en laisser conter. Mais comme je posais les yeux sur Josy, je pris soudain conscience de l'effroyable pente sur laquelle je me laissais glisser. « Tu allais à ta mort, ni plus ni moins, me dis-je, vois-tu il y a celles qui vous chouchoutent un homme et celles qui vont le piétiner. » Je hochai la tête en regardant au travers de Marty. Piétiner était peut-être un bien grand mot, je ne devais pas non plus exagérer. Il y avait un moment qu'elle cherchait à me joindre et je ne pensais pas que ce fût pour me faire souffrir. Enfin pas dans un premier temps. Et justement, tout était là. De combien de *temps* disposerais-je avant que la toiture ne me dégringole sur le crâne... ? Quel répit me serait-il accordé avant que derechef elle ne cède à la pression d'un type de son âge... ? Quelques mois, quelques *jours* peut-être ? Ah, je me demandais si ça valait le coup. J'avais besoin d'y réfléchir. Même s'il ne s'agissait que de *quelques heures*... Ah, que tu me dégoûtes, Danny !

« Naturellement, je sais ce que tu vas me dire... » me confia Marty en me harponnant illico par le coude. Je sursautai presque. « Seulement je t'attendais au tournant... ! » poursuivit-il en prenant un air malicieux.

— Voyons, Marty... Loin de moi...

— Eh bien, je t'arrête tout de suite. Je me suis livré à une sorte de *Verfremdungseffekt* qui m'autorise absolument...

— Mais bien sûr..., le coupai-je, muni de mon plus désarmant sourire. Enfin, ne me bouscule pas trop, tu sais que je ne suis plus dans la course depuis belle lurette...

— Allons donc...

— Mmm, je te raconte pas des blagues. Je n'ai plus le souffle qu'il me faudrait pour te suivre, malheureusement. Ah Marty, soyons sincères, d'un écrivain je ne suis plus guère que l'ombre, et encore... Sois gentil, ne remue pas le couteau dans la plaie...

— Oh bon sang, Dan, je ne voulais pas...

— Bah, c'est oublié, le rassurai-je. Tu sais, dis-toi bien que *personne ne sort de son lit pour dormir par terre.*

Je les quittai sur un clin d'œil mélancolique et retournai vers le bar. J'étais farouchement résolu à passer une soirée agréable. Au fond, ce n'était qu'une question de volonté. Si j'étais capable de me débarrasser d'un écrivain, je ne devais pas avoir trop de mal pour me jouer du reste et par là j'entendais qu'aussi bien j'étais parfaitement en mesure de me dépêtrer d'une ex si je le voulais vraiment. Malgré les précautions que je prenais, nos regards se croisaient parfois, mais le mien aurait refroidi une nymphomane dans la touffeur d'une nuit d'été. Ah comme il est doux pour une âme de ne pas succomber à la tentation et comme je bichais finalement de me refuser à elle, d'être celui que tous charmes dehors elle ne pouvait faire plier. Presque je jubilais. Aurais-je pu pressentir plus ineffable cadeau de Noël qu'une si jolie fille bandant pour moi ? ! C'était comme si la vie me souriait à nouveau et ne demandait qu'à succomber à mon charme. Ô combien peu il m'importait à présent d'assouvir mes misérables appétits quand je m'offrais ces instants de pur optimisme !

« Dansons ! » dis-je à la première femme qui me tombait sous la main, en l'occurrence Jeanne Flitchet, une fille qui travaillait avec Sarah depuis le début et qui fréquentait la même salle de gym que Gladys sans pour autant parvenir à se muscler. Saisissant son corps mou, je lui confiai qu'elle me semblait en pleine forme.

— Oh, mais je croyais que tu n'aimais pas danser... ! s'exclama-t-elle.

Ce n'était pas tout à fait exact. J'avais horreur de danser *en général*, mais ça me prenait parfois lorsque j'étais tout seul chez moi et je bondissais dans tous les sens comme un cinglé, jusqu'à ce que mes forces m'abandonnent. Bizarrement, ce m'était toujours un plaisir solitaire et pour l'heure, je n'avais nullement besoin de Jeanne Flitchet si ce n'était que je ne désirais pas étaler ma joie au grand jour et me condamnais ainsi à m'encombrer d'une partenaire. J'avais envie de sauter au plafond mais je me retenais, je mordais mes lèvres pour que mon sourire n'attirât point trop l'attention, mais au fond j'exultais littéralement. Je pissais à la raie de tous mes ennuis, un jet d'acide brûlant avec lequel j'écrivais mon nom et mon âge en guise de provocation. Heureusement que je parvenais à tempérer mon ardeur et par là ne vendais pas la mèche. D'ailleurs, nous n'étions pas les seuls à danser, l'ambiance commençait à devenir bonne et j'avais l'impression que tout le monde rigolait. Ouah, le corps de Jeanne Flitchet était un vrai loukoum vivant !

Lorsque je la relâchai, nous étions en sueur tous les deux, mais j'étais parvenu à brûler le trop-plein d'énergie qui m'avait brusquement empoigné. Le souffle court, je la remerciai du fond du cœur et l'avertis qu'on remettait ça quand elle le voulait. Elle n'en revenait pas, non plus qu'Elsie qui m'observait tandis que je sortais de la piste. « Oh arrête... ! la priai-je mentalement, presque frissonnant d'aise. Sinon telle deviendra ma joie que je ne vais plus savoir où me mettre. Oh arrête, car c'est vraiment trop bon... ! » Et je me disais mon vieux, te rends-tu compte que la plus belle fille de la ville est à tes pieds, comprends-tu ce que cela *signifie...* ? ! Je baisais les pieds du Seigneur, je les rebaisais, je les mouillais de mes larmes, je voulais qu'il me pardonne pour mon ingratitude en cette soirée bénie, *oh je me repens sur la poussière et sur la cendre.*

Je me frottais les mains à m'imaginer tous les plaisirs que j'allais tirer de cette soirée. Peut-être allait-elle menacer de se trancher la gorge ou bien tenterait-elle de m'arracher tous mes vêtements, aurait-on toutes les peines du monde à me sortir de son étreinte quand n'y tenant plus elle se serait jetée à mon cou avec un cri déchirant ? De joie, j'en avais la gorge toute serrée, je regardais les cernes de buée déposés sur les vitres comme s'il se fût agi de grands oiseaux blancs perchés dos à dos.

Je fis signe à Herbert Astringart que j'arrivais. Comme au temps de ma jeunesse, Roy Orbison attaqua *Pretty Woman* et couvrit le brouhaha des conversations. Je n'avais pas besoin de me retourner pour savoir qui avait mis ça. La première fois que nous avions couché ensemble, je l'avais déshabillée sur ce morceau et nous ne pouvions plus l'écouter sans y repenser. Je sentais son regard planté dans ma nuque. Mais je ralentis à peine. C'était assez bien joué de sa part et c'était de bonne guerre, il me tardait de savoir ce qu'elle allait encore inventer.

Sur ce, je rencontrai Hermann en chemin, qui bien obligeamment s'occupait de passer les plats d'un groupe à l'autre en traînant un sourire pitoyable. « Allons bon... ! me dis-je. Que se passe-t-il encore... ? ! »

Je piquai quelques pizzas lilliputiennes dans son plateau et me penchai discrètement vers son oreille :

— Ne viens pas me dire que ça démarre si mal de ton côté, ne viens pas me dire une chose pareille... !

— Non, non... Tout va bien..., bredouilla-t-il.

— A la bonne heure... ! soupirai-je. Mais alors, qu'est-ce qui te chagrine... ?

Je n'aimais vraiment pas cette impression qu'un atout manquait à mon jeu maintenant que je m'avançais sur la voie du grand chelem. Il avait beau dire, son air m'inquiétait. Et dans ces conditions, à quelle sorte de sérénité pouvais-je prétendre, quel genre de père aurais-je été si les soucis d'Hermann n'eussent point suffi à m'interdire le moindre sentiment de paix. Se rendait-il compte, au moins, que j'étais pendu à ses lèvres, qu'avec un réel effroi je le sondais... ?

— Bon sang... ! finit-il par m'annoncer. Je crois que ça va pas lui plaire, ah j'en suis presque sûr... !

Je ne saisis pas immédiatement qu'il me parlait de son cadeau. Puis, tout à coup, je me sentis baigné par une lumière dorée. Il pouvait se vanter de m'avoir fichu la trouille, j'en avais encore les jambes complètement ramollies. Je l'aurais embrassé si je n'avais su qu'il ne prisait plus trop de tels élans — surtout en public, surtout s'il n'y avait pas une bonne raison —, aussi me contentai-je de lui effleurer l'épaule en riant :

— Vraiment... ? Et c'est pour ça que tu te tracasses... ? !

— Ah, tu te rends pas compte... ! grimaça-t-il.

— Bon Dieu, Hermann... ! Mais elle va être folle de ton cadeau, mince alors là je te le garantis... ! Tu peux être tranquille... Au fait, comment est-elle, est-ce que ça va... ?

— Justement, c'est parce que ça va bien que j'ai peur. Peut-être que ça va tout flanquer par terre... !

Je jetai un rapide coup d'œil à la ronde afin de m'assurer qu'aucune oreille indiscrète ne rôdait alentour et lui harponnai une de ces minuscules pizzas pour garder un air naturel.

— Ecoute, ce n'est plus le moment d'y réfléchir. Tu as fait ce que tu croyais être le mieux, alors ne baisse pas la tête. N'oublie pas que tu as tiré le neuf à la deuxième place : « *Si l'on est sincère, il est avantageux de présenter une offrande, même petite.* » Bon Dieu, que pouvais-tu espérer de mieux que « La poussée vers le haut »... ?

— Ah j'en sais rien... N'empêche que je ne suis pas tranquille... ! Oh la la..., ce serait vraiment trop con...

Sa bouche se tordit douloureusement. On aurait dit qu'il était assailli de quelque vision d'horreur, telle que pût être la représentation d'un monde sans Gladys, c'est-à-dire rien moins j'imaginais qu'une cellule froide et sombre et silencieuse et toute rongée d'eaux croupissantes.

— A ta place, je poserais ce fichu plateau et je m'en irais lui tourner un peu autour si j'étais un peu malin, parce que au fond dis-toi bien que c'est exactement ce qu'elle demande et ça je t'en fiche mon billet, Hermann, je crois que tu es vraiment *tout près* de toucher au but. Seulement rappelle-toi que l'hexagramme revient souvent sur la notion d'effort et je ne saurais trop te conseiller de...

— Merde, c'est facile à dire... Ah, je voudrais bien t'y voir une minute, je sais vraiment pas quoi faire... !

— Bientôt, tu regretteras de t'être tourné les sangs et de n'avoir pas écouté ton père. Fils, te voilà enfin au bout du tunnel..., crois-moi..., mais encore faudrait-il que tu ouvres un peu les yeux... !

Certes, je n'espérais pas qu'il sortît tout à fait convaincu d'un aussi rapide entretien, mais malgré qu'il continuât à se tourmenter très sérieusement, je remarquai qu'un peu d'espoir, mine de rien, j'avais semé dans son enclos. Je lui retirai doucement le plateau des mains et du regard l'invitai à sauter en selle.

— Ouais..., c'est facile à dire... ! gémit-il en enfonçant les poings dans ses poches.

« Courage ! » fis-je tandis qu'il tournait les talons, puis sur-le-champ je me rendis au bar.

— Ah... ! Mais où étais-tu passé... ? ! me lança Herbert en me tendant la main pour que je lui passe mon verre.

— Ma foi, j'ai bien cru que je n'y arriverais jamais, le parcours était rempli d'obstacles.

Je me mêlai tranquillement à la conversation du

coin, m'informant des derniers ragots qui circulaient en ville et tempérant par mes cris épouvantés la hâte avec laquelle Herbert s'empressait de me resservir. Je me sentais suffisamment bien pour ne pas tenter de précipiter les choses. Je raflais des trucs dans les assiettes pour ne pas rester l'estomac vide et je riais avec les autres, y allant de mes commentaires lorsque je parvenais à en placer une.

Du coin de l'œil je surveillais la progression d'Elsie qui bien subrepticement se rapprochait de ma petite personne. Au train où elle allait, j'avais encore du temps devant moi avant de rassembler mes bagages et j'étais bien décidé à lui filer sous le nez tout au long de la soirée, j'en étais tout excité à l'avance. Pour l'heure, elle discutait avec Harold et Richard, et feignait d'être si détendue que j'en gloussais méchamment. Je riais très fort si l'on m'en racontait une bonne, car moi, je n'avais rien qui me chagrinait, je ne voulais rien, moi, j'avais la conscience tranquille et je m'amusais beaucoup comme elle pouvait s'en rendre compte. A son air, je comprenais très bien qu'elle aurait préféré que je me morfondisse dans un coin et que je me tirasse une langue d'un mètre de long, mais j'étais désolé. Peut-être que j'étais le genre de gars qu'on laissait tomber — elle n'était pas la première, et Franck n'était que la partie visible de l'iceberg — mais je n'en étais pas un qu'on sifflait. J'espérais qu'elle commençait à s'en apercevoir. Je ne voulais pas la décourager mais j'avais bien peur qu'elle ne fût pas encore au bout de ses peines si, comme je le supputais, elle cherchait à me reconquérir. En un certain sens je la plaignais, car malgré tout le fond de mon cœur est bon et je lui devais de me sentir désirable. Enfin, je n'aurais pas voulu être à sa place. Quoi ! belle à damner un saint et en pincer pour un type qui levait à peine un œil sur elle... ? !

Je me sentais une âme de gamin mais ça me faisait du bien de me divertir un peu, oubliant mes soucis à la porte avec la crotte de mes souliers et asticotant cette fille qui l'avait bien mérité de mes œillades farouches, de mon sourire glacé. Il était vraiment dommage qu'Hermann ne partageât pas mon entrain, d'autant que j'en avais à revendre lors qu'il était si mal nanti. Je l'observais entre deux hoquets et m'interrogeais sur la tactique qu'il employait avec Gladys. Je ne pensais pas que les mœurs eussent à ce point évolué qu'on réduisît une femme en restant tout bêtement planté derrière elle avec l'air de s'attendre l'arrivée d'un bus.

Jeanne Flitchet en revoulait. « Sans problème... ! » la rassurai-je, coupant aussitôt court à mes reflexions et la prenant par la taille et l'entraînant incontinent du côté où l'on s'agitait. Je frôlai Elsie par pur esprit de malice, mais si près qu'il faillit m'en coûter, car je tressaillis brutalement à nos retrouvailles, son parfum et moi. Au point que Jeanne me demanda si je m'étais pas fait mal et que je lui dis que je m'étais mordu la langue, que j'en revenais pas. Par bonheur, Elsie ne s'était aperçue de rien. J'en avais encore le cœur qui battait d'affolement.

« Tant pis pour toi, ne viens pas te plaindre... ! » me chapitrai-je en prenant position devant J. Flitchet.

— Bouh ! Quelle sombre mine ! s'empressa-t-elle de remarquer.

— Y ui a aé ae e o a uillère... ! lui répondis-je avant de m'élancer.

J'étais en train de me détraquer sur l'air de *I want to take my baby now*, lorsque Harold vint me déranger.

— Hé, je crois qu'on te demande dehors..., me dit-il en souriant d'un air satisfait.

J'avais tellement appris à me méfier de ce gars-là et de son humour particulier que je ralentis à peine.

— Et moi je crois pas qu'on me demande dehors... ! rétorquai-je en lui clignant de l'œil.

— Ah bah Dan, je te jure que si !

— Voyons... Je comprends pas pourquoi c'est moi que tu choisis. Tu sais pourtant bien que...

— Merde, c'est pas des blagues... !

Je levai les yeux au plafond sans perdre le rythme et décidai de m'éloigner de lui en roulant des hanches lorsque j'entendis qu'on m'appelait. C'était Sarah et ça venait du côté de l'entrée. Légèrement interdit, je considérai Harold :

— Mon vieux, t'es toujours en train de croire que je déconne... ! soupira-t-il.

Et donc finalement je m'amenai à la porte et découvris sur le seuil Hans, le chauffeur de Marianne Bergen, qui effectivement m'attendait, la casquette à la main et roide comme un piquet et un brin solennel et qui m'avisant s'effaça pour m'indiquer sans un mot la rue sombre où tout d'abord je ne vis goutte. Il m'invita alors à le suivre et me précéda dans le jardin sans qu'il me fût possible d'en savoir davantage, d'autant que je ne lui demandais rien, déjà tout transi que j'étais jusqu'à la moelle d'à peine avoir posé un pied dehors et par là bien incapable de réfléchir à quoi que ce fût de sensé. Je ne me retournai pas mais je sentis qu'on nous suivait, ils étaient toute une bande de curieux se pressant dans mon dos sous le ciel joliment étoilé, sacrément impatients de connaître le fin mot de l'histoire j'imagine ou simplement ravis de s'ébrouer un peu et d'à l'occasion prendre l'air.

Hans me tint le portillon ouvert et, le franchissant, je *la* vis enfin.

— Madame vous souhaite un joyeux Noël... ! me dit-il en me tendant les clés.

Quelques sifflements admiratifs fusèrent à mes côtés tandis que des nues je continuais à tomber, proprement abasourdi. Etait-ce l'impitoyable froidure de la nuit qui me paralysait de la sorte... ?

« *Celui qui hésite n'atteindra jamais Jérusalem* », me glissa Hans avec un plaisir non feint et augurant mon air de merlan frit, cependant qu'il attendait que je le débarrasse des clés susmentionnées.

J'avançai mollement la main sans réfléchir. Ils étaient tous si excités autour de moi, je naviguais depuis quelques heures dans un climat si surprenant que mes sens en étaient alanguis et que j'étais dur à la détente.

« Tu crois que c'est le dernier modèle... ? » demanda Richard alors que déjà Hans boutonnait sa pelisse et sans plus un mot s'éloignait à grands pas.

« Bon Dieu, mais qu'est-ce que ça veut dire... ? ! » grognai-je à part moi, car voilà qu'enfin je réalisais ce qui se passait.

Et ça ne me plaisait pas du tout, non, ça me plaisait de moins en moins. On aurait dit qu'ils avaient jamais vu une *Fiat 500*, tous autant qu'ils étaient, on aurait dit qu'ils étaient penchés au-dessus de l'Enfant Jésus.

« Nom de Dieu de nom de Dieu... ! » sifflai-je entre mes dents, me sentant pâlir, puis rapidement au vert virer de rage quand inopinément je croisai le regard de Paul et découvris son écœurant sourire.

Je ne sentais plus la morsure du froid, non plus que le bonheur d'un tantinet d'ivresse, il ne me restait qu'une sombre colère au cœur quand tous les autres s'égayaient autour de moi, et je n'entendais rien de ce qu'on me disait, un voile dansait devant mes yeux, je serrais la méchante petite clé dans le creux de ma main.

« Sors de là ! » grinçai-je à l'intention d'Harold qui d'emblée s'était installé derrière le volant et me tripotait tous les boutons. A ma rudesse, d'aucuns se demandèrent si quelque chose ne tournait pas rond, mais je les laissai s'interroger et pris la place de l'autre imbécile sans leur lâcher le moindre mot d'explication. Et je claquai la portière. Et je lançai le moteur et je leur fis signe de s'écarter et c'était valable pour tout le monde. Sans doute se figuraient-ils que tout naturellement ma brusquerie procédait de mon enthousiasme et que je crevais d'envie de l'essayer, que j'étais comme un gosse. Je me fichais complètement de ce qu'ils croyaient.

Je m'arrêtai devant chez Marianne Bergen dans une volée de gravier. Durant quelques secondes, je malaxai le volant et m'écoutai le silence dans une odeur de plastique neuf pour enfin me décider à sortir et m'avancer vers le perron. A nouveau le froid me transperça, le ciel était brillant et lisse et d'une noirceur si effrayante que malgré moi je frissonnai. J'escaladai en courant les marches de pierre, puis, profitant que j'étais seul, les descendis et les remontai plusieurs fois de suite à toute allure histoire de me fouetter les sangs.

Une voix fort bourrue me héla juste comme je virais au bas des marches, mais je ne levai même pas les yeux et remontai vers la baraque au triple galop. Je reconnus le gars qui autrefois s'était mêlé de garer ma moto et qui l'avait flanquée par terre, Dieu merci en se couchant dessous. Je constatai que je ne remontais pas dans son estime mais passai outre et l'envoyai quérir Marianne sur-le-champ, non, non, je ne voulais pas entrer, mais qu'il fît diligence était tout ce que je lui demandais.

Je rongeai mon frein en arpentant la terrasse que polissait un rayon de lune, les membres gourds mais le cœur brûlant, me sentant bien plus proche d'une omelette norvégienne que d'une personne vivante et formulant mes griefs à mi-voix pour maintenir l'élasticité de mes pauvres lèvres, car déjà c'en était fini de mon nez et de mes oreilles, je pouvais leur dire adieu, je n'osais même pas y toucher de peur de les pulvériser.

Lorsqu'elle apparut enfin, une espèce de tristesse m'avait envahi, purement physique à ce qu'il me semblait, directement tombée du ciel de cette nuit glacée, et l'air que je respirais en était à ce point imprégné que je ne pouvais y échapper et ne songeais déjà plus qu'à m'asseoir par terre pour rendre l'âme. Elle avait l'air si contente de me voir que mon mal empira.

— Dan... ! Mais tu es fou... ! me lança-t-elle. Ne reste pas dehors... !

Elle souriait mais à l'évidence n'était pas disposée à venir me rejoindre, bien qu'elle serrât une superbe fourrure noire autour de ses épaules.

« Je t'assure que nous serons mieux à l'intérieur... » reprit-elle sur un ton amusé, comme s'il se fût agi d'une excentricité de ma part. Je l'arrêtai d'un geste avant qu'elle ne fît machine arrière dans son fauteuil roulant :

— Non, attends une minute... !

Je n'éprouvais plus, malheureusement, une colère aussi pure que celle qui m'avait animé tout au long du chemin — dans l'ensemble, et au fur et à mesure que ma vie s'écoulait, je remarquais que les choses me fatiguaient de plus en plus vite — mais cela dit, je n'eus pas à rougir de ma faiblesse car je n'en laissai rien paraître et parvins aussitôt à prendre un air désagréable.

« Écoute-moi... Je ne suis pas venu te remercier... » grinçai-je, lui dardant un œil sombre et brutal, encore plus réussi que je ne l'espérais. En quelques années, cette fille avait pris une telle assurance qu'à part moi je ne pus m'empêcher d'admirer la manière dont elle souffrit la nouvelle. Elle inclina légèrement la tête et son sourire ne perdit qu'un peu d'éclat, mais rien de plus, à telle enseigne qu'il me fallut y regarder à deux fois pour saisir la nuance. Pourtant, si j'en jugeais par l'accueil enthousiaste qu'elle m'avait réservé, il y avait gros à parier qu'elle ne s'attendait pas à ce que l'affaire se gâtât ainsi et m'imaginant comme elle devait à présent déchanter in petto, j'appréciai d'autant mieux son adresse remarquable, son merveilleux aplomb.

Enfin bref, je n'étais pas là pour la couvrir de fleurs. Je vrillai mon regard dans le sien et malgré que perdurât un froid de tous les diables, je sentis que mon corps se réchauffait.

— Bon Dieu, mais tu ne peux pas m'acheter, PERSONNE peut m'acheter... ! ! lui lançai-je avec superbe, balayant tout le pays de la main.

J'en avais encore les guibolles qui tremblaient d'avoir prononcé ces quelques mots, ma gorge était nouée d'émotion et je me trouvais presque beau, et je pensais sincèrement lui avoir dit la vérité malgré que ce ne fût peut-être pas aussi simple ni aussi lumineux, mettons que dans le fond de mon cœur il y avait quelque chose qui n'était pas à vendre et que je me permettais d'en faire tout un plat. Mais comment pouvait-on s'en tirer si l'on ne se sentait pas invincible de temps en temps, comment garder un peu d'espoir si l'on n'avait rien de *sacré* en soi, si l'on ne percevait pas à l'occasion le frémissement d'une essence divine au plus profond de son être... ?

J'étais prêt à mourir sur place. En cet instant, je regrettais qu'il ne se fût agi que d'une *Fiat 500*, j'aurais aimé qu'elle m'eût inondé de cadeaux et qu'elle me couvrît d'or pour lui montrer un peu quel genre de type j'étais et jusqu'où elle s'était fourré le doigt dans l'œil en ce qui me concernait.

« Mais voyons, Dan... Qu'est-ce que tu vas chercher... ?! » entendis-je comme dans un rêve, tout occupé que j'étais à me rouler dans une blancheur immaculée.

Je n'avais pas envie de discuter. Je lui tournai le dos et descendis quelques marches.

— Je ne crois pas t'avoir demandé quoi que ce soit... ! poursuivit-elle sur un ton égal.

Je m'arrêtai aussi sec. Je sentis le froid à nouveau, ainsi que cette impression d'accablement dont je m'étais délivré durant quelques minutes.

— La meilleure façon de coincer quelqu'un, lui dis-je, c'est de lui laisser croire qu'on lui donne le choix.

— Oh ! je t'en prie... ! soupira-t-elle. Mais comment doit-on s'y prendre avec toi... ?!

— Ma foi, il y a peu de choses auxquelles on puisse vraiment tenir dans la vie... C'est normal qu'on essaie de s'y accrocher.

Comme par enchantement, elle fit avancer son fauteuil jusqu'au milieu du perron, peut-être qu'elle ne me voyait pas assez bien d'où elle était. Je commençais à en avoir assez de la regarder dans les yeux, je commençais à regretter de ne pas avoir embarqué mes lunettes.

— Il faut quand même que je te précise une chose..., me glissa-t-elle d'un air moqueur. Bon sang, Dan, rien n'est simple avec toi... Est-ce que je t'ai demandé de me vendre ton âme, voyons, ne sois pas ridicule... !

— Etre ridicule dans un monde ridicule, je ne vois pas où est le problème...

Elle me fixa encore durant un bref instant, ce à quoi je me soumis le plus obligeamment du monde, car je n'avais rien à lui cacher et ce que j'avais sur le cœur devait se lire sur mon visage, à moins qu'il ne fût complètement gelé, sinon en passe de l'être. Lorsqu'elle en eut fini avec moi, elle jeta un coup d'œil vers le ciel puis frissonna légèrement avant de me planter là sans ajouter un mot. Je n'attendis pas qu'elle fût rentrée pour m'éloigner à mon tour, mais à peine rendu en bas des marches et comme j'entendais la porte se refermer, je pris soudain conscience que je me retrouvais à pied, aux environs de minuit, à des kilomètres de chez Sarah et paumé dans un quartier désert et à demi foudroyé par le froid qui tout à coup semblait me rugir aux oreilles, et alors je pensai que fors l'honneur, ce pauvre Dan était perdu.

Je retournai donc aussitôt sur mes pas et m'installai au volant de la *Fiat*. Ainsi que le disait Nietzsche, il faut avoir le courage de voir les choses comme elles sont : *tragiques*.

Tandis que pensivement je retraversais la ville, la chaleur douillette que j'avais déclenchée à bord me plongea dans un état d'esprit tel que, me trouvant à proximité du lycée, je décidai de m'arrêter quelques instants chez Max. S'il ne dormait pas encore, j'imaginais qu'une petite visite ne manquerait pas de lui faire plaisir et ainsi donc me garai devant chez lui avec le sourire aux lèvres. J'avais pourtant envie de retrouver les autres, poursuivre mon petit jeu avec Elsie, m'amuser et me remettre à boire, mais comme il était bon de retarder cette minute tant qu'allait mon désir grandissant, comme douce était l'obscurité qui m'enveloppait lors que plus je retenais mes pas plus s'avivait la lumière où poignait mon salut.

Max ne dormait pas. En fait, m'expliqua-t-il patiemment, qu'il fît jour ou nuit n'avait plus beaucoup d'importance, il s'endormait quand il le pouvait et pour de courtes périodes, mais si souvent qu'au bout du compte ça allait chercher dans les dix ou douze heures, je ne devais pas m'inquiéter pour ça. Peut-être bien, que je lui dis, mais n'empêche qu'à mon goût cette grippe s'éternisait drôlement et que d'aussi carabinée j'en avais jamais vu, qu'il s'avise pas de me raconter des blagues. Est-ce qu'au moins il se soignait correctement, est-ce qu'il voyait un médecin, est-ce qu'il allait se décider à réparer ce putain de téléphone... ?

— Tu me fais chier, Danny, occupe-toi de tes oignons... !

On décida de se manger la minibûche tous les deux, sur un coin du lit avec une assiette sur les genoux et une bouteille de vin blanc que je dénichai dans le bac à légumes.

Bien qu'il n'en bût qu'un seul verre, j'eus l'impression que ses joues se coloraient un peu et même je parvins à lui arracher un sourire en lui racontant mes démêlés avec Elsie et la manière dont elle avait failli m'occire en pleine rue, même que j'en rajoutais un peu.

— Ah ! t'as toujours de ces histoires avec les filles... ! gloussa-t-il doucement. Je regrette bien de ne pas avoir connu ça... !

Je l'assurai aussitôt qu'il ne savait pas de quoi il parlait et que si cela lui semblait drôle, ce ne l'était pas toujours pour moi, quoi qu'il pût s'imaginer. Son regard vira au plomb.

— Tu sais, Danny... De toute ma vie, aucune femme n'a posé un œil sur moi... Je ne crois pas que tu puisses comprendre.

Par bonheur, je n'avais pas encore terminé ma part de bûche. Je m'y employai incontinent malgré qu'elle se fût imprégnée d'un détestable goût de Frigidaire et qu'elle demeurât encore toute gelée en son milieu, mais sans broncher j'aurais pu avaler n'importe quoi, eu égard à la misère insensée que d'aucuns connaissaient.

— Tu vois, je crois que si une femme m'avait assommé, j'en aurais pleuré de joie... ! reprit-il.

Je me forçai alors à le regarder et je hochai la tête.

— Je regrette de t'avoir ennuyé avec mes histoires..., murmurai-je.

Il m'assura que ce n'était rien mais resta un long moment silencieux, à inspecter sa bûche sous toutes les coutures, la retournant avec la pointe de sa cuillère et l'asticotant mollement avec un air vague. C'était presque devenu un vieillard, à présent, cette fichue grippe l'avait sérieusement déglingué, quoique au fond son mal fût beaucoup plus ancien, et tout le monde s'accordait à penser que son déclin datait de l'époque où on l'avait viré du lycée, mais ça, même un aveugle à l'esprit attardé l'aurait pu constater.

Je le quittai un peu plus tard, lorsque je m'aperçus que ma conversation l'endormait. Je lui retapai un peu ses oreillers et filai sur la pointe des pieds après avoir donné ce qui restait au chat de la bûche et jeté un dernier coup d'œil perplexe à son maître.

Les rues étaient désertes. Ce n'était pas, bien sûr, la même conduite qu'avec l'*Aston Martin*, mais je n'avais pas eu de voiture depuis si longtemps que mon plaisir n'était pas entamé, et autant m'en étais-je peu soucié à l'aller, autant m'y intéressais-je à présent, n'en revenant pas que cet engin pût rouler ni qu'on fût parvenu à une telle simplicité, un tel dépouillement dans l'aménagement intérieur, j'en éprouvais un amusement sidéré, jusqu'au tableau de bord qui ressemblait à la cellule d'un moine. Je l'avais presque adoptée en me garant devant chez Sarah. Je me frottai les mains en descendant. Non que j'eusse encore décidé quoi que ce fût concernant cette affaire, mais tout ne pouvait être une source d'emmerdements dans cette vie. Et le seul véritable péché qu'on pouvait commettre était de perdre espoir.

Lorsque je rejoignis les autres, on me demanda où j'étais passé et comment elle roulait et ce que j'avais bien pu fabriquer aussi longtemps et si je n'avais pas faim ou soif et si je m'étais bien amusé. Je décidai de ne pas leur parler de mon entrevue avec Marianne et leur annonçai que je sortais tout droit de chez Max, que j'étais resté tout ce temps-là avec lui, que l'idée m'était venue tout à coup et que je n'avais pas eu le cœur de me défiler, que c'était aussi simple que ça, quiconque aurait fait la même chose à ma place. Sarah me dit tu sais, je n'étais pas très contente en me conduisant vers la table où l'on m'avait gardé quelque chose à manger.

Parfois, elle se prenait pour ma petite amie ou Dieu sait quoi, il ne fallait pas y prêter attention et le genre de rapports que nous entretenions tous les deux finissait par nous rendre à moitié dingues, enfin moi j'en étais persuadé, contrairement à ce qu'elle se figurait, les filles ça se croit toujours assez malin pour jouer avec le feu. Il n'empêche que je me laissai câliner et la gardai pendue à mon bras tandis que je grignotais, car j'avais pu observer qu'Elsie n'appréciait pas vraiment ce genre de chose, je n'en voulais pour preuve que le regard noir qu'elle me lançait quand j'embrassais Sarah dans le cou.

Paul ne tarda pas à se glisser jusqu'à moi.

— Tu ne peux pas savoir comme je suis content... ! me souffla-t-il en me serrant le coude.

Je souris en me demandant s'il n'avait pas monté un numéro de duettistes avec Sarah.

— Allons, ne te réjouis pas trop vite...! fis-je en balayant l'assemblée d'un regard bienveillant. Je ne suis pas encore des vôtres...!

On aurait dit que je venais de lui annoncer la mort de sa mère. Il avait eu le même genre de grimace le jour où je lui avais déclaré que je n'écrirais plus une seule ligne, que c'était terminé. On aurait dit que je l'abandonnais. Du coin de l'œil je remarquai qu'Herbert Astringart avait dressé l'oreille et tâchait de saisir trois mots de notre conversation.

— Ah...! Tu essaies de me faire marcher...! gémit Paul.

— Non..., je t'assure que non. Bon sang, mais tu ne trouves pas ça beau de voir un type qui résiste...?!

— Mais contre quoi, grand Dieu...!? Contre *quoi*...???!!

— Ah! mais contre quoi, on s'en fiche...! ricanai-je. Comme on dit : « *Lièvre qui court n'est pas mort.* »

Je me barrai aussitôt pour mettre un terme à cette histoire. Je ne voulais plus y penser. Or donc, je m'installai tout près du bar et me mis à discutailler à droite et à gauche pour me changer les idées. C'était des conversations sans importance, des histoires à dormir debout, des conneries, des racontars, mais Dieu quel calme, quelle activité reposante pour l'esprit, ah! comme il était agréable — et si désopilant — de se demander si le roman était mort, comme il était distrayant d'argumenter sur la n° 2 de Mahler — il y avait le camp des Slatkin, j'étais dans le camp des Inbal — ah et l'on ne se lassait pas non plus des derniers sujets à la mode, une manne, une véritable bénédiction, l'assurance tranquillisante qu'on n'allait pas tomber sur un truc digne d'intérêt.

Je ne sais ce qui me soûla le plus, des mots ou de l'alcool, mais sur les coups de trois heures du matin, j'eus le sentiment qu'un léger brouillard envahissait la baraque, mais rien de bien méchant au demeurant et à la réflexion rien qui fût désagréable. Autant que je pouvais m'en rendre compte, je n'étais pas le seul à observer l'étrangeté du phénomène.

Astringart, qui avait tenté de me porter l'estocade, était blanc comme un mort et s'était retiré dans un fauteuil, tandis que j'étais toujours debout et saluais les couche-tôt qui évacuaient la place par petits groupes. Bien sûr, je n'étais plus aussi vigilant et Elsie avait deux ou trois fois surgi à mes côtés sans crier gare, en profitant pour tout bas me glisser quelques mots auxquels, encore heureux, je n'entendais strictement rien, car j'avais la présence d'esprit de m'éloigner mais pas aussi vivement que je l'aurais voulu. J'étais conscient que le danger augmentait à mesure que le brouillard s'épaississait. Il y avait à peine quelques minutes de cela, elle était parvenue à me coincer dans l'angle de la cheminée. Je ne savais pas ce que je fabriquais là, mais toujours est-il que, relevant la tête, je l'avais trouvée devant moi, à quelques centimètres. Sursautant, j'avais reculé mais le mur s'était dressé dans mon dos. Je m'étais préparé au pire, mon sang n'avait fait qu'un tour et je me tenais prêt pour la grande empoignade. Mais elle n'avait pas prononcé un seul mot et son visage demeurait calme. Elle s'était contentée de poser les yeux sur moi. Dans l'état où je me trouvais, je n'en menais pas vraiment large. D'un autre côté, la douceur de son regard m'hypnotisait, je me sentais comme prisonnier d'une toile invisible. J'ai bien peur qu'elle ne m'ait eu à sa merci durant ces quelques secondes, s'en fut-elle aperçue ? Sans doute que non, à moins qu'elle n'eût décidé de ne pas précipiter les choses. Bref, j'avisai alors la bouteille de *Wild Turkey* qu'elle tenait à la main, mais contre toute attente je sentis que je ne courais aucun danger. Gardant le silence, elle baissa les yeux et se borna simplement à remplir le verre que médusé je lui tendis.

Tandis qu'elle s'éloignait, j'avais pu noter que tout au long de l'exercice j'avais retenu mon souffle. Dieu du Ciel, jamais je ne l'avais trouvée aussi jolie. Lorsqu'en ville elle chantait, tous les types des premières rangées restaient penchés en avant, et moi de la même façon que les autres malgré que j'eusse vingt ans de plus que la moyenne, et même lorsqu'elle était en pantalon. Mais ce soir-là – et davantage d'heure en heure – elle dépassait tout ce qu'on pouvait rêver, je ne parvenais plus que difficilement à me le cacher et tâtais amèrement de la fascination morbide qui poignait la victime à la seule vue de son bourreau.

J'expliquai à Bernie ce que je ressentais. Il n'eut pas à beaucoup réfléchir pour me répondre que la vie était courte. Malheureusement, c'était exactement ce que je ne voulais pas entendre. J'avais espéré qu'il me donnerait un peu de courage, qu'il me secouerait gentiment et me remettrait sur le droit chemin, or il ne me fut d'aucun secours. De fil en aiguille il me revint à l'esprit que les plus grands combats se menaient seul. Aussi raffermis-je aussitôt ma résolution vacillante. Mais de n'avoir pas touché une femme depuis d'aussi longs mois, voilà dont je me serais bien passé, voilà qui constituait un sérieux handicap. Et ayant beau, nonobstant, ne pas trop m'inquiéter, j'étais bien conscient d'avoir joué des parties autrement plus faciles dans la vie.

Paul me boudait, il m'avait lancé une grimace lorsque je lui avais proposé que nous parlions d'autre chose, et à présent il bavardait avec Marty et feignait de m'avoir oublié. J'étais en train de me dire que notre amitié y survivrait lorsque Hermann, songeant enfin à venir voir comment allait son père, se rendit à mes côtés et me glissa un bras autour de la taille. Je me sentis autorisé à lui passer mon bras autour du cou.

— Ça va... ? me demanda-t-il.

Je ne pris même pas la peine de lui répondre. J'étais pressé qu'il enchaînât car comme toujours le bonheur me rendait triste et la soirée n'était pas terminée. Il n'avait pas encore dix-sept ans et ses épaules étaient déjà à la hauteur des miennes, je n'avais pas intérêt à me tasser dans les années qui viendraient. J'avais envie de le serrer dans mes bras mais refrénai mes bas instincts, sachant qu'il m'accordait déjà une espèce de maximum. J'étais soûl mais irradiai en cet instant d'une lucidité absolue, presque douloureuse.

« C'est pour quand, les cadeaux... ? » qu'il me demanda, inclinant légèrement la tête vers moi sans toutefois quitter des yeux le coin où se tenait Gladys et se prenant un air languissant, ce à quoi je lui répondis qu'il avait tort de se casser la tête et qu'en son temps chaque chose arrivait, que je n'en savais rien au juste, sans doute qu'il fallait attendre le feu vert de Sarah.

Je n'avais pas l'impression qu'il m'écoutait vraiment. Un sourire de gâteux illuminait ses traits, au point que par contagion je faillis en prendre le même chemin, n'eût été le miroir d'en face qui m'alerta, me permettant d'observer qu'il suffisait amplement d'un imbécile heureux dans la famille, qu'il valait mieux ne pas y ajouter.

— Bon sang, ne la regarde pas comme ça... ! ricanai-je à son oreille. Tu me fais honte, mon vieux, ressaisis-toi...

Il secoua la tête en rigolant, les yeux rivés à ses pieds.

— Ah ! je sais bien..., mais c'est plus fort que moi... ! Est-ce que tu t'imagines qu'elle m'a *adressé la parole*... ? ! Aaah, j'ai encore du mal à y croire... !

Transporté par cette simple évocation, il me lâcha et se tordit les mains. Dans ces conditions, et soucieux de ne pas dépasser les bornes, j'ôtai mon bras de ses épaules.

— Hum, j'espère que tu ne tiens pas ça de moi, soliloquai-je. Il suffit que le bonheur me touche pour qu'aussitôt un souffle d'incrédulité m'étreigne le cœur... Bah, je te concède que le bonheur en question soit le sentiment le plus étrange que l'on puisse éprouver, ce qui rend parfaitement compréhensible...

— Tu vois, me coupa-t-il, j'ai quand même l'impression que c'est un peu risqué comme cadeau. Peut-être que ce n'est pas une idée aussi brillante que je le croyais. Tu sais, peut-être qu'elle ne va pas du tout apprécier... !

Patent, ce l'était, qu'autant de mal il avait à garder son calme que moi à me tenir debout. Et rien ne pouvait m'émouvoir davantage. Nul doute qu'un même sang battait dans nos veines, en déduisais-je simplement. N'étions-nous point à l'unisson... ? Par chance, il n'importait guère que l'on fût parfaitement à jeun pour constater une pareille évidence, tant de clarté n'aurait su vous échapper, aussi schlass que vous eussiez pu l'être.

— Dis-toi bien une chose, Hermann..., c'est important de vérifier qu'une fille ait un peu d'humour..., enfin, c'est important pour la suite.

J'espérais qu'il allait y réfléchir. En cela, je me bornais à suivre le fameux principe de Montaigne : « *Enseigner un enfant, ce n'est pas emplir un vase, c'est allumer un feu.* » J'avoue, entre parenthèses, que je ne comptais plus les écrivains qui étaient mes compagnons de route, ni ceux qui surgissaient à mes côtés ne fût-ce que le temps d'une parole et qui avaient illuminé ma vie, oh et ceux qui m'avaient tendu la main, ceux qui avaient trouvé les mots pour me soutenir, ceux dont la voix m'avait guidé lorsque j'étais perdu et ceux qui ne me quittaient plus, qui jour après jour me redonnaient des forces. Tandis qu'Hermann dansait d'un pied sur l'autre, en proie à quelque doute affreux, et que j'étais vidant mon verre à la mémoire de mes préférés ou à la santé de quelques-uns, véritable malédiction ambulante Harold fondit sur nous :

— Eh bien, qu'est-ce que vous racontez de beau, tous les deux... ? !

Je lui lançai un regard torve car, sans que ce l'eût effleuré le moins du monde, il venait de briser quelque chose d'infiniment délicat, quelque chose qu'il ne pouvait comprendre, j'imagine, avec sa tête de Californien hébété. Et ce fut comme s'il avait déclenché une machine infernale, attendu qu'à sa suite il en arriva d'autres pour piétiner notre tête-à-tête et ainsi donc Hermann et moi fûmes entraînés par des courants contraires, et je le suivis des yeux mais je renonçai à lutter et me laissai engloutir sans un cri.

Pauvre Hermann, il s'écoula encore un bon moment avant que ne sonnât l'heure tant désirée. Ainsi que deux fleurs jumelles, son anxiété croissait au rythme de ma déconfiture, mais quoi qu'il en fût, nous étions toujours sur le pont, singulièrement fidèles au poste malgré la sourde âpreté de l'exercice. C'était une espèce de miracle, en ce qui me concernait, qu'une forme relative persistât à m'échoir tandis qu'à écluser encore et presque inconsciemment je m'opiniâtrais.

Les rangs s'étaient resserrés. J'aimais par-dessus tout ces fins de soirée, ces heures vagues, les premiers signes de l'épuisement, les vêtements un peu froissés, le désordre des lieux et le ralentissement des choses, j'étais le gars qui s'occupait de calmer les éclairages un peu trop violents et qui errait d'un groupe à l'autre comme une abeille butinant et fabriquant son miel de particules impondérables, une histoire par-ci, une vacherie par-là, et j'avais beau ne plus écrire de livres, ce plaisir ne m'avait pas quitté, non plus que la fascination que j'éprouvais pour mes semblables et pour tout ce qui touchait au Grand Théâtre du Monde.

Elsie et Sarah discutaient et mes oreilles sifflaient. Les connaissant, je m'inquiétais un peu de ce qui pouvait sortir d'un tel échange, car ça ne donnait jamais rien de bon quand les filles se serraient les coudes. Pour un court instant, je sortis prendre l'air dans le jardin et le froid ne me sembla pas aussi mordant qu'aux alentours de minuit, mais je n'aurais pas su dire si c'était lui ou moi. De l'eau pure du silence, je m'aspergeai tendrement les tympans puis m'emplis les poumons d'un torrent d'air frais. J'apercevais la *Fiat* de l'autre côté de la rue, blanche comme un lys et sans une égratignure, et j'y réfléchis un peu. Mais pour le moment, le ciel restait muet comme une carpe et je devais me garder de trop fixer mon attention si je ne voulais pas me flanquer par terre, car à présent mes jambes faiblissaient et renâclaient à leur tâche, et tout mon corps chancelait, de temps à autre je partais à la renverse, n'évitant la chute qu'in extremis lors que je titubais sur le gazon gelé, le brisant sous mes pieds comme un tapis de gaufrettes.

L'espace d'une seconde, je faillis succomber et me laisser glisser sur le sol, persuadé que telle était ma vraie place, qu'au fond je ne méritais pas mieux. Cela m'arrivait quelquefois que de tout d'un coup dégringoler au fond du puits et d'amèrement constater que je ne valais pas grand-chose. C'était le genre de risques auxquels je m'exposais tout particulièrement lorsque j'avais trop bu. Je pouvais alors facilement comprendre pourquoi Franck m'avait quitté et pourquoi rien ne marchait vraiment dans ma vie. J'en étais si désolé qu'il m'arrivait de sentir des larmes me monter aux yeux. Je ne savais pas très bien ce qui déclenchait en moi d'aussi tristes états d'âme, mais c'était ce que j'appelais de bien mauvaises cuites quand je ne parvenais pas à remonter le courant, et je pouvais m'amuser à faire le tour des gens que je connaissais pour n'en pas trouver d'aussi misérables que moi. Que de vains efforts j'avais ainsi gaspillés à m'examiner, avec le fol espoir de me découvrir au moins *une* qualité, au moins *une seule* raison pour me garder un peu d'estime. J'étais pourtant enclin à recueillir la plus faible lueur, même à m'encourager lorsqu'il me semblait qu'enfin je tenais quelque chose, mais rien ne résistait à une étude plus approfondie et les branches se brisaient les unes après les autres, et ma chute ne prenait jamais fin. Ne me restait plus alors, dans un dernier sursaut et soucieux de m'épargner des lendemains désespérés, qu'à mettre au plus tôt la main sur mon tube *d'Alka-Seltzer*®.

Mais voici qu'en cet instant de trouble qui allait empirant – je venais de décider de compter jusqu'à dix avant de me jeter par terre –, on s'en vint d'une voix douce m'arracher à la triste contemplation de mon âme dont à nouveau je mesurais le pitoyable dénuement. C'était Elsie qui, profitant de mon désarroi, venait de saisir mon bras pour m'annoncer qu'on m'attendait et que j'étais fou de rester dehors. Sur le coup, je faillis lui demander ce qu'elle me trouvait. Mais j'y renonçai car quoi qu'elle eût avancé, je me faisais fort de lui montrer qu'elle se trompait, assurément je pouvais lui démolir son Dan en trois coups de cuiller à pot. « Ça va, épargnons-nous, me dis-je, de superflues désillusions de part et d'autre, personne te demande l'heure qu'il est. »

Évitant son regard, je titubai une seconde puis l'informai que j'allais la suivre. Mais que j'étais assez grand pour marcher tout seul. Alors je sentis sa main hésiter sur mon biceps, elle ne dit rien, mais alors très nettement je sentis sa déception, sa peine, son humiliation et son irritation subséquente, à la manière dont elle lâcha mon bras. Subjugué par l'infinie subtilité du phénomène d'autant plus merveilleux qu'il n'était pas le fruit d'un enserrement mais d'une débandade — autrement dit je ne me fusse point tant extasié si elle m'avait tripoté le bras —, je renversai la tête vers le ciel et me surpris à sourire tandis que très rapidement elle s'en retournait vers la maison. Ah, comme j'avais perçu toutes les nuances de son émoi quand justement elle *retirait* sa main... ! Et en conséquence étais-je aussi misérable que je le prétendais, moi qui pouvais saisir d'aussi délicats prodiges, était-ce accordé au premier quidam venu... ? C'était difficile à dire, mais n'empêche que je me sentis mieux.

Je rentrai donc et je me servis un verre, je me postai aux côtés de Gladys, sur l'accoudoir de son fauteuil, et j'observai l'irrésistible empilement des cadeaux qu'on amenait au pied de l'arbre. Le sapin de Sarah n'était qu'un pâle reflet du mien mais il prenait de l'allure à mesure qu'on l'honorait — tout comme si ces présents lui étaient destinés — et *presque* tous les regards étaient braqués sur lui. Qu'elle se souvienne de ce qu'elle m'avait fait, qu'elle ne s'attende pas à lire sur mon visage le moindre signe de réconciliation après toutes les nuits qu'elle m'avait gaspillées, qu'elle aille donc se branler en pensant à moi, oh et qui sait si ce n'est déjà fait, me dis-je soudainement émoustillé, qui sait si elle n'a pas pris l'habitude de s'astiquer en murmurant mon nom.

Ravi par cette hypothèse et me sentant d'humeur cruelle, je me levai, mis *Pretty Woman* et retournai m'asseoir en prenant un air innocent. J'étais littéralement assommé par l'alcool mais une force obscure m'empêchait de plier et mon esprit continuait à enregistrer les choses d'une manière ou d'une autre. Je me sentais un peu las, mais que l'on ne s'y fiât point, que l'on y prît garde même, car rien ne m'échappait et mon regard se promenait tranquillement sur l'assistance et plongeait droit dans les cœurs avec une sûreté qu'à me voir on eût difficilement imaginée. Me tenir debout, marcher droit, le moindre geste commençait à me poser un problème. Mais que ma gêne était légère, oh comme le prix des choses me semblait parfois ridicule dans cette vie et comme je respirais !

Si je tenais bon, si je trouvais encore la force de manier un corps de plomb, c'était qu'il me restait une chose à voir, une chose que je n'aurais voulu manquer pour rien au monde. Cette nuit était bien comme je l'imaginais, la dernière d'une longue série, et j'étais décidé à l'accompagner jusqu'au bout, je voulais la voir finir et m'assurer qu'elle ne bougeait plus avant de repasser la porte. Non que j'eusse espéré un de ces matins miraculeux et définitifs comme on en voit rarement dans la vie d'un homme, mais je sentais l'odeur du neuf, le frémissement d'un jour nouveau qui amplement me suffisait. Je savais que ce n'était pas la fin de mes ennuis, je savais quel pétrin m'attendait de toute manière, mais malgré tout un sourire m'inonda. Je souhaitais sincèrement que de son côté Hermann se tirât d'affaire. Avant de tomber raide, je voulais voir comment la suite allait se passer pour lui. Je n'avais pas voulu le décourager, je ne lui avais pas dit en parlant des femmes : « Quoi que tu fasses en pensant leur être agréable, il y a toujours un risque. »

Le moment venu, je me levai pour aller ramasser mes cadeaux. Je dus fournir un effort terrible pour accomplir cette simple démarche, bien plus que je ne m'y attendais. « Ah, mais c'est qu'un peu plus, me dis-je, tu aurais dépassé la mesure... ! » Surmontant le vague étourdissement qui sourdement se précisait, je me glissai aux côtés d'Hermann avec l'air de ne pas y toucher et sans même qu'il s'en aperçût, tant il était à loucher sur Gladys, à furieusement épier ses moindres gestes.

En dehors de lui, tout le monde souriait et gazouillait et déchirait du papier d'emballage. Je n'avais pas encore repéré les miens mais hésitais à m'avancer, faible comme je l'étais, aussi fragile qu'une feuille d'automne et sinistrement raidi sur mes jambes, à la merci du moindre souffle d'air. J'essayais de me tenir dignement. Heureusement, ils semblaient tous très occupés et mon état passait inaperçu, de même que ma réserve, de même que je n'entendis pas un seul mot sur le jour naissant qu'un instant j'observai à la fenêtre, il n'y en avait que pour le *merveilleux* stylobille, la *merveilleuse* machine à fabriquer des pâtes, le *superbe*, oh le *sacré* caleçon ! Tout cela me rassura. Mais au bout d'un moment je me rendis compte qu'Hermann ne respirait plus.

Je me tournai donc vers Gladys et reconnus aussitôt le petit paquet qu'elle venait de ramasser. Elle hésita un instant puis se mit à considérer l'objet en question avec un demi-sourire. On aurait dit qu'elle avait tout son temps, que peut-être elle allait examiner le machin sans l'ouvrir pendant un long moment. Hermann me décocha une grimace douloureuse. Je remarquai avec plaisir qu'il respirait à nouveau. Soudain, Elsie se dressa devant moi. Je fis un pas de côté, sans prononcer un mot, sans me gêner pour lui raboter le bout des seins mais avec la froideur d'un mort. Sans doute préférait-elle le temps où je les prenais dans ma bouche ou bien les emprisonnais dans mes mains et m'en occupais pendant un quart d'heure jusqu'à ce qu'elle se mît à frémir des pieds à la tête, seulement à qui la faute ?

— Tu ne parviendras pas à me mettre en colère..., me souffla-t-elle en glissant sous mon bras quelques paquets qui m'étaient destinés.

« Heureux de te l'entendre dire... » répliquai-je, reportant mon attention sur Gladys, ma foi juste à l'instant précis où elle enfin se décidait à l'ouvrir, son fameux cadeau. Naturellement, elle savait parfaitement bien qui le lui offrait et tandis qu'elle tirait doucement sur le joli ruban qui le serrait de part et d'autre, tout son visage rayonnait comme uniquement l'eût permis un de ces plaisirs profond et total, rien de moins qu'équivalant à une victoire sur toute la ligne. Pourtant, malgré l'honteuse limpidité du phénomène, il y en avait un qui n'avait pas encore compris ce que cela signifiait, un qui presque tremblait et continuait à se ronger les sangs. Etais-je donc un si piètre professeur, ainsi rien donc ne restait-il de tout ce que je lui avais appris... ? !

Un poil de consternation s'abattit un instant sur ma tête, le temps de caresser l'idée que j'avais tout raté de bout en bout.

— Peut-être que toi, tu n'as jamais commis d'erreur, n'est-ce pas... ?

— N'en parlons plus... Je t'ai rayée de ma vie, grommelai-je sans pour autant trouver la force de lui reprendre mon bras.

— Ah, je t'en prie..., regarde-moi... !

Je n'avais aucunement l'impression qu'elle le méritait, et d'ailleurs je n'avais d'yeux que pour Gladys qui poursuivait son déballage aussi lentement qu'on le pût. A sa place, j'aurais craint qu'Hermann ne s'endormît, mais elle était bigrement sûre d'elle. Et pour qu'il n'en perdît pas une miette, elle s'approcha sensiblement de lui. C'était une espèce de miracle que nul ne vînt fourrer son nez au beau milieu, qu'un type comme Harold fût occupé à l'autre bout de la pièce.

— Je ne te crois pas... !

— Elsie, fiche-moi la paix..., c'est pas le moment.

Elle se colla à moi. Je soupirai et priai pour qu'elle se tînt tranquille à présent, car l'ouvrage de Gladys parvenait à son terme.

Hermann était pétrifié. Le style décontracté qu'à l'ordinaire il cultivait avec soin n'était plus qu'un lointain souvenir et c'était sans doute la première fois que je le voyais transpirer autrement qu'à la suite d'un effort physique, surtout en plein hiver, ou bien lorsqu'il me faisait de la fièvre. J'avais envie de lui envoyer un coup de pied pour qu'il se réveille mais je n'avais pas trop de mes deux jambes pour me tenir debout, au point que d'une certaine manière je devais reconnaître qu'Elsie n'était pas de trop, bien content que j'étais sur elle de pouvoir m'appuyer un peu, et c'était en vain que j'espérais opérer un contact mental avec lui, je hurlais furieusement à sa porte mais il ne m'entendait pas.

A présent, Gladys tenait un petit flacon transparent entre ses mains et l'observait en gardant un sourire amusé. Autrefois, il avait contenu un parfum qui certainement me poursuivra jusqu'à la fin de ma vie, Hermann l'avait laissé tremper pendant deux jours avec du produit à vaisselle et sécher au grand air avant de s'en servir. Par moments, le fantôme de Franck surgissait dans la maison, avec une netteté incroyable, et il fallait que je me lève pour ouvrir les fenêtres ou bien je sortais. Enfin bref, Gladys donc l'avait en main. Et commençait à se poser des questions.

Très vite, Hermann avait abandonné l'idée de joindre une lettre à son cadeau. Après quelques essais inconcluants où paraissait-il que plus rien ne collait dès qu'il avait aligné trois mots, j'avais été appelé pour mettre mon doigt sur le ruban durant l'exécution du nœud et informé à cette occasion qu'il renonçait à lui

écrire, que d'ailleurs il trouvait ça un peu con. « Non...,
vraiment j'ai réfléchi... Non, je crois que ce sera plus
facile de lui *dire*, tu sais... » Je n'avais rien répondu.
J'avais pensé qu'au fond il avait peut-être raison et que
ses cours de théâtre allaient enfin lui servir à quelque
chose.

J'avais conscience qu'Elsie se collait étroitement à
moi, qu'enserrant presque une de mes jambes entre
les siennes et bombant son bas-ventre contre ma
cuisse elle me harcelait. Et je me disais bon Dieu,
pourquoi ne l'a-t-il pas écrite, cette fichue lettre !

Lorsque Gladys ouvrit le flacon et qu'à s'humer le
contenu sur-le-champ elle se préparait, Hermann
trouva le moyen de baisser les yeux.

— Ah, de mieux en mieux... ! grognai-je.
— Oh, Dan chéri... Ça fait si longtemps... !

Elle était loin du compte. Elle n'était pas étrangère
à la sensation d'épuisement, de fin du monde que
j'éprouvais au terme de cette douloureuse année.
Ajoutant aux soucis que me causait mon entourage, à
mes ennuis d'argent, elle m'avait fait tâter d'un grand
désert sentimental et d'un néant sexuel qui déjà seul
aurait suffi à m'anéantir. Je ne criais pas pour qu'on
m'achève mais me sentais terriblement affaibli et
même vacillant sur mes jambes à l'issue de cette longue épreuve. Je n'eus donc point la force de sourire,
d'autant qu'une affaire plus pressante réclamait à
l'instant une tout autre attention.

Repassant le flacon sous son nez, Gladys s'interro-
gea une fois encore. Je n'avais aucun mal à deviner ce
qu'elle pensait, c'était : « Mince, je veux bien être pendue si ce n'est pas de l'eau... ! » Elle essaya en fermant
à demi les yeux puis renonça. « Oh, eh bien, je donne
ma langue... ! » qu'elle se dit.

Elle leva alors les yeux sur Hermann. Son visage
n'exprimait qu'une douce interrogation, ce que l'autre
eût certainement apprécié s'il n'avait gardé les siens
obstinément rivés au sol.

« Tu veux savoir... ? Eh bien, ce sont *ses larmes* ! » la

renseignai-je sur un ton feutré, surgissant auprès d'elle aussi vite qu'empêtré comme je l'étais je pus.

— Ses *quoi*... ? !

Elle venait d'ouvrir de grands yeux, nous examinant Elsie et moi avec l'air d'encore un coup vouloir se l'entendre dire. Un instant, je caressai l'illusion qu'à ces mots Hermann se secouerait et arriverait à la rescousse, mais très vite il me fallut abandonner ce fol espoir. Ça vous frisait les un mètre quatre-vingts, ça vous battait à la course et ça vous posait à l'affranchi, mais laissez-moi rire, ça vous disparaissait sous le tapis à la moindre histoire de cœur.

J'étais à bout de forces, presque au point de m'effondrer. J'avais l'impression qu'on m'avait enseveli, que le plafond pesait sur mes épaules. Elsie était dans la lune et s'accrochait à moi, se blottissant contre mon cou et cherchant à m'introduire sa langue dans l'oreille. Tout mon corps était raidi par la souffrance qu'à elle seule m'imposait la station verticale. Mon âme était meurtrie par la sombre avalanche des maux qu'insensément je ruminais. « Oh mon Dan... ! me dis-je. Ton calvaire prendra-t-il jamais fin... ? ! »

— Ecoute, Gladys...

— Enfin, Dan..., mais tu plaisantes... !

Il était clair qu'à présent elle portait le plus vif intérêt à ce flacon de malheur. Que cette chose l'amusait, l'émouvait et l'agaçait à la fois. Et que conséquemment mon beau silence ne devait pas s'étendre.

— Crois-moi, j'aimerais mieux que ce fût une plaisanterie, je souhaiterais sincèrement être ailleurs et pour te dire la vérité...

— Dan, voudrais-tu me répéter...

— Oui. *Ses larmes*, te dis-je !... Nom de Dieu... Je les ai vues couler tandis qu'il murmurait ton nom... J'étais là, Gladys, j'ai été le *témoin* de toutes ces choses... Que je sois damné si je ne dis pas la vérité... Des larmes plus grosses que des pépins d'orange, tu sais... Il ne gardait que les plus belles... et juste quelques-unes par séance... Oh ! bon sang..., je t'assure que ce n'était pas très drôle à voir... Enfin bon, je ne veux pas davantage me mêler de cette histoire... Je préfère ne pas y penser, tu comprends... Mais regarde-le..., je suis bien obligé de dire les choses à sa place... Je suis mort de fatigue, ma vieille, je sens que je m'y prends mal... Je ne sais pas comment il t'aurait amené ça..., mais il y pensait depuis des jours et des jours..., peut-être qu'il avait prévu de te serrer dans ses bras à un moment donné... Oh, et puis après tout ça ne me regarde pas... Tu ferais mieux de m'envoyer promener... Mais aussi quelle idée !... Depuis le début j'ai trouvé ce truc complètement idiot... Tu te vois en train d'offrir tes larmes en guise de cadeau de Noël... Nom de nom, mais qu'espérait-il à la fin... Pour un peu, je dirais que c'est presque dégoûtant un chagrin pareil...

— Dan, tu m'excuseras..., mais c'est à moi d'en juger.

— Oui, naturellement..., bien sûr..., soupirai-je.

J'avais l'impression de suer à grosses gouttes. J'avais fourni un tel effort de concentration pour lui tenir ce langage, empêchant ma raison de vaciller et m'appliquant à articuler en dépit de sérieux crocs-en-jambe qu'à part moi je haletais. D'un simple coup d'œil je constatai qu'une heureuse providence continuait de nous tenir à l'écart des autres. Etait-ce le signe que je ne m'en étais pas trop mal tiré, était-ce une invitation à poursuivre la route sur laquelle je m'étais élancé ?

Pour autant que j'en jugeais, Gladys avait du plomb dans l'aile. De sorte que je n'avais plus au fond qu'à retourner le couteau dans la plaie.

— Ça, on comprend parfaitement ce qu'il a voulu dire..., repris-je avec un affreux sourire. Mais tu parles d'un geste maladroit... Ah tu sais que pour une fois je ne suis pas fier de lui... J'ai espéré jusqu'au bout qu'il finirait par renoncer à ce genre d'étalage... J'ai espéré qu'un sursaut de pudeur lui ouvrirait les yeux... Mais tu vois le résultat... Je lui disais, Hermann, ne sois pas idiot..., abandonne cette idée..., offre-lui un *vrai* cadeau, ce n'est quand même pas ça qui manque... Mais nom d'un chien, allez donc le faire changer d'avis... !

C'était presque gagné, elle était suspendue à mes lèvres et son petit cœur battait à présent pour l'autre énergumène, tandis qu'apparemment elle se contenait et répugnait à me dire qu'en parfait imbécile je portais une opinion sur des choses auxquelles je ne comprenais strictement rien. J'en retirais un bonheur bien réel. Et le goût d'en victoire transformer cet indiscutable succès.

— Enfin !... Je préfère te passer les détails... Tu sais, je suis furieux contre lui... ! (*et j'en profite, disant cela, pour lâcher mes paquets et lui piquer doucement le flacon des mains et aussitôt je l'envoie en l'air.*) Incroyable... ! (*et je le rattrape en secouant la tête, en soupirant.*) Bon sang, dis-moi que je rêve... (*décide-t-elle de me le reprendre que déjà je suis à me l'examiner d'un regard pénétrant.*) Seigneur, mais que pourrait-on y voir... ? Ah..., quel invisible chemin de croix..., quelle fichue maladresse... ! (*tu veux dire quelle idée géniale, quel imparable coup de maître... !*) Il faut vraiment se lever de bonne heure pour savoir d'où ça vient... (*et je louche sur l'engin avec une moue commisérable.*) Sincèrement, il ne leur manque que la parole... (*ça y est, je grimace.*) Ah, Dieu sait que je ne méritais pas de jouer ce rôle... ! Merde, alors... ! (*Elsie est en train de ramasser mes paquets, je jette un bref coup d'œil entre ses jambes, je n'ai pas le temps.*) Oui, merde, alors... ! Dire que c'est mon fils et que c'est à moi de venir te raconter tout ça... ! (*alors je lui recolle brusquement le flacon dans les mains et on se regarde et elle me hait.*) Considère que ce n'est qu'un échantillon..., en général elles tombaient à côté, ah ce n'était pas un exercice très facile... (*je reste sérieux comme un pape, je sécrète une humeur délicatement amère.*)... Pourtant, crois-moi — j'y ai veillé personnellement —, on ne prononçait jamais ton nom dans la baraque..., mais tu parles d'une précaution inutile... (*j'essaie de lui repiquer le flacon mais elle est plus rapide que moi et j'insiste pas, je sais ce que je veux savoir.*) Je lui ai même dit : « Comment que ça se fait que tu ne pleures pas **à chaque fois** que tu penses à elle... Tu le remplirais plus vite... ! » (*et juste à cet instant précis, Hermann entre en scène.*)

Je m'y attends si peu que mon cœur fait un bond, aussitôt qu'il surgit entre nous. Normalement, je devrais être content de le voir. Or, je ressens tout à coup un curieux malaise. Ce n'est pas son air maussade qui me gêne, c'est autre chose, n'empêche que sa présence m'est franchement pénible. Puis, tandis que je m'interroge, j'ai brutalement le sentiment d'un désastre imminent, d'un raz de marée de tous les diables, bien qu'il n'ait pas encore ouvert la bouche. Mais je ne peux rien y faire, je n'ai pas la présence d'esprit suffisante et mon sang s'est glacé de bout en bout.

— Non, ne l'écoute pas, Gladys... Crache-moi plutôt à la figure... ! dit-il.

Je manque de me trouver mal en m'écoutant de telles abominations. J'ai l'impression d'avoir mangé un truc empoisonné, aussi bien je recule faiblement d'un pas, le souffle coupé. Je fixe Hermann avec une profonde hébétude. De tout mon être, je le supplie de se taire, pour l'amour du ciel, petit, *boucle-la*, je t'en conjure... ! Mais d'entre mes lèvres ne s'échappe qu'un petit gémissement lugubre, un embryon de râle, une sorte d'infâme borborygme eu égard au zèle de ma prière.

Gladys, la pauvre, demeure interloquée. Je songe un instant à me jeter sur elle pour lui boucher les oreilles, mais je n'amorce pas le moindre geste. Hermann me lance un coup d'œil navré. Exaspéré, je regarde en l'air. Et c'est pour bientôt l'entendre dire, *mezza voce* :

— Glad, je ne suis qu'un sale menteur... !

Durant une agréable fraction de seconde, j'oublie totalement le pétrin où nous sommes et je me dis tiens, je ne savais pas qu'il l'appelait Glad, je trouve ça pas mal du tout... ! Si bien que je ne saisis pas immédiatement le côté ultra-comique de la chose, mais je ne suis pas le seul. Cependant, l'embellie ne dure guère car le voilà qui poursuit âprement :

— Si je me taisais, crois-moi, je ne pourrais plus te regarder en face... Rends-moi ce flacon, que je puisse le faire disparaître... Je t'en prie... !

Je les observe à nouveau, des fois que céans se prenne le plafond sur le crâne ou que perde soudain l'usage de la parole un type qui va se saborder. J'ai toujours peine à croire qu'on se puisse essuyer d'aussi improbables revers. « Ah Elsie, pince-moi... ! » me dis-je tandis que, déroutée, Gladys hésite à restituer ce qui, vingt secondes plus tôt, la chavirait encore. Mais voici qu'Hermann continue sur sa lancée et tend une implacable main vers elle :

— Bon sang, donne-moi cette saloperie... ! gémit-il sourdement. *Tu veux savoir combien j'ai épluché d'oignons...*

Je n'attends même pas qu'il termine sa phrase. Je viens soudain de perdre tout intérêt pour ce qui va suivre.

« Bon, ça va comme ça... allons-nous-en ! » grogné-je à part moi, tout aussitôt m'exécutant une terrible embardée en direction du couloir. Je n'ai plus qu'une seule idée en tête : ne plus rien voir, ne plus rien entendre, ne plus penser un mot de cette histoire. Un homme doit avoir conscience de ses limites s'il se soucie de sa santé.

— Dan, mais quelle mouche te pique... ?! s'inquiète Elsie qui me colle telle une ombre.

Je ne réponds pas, je ne demande rien à personne, je continue de m'éloigner en la traînant à mon bras puisque donc elle s'y cramponne.

Jusqu'au moment où je rencontre une chaise. Tout d'abord, je m'y cogne les jambes mais, la découvrant, je lui porte un regard attendri. Puis je l'investis.

« Dieu tout-puissant, que c'est bon... ! » lâché-je dans un souffle, cependant que je considère machinalement le décor de la pièce.

Il se trouve que nous avons échoué dans la cuisine.

Mais ça m'est bien égal, du moment qu'on me laisse tranquille. Le jour se lève à peine et il y règne une agréable pénombre. L'endroit est aussi vide que je le puisse rêver. Du bout du pied, je pousse la porte afin d'étouffer davantage la rumeur du salon. J'ai vaguement conscience d'en cela épuiser mes dernières capacités, mais j'y puise néanmoins un trouble sentiment de paix. En somme, je vais pouvoir tomber la tête haute. L'aube sonne la fin, mais pied à pied je me suis battu tout au long de la nuit et je n'ai pas ménagé ma peine. Qu'à présent je sois donc délivré, que s'achève mon épreuve, décidé-je en me penchant vers la table.

— Oh Dan chéri, mais tu as bu suffisamment...!

Ah ça, mais de quoi je me mêle...?! L'esprit grimaçant, je saisis tranquillement la bouteille et me l'embouche avec un geste lent.

Je n'ai pas la moindre réaction quand à trousser des deux mains sa robe Elsie s'applique sans crier gare. Je ne puis que l'observer en silence, incapable d'intervenir. L'empêcher d'à califourchon s'installer sur mes genoux ? Mais où trouver les forces nécessaires...?! Quant à moi, ce sont de vraies larmes que je pourrais verser sur ce corps défaillant, oh ce petit doigt impossible à lever, ces pauvres jambes sciées et cette paralysie complète qui me saisit à la vue de ces longues cuisses satinées, reposant en travers des miennes. «Allons, lève-toi ! Flanque-la par terre...!» m'exhorté-je. Rien que de porter la bouteille à mes lèvres me donne un mal de chien. «Ça va..., me dis-je. Ça va si elle reste comme ça sans bouger, si elle décide de se tenir tranquille, ça va aller... L'honneur est sauf si l'on ne s'engage point davantage... Elle peut rester assise sur mes genoux, ça ne veut rien dire... Nous pouvons un instant nous reposer ensemble, sa tête sur mon épaule, et ça ne veut pas dire autre chose que ça... Qu'elle n'aille pas s'imaginer que j'ai capitulé..., qu'elle reste ainsi bien gentiment assise et pour moi c'est parfait... Je t'en prie, Elsie... finissons sur un match nul... ! »

Nous restons immobiles. Dans la douce pénombre que retient la lenteur du jour, je parviens à goûter un pur instant de calme. Il n'y a rien d'autre que cette cuisine, le monde s'est effondré tout autour et je ne veux rien, je ne demande rien de plus que ce qui m'est offert, oh comme la lueur de l'aube me semble infiniment sereine, tout à coup.

Or, voici que soudain elle se réveille. Elle n'a pas tenu plus d'une minute, montre en main. Seigneur Dieu, comment ai-je pu lui faire confiance, combien de fois devrai-je tâter de leur duplicité avant de comprendre que jamais elles n'abandonnent, jamais elles ne respectent les règles, *jamais* partie n'est terminée tant qu'elles n'ont pas brandi votre pauvre tête de naïf... ! Bref, me voilà beau avec sa main qui se faufile sous ma chemise quand je suis totalement sans défense. J'en suis malade.

— Hé, mais que fais-tu... ?! murmuré-je dans un souffle.

On dirait que ma question lui donne des ailes. S'accrochant à mon cou, elle se tire à moi et s'en vient coller son pubis au mien. Et je sais ce que cela signifie. Dans un sursaut je tente de vider la bouteille, mais me soûlant de mots doux elle me la retire des mains. Je gémis d'impuissance, chose qu'elle interprète de travers car aussitôt elle extirpe un sein nu de sa sombre cachette et me le donne à sucer. Je me raidis, je le fixe avec la mort dans l'âme.

— Oh... mais qu'est-ce que tu fabriques... ??! geins-je alors d'une voix pâle.

Du coup, elle me sort l'autre. Je baisse la tête. Et je bénis l'obscurité relative tandis que de pauvres larmes jaillissent de mes yeux.

— *Oh Elsie... ! Mais kess tu fais... !!*

Chaque fois qu'Elsie et moi passions la nuit ensemble, j'arrivais en retard au Marianne's Bunker. On ne me disait rien, mais toutes les têtes se levaient sur mon passage et ça jasait du hall d'entrée jusque dans les couloirs. Dans l'ascenseur, on se bourrait discrètement les côtes, on considérait le chouchou de la maison avec un sourire entendu. Il n'empêche que ce n'était pas délibéré de ma part. D'aucuns y voyaient le peu d'intérêt que je portais à mon travail, mais Elsie avait décidé qu'à *chaque fois* désormais, nous prendrions le petit déjeuner ensemble, ce qui se présentait environ un jour sur deux. Entre autres choses, c'était d'après elle une absolue condition pour que notre aventure repartît du bon pied. «Je ne suis pas simplement la fille avec laquelle tu couches...!» Cette phrase était censée ne plus me sortir de la tête. A tout prix, nous devions nous efforcer de préserver certains moments d'intimité ordinaire, paraissait-il que c'était plus important que je ne le croyais.

Je n'étais pas ignorant du danger qu'on encourait à la suite de telles dispositions, mais je m'étais résigné à tenter l'expérience – le type le plus intransigeant finit toujours par ajouter de l'eau à son vin quand la ceinture menace. Et objectivement, je n'avais pas à m'en plaindre – le type s'aperçoit un beau jour que sa liberté est devenue un luxe inutile.

Ma foi, le plus souvent, je parvenais à trouver un sommeil profond lorsqu'elle passait la nuit avec moi.

Et je me félicitais de la tournure des choses, naturellement, mais j'étais si peu habitué à dormir tout mon soûl — il est rare qu'on ne remplace pas un problème par un autre — que sans délai j'avais dû me fendre d'un solide réveille-matin, moi qui depuis tant d'années n'avais plus utilisé ce genre d'instrument. Bien vite je perdis tout espoir de m'y faire. Il y avait trop longtemps que j'avais perdu le pli, trop longtemps que j'avais oublié le branle-bas à heures fixes, j'étais resté trop longtemps à l'écart de tout ça. Chaque fois que le réveil sonnait, je sursautais brutalement. Et tandis qu'Elsie émergeait à mes côtés, jour après jour je ruminais le détestable sort qui d'un côté me rendait le sommeil, de l'autre me scalpait à huit heures du matin. « La vie a-t-elle vraiment un sens, me demandais-je en me retournant dans les draps, est-ce que l'enfer est ici-bas, ai-je été trop gâté dans une vie antérieure... ?! » Et aussitôt, je me rendormais. Chaque fois qu'Elsie passait la nuit avec moi, j'arrivais en retard au Bunker.

Il y avait une machine à café en face de mon bureau. Certains matins, je piquais littéralement du nez sur mes dossiers et bâillais à m'en décrocher la mâchoire. Jamais je n'avais autant dormi de ma vie, et pourtant j'avais du mal à garder les yeux ouverts durant la première heure quand ce fichu réveil avait sévi. En arrivant, je sortais toute la monnaie de mes poches, ou bien je partais dans les couloirs à la recherche de pièces, ou bien je laissais ma porte ouverte et tâchais de m'en faire offrir quelques-uns sitôt que la première bonne âme venue s'arrêtait innocemment devant la machine. Elsie était persuadée que je ne souffrirais pas très longtemps de cet effet pervers, que d'ici peu je finirais par m'habituer — « Danny, mais comme des *millions* de gens... ! — à être réveillé de la sorte — « Mince, tu appelles ça *être réveillé*... ?! Tu veux dire *être terrassé, piétiné*, j'imagine... !! » Malheureusement, ça durait depuis des mois et ça ne s'arrangeait pas du tout, quoi qu'elle se figurât. Et je ne me berçais d'aucune illusion.

Un matin que je démarrais de chez moi en trombe, peut-être encore plus pressé que jamais et les lèvres encore humides d'un long baiser d'encouragement, je crus apercevoir quelque chose qui tout au long de la journée me trotta dans la tête. Je n'étais pas certain d'avoir bien vu. Aussi bien, en soi, ça n'avait rien d'extraordinaire, mais j'en avais retiré une drôle d'impression.

Durant toute la matinée, cette histoire m'empêcha de me concentrer sur mon travail. Marianne voulait avoir mon avis sur certains manuscrits que la Fondation se proposait de publier, et depuis qu'ils étaient sur mon bureau je m'efforçais de m'y intéresser, m'obligeant même à prendre quelques notes pour le cas où la mémoire me trahirait — ce n'est pas tous les jours qu'un bouquin laisse des traces. Je n'aimais pas du tout que l'on me confiât ce genre d'exercice, je préférais encore m'occuper des erreurs typographiques ou servir de *copy editor*, mais Marianne avait insisté et lorsque quelque chose m'ennuyait, j'essayais de penser au chèque qui tombait à la fin du mois. Ce matin-là, pourtant, je restai complètement dans la lune, tournant doucement dans mon fauteuil, les pieds relevés, ou m'éjectant pour aller boire un café et me laisser distraire par les allées et venues des secrétaires qui empruntaient les ascenseurs et défilaient dans le couloir. Puis un peu avant midi, décidé à en avoir le cœur net, je descendis retrouver Sarah.

Je contournai la salle de spectacle et tombai sur elle en passant devant les loges. Il y avait Jeanne Flitchet avec elle et toutes deux étaient en train de soupirer, penchées au-dessus d'un carton grand ouvert.

— Seigneur...! Ils vont me rendre folle...! gémit Sarah. Ah, sois gentille, Jeanne, va me chercher le bon de commande...!

— Oh, encore en plein boum...? demandai-je.

Relevant la tête, Jeanne me sourit. Sarah ferma

simplement les yeux et croisa ses mains dans la nuque en rapprochant les coudes.

— Jeanne, tu vas les appeler tout de suite..., fit-elle calmement mais animée par une colère froide. Dis-leur bien qu'ils viennent débarrasser le plancher de leurs foutues perruques... Dis-leur que je vais balancer tout ça dans la rue, nom de Dieu...!

Jeanne s'en fut au pas de course, cramponnant sa poitrine dans ses mains. Peu soucieux d'attirer l'orage au-dessus de ma tête et me contrefichant de ce qu'était encore cette histoire de perruques, j'attendis bouche cousue qu'elle s'intéressât à moi. J'avais bien conscience que nous n'étions pas logés à la même enseigne, tous les deux, qu'elle avait du travail jusque par-dessus la tête et des tas de responsabilités, et qu'elle était devenue indispensable pour tout ce qui concernait la bonne marche des diverses représentations que la Fondation M.-Bergen accueillait sous son toit. Il n'y avait pas un ballet, pas une revue, pas une pièce qui ne reposât directement sur ses épaules, à longueur de journée on avait besoin d'elle et de l'avis général Sarah valait de l'or, aussi bien ils se félicitaient en haut lieu d'avoir eu le nez fin et d'à présent pouvoir compter sur le meilleur régisseur de la ville. Personnellement, je n'étais nullement étonné de l'importance qu'elle avait prise. Il me suffisait de la regarder. Et lors de constater en toute franchise qu'on n'en pouvait pas dire autant de moi, qu'à ce jour je n'avais pas encore fait d'étincelles, qu'un pli soucieux n'avait point encore entaillé mon front.

— Non mais quelle bande d'imbéciles...! soupira-t-elle.

— Bah, n'y pense plus... Allons manger, tu as vu l'heure...?

« Manger...? » qu'elle murmura à peine en passant devant moi, secouant la tête et filant aussitôt le long du corridor. Je la rattrapai dans son bureau. « Ce n'est pas le moment de me parler de manger... continua-t-elle en cherchant je ne sais quoi dans les rayons d'une armoire métallique. Tu imagines la tuile qui m'arrive... ? ! »

— Oui, mais je ne vois pas...

— Mince ! Mais qui est venu fouiller là-dedans... ? ! ! JEANNE ! LAISSE TOMBER SI ÇA NE RÉPOND PAS, cria-t-elle en direction de la porte. DEMANDE QU'ON NOUS ENVOIE UN CYCLISTE... !

« Un qui sache pédaler avec le ventre vide », ai-je pensé.

— Veux-tu que je te ramène quelque chose ?

— Hein... ? Non, non je ne veux rien... Mais qu'est-ce que j'ai bien pu fabriquer avec cette liste... ? !

J'hésitai un petit instant. Je faillis m'en aller sans ajouter un mot mais le doute me rongeait.

— Au fait... Richard rentre bien ce soir... ? m'enquis-je.

— Mm... Oui oui...

— Et il est content de son séjour... ?

Ce soir-là, je dînai en compagnie de Bernie. Hermann était à ses répétitions et Elsie m'avait donné quartier libre pour la soirée. Le jardin était traversé de puissants rayons rouges, tièdes et immobiles, et nous mangions en plein air, et j'étais celui des deux qui portait des lunettes de soleil uniquement à cause de la lumière.

Il nous avait préparé un repas délicieux, simplement pour lui et moi, mais le cœur n'y était pas.

Au dessert, je lui ai dit écoute, m'est avis qu'il va bientôt revenir, je crois même que c'est imminent.

Et de fait, Harold réapparut le lendemain, comme je l'avais prédit. Mais j'aurais pu tout aussi bien n'avoir rien vu et rassurer Bernie de la même manière sans aucun risque de me tromper. Car chaque fois qu'Harold se tirait en claquant la porte, il revenait environ au bout d'une semaine. Avec la faim au ventre et sa valise de linge sale. Dix jours, c'était vraiment le maximum de son rayon d'action.

Bernie était bien le seul à s'inquiéter, à obstinément rester aveugle. Le « Ah, Dan... ! Cette fois il m'a *vraiment* quitté... ! ! », j'y avais droit régulièrement. Pour lui, c'était toujours *la* rupture définitive, d'ailleurs je ne pouvais pas sentir ces choses, je ne pouvais pas savoir à quel point c'était différent ce coup-ci ni quel regard terrible il lui avait lancé ce coup-là. Mais bien entendu, sa mémoire s'évaporait lorsque l'oiseau de malheur était rentré au nid et il oubliait de me répondre quand je lui glissais : « Alors... Est-ce que j'avais pas raison... ? »

Je venais de passer une journée pénible au bureau — la machine à café s'était détraquée et je m'étais appuyé un manuscrit sans âme par-dessus le marché —, je venais de passer huit heures de pur ennui et je rentrais chez moi avec l'esprit tendu lorsque j'appris qu'Harold était revenu au bercail.

— Même qu'il a coupé ses cheveux, ajouta Hermann tandis que je filais droit vers mon fauteuil.

— Non... ! Sans blague... ! ricanai-je.

— Bah, ça lui va pas mal... Tu sais, assez long sur le dessus, avec la nuque et les côtés rasés...

— Nom de nom, je vois ça d'ici... Tout à fait ce qui lui manquait ! Entre nous, ça ne va pas arranger son sourire d'imbécile... !

— Sérieusement, je trouve que ça le rajeunit...

— Eh bien, tu vois, si l'on considère qu'il n'avait que cinq ou six ans d'âge mental...

— Hé..., mais qu'est-ce qu'il t'a fait... ? !

— Rien..., il m'a rien fait.

— Hum, on dirait pas... On a l'impression que tu vas mordre, je te jure que j'exagère pas... !

Je lui envoyai un geste vague et tournai la tête pour ainsi clore la discussion. Je regardai un instant dans le jardin, la lumière de juin qui poudroyait aux fenêtres et le silence.

— Devine avec qui il a passé tout ce temps-là... ! fis-je d'un ton neutre, le regard posé sur mon gazon.

N'obtenant aucune réponse, je revins lentement à lui. Mais c'était à son tour de contempler le jardin et son visage n'avait pas d'expression particulière, si bien que je posai ma question une nouvelle fois :

— Devine un peu *avec qui* cette espèce de connard s'est envoyé en l'air durant ces derniers jours... ! !

— Merde, comment veux-tu que je le sache... ? ! répliqua-t-il en enfonçant ses deux mains dans ses poches.

Je l'observai avec attention. Puis je claquai mes mains sur mes cuisses, et me levai en soupirant.

— Bon Dieu, pourquoi me laisses-tu gaspiller ma salive... ?

Je me dirigeai vers la cuisine en me sentant complètement idiot. Et légèrement blessé. J'avais le sentiment d'en tenir une telle couche que dans un élan absurde j'ôtai ma chemise et la fourrai dans la machine. De toute façon, il faisait chaud.

— Oh écoute... Richard est quand même assez grand...

— Ouais... Sans doute..., fis-je en attrapant le paquet de lessive.

Dans un parfait silence, j'exécutai les opérations nécessaires puis me décidai pour un lavage à douce température.

— N'empêche que tu aurais pu me tenir au courant..., grinçai-je en passant devant lui.

— Bon sang, mais il n'y a rien à en dire... !

Je traversai le salon en secouant la tête. Je m'arrêtai devant mon fauteuil, ne sachant pas si j'avais envie de m'asseoir ou non. Me retournai-je vers lui que déjà il avait pris place sur l'accoudoir du canapé et me considérait avec un sourire amusé.

— Non mais tu l'imagines avec ce..., avec ce..., fis-je en pointant un doigt meurtrier dans le vide.

Hermann haussa les épaules avec un air résigné.

Mon bras retomba puis je m'assis à mon tour.

— Seigneur, quand je les ai aperçus hier matin, j'ai refusé de le croire, je t'assure... Et alors quoi, ça lui est venu comme ça, d'un seul coup... Il s'est pris un truc sur la tête... ? !

— Mmm, c'est difficile à dire... Je crois qu'il ne sait pas ce qu'il veut exactement.

— Oui, eh bien, ce n'est pas le cas d'Harold, tu peux lui faire confiance... Lui, il est sorti des troubles de l'adolescence... !

— Ouais..., n'empêche qu'il n'a pas forcé Richard, ça je te le garantis... !

— Il y a différentes manières de forcer quelqu'un. Bon Dieu, Harold est plus malin que tu ne crois !

— D'accord..., ça se peut bien... Mais tu vas pas me dire que Richard est *vraiment* attiré par les filles... Je crois que je l'aurais remarqué, depuis le temps.

— Nous en avons déjà souvent parlé mais je te le répète... Pourrait-on reprocher à un gars qui en a bavé comme Richard en a bavé avec sa mère d'être un peu trop prudent avec les filles et même carrément réservé... ? Est-ce qu'on ne pourrait pas laisser un peu de temps à ce garçon et se garder de tirer des conclusions un peu trop rapides... ?

— Bon sang, ne me fais pas rire... ! Que veux-tu que ça me fiche que Richard soit *gay* ou pas finalement... ? Qu'est-ce que tu veux que ça change pour moi, de quoi est-ce qu'on est en train de parler au juste... ? Merde, qu'il couche avec Harold s'il veut et que grand bien lui fasse, tu sais ça me dérange pas du tout... Hé, moi qui croyais que tu te moquais complètement de ce genre de chose... !

— Eh bien..., disons que je ne l'avais pas envisagé sous cet angle... Disons que je suis encore sous le coup de la surprise. Je crois que c'est à cause d'Harold que je n'arrive pas à l'avaler... C'est plus fort que moi, mais il me hérisse !

— Oh, alors si j'ai bien compris...

— Hermann, tu as la sale manie de simplifier les choses.

— Pas du tout ! C'est toi qui es en train de me dire...

— Oui, je *sais* ce que je suis en train de te dire... Peut-être que j'aurais pu prendre les choses différemment si Harold n'avait pas été dans le coup, je n'en sais rien au juste... Seulement il a fallu que ce soit lui et pas un autre, ah ! ça nous n'y avons pas coupé... ! Résultat, je suis incapable de prendre du recul avec cette histoire, tu comprends..., et mieux que ça, je n'en ai pas envie... Je ne sais pas si tu me comprends, mais ce n'est pas d'envisager l'homosexualité de Richard qui me vient à l'esprit en ce moment, c'est plutôt quelque chose comme un détournement de mineur.

— Mais sauf que Richard n'est plus mineur...

— Oui, je sais bien, j'essaie simplement de te dire ce que je ressens... Je n'essaie pas d'être logique ni de réfléchir à la question, je n'essaie pas d'avoir une attitude intelligente..., je te dis ce que je pense, voilà tout.

Je me levai pour aller prendre un verre.

— D'autre part, mais bien sûr ce n'est qu'un détail, je te laisse le soin d'imaginer ce qui s'ensuivra le jour où certains découvriront le pot aux roses... !

Durant un certain temps je n'ai pas laissé passer une seule occasion d'observer Richard à son insu. Je voulais savoir ce qu'il en était exactement et si je sentirais certaines choses, mais je ne sentais rien du tout. Je remarquais simplement que peut-être il semblait davantage préoccupé, un peu plus taciturne qu'à l'accoutumée, et c'eût été peut-être un signe s'il n'y avait eu ces examens de fin d'année qui leur causaient à tous quelques soucis et par là faussaient le résultat de mes analyses.

Les journées étaient chaudes. L'atmosphère générale était silencieuse. Nous étions débordés de travail, ils n'étaient pas les seuls. On eût dit qu'un sort commun nous avait frappés au même moment et personne ne rigolait. C'était un coup du hasard, mais tous nous étions en train de mettre les bouchées doubles. Bernie avait pris du retard sur ses commandes et il passait des journées entières dans son atelier, en compagnie d'Harold, à étudier un prototype de chaise longue. Elsie préparait un nouveau disque. En plus de son boulot, Sarah dressait l'inventaire de tout le bazar qu'on imaginait dans sa partie et ce n'était pas une mince affaire, au point qu'il était rare que nous puissions déjeuner ensemble.

De mon côté, c'était du délire. Astringart était tombé malade — enfin j'attendais de voir le certificat médical — et on m'avait refilé tous les manuscrits en attente afin que j'y jette un œil. C'était à peine si je parvenais à entrer dans mon bureau. Rien que de voir ça du couloir, lorsque de temps à autre, le dos appuyé au mur, je prenais un café, j'attrapais aussitôt la chair de poule et mon regard se voilait.

Moi qui m'étais figuré qu'écrire un livre était ce qu'il y avait de plus dur au monde, je m'apercevais qu'en fait chacun y allait de son petit machin et qu'au bout du compte ce qui avait failli me rendre fou n'était qu'un passe-temps largement répandu. C'était une bonne leçon pour moi, mais qui arrivait un peu tard. Je crevais de chaud dans mon bureau et la plupart du temps je m'ennuyais ferme. C'était une bonne surprise lorsqu'un manuscrit démarrait autrement que par : « Il pleut. »

Chaque matin, je m'arrêtais à la réception pour demander des nouvelles d'Astringart. Je le maudissais dans l'ascenseur et je passais voir Paul quelques instants pour me plaindre, sans le moindre espoir, mais reculant d'autant mon sinistre tête-à-tête avec la pluie. « Bon Dieu, Danny…, mais si au moins tu me disais ce que tu as envie de faire… ! Tu sais bien que je suis prêt à… » Je l'interrompais d'un geste. J'avais déjà essayé à peu près tout ce qu'il pouvait me proposer. Je ne leur avais pas caché que mon supposé talent trouverait difficilement chaussure à son pied mais ils avaient refusé de me croire. A cet égard, c'était un soulagement pour moi que de les avoir prévenus.

Cela dit, je n'étais pas pire qu'un autre. Je soupçonnais Astringart de s'être laissé déborder et d'être tombé malade au moment opportun, mais puisqu'il le fallait, j'abattais le travail de deux hommes, je râlais mais je ne ménageais pas ma peine et j'avais la nuque raide à la fin de la journée. Je m'écartais alors doucement du bureau, soulevais mes lunettes et, fermant les yeux, me renversais en arrière, ne bougeant plus durant quelques minutes tandis que le couloir se vidait. Et je pensais à Richard, enfin je pensais assez souvent à lui. Ensuite j'avais l'ascenseur pour moi tout seul. Encore tout imprégné de parfum et d'odeurs corporelles.

Parfois, je les retrouvais dans mon jardin, plongés dans leurs livres et griffonnant quelques notes de dernière heure avec un air satisfait et soulagé, et je n'allais pas les déranger, je les regardais par la fenêtre et je restais là sans bouger, retenant mon souffle et inondé de sentiments confus, et je me demandais s'ils étaient encore innocents ou bien si c'était fini, je me demandais où ils étaient et depuis quand ils s'étaient en allés, mais je n'allais pas les déranger. Je n'avais pas envie de me mettre au soleil après les journées que je m'appuyais. Je restais dans l'ombre à m'écouter un peu de musique, je n'avais plus la force de lire, j'avais les yeux fatigués. Par moments, bien que j'approchais de mes quarante-cinq ans, j'avais l'impression de ne rien savoir du tout.

Lorsque Elsie arrivait, je me redressais un peu dans mon fauteuil. Ça faisait partie de ses nouvelles résolutions que de venir s'installer sur mes genoux aussitôt qu'elle rentrait. J'étais curieux de savoir combien de temps notre lune de miel allait durer, surtout que Marc rôdait toujours dans les parages avec une mine ulcérée. Je me laissais embrasser sans conviction profonde mais lui rendais ses baisers, car un peu d'amour est toujours bon à prendre et qui savait de quoi demain serait fait... ? J'aimais à la regarder se lever quand elle en avait terminé avec mes lèvres, me délectais de son hésitation lorsqu'il fallait choisir entre la compagnie des jeunes — d'autant qu'ils profitaient encore de la lumière du jour — et la mienne. Je ne me prenais pas pour une espèce de saint mais me restait-il encore quelque courage que je l'envoyais dans le jardin — je n'avais pas besoin de le lui répéter deux fois — et me dirigeais vers la cuisine pour préparer le repas.

Durant cette période, il arrivait assez souvent que l'on gardât Richard et Gladys pour le dîner, car en théorie les révisions devaient se poursuivre dans la soirée et, à les entendre, il valait mieux souffrir en groupe que gémir tout seul — ce n'était plus mon avis depuis longtemps mais je ne la ramenais pas attendu qu'il y a de ces vérités que l'on découvre toujours bien assez tôt. Je n'avais pas l'impression qu'ils travaillaient beaucoup une fois que nous étions sortis de table, ils manquaient un peu d'ardeur à mon goût et la moindre occasion était bonne pour se laisser distraire. Mais ce n'était certes pas pour m'assurer de leurs efforts que je les invitais aussi fréquemment à partager notre repas du soir. Non que leurs progrès me fussent indifférents, mais ce n'était pas la vraie raison de ma prodigalité. Sarah s'était mise à rentrer très tard depuis quelque temps et c'était à l'en croire ce maudit inventaire qui la retenait dehors jusqu'à une heure indue — « Si ça continue, je vais pouvoir demander une augmentation, vous ne croyez pas... ? » —, ce qui était un fameux mensonge. L'inventaire était un type du genre bellâtre, le genre qui ne me plaisait pas du tout mais dont j'avais refusé de discuter avec elle parce qu'à présent ces histoires-là me rendaient furieux et je ne voulais surtout aucun détail.

— Mais si je ne t'en parle pas à toi, à qui vais-je en parler... ?

— Bon Dieu... ! Mais tu n'es pas *forcée* de parler de ces choses... !

Cette nouvelle liaison différait en ceci des autres qu'aussitôt elle avait pris un rythme échevelé et de loin sans commune mesure avec ce que nous avions connu jusque-là. D'ordinaire, elle se débrouillait pour que sa vie sexuelle ne prît pas une dimension déplaisante ni ne devînt pénible ni ne rendît l'ambiance insupportable à la maison. Avec le temps, elle était parvenue à satisfaire ses envies avec une discrétion relative, au point que ses sorties n'étaient plus un éternel sujet d'affrontement avec Richard. Sans doute qu'il y avait différentes manières de passer la porte, peut-être un moyen de ne pas avoir l'air d'y aller.

N'ayant point daigné souffrir la moindre information concernant cette affaire, je ne savais pas ce qui se passait réellement. De sa nouvelle conquête, je ne connaissais ni les mensurations intimes ni le comportement, mais Sarah semblait avoir perdu la tête, du moins était-ce la première fois qu'elle accordait à l'un de ces types plusieurs soirées d'affilée. Franchement, je ne voyais pas tout ça d'un très bon œil. Et une question me turlupinait : profitait-elle de l'occasion, s'accordait-elle un supplément de liberté sachant que les enfants étaient chez moi, ou aurait-elle *de toute façon* agi de la sorte... ?

Cela dit, elle rentrait tard mais elle rentrait, ce qui donnait à son histoire d'inventaire, et si l'on considérait que les deux autres avaient le cerveau ramolli, une apparence de vérité. N'en étaient-ils pas dupes que toujours ils ne le montraient et je voulais garder l'espoir que Sarah se calmerait et reviendrait à plus de mesure avant la fin des examens.

En attendant, elle me devait une fière chandelle. Je lui évitais de se faire trop de soucis au sujet de ses enfants, je lui permettais de s'envoyer en l'air avec la conscience plus tranquille. A une époque, j'aurais volontiers serré la main d'un type qui lui donnait du bon temps, j'aimais la voir heureuse et j'écoutais ses soupirs avec un air attendri lorsqu'elle m'en touchait deux mots, mais ce temps-là était bien fini et je ne savais pas comment j'avais pu m'y prendre, je ne savais pas comment j'avais pu changer à un tel point. Toujours est-il que je lui battais froid et ne cherchais pas sa compagnie — ce qui ne semblait pas beaucoup la déranger, au demeurant, ça je n'aurais pas juré que même elle se fût aperçue de quoi que ce fût −, je préférais m'éloigner d'elle tant son comportement m'exaspérait, sincèrement on aurait parfois juré qu'elle était à moitié idiote. Je ricanais lorsque je surprenais son air égaré. Je ne lui disais pas qu'elle travaillait trop, je n'allais pas la plaindre ainsi que s'empressaient de bonnes âmes, je me retenais pour ne pas lui demander si son étalon ne la ramonait pas *jusqu'à la cervelle*.

Les nuits étaient longues à venir. Un soir, Bernie et Harold se sont amenés et j'étais à ce point fatigué par le sexe − surtout celui des autres − que j'ai étranglé Harold, j'ai profité que nous soyons seuls dans la cuisine et je l'ai étranglé d'une seule main. Ensuite je me suis excusé. Il grimaçait encore en se tenant la gorge et je lui ai demandé de ne pas m'en vouloir, je lui ai dit que je regrettais d'être aussi vieux jeu et *ensuite* il s'est tenu tranquille. Bien qu'il l'eût mérité − un clin d'œil à Richard m'avait suffi −, je convenais que mon geste avait été brutal, mais il n'avait qu'à s'en prendre à Sarah − bah, je ne pourrais jamais étrangler une femme − si j'étais si nerveux, si chatouilleux à ce sujet et presque soupe au lait.

Je faillis parler à Richard ce soir-là. Je leur prêtais ma voiture pour rentrer et je suis sorti avec lui pour prendre des outils dans le coffre, je voulais profiter du week-end pour voir certaines bricoles sur la *Triumph*, lui bonissais-je tranquillement dans la nuit tiède tandis qu'à ses côtés je m'avançais vers la *Fiat*, mmmm j'ai toujours ces problèmes avec le ralenti, tu comprends. Puis, je me suis soudain rendu compte que nous n'étions que tous les deux sur le trottoir, que pour quelque raison obscure personne ne nous avait suivis. Je me suis arrêté de débiter mes problèmes de mécanique et je l'ai regardé pendant qu'il s'étirait silencieusement, le dos cambré et les poings enfoncés dans les reins.

J'ai eu envie de lui parler, à cet instant précis. Je me

suis senti attiré vers lui et j'ai eu envie de lui dire que j'étais au courant mais que ça ne devait pas le gêner vis-à-vis de moi car cette chose-là m'était indifférente, que je ne m'en souciais pas, etc. Malgré tout, je n'ai pas prononcé un seul mot. J'ai continué de l'observer et je lui ai rendu son sourire et il s'est mis à bâiller :

— Aahouaa... Mais qu'est-ce qu'elle peut bien fabriquer... ? !

Toujours je le regardais.

— Hey... Tu veux que je te donne tes outils... ?

Je l'ai fixé encore une seconde puis j'ai baissé les yeux pour ne pas qu'il me prenne pour un cinglé. J'ai hoché la tête puis Gladys et Hermann sont arrivés.

J'ai repensé à cet instant plusieurs fois au cours de l'après-midi. Penché sur ma moto, je laissais flotter mon esprit librement et de temps à autre la scène se réincrustait dans le fil de mes pensées et je suspendais mes gestes et je restais assis sur mes talons et ensuite je reprenais tranquillement la suite de mon travail. J'étais content d'être seul, je n'avais rien qui me pressait et la rue était assez silencieuse. Au fond, je n'en revenais pas de pouvoir goûter un tel calme, car ce qui autrefois m'était largement accordé s'était brutalement transformé en peau de chagrin depuis que j'avais mis les pieds dans un bureau. Que de tendres et douces matinées j'avais vécues, que de longs et langoureux tantôts m'étais-je payés du temps que j'étais libre, m'en étais-je au moins rendu compte... ? ! Point tant que je ne l'aurais dû, j'en avais peur, mais que pouvais-je à l'époque célébrer un miracle dans lequel je baignais du matin au soir, aurais-je pu me figurer qu'un autre monde existait, que passer un après-midi tranquille était une grâce exceptionnelle ?

Comme tous les ans, Gladys avait son habituel tournoi de basket, mais cette fois-ci et d'autant qu'il ne s'agissait que des demi-finales je m'étais subitement découvert un fichu mal de crâne au moment d'y aller.

Une fois de plus, l'équipe féminine se rapprochait inexorablement du titre et comme chaque année l'espoir refleurissait au lycée malgré la régularité de la déconfiture finale. Ce n'était pas un sport qui m'ennuyait particulièrement – il n'y a que le football qui me fasse vraiment chier – et même il ne m'était pas désagréable de reluquer tous ces jeunes corps de femmes s'activant et d'observer certaines transformations d'une saison à l'autre, mais par-dessus tout j'avais envie de calme, je ne désirais que l'immobilité autour de moi et je ne voulais pas âme qui vive dans un rayon de cinquante mètres si c'était possible, aussi me défilai-je une fois que tout le monde se fut levé et je les accompagnai jusqu'à la porte avec une légère grimace et la refermai dans leur dos.

Ces premiers instants de solitude me firent un bien terrible. Le soleil était là mais je m'étais installé à l'ombre pour bricoler mon engin et un peu d'air passait dans les parages avec de ces odeurs végétales dont j'étais friand. Avec un peu de chance, ils iraient boire un verre après la fin du match et s'ils étaient en forme, mon bonheur pouvait durer jusqu'au crépuscule, enfin je le souhaitais de tout mon cœur. Et rien que cette perspective me rendait tout joyeux.

Et mon esprit filait comme je l'ai dit et j'étais ravi, je me sentais comme une mer d'huile. Je songeais même à me lever pour aller débrancher le téléphone lorsque Elsie fit irruption dans le jardin. Je manquai de tomber raide. Aussitôt elle envoya valser son sac sur le gazon et se jeta à mon cou, nous culbutant l'un l'autre au pied de mes rosiers.

— Oh Dan...! me glissa-t-elle à l'oreille. Pardonne-moi de t'avoir laissé seul! Oh mon chéri, jure-moi que tu ne m'en veux pas...!

— Oh bon Dieu...! glapis-je.

Elle prit mon visage entre ses mains et l'admira avec un tendre sourire, cependant qu'estomaqué je cramponnais des touffes d'herbe entre mes poings et tentais de secouer la tête. Puis elle serra ma figure contre sa poitrine et plongea ses mains dans mes cheveux.

— Danny, c'est tellement rare de pouvoir passer une journée ensemble ! me souffla-t-elle en m'étreignant comme une poupée.

— Seigneur, mais demain c'est dimanche... ! grognai-je entre mes dents.

— Oh, je suis vraiment longue à démarrer... ! Je n'ai pas réfléchi quand tu as dit que tu ne venais pas... Sois gentil, je ne veux pas savoir ce que tu as pensé, *tu te trompes*, Dan, regarde-moi... *Oh je suis revenue aussi vite que j'ai pu... !*

Je n'ai pas réussi à la voir car elle nous avait projetés hors de l'ombre et à présent j'avais le soleil dans l'œil. J'ai senti sa langue s'enfoncer dans ma bouche. Alors j'ai décidé de ne plus penser à rien et tout en prenant garde à mes reins j'ai lentement basculé en arrière avec ses lèvres collées aux miennes et tout son corps qui suivait.

Lorsque nous en eûmes terminé, je me relevai hâtivement et tâchai de ravaler ma mauvaise humeur.

— Voyons, ne t'inquiète pas, tout va bien... tout allait très bien, fis-je en m'époussetant.

— Oui, mais nous avons tellement de travail en ce moment que j'ai l'impression qu'on ne se voit plus, murmura-t-elle.

— Bah, tu sais, j'avais un de ces maux de crâne...

— Est-ce que tu as pris quelque chose ? Tu ne te sens pas mieux ?

— Mmm, c'est encore sensible... Non, je voulais dire que je ne suis pas d'une compagnie très drôle dans ces moments-là et je ne vais pas te forcer...

— Mais je ne me sens pas forcée, me coupa-t-elle.

— Non, mais... je trouve que c'est un peu bête... Tu sais, ça ne me dirait rien de passer l'après-midi avec un type de mauvais poil...

J'ai parfaitement senti que mes efforts seraient vains lorsqu'elle s'est avancée vers moi avec un sourire angélique, surtout lorsqu'elle s'est accrochée à ma taille.

— Eh bien, tant pis pour moi, répondit-elle.

Elle me sidérait parfois, et même assez souvent depuis qu'à nouveau nous étions ensemble. A mon idée, ce n'était qu'un feu de paille et je devais m'attendre à me réveiller tout seul un beau matin, mais par moments elle me laissait perplexe. Tous ses efforts en vue de nous rapprocher l'un de l'autre finissaient par porter leurs fruits et bien que je restasse sur la défensive, nos rapports avaient pris une autre dimension et de temps à autre j'avais presque le sentiment que nous vivions ensemble. Ce qui ne laissait pas de m'étonner.

Elle s'est assise à côté de moi pendant que je remontais mes boulons. Ce n'était pas le profond isolement que j'avais espéré mais elle était allée chercher *Tokyo Montana Express* que je lui avais acheté la veille et je retrouvai un peu de la tranquillité qu'on m'avait arrachée parce qu'il y a certains livres qui vous coupent la parole.

J'évitais de la regarder car elle s'était débarrassée de sa jupe pour avoir les jambes au soleil et sa chemise était largement déboutonnée et je l'entendais remuer dans son transat. Je l'assurais que je n'avais vraiment besoin de rien et qu'encore un peu de silence viendrait fatalement à bout de cette fichue migraine, que j'avais bon espoir. Je ne prenais pas un ton désagréable, tout juste lui laissais-je entendre que je ne voulais pas m'occuper d'elle dans l'immédiat. Je n'avais qu'un seul piège à esquiver si je voulais encore profiter d'une paix relative : je devais m'abstenir de poser les yeux sur elle. Il ne m'avait pas plus fallu d'un simple coup d'œil pour sentir le danger. Aussi bien me suis-je toujours demandé si elle ne prenait pas ses slips deux ou trois tailles en dessous de ce qui aurait été nécessaire.

Ce n'était donc pas très facile mais j'arrivais à m'en tirer en m'imaginant dans un monastère à l'heure des vêpres, le temps de me détourner de ces choses, et si elle me disait : « Oh j'adore celle du boucher qui a les mains froides... ! », je me contentais de hocher la tête car moi je les adorais toutes et je continuais à trafiquer machinalement je ne saïs trop quoi sur ma moto.

J'ai repensé à Richard pendant qu'elle prenait un bain. D'en bas, je lui ai demandé si tout allait bien puis j'ai sorti mon dernier album de photos — je n'enregistrais pratiquement plus rien depuis six ou sept ans — et je me suis installé sur le tapis, le dos appuyé au mur, et j'ai commencé par la fin. Je suis rapidement tombé sur les clichés qui m'intéressaient, en particulier il y en avait un où il était avec son père et Gladys, il ne devait pas avoir plus d'une douzaine d'années et Mat les tenait tous les deux par les épaules, ils étaient devant la maison et si l'on regardait bien, on voyait que Richard se dressait sur la pointe des pieds. Sarah n'était pas sur la photo, déjà à cette époque Sarah était souvent *ailleurs* et si l'on y regardait d'encore un peu plus près et malgré leurs sourires, on pouvait voir que quelque chose n'allait pas et je m'en faisais toujours la remarque. Mat Bartholomi avait été mon ami mais quel sombre crétin c'était devant Sarah, quel pauvre type incapable de prendre une décision. « Continue comme ça, lui répétais-je, et un jour vous serez à trois dans ton lit », et il se contentait de sourire, quand il ne prenait pas un air égaré, il préférait qu'on ne parle pas de tout ça parce que vois-tu, me disait-il, il n'y a pas de solution, enfin il n'y en a pas pour moi.

J'avais d'autres photos de l'époque, surtout après sa mort, lorsque Sarah et moi emmenions les enfants respirer un peu d'air de la campagne et que ça ne les ennuyait pas encore trop. De ces balades dataient d'ailleurs mes derniers clichés. Je me souvenais de la surprise que j'avais eue en découvrant Sarah à l'occasion de ces fameuses sorties, en apprenant à mieux la connaître au fil des jours, alors que peut-être nous n'avions pas échangé plus de trois mots du temps qu'il était vivant. Quant à ses amants, je n'avais pas alors la même conception que Richard de ces choses et durant des années je ne m'en étais jamais soucié, je trouvais tout naturel qu'elle se donnât du plaisir et je ne pensais pas que tout cela eût un sens de toute façon. Autant dire qu'aujourd'hui j'en étais sacrément revenu. Je me demandais comment elle avait trouvé le moyen d'assister au match de Gladys. Pouvait-on espérer que n'en souffrirait pas trop cette saloperie d'inventaire ?

Un instant, je fus tenté de rejoindre Franck, à quelques pages de là, mais j'entendis chanter dans la salle de bains et renonçai. Je me bornai donc à examiner les photos des enfants et uniquement celles où personne d'autre ne paraissait. Les garçons avaient encore la peau fine. Gladys n'avait pas encore de formes. Je suis resté un long moment à les regarder, à m'amuser de certains détails, puis je me suis levé et je me suis servi un verre et j'y suis retourné et je me suis abîmé dans la contemplation du temps passé avec un sourire ému pour quelques scènes sans importance qui s'enfonçaient dans mes souvenirs comme des saumons adultes remontant un puissant courant. « Dis-moi..., tu as toujours mal à la tête... ? » murmura-t-elle tandis que j'émergeais et lentement levais les yeux sur son corps ruisselant.

Je n'arrivais pas à lui faire comprendre ce que c'était qu'un véritable écrivain. « Bon Dieu ! Je ne dis pas que c'est réellement *mauvais*... ! Mais où est le type qui a écrit ça, où se cache-t-il, dis-le-moi... ? ! Est-ce que tu sens quelque chose, est-ce que tu sens un *être humain* derrière les lignes... ? ! Mince, il n'y a pas le moindre style, n'importe qui aurait pu écrire ça. Je ne sais même pas si l'histoire est bonne, bon sang je ne m'en suis même pas rendu compte... Mais tu crois qu'une histoire c'est une raison suffisante pour publier un livre... ? ! »

Elle trouvait que j'exagérais, elle trouvait que c'était bien écrit.

— Mais Marianne, qu'est-ce que tu me chantes...?! Est-ce qu'écrire un livre c'est seulement faire *bien* son travail...?! Bon Dieu, mais publie plutôt un mauvais bouquin si le type s'est donné la peine d'*écrire* ou alors cesse de me demander mon avis...!

Je n'étais pas sûr du tout qu'elle allait m'écouter mais je m'en fichais pas mal, la journée était pratiquement terminée et j'allais bientôt sortir de là. Elle pouvait bien éditer ce bouquin si elle en avait envie, au fond il n'était pas pire qu'un autre, et j'étais depuis longtemps habitué à enjamber tout un tas de cochonneries chaque fois que j'allais m'acheter un livre, et ce n'était pas demain que ça finirait.

Je devais filer, j'avais promis à Elsie d'aller la rejoindre et comme le seul moyen de prouver quelque chose en littérature était d'écrire, ce genre de discussion m'épuisait vite, enfin j'étais mal placé pour en parler. Je me suis mis à regarder la pendule.

— Peut-être qu'on pourrait reprendre deux ou trois choses...? me proposa-t-elle en soupirant.

— Pourquoi pas ? Peut-être qu'il s'est métamorphosé...?

— Non, enfin je pensais..., est-ce que *toi*...

Je la fixai sur-le-champ avec un sourire de serpent venimeux :

— N'y pense plus..., ne pense plus jamais à ça... Bien, je suis désolé mais je dois y aller.

J'étais en retard, la plupart des employés s'étaient déjà évanouis dans la nature et j'ai traversé le Bunker silencieux au pas de course en pestant contre Marianne. Dans le hall, je suis tombé sur Sarah et nous avons marché vers la sortie pendant que j'étais lui expliquant mon rendez-vous avec Elsie qui enregistrait le dernier morceau de son disque et que j'avais intérêt à ne pas me pointer après la bataille si elle voulait mon avis. Nous nous sommes engouffrés dans la porte à tambour, utilisant le même compartiment, et nous sommes passés dehors, dans une gerbe de soleil. Et il y avait ce type sur le trottoir.

— Oh ! Dan, je te présente Vincent, Vincent Dolbello.

Je me suis légèrement crispé. Je l'avais déjà aperçu de loin mais je regrettais de le voir d'aussi près. J'éprouvai immédiatement pour lui une aversion profonde. Et point tant parce qu'il baisait Sarah que pour cet air sûr de lui et carnassier qu'il affectait et cette espèce de sourire insupportable. Finalement, j'ai attrapé la main qu'il me tendait.

— Enchanté, j'ai dit.

— Sarah m'a souvent parlé de vous, qu'il a répondu en m'accordant une poigne virile. Si l'on allait prendre un verre... ?

— Faut que je file, j'ai dit.

Je suis arrivé aux studios encore tout chagriné par ma rencontre. Ce Vincent Dolbello était pire que je ne l'imaginais. Aussi bien je ne voulais même pas y penser, je ne voulais pas me gâcher le restant de la journée en ruminant l'impression qu'il m'avait laissée. Je grimpai dans les étages pour retrouver Elsie. Je sentais encore sa poignée de main et j'étais agacé d'avoir eu ce contact. Je tirais mon chapeau à Sarah. J'ai secoué la tête tout le long du couloir.

Le jeune gars, derrière sa console, était en train de dire : « Bon Dieu ! j'en reviens pas comme cette fille est bien roulée... ! » lorsque je me suis amené. J'ai jeté un coup d'œil sur Elsie qui chantait derrière la vitre et j'ai murmuré : « Oui, tu l'as dit... ! » en envoyant un petit signe à ma sirène, satisfait qu'un verre épais la protégeât du monde des hommes. Les quelques types qui étaient là ne la quittaient pas des yeux. Ce n'était pas la première fois que j'assistais aux séances, et tout d'abord j'avais cru que c'était la voix d'Elsie qui les tenait sous le charme, jusqu'au moment où je m'étais rendu compte que moi aussi je la regardais, bien plus que je ne l'écoutais. Je ne m'étais pas senti très fier de moi, mais depuis quelque temps je parvenais à faire l'inverse.

Elle avait une très jolie voix, seulement elle s'entêtait à porter des minijupes ou des caleçons moulants, et ensuite elle s'étonnait. D'autant plus que ses morceaux étaient assez nerveux et que son corps bondissait et que ses bras et ses jambes se couvraient assez tôt d'une superbe rosée et brillaient de la façon la plus troublante tandis qu'elle cramponnait le micro. « Alors d'après toi, il faudrait que je sois moche et ratatinée pour qu'on *m'écoute* vraiment... ? ! — Ah, ne parle pas de malheur... ! » lui répondais-je en la prenant dans mes bras.

Après la séance, nous sommes allés nous rafraîchir au *Durango* et je n'ai pas pu m'empêcher de lui parler de ma rencontre et de lui dire tout le bien que je pensais du sieur Dolbello, j'en avais encore les mâchoires qui se contractaient rien qu'en prononçant son nom. Sans aller jusqu'à partager totalement ma vision des choses, Elsie était plutôt d'accord avec moi. Elle m'apprit qu'elle l'avait également croisé une ou deux fois et que, me connaissant, elle n'avait pas jugé utile de m'en parler, mais elle admettait qu'à première vue le type semblait désagréable.

— Non, c'est pas à première vue... ! ai-je insisté.

D'après elle, on devait se garder de porter sur les gens un jugement trop raide et, lui prenant la main, je lui ai demandé de ne pas venir me raconter ça à moi mais de se rappeler notre conversation.

— Souviens-toi de ce que je te dis aujourd'hui : Sarah s'est embarquée avec un vrai connard... !

Au bout d'un moment, elle a fini par trouver que je m'occupais un peu trop de Sarah et c'était bien mon avis.

— Que veux-tu, c'est une espèce de sœur pour moi, ai-je opiné sur un ton évasif. Je me fais du souci !...

J'ai appelé Enrique afin de ne pas m'étendre sur le sujet. Pendant que je passais la commande, j'ai senti qu'elle me dévisageait.

— Tu sais..., me dit-elle en prenant une drôle de

mine, tu as quand même de la chance que je ne sois pas jalouse... !

J'ai illuminé mon visage d'un sourire ingénu :

— Elsie..., mais tu veux rire... !

Je n'avais rien à cacher mais malgré tout, j'avais le sentiment d'être pris en faute et j'eus toutes les peines du monde à conserver un air franc comme de l'or, c'était horrible. En allait-il donc de même, que l'on fût coupable ou innocent ?

— Je n'en sais rien au juste..., lâcha-t-elle tout en m'examinant. Je ne saisis pas très bien ce qu'il y a entre vous deux. Je me suis toujours posé la question...

Je la couvai d'un regard bienveillant.

— Tu devrais savoir que l'on doit s'interdire tout rapport sexuel avec sa meilleure amie, fis-je en lui reprenant les mains. C'est absolument impératif. Et c'est un point qui est toujours resté très clair entre nous, je te le garantis. Je n'ai jamais couché avec Sarah, si c'est ce que tu te demandes. Et comme tu vois, elle n'attend pas après moi et se fiche pas mal d'avoir ma bénédiction.

— Enfin, ça n'empêche pas que tu aies des sentiments pour elle...

— Des sentiments, comme tu dis, j'en ai pour quelques personnes autour de moi. Tu ne vas plus savoir où donner de la tête...

— Bon, très bien. N'en parlons plus. J'ai confiance en toi...

Je souris mais ce mot résonna péniblement dans mon esprit. Je voulais bien convenir qu'elle avait changé et que ces quelques mois avaient été bien agréables, mais je ne pouvais oublier la manière dont elle m'avait plaqué et je pensais qu'il était encore prématuré d'aborder le chapitre de la confiance en ce qui nous concernait, je trouvais qu'elle allait un peu vite en besogne.

Nous avions quartier libre, ce soir-là, car Hermann était à ses répétitions et je n'avais pas très bien compris ce qu'il m'avait raconté, enfin semblait-il qu'il y eût une espèce de fête avec la troupe au grand complet et que donc il rentrerait tard. Je l'avais mis en garde contre les inconvénients du manque de sommeil à l'approche des examens, mais il m'avait regardé comme si j'étais une vieille femme lui expliquant qu'il fallait traverser dans les clous. Je n'avais pas insisté, j'estimais qu'après tout quelques heures de détente ne sauraient leur nuire à ces pauvres chéris, au point que les voyant — ils avaient tous les trois des mines de papier mâché — je me demandais si la nuit entière suffirait à les distraire, tout persuadés qu'ils en fussent.

Nous ne savions pas encore où nous irions dîner. Je lui proposais l'un des meilleurs endroits de la ville, mais elle penchait pour quelque chose de plus animé et j'essayais de la persuader que pour une fois nous pourrions manger correctement, qu'il n'y avait pas que l'ambiance qui comptait et que tout pouvait se passer dans son assiette, que blague à part ça nous changerait un peu des grecs, des chinois, des italiens, des tahitiens, des mexicains, etc., que je me sentais d'humeur classique, etc. Je m'apprêtais à lui dire qu'à mon âge on n'avait pas toujours envie de jouer avec la nourriture, lorsque son ex entra au *Durango*.

Elle baissa les yeux. Il nous repéra aussitôt et, comme je le regardais, il ébaucha un sourire et s'amena tout droit vers nous, les mains enfoncées dans les poches. Je le trouvais beaucoup moins sympathique maintenant qu'il s'était envoyé Elsie — surtout *en croisière* — mais je ne pouvais pas nier qu'il avait un certain charme et je ne me sentais pas spécialement monté contre lui. C'était la première fois qu'il nous abordait depuis qu'Elsie et moi... J'ai pensé qu'il avait quelque chose d'important à nous dire.

— Alors les amoureux... Comment ça va... ? nous lança-t-il d'une voix cireuse, ne conservant un sourire que par l'opération du Saint-Esprit.

— Eh bien, tu sais... C'est vraiment comme une espèce de rêve... ! fis-je en prenant un air béat.

— Ça suffit, Marc ! Qu'est-ce que tu veux...?! s'interposa Elsie.

Je remarquai à cet instant qu'il la connaissait assez bien. A sa place, je me serais également méfié si elle m'avait parlé sur ce ton-là. Peut-être qu'il allait à son tour se prendre un bon coup de sac sur le crâne ? Je me surpris à l'espérer, mais sans doute avait-il eu vent de mon histoire car aussitôt il recula d'un pas, se plaçant à distance respectueuse.

— Bon Dieu ! T'as vraiment un sacré culot...! grogna-t-il en la fixant d'un regard haineux. Merde alors, non seulement tu me laisses tomber sans un mot d'explication et maintenant je suis même plus assez bon comme musicien, je suis même plus sur le coup quand tu prépares ton disque...?!

Effectivement, il y avait de quoi l'avoir mauvaise. Elsie chercha une cigarette dans son sac tandis qu'il ulcérait littéralement sur place. « Mon vieux, la roue a tourné... », j'ai pensé.

Relevant la tête, elle l'ignora totalement. Elle venait de glisser une cigarette entre ses lèvres et m'observait nerveusement et attendait que je lui donne du feu, cependant qu'à nos côtés enrageait l'évincé.

— Tu veux que je te dise ce que tu es...?! grinça-t-il sans la quitter des yeux, comme subitement pris d'un profond dégoût.

— Non, vaut mieux pas, fis-je en regardant fixement la flamme qui tordait mon allumette. Ça risquerait de compliquer les choses...

Elsie se leva d'un bond. Un masque blême était tombé sur son visage. Je me brûlai les doigts. Une seconde, elle resta plantée devant lui. Elle lui dit : « Ça va, ne te donne pas cette peine... C'est comme ça...! » Puis elle fila vers la sortie avant même que nous eussions pu lever le petit doigt.

S'ensuivit un léger instant de trouble entre nous, à présent que tel un absurde mirage l'objet de nos désirs s'était volatilisé. Marc semblait encore sidéré par la soudaineté de la riposte. Je me levai à mon tour.

« *L'eau ne reste pas sur les montagnes, ni la vengeance dans un grand cœur* », lui glissai-je à tout hasard tandis que je lançais quelques pièces sur la table.

Lorsque je la retrouvai dehors, elle était agacée et contrariée par ce regrettable incident, et je pestais intérieurement contre Marc en voyant dans quel état il me l'avait mise. D'autant qu'il s'avéra par-dessus le marché, et en dépit de mes efforts pour sauver les meubles, qu'elle en avait perdu l'appétit et que même elle préférait rentrer à la maison si ça ne m'ennuyait pas trop. J'enfourchai morosivement la selle en pensant aux maigres appâts de mon frigo et l'assurai que ce m'était sincèrement égal pendant qu'elle grimpait derrière moi.

Heureusement, la fin de la journée était splendide. La chaleur de l'après-midi s'était dispersée dans l'azur et une brise délicate s'infiltrait sous ma chemisette. La lumière était merveilleuse, comme annonçant une céleste apparition, les gens marchaient doucement dans les rues et on n'eût point imaginé qu'une atmosphère aussi paisible pût tout à coup vous saisir le cœur autrement que dans un rêve. Mais les choses étaient ainsi.

En rentrant, j'eus le sentiment que la baraque nous *accueillait*. Les derniers rayons de soleil poudroyaient dans le salon et le baignaient d'un calme irréel qui me fit aussitôt la meilleure impression et augurait d'une suite agréable pour notre tête-à-tête qu'un fieffé ficheur de merde avait largement compromis.

— Bon sang, oublions cette histoire... ! murmurai-je à son oreille tout en lui caressant les seins.

— Oui, tu as raison..., soupira-t-elle. Enfin, je me passerais bien de ce genre de choses... Ça me semble tellement loin, maintenant, c'est comme si un fantôme resurgissait...

Sauf que c'en était un en chair et en os et plutôt bien fait de sa personne, mais je gardai mes réflexions pour moi et l'installai dans un fauteuil pendant que je nous servais à boire.

— Vraiment, tu ne m'en veux pas... ? insista-t-elle en croisant distraitement les genoux, en sorte qu'elle se dévoila à mes yeux jusqu'au ras de l'entrejambe.

— Voyons, mais de quoi pourrais-je t'en vouloir... ? ! répondis-je avec douceur.

— Oh, je sais que tu avais envie d'aller dîner en ville...

Je m'amenai avec les verres et la rassurai sur ce point. Et c'était la vérité, je n'avais plus le moindre regret d'être rentré le ventre vide, il y avait dans l'air comme une saveur d'aboutissement, un charme puissant sous l'impulsion duquel je serrais les dents de satisfaction, changé pour le quart d'heure en spectateur averti de l'harmonieuse et parfaite simplicité des choses. Ce n'était pas tous les jours que m'éblouissait la conscience aiguë de l'instant présent et il convenait de s'en pénétrer le plus intensément possible. Je trouvai l'endroit idéal sur l'accoudoir de son fauteuil. Puis, portant mon verre à mes lèvres et lui posant une main sur les cuisses, je répétai à part moi, les yeux mi-clos, une parole de Dogen qui me revenait à l'esprit : « *Oublie ce qu'il y a de bon et de mauvais dans ta nature, oublie la force ou la faiblesse de ton pouvoir.* »

— Que dirais-tu d'une énorme salade... ? ! me lança-t-elle soudain.

— Merveilleux ! Bon Dieu, tu lis dans mes pensées.

Elle se leva et m'embrassa tendrement cependant que par espièglerie je lui palpais les fesses. Mais je ne précisai pas mes attouchements et pour finir elle se redressa et me décocha une œillade amusée avant de s'envoler en direction de la cuisine.

Je restai un moment immobile, attentif à la permanence du formidable phénomène qui galvanisait les lieux et injectait dans mes veines une joie sourde et très particulière, tranquille, inutile, inexplicable et sensible à la lumière, à l'étonnante stridence des objets et à la confuse intuition que l'Eternité n'était pas un vain mot. Je l'entendais trafiquer je ne sais quoi et l'eau qui coulait, je l'entendais se déplacer et secouer ses cheveux et regarder une tomate et penser à ce que nous allions faire dans un petit moment en la coupant en deux.

Je me levai. Je regrettais de ne pas avoir été un écrivain formidable, d'avoir perdu ma femme et de n'être pas le père magnifique qui peut-être aurait racheté toutes mes erreurs. Malgré tout, la vie m'offrait encore de semblables instants et je ne savais ce qui me valait d'aussi lumineux égards, mais c'était sûrement bien plus que je ne le méritais et je les accueillais avec toute l'humilité dont j'étais capable. Ô la sombre beauté du jour déclinant malgré que je fusse un misérable !

Elle me sourit lorsqu'elle me vit entrer. Bien que ma fierté en eût souffert et si je ne considérais pas l'inévitable précarité de la situation, j'étais plutôt content de lui avoir cédé et d'être un beau matin retombé dans ses bras. Il m'arrivait parfois de la trouver trop jeune et trop belle, mais ce n'était pas toujours le cas et présentement elle n'était ni trop ceci ni trop cela, elle était exactement ce que je voulais et je m'arrêtai un instant dans l'encadrement de la porte pour l'examiner tranquillement et il n'y avait pas un cheveu, pas une dent, pas une forme qui ne fût tout particulièrement à mon goût, et je me suis approché d'elle pour respirer son odeur et savoir si des fois je ne pouvais pas l'aider.

Mais j'arrivais un peu tard. Elle se tenait devant l'évier et rinçait les dernières feuilles de salade en m'assurant que tout allait bien et que nous n'allions pas mourir de faim, en tout cas pas ce soir. Je grognai ma satisfaction dans son cou. Les mains plongées dans l'eau, elle redressa la tête et se raidit en riant. Nous avions l'un et l'autre l'habitude de ces choses. Quelques feuilles de salade flottaient à la surface comme des nénuphars chiffonnés et restaient immobiles.

Aussitôt que ma main fila entre ses cuisses, elle se pencha en avant puis écarta délicatement les jambes.

Jamais elle ne se dérobait à ces enfantillages, c'était un véritable bonheur que de voir comme le moindre effleurement l'emballait. J'avais connu pas mal de filles tout au long de ma vie, mais en dehors de Franck aucune ne m'avait donné autant de plaisir, aucune ne m'avait tant incité à la toucher. Et ce n'était pas tant sa beauté qui m'inspirait que la tendre complicité qui veillait sur nos échanges. Je savais toujours ce qu'elle voulait, et encore plus précisément depuis que nous nous étions remis ensemble. Je savais si je devais lui tourner autour et prendre mon temps ou la calecer tout debout dans le corridor à peine je refermais la porte, je savais si je devais la branler et l'enculer ou la baiser simplement ou alors *dans quel ordre* et ce n'était nullement présomptueux de ma part. Même que parfois elle me regardait dans les yeux et me disait : « Mais Danny…, Danny, mais comment t'y prends-tu pour *savoir*… ? ! », et je lui répondais la vérité, que je n'en savais vraiment rien, que j'avais l'impression que c'était elle qui me l'avait demandé.

Par exemple, ce qu'elle désirait en cet instant précis était tout simple et je souriais car c'était clair comme de l'eau de roche. Déposant un léger baiser sur son épaule, j'attrapai la ceinture de sa culotte et la tirai vers le haut, m'arrangeant pour que le tissu lui pénètre dans la raie des fesses. Du coup, elle s'accouda carrément à l'évier. Je sortis une de ses mèches qui désormais trempait dans l'eau et la lui coinçait habilement derrière l'oreille. Déjà, elle tortillait légèrement son bassin. C'était un sacré spectacle et je ne pouvais pas traîner éternellement, mais à chaque fois une réelle émotion me serrait la gorge. Je repliai mon index, comme si j'allais frapper à une porte. Etant donné la traction que j'imprimais à ses dessous, ses parties intimes se trouvaient étroitement emmaillotées et renflaient à travers le tissu imprimé — pois noirs sur fond argenté et galon de dentelle anthracite — avec la ferme mollesse d'un œuf dur. Lentement, je parcourus sa fente de l'os de ma phalange et elle finit par s'ouvrir mystérieusement comme un coquillage aveugle et rassuré.

Par le fait, je me payais une érection conséquente mais mon heure n'était pas encore venue. Chacun connaissait parfaitement son rôle. Bientôt une humeur semblable à de la bave d'escargot filtra et recouvrit mon doigt. Si l'on tendait l'oreille, le doux bruissement de son profond va-et-vient semblait celui d'une petite luge filant sur la neige. De temps en temps, je retendais un peu sa culotte et m'assurais qu'elle adhérait aux bons endroits. On aurait dit un moteur baignant dans l'huile. Sur l'intérieur d'une de ses cuisses hésitait puis s'écoulait un filet argenté qui m'hypnotisait mais que je finis par stopper d'un coup de langue. « Oh Danny, oh... ! » fit-elle.

De fil en aiguille, je tombai à genoux et me plaçai entre ses jambes, le regard tourné en l'air pour voir un peu ce qui se passait. Je me réveillai à l'abri d'une caverne humide, le plafond ruisselant était couvert de mousse et de végétation dégorgeante, et l'on entendait une personne gémir au-dehors, quelqu'un qui paraissait égaré ou avalé par un boa.

Le bras qui tirait sur la culotte s'ankylosa et je lâchai tout. Ça remuait drôlement au-dessus. Une forte odeur sexuelle se répandait autour de moi et s'étalait sur la peau de mon visage comme un brouillard épais. Du bout des doigts, j'écartai la dentelle humide et avisai le coquin qu'elle avait eu la bonne idée d'épiler. Ses genoux fléchirent, les miens l'étaient déjà. Une seconde, je baissai la tête pour assouplir les muscles de ma nuque. Nos regards se croisèrent sauf que son visage était à l'envers mais elle se serait tordu le cou pour observer ma bouche collée à sa vulve. Alors qu'elle ouvre grands les yeux et qu'elle attache sa ceinture car bel et bien j'allais lui téter le con.

Mais je n'y passai qu'une petite minute. Il n'était pas utile de se précipiter en la matière, nous avions encore de longs moments devant nous. Je remis donc les choses en place avant de perdre le contrôle de la situation et m'enquis de la suite des événements. Ses joues étaient roses, elle était d'accord pour reprendre un verre si je voulais.

Pour manger, nous nous sommes installés sur la table basse avec des coussins, l'un en face de l'autre, avec une lumière dans le coin pour braver le crépuscule. J'avais le sourire aux lèvres, je la désirais ardemment et c'était très agréable de rester tranquille et de penser qu'elle y pensait aussi.

— Il ne fait pas froid, ai-je remarqué. Pourquoi ne te mets-tu pas les seins à l'air... ?

Ses yeux prirent un éclat singulier. Je continuai calmement à manger tandis que les boutons de son corsage dégageaient un par un et qu'une lune transparente montait dans le ciel comme un tableau japonais. C'était un ensemble, le soutien-gorge reprenait les motifs de la culotte, c'était du 100 et il se dégrafait par-devant. Elle l'ouvrit et le laissa retomber sur les côtés :

— Ah nom de nom... ! murmurai-je en secouant la tête, le sourire fendu d'une oreille à l'autre.

Les bouts étaient sombres et contractés, le reste brillait comme de la porcelaine et l'on voyait bien qu'ils étaient doux et tièdes et parfumés et si incroyablement disponibles que mes mains gémissaient.

— Est-ce que ça va comme ça... ? demanda-t-elle.

— Oui..., pour le moment.

— Heu, peut-être qu'on devrait tirer les rideaux ?

Elle était désolée de ne pas avoir le moindre dessert à nous proposer. Elle ramassait les assiettes pendant que je m'occupais des fenêtres, la poitrine jaillissant de son corsage elle regrettait tout haut un gâteau à la crème ou une quelconque friandise, et Dieu bénisse cette image, soupirai-je, Dieu fasse que je me souvienne toujours de la beauté d'une femme.

Elle se releva les bras chargés. D'un bond, je fus dans son dos et me collai à elle avec mon arbalète tendue contre son postérieur et je lui touchai les seins et lui massai l'entrejambe. L'assaut ne dura qu'un instant. Ayant vérifié qu'elle mouillait toujours, j'ôtai ma main de sous ses jupes et l'enlaçai. Par-dessus son épaule, j'apercevai les drôles rudement braqués et nom d'un chien gonflés au maximum de leur volume. Je l'embrassai doucement dans le cou.

— Dan..., murmura-t-elle d'un ton à lâcher toute la vaisselle, Dan, serre-moi dans tes bras... !

Je profitai qu'elle avait disparu dans la cuisine pour enfiler un pantalon bouffant et aussitôt je respirai — d'autant que je m'étais mis à poil dessous.

— Envoie ta jupe ! lui criai-je en arrachant *Pretty Woman* de sa pochette. Je visai le premier sillon lorsque l'objet en question atterrit à mes pieds.

Debout sur les genoux, elle nous servit un thé brûlant. J'admirais ses hanches, leur courbe prodigieuse et leur vue m'emplissait d'un sentiment quasi religieux, d'un bonheur purement esthétique auxquels j'aurais voulu me consacrer plus longuement, mais d'autres affaires me pressaient. J'étais abasourdi comme un pêcheur traversant les jardins de l'Eden. Je n'osais tendre la main vers son pubis, de peur que la vision se troublât ou qu'un ange en colère ne me foudroyât sur place, mais j'avais le cœur qui battait devant un tel étalage car se le fût-elle enveloppé dans une feuille de Cellophane extensible qu'elle n'en aurait pas plus montré.

J'enviais ses orgasmes à répétition alors que les miens étaient comptés, je ne pouvais pas me laisser aller comme elle, je devais surveiller mes efforts comme un type qui grimpe une montagne et me tenir prêt à rompre à tout moment. J'employais ces temps morts pour la changer de position et la branlai copieusement tandis qu'elle empoignait les franges du tapis ou que pendue à ma nuque elle frottait sa bouche contre la mienne en s'énervant. Et je devais la repousser fermement du temps qu'elle s'employait à me sucer, je fronçais les sourcils en riant et l'invitais à patienter à moins qu'elle ne crût que mes réserves ne fussent inépuisables, ce qui était fichtrement loin de la réalité.

Les jambes écartées, l'anus au vent, tous ses replis soigneusement astiqués et luisants et moulus et parcourus de filaments visqueux, elle se caressait les seins dans l'attente de ma nouvelle offensive. Nous avions glissé du divan. J'en profitai pour calmer le jeu et reprendre mon souffle et observai son bel abandon avec un sourire mélancolique. Nous étions à court de propos obscènes, il ne s'entendait plus que le bruissement de nos respirations et le crachotement régulier de la platine. Malgré que nous fussions couverts de sueur et aussi trempés que si l'on nous avait balancé un seau d'eau, il se préparait une nouvelle étreinte. Au cas où je l'aurais oubliée, elle attira mon attention en plongeant les deux mains vers sa fente. Que sans détour elle entrouvrit.

— Dan..., je t'aime, m'annonça-t-elle au bout d'un moment.

J'étais mort. J'étais encore en elle du fait qu'elle m'avait demandé de rester un peu et c'était bien tombé car vraiment j'étais mort. Elle me tenait dans ses bras, me serrant contre sa poitrine, j'avais chaud mais je ne disais rien. Je ne prêtais pas beaucoup d'attention aux paroles que l'on échangeait durant ces instants particuliers. Bien entendu, je préférais ça que rien du tout, mais je trouvais que ça ne comptait pas vraiment, j'eusse été moi-même capable de ces inoffensifs débordements lorsque je la chevauchais. Elle me secoua un peu et me dit :

— Tu m'entends... ?!

— C'est *vrai*, Dan !

— C'est chouette, ai-je murmuré les yeux mi-clos.

Elle me câlina, m'embrassa dans les cheveux.

Je n'en pouvais plus mais j'ai rampé vers son bas-ventre. Vrai ou faux, il y avait bien dix ans qu'une fille ne m'avait pas dit ça. Quand bien même elle s'abusait, c'était grâce à elle que j'avais réappris à vivre dans l'intimité d'une femme et quoi qu'il pût arriver désormais, je lui devais de m'y avoir fait goûter une nouvelle fois. Au fond, c'était la seule chose qui valait la peine. Après le départ de Franck, j'avais succombé à l'amertume et j'avais bien juré de ne plus m'y laisser prendre, mais j'étais allé à l'encontre de ma vraie nature, j'avais sciemment brisé mes liaisons une à une pour écarter tout danger, mais me préservant du pire, je m'étais également privé du meilleur et je me rendais bien compte que je n'étais pas fait pour ça, que je n'étais pas un amateur de ces aventures sans lendemain. Toutes ces femmes étaient pratiquement restées des inconnues pour moi. Toutes ces nuits rassemblées valaient-elles une seule soirée comme celle-là ? Aussi bien la seule véritable multiplicité ne se trouvait-elle pas dans l'Un ? Je posai ma joue sur sa cuisse. Je savais où j'étais, qui j'étais et avec qui j'étais. Et je n'avais pas besoin qu'elle m'aime pour me sentir parfaitement bien. Je regardais machinalement mon sperme lui couler d'entre les jambes et souriais en pensant aux choses que j'avais fuies durant toutes ces années.

Plus tard, Bernie me passa un coup de fil et me demanda si l'on pouvait se voir cinq minutes. Elsie en profita pour monter à la salle de bains. Je me rhabillai, rassemblai les coussins et ouvris la porte-fenêtre qui donnait sur le jardin. Le ciel était noir, très haut et immobile. Je me passai une main dans les cheveux en fermant les yeux.

— Ce n'est rien, dit-il. Je viens d'avoir une discussion avec Harold.

Il tenait un mouchoir ensanglanté contre sa bouche. Je m'écartai pour le laisser entrer.

— Seigneur ! Tu sens le foutre à plein nez, remarqua-t-il aussitôt.

— Elsie est dans la salle de bains, répondis-je.

Hochant la tête, il s'assit, écarta prudemment le mouchoir de ses lèvres et le fixa d'un air sombre :

— Sapristi ! Cette fois, il ne m'a pas loupé, maugréa-t-il.

J'attrapai la bouteille de *Wild Turkey* puis allai examiner les dégâts.

— Ça va, ce n'est rien, dis-je.

— Tu en as de bonnes ! Ma lèvre a doublé de volume.

— Bah, ne t'en fais pas...

— Je ne crois pas que je vais le supporter encore longtemps. Je ne plaisante pas, tu sais... Par moments, il dépasse vraiment les bornes.

Je nous servis, lui proposai de la glace qu'il refusa.

— Je sais ce que tu penses, poursuivit-il. Mais ma patience a des limites. Tu seras étonné le jour où ma décision sera prise...

Je lui proposai un cigare. Mais moi j'en pris un.

— Mon Dieu, mais pour qui se prend-il... ? ! Il croit peut-être qu'il suffit d'avoir une belle petite gueule et que le tour est joué... !

— Que veux-tu que je te dise... ? Nous avons le même genre de problème, toi et moi... Nous ne devons plus avoir trop d'illusions.

— Oh..., ça ne va pas avec Elsie ?

— Ecoute, est-ce que tu ne me prendrais pas pour un imbécile si je te disais que je n'ai aucun souci à me faire... ? Bernie, elle a tout juste quinze ans de moins que moi et je ne suis pas un type célèbre.

J'envoyai quelques ronds au plafond. Il croisa ses jambes et s'enfonça dans le fauteuil.

— Tu crois vraiment que nous sommes finis ? murmura-t-il.

— Mmm, je n'en sais rien au juste... Je n'irais pas jusque-là.

— Dan, tu me rassures.

Nous nous regardâmes en souriant.

— Et puis quand bien même ! reprit-il avec un geste brusque en direction de tous nos emmerdements à venir. Ce n'est pas une raison pour accepter n'importe quoi !

— Bien sûr que non. Je n'ai jamais dit ça. Mais nous vivons dangereusement, si tu veux mon avis.

— Ah ! Mais comment faire autrement ! Que l'on ait un tant soit peu le sens de la Beauté et l'on est fichu d'avance... !

Il s'agissait donc de se tenir en forme. Malheureusement, depuis que j'avais échoué dans un bureau, je n'avais plus guère de temps à consacrer au sport. Je n'avais plus que les week-ends pour courir un peu. J'espérais que c'était suffisant mais je n'en étais pas sûr et parfois je me demandais à quoi bon en franchissant la porte, je sautillais un instant sur place et Elsie me criait de la fenêtre : « Hé, c'est quand même la moindre des choses... !! » Enfin j'imaginais qu'elle me criait ça.

Hermann me charriait — « Si Dieu le veut, Hermann, je serai encore là dans trente ans et je te verrai à l'œuvre... ! » — mais Gladys prenait ma défense, Gladys était pour les vitamines et les corps sains, et trouvait que c'était lamentable de se laisser aller — d'un autre côté, c'était facile à dire.

Je m'appuyais tout de même un double circuit depuis ces derniers mois, et seul par-dessus le marché

317

car Max ne m'accompagnait plus, je me demandais d'ailleurs s'il était encore capable de courir sur cent mètres. Enfin bref, j'allais galoper du côté du lycée, derrière le stade, soutenu par les encouragements des deux filles et le sourire narquois de mon fils, je tâchais d'éliminer et de me maintenir à flot pour quelques années encore, et ma sueur éclaboussait ce monde sévère à l'heure où la rosée s'évaporait dans les genêts. C'était le meilleur coin pour en baver, il fallait zigzaguer entre les buissons épineux, monter sur des espèces de buttes et dégringoler de l'autre côté sur une terre sablonneuse qui se dérobait sous vos pas. C'était dans cet endroit qu'on avait retrouvé Marianne un fameux soir, mais je n'y pensais pas beaucoup et grimaçais pour une tout autre raison.

On n'y rencontrait pas grand monde au petit matin. C'était l'un des nombreux attraits du lieu — soleil rasant au-dessus des genêts, parfum de pain d'épice, effet labyrinthique des allées — et suffisant à lui seul pour m'éjecter du lit dès que poignait l'aurore. C'en était fini de mes grasses matinées, lourd s'avérait à payer le prix de mon entretien, largement amorti celui de mon réveil et comme j'avais du courage à me lever ! Qu'il en fallait pour me sortir des draps et enfiler mon survêtement dans la pénombre silencieuse pendant que tout le monde dormait — je me sentais coupable lorsque parfois je m'y dérobais, délicieusement coupable —, mais comme j'étais récompensé par le désert de ces parages et comme il était bon de se vider l'esprit dans la foulée du jour naissant.

Le genre de soirée que je venais de passer avec Elsie exigeait que je travaille mon souffle. Nous avions remis ça après le départ de Bernie, je l'avais sautée dans son peignoir de bain et plus tard dans sa chemise de nuit, et j'avais remercié le Ciel qu'ensuite elle se fût endormie car j'avais les jambes en coton et n'aurais pas pu la trousser davantage quoi qu'elle eût entrepris. Ce n'était pas bien entendu tous les soirs de la semaine que je tenais ce rythme, mais je devais néanmoins ne pas prendre ce problème à la légère et ne pas me figurer que la forme vous tombait du Ciel et que le cœur s'arrangeait en vieillissant.

Je courus, donc. J'étais également obligé de me lever tôt à cause de la chaleur qui montait rapidement dès que le soleil apparaissait, mais ainsi en avais-je fini à une heure raisonnable et je ramenais des croissants et du lait à la maison et passais pour une espèce de héros, hirsute et puant la sueur froide. En général, je rentrais de bonne humeur, avec un air d'imbécile heureux et du genre intarissable sur les saisissantes couleurs de l'aube, la divine fraîcheur du petit jour et tout le bataclan. Mais cette fois, je rencontrai Max au cours de mon exercice et, pensant à lui sur le chemin du retour, je n'aurais même pas su dire s'il faisait beau ou pas.

Je tombai sur lui à l'orée des genêts en m'amenant les coudes au corps, mais je crus tout d'abord que c'était un épouvantail ou un spectre malfaisant. Je crus également qu'il était en loques, mais ce n'était qu'une vieille tenue de sport et qui n'était pas spécialement déchirée malgré qu'on l'eût juré au premier coup d'œil. Ses cheveux blancs n'avaient plus d'éclat, sa peau était grise, l'impression générale était que la vie avait craché sur lui. Chaque fois que je le voyais, j'avais envie de tourner la tête. Par je ne sais quel miracle, il était parvenu à se débarrasser de cette espèce de grippe qui l'avait rongé une partie de l'hiver, il n'était plus « malade » mais semblait toujours aussi mal en point, une vieille coque brisée rejetée sur le rivage et finissant de se dessécher sous une couche de guano. Il n'avait pas repris son travail. Je laissais traîner des billets quand je passais chez lui, il les prenait tout en prétendant que j'étais con, que sa retraite lui suffisait, alors je lui répondais très bien, t'as qu'à me les rendre, mais il ne pouvait pas se le permettre et les empochait sans ajouter un mot et dans ces moments-là je me sentais pris d'affection pour lui, je revoyais le type que j'avais aimé et non plus sa misérable copie, son souvenir grotesque.

— Hé, mais qu'est-ce que tu fiches par ici ? l'ai-je interrogé.

— Je viens cueillir des fleurs, m'a-t-il balancé.

Plus tard, je suis rentré tranquillement chez moi avec un sac de provisions dans un bras et me mangeant des croissants de l'autre, il y avait du soleil plein les rues et les gens allaient dans l'agréable chaleur du matin et la circulation était fluide mais je ne m'en rendais pas vraiment compte, j'étais dans un état d'esprit tel qu'à buter dans le premier non-voyant venu je n'aurais pu couper.

Puis les jours passèrent et cette rencontre me sortit de la tête ou plutôt s'y enfouillit — car j'allais y repenser subitement, en ruminer une image parfaitement intacte, et malheureusement dans un avenir très proche — sous l'amas des petites étrangetés quotidiennes. Je n'en touchai d'ailleurs pas un mot à quiconque, Max n'étant pas leur sujet de conversation préféré et n'éprouvant moi-même sur le coup qu'un malaise indéfinissable que je n'aurais su expliquer.

Nous n'étions plus qu'à quarante-huit heures des examens. Une certaine fébrilité commençait à sourdre des rangs, au point que plus personne ne disait rien, hormis l'indispensable, tandis que s'accéléraient les révisions de dernière minute. Elsie et moi étions navrés pour eux et évitions de les déranger pendant qu'ils s'emplissaient la cervelle d'un tas de choses inutiles pour la santé de leur esprit.

Dans la journée, la chaleur était terrible et il n'y avait pas un seul nuage à l'horizon. Le soleil tapait à la fenêtre de mon bureau. Je tirais le store et barbotais avec mes manuscrits dans la pénombre jusqu'à l'heure de la fermeture. « Il pleut », etc. Parfois, certains trucs étaient si mauvais que je les lançais à travers le bureau et parfois même à travers le couloir, mais il se trouvait toujours quelqu'un pour me les rapporter, pour me demander si je n'avais rien perdu. Je pouvais passer une journée tout entière sans trouver un seul paragraphe à sauver, mais peut-être que c'était moi qui déconnais, peut-être que j'étais en train de me sécher le cœur dans ce bureau, peut-être que le décor obscurcissait mon jugement... ? Paul était de cet avis. De mes colères, il avait sauvé deux manuscrits qu'à la relecture j'avais trouvés plutôt bons et j'étais effrayé par ce que j'avais fait. J'étais allé lui demander qu'on me retire ce travail et qu'on n'avait qu'à me mettre au standard ou à la comptabilité ou n'importe où, mais quelque part où mes erreurs n'auraient pas de conséquences tragiques.

Il me promit d'y réfléchir. Il convenait que ce n'était pas le terrain où je pourrais donner toute ma puissance et me regarda d'un air perplexe.

— Tu as été un écrivain merveilleux..., soupira-t-il.

Je sortis en claquant la porte.

Je racontai ça à Bernie et il me répondit que je faisais un blocage, que lui-même avait connu ça, mais pas durant un temps aussi long.

— Depuis combien de temps est-ce que tu n'écris plus ?

— Je ne sais pas. Dix ans peut-être.

— Mais rien, *vraiment rien du tout...* ?

— Je suis pris de tremblements devant une feuille blanche. Ça ne serait pas pire si je devais exécuter le saut de la mort.

— Ecoute, je ne crois pas que l'on puisse perdre son talent, ces choses-là ne s'envolent pas. Elles s'endorment simplement.

— Mmm, eh bien, dans mon cas, ce doit être de leur dernier sommeil.

— Ah, qui sait... ?

— Moi je sais.

Que mes dons se fussent envolés ou endormis ne changeait pas grand-chose au problème. J'en étais au même point après six mois d'errance à la Fondation, je

321

n'avais toujours pas trouvé ma place et Paul pouvait bien se creuser la cervelle, je n'avais pas le moindre espoir que mon cas pût s'arranger. Je demandais simplement qu'on me mît à un poste d'où je ne pourrais nuire à personne mais je ne voyais rien venir. Astringart s'était attrapé la jaunisse, il en avait encore pour plusieurs jours. J'envisageai un instant de me briser le bras droit sur le rebord de mon bureau.

Dans ces conditions, c'était un réel bonheur pour moi que de rentrer à la maison. N'était-ce que de préparer le repas, j'avais au moins l'impression d'être vivant et j'avais besoin d'avoir des visages familiers autour de moi pour combler le vide que je ressentais après huit heures d'une tranquille agonie buraliene. Depuis un moment, je n'allais plus dans les bars pour me boire un verre, j'avais ce qu'il me fallait chez moi. Depuis que je m'étais aperçu qu'un mal identique au mien traînait sur toutes les figures aux environs de ces heures-là, je ne lambinais plus en route.

« Qu'est-ce qui vous ferait plaisir... ? » leur ai-je demandé pour le dernier soir, tandis que Sarah se faisait sauter par l'autre affreux.

Malheureusement, ils n'avaient pas très faim.

Nous sommes restés dans le jardin jusqu'à la nuit tombée.

« Je crois que Sarah a rencontré quelqu'un... » lança Gladys lorsque nous fûmes transformés en ombres chinoises. Elsie était assise sur moi, je cessai de caresser son bras.

— Ouais... Et même que ça dure depuis un petit moment, ajouta Richard à voix basse.

Nous nous étions donné rendez-vous devant l'entrée. Je récupérai rapidement Hermann et Richard qui avaient accompagné Gladys un peu plus tôt et nous attendîmes Sarah en blaguant à l'ombre du mur, me charriant qu'ils étaient parce que j'avais coiffé une casquette à large visière, mais je ne me laissais pas démonter, je leur disais qu'on en reparlerait très vite, dès lors que nous serions assis en plein soleil par un peu plus de quarante-cinq degrés et que leurs crânes cuiraient comme des œufs.

Je n'avais encore jamais assisté à l'une de ces finales autrement qu'écrasé par un ciel de feu. Il n'était que de sentir le souffle brûlant qui tourbillonnait dans la rue pour savoir qu'on allait souffrir sur les gradins et qu'une simple casquette prendrait bientôt des allures de miracle.

Personne ne s'attendait à ce qu'elle se pointât au bras de Vincent Dolbello. Nous étions tous de bonne humeur, nous étions un peu soûlés par la lumière et pour le moins nullement préparés à cette mauvaise surprise. Lorsque nous les vîmes arriver, la conversation mourut et quelques regards furtifs s'échangèrent. C'était la première fois que Sarah nous l'amenait au grand jour et d'une manière si naturelle que j'en fus ébranlé.

— Je crois que nous allons mourir... ! plaisanta-t-elle.

Richard avait déjà détourné les yeux et entraînait Hermann vers l'entrée quand Dolbello me tendit la main. J'y passai la mort dans l'âme, réduisant la chose au strict minimum, encore que soulagé d'épargner à Richard cette manière de trahison.

Je détestai la manière dont il embrassa Elsie — il posa une main sur son épaule et retira ses lunettes de soleil comme s'il lui dévoilait l'une des merveilles du monde.

— Hé, tu ne trouves pas qu'on dirait le sosie de Burt Reynolds... ? glissai-je à Sarah sur un ton grinçant tandis que l'autre se collait à ma mie.

Elle ignora totalement mes paroles. Au vrai, je n'étais même pas certain qu'elle m'eût simplement entendu, elle devenait complètement azimutée depuis qu'il y avait ce type et du diable si je la reconnaissais par moments et j'en étais profondément écœuré.

— Je crois que nous ferions mieux d'y aller..., soupirai-je en évitant le sourire de V. Dolbello.

Il y avait du monde. La seule partie des gradins qui se trouvait à l'ombre — une structure de poutrelles métalliques recouvertes de bois vernis s'avançait au-dessus des rangs mais sur un seul côté du terrain — n'offrait déjà plus la moindre place. Nous rejoignîmes Hermann et Richard là où le soleil dansait sans relâche, mais finalement ce n'était rien comparé au désagrément que m'infligeait la présence de l'autre. Ils s'étaient mis torse nu, je leur décochai un regard vide et m'installai près d'eux tout en pestant à part moi. Je la trouvais rudement gonflée de nous imposer ce gars-là sans prévenir, je gardais mes mains enfoncées dans mes poches et j'entendais le bougre plaisanter et raconter je ne sais quoi aux filles, je ne sais quelles histoires vaseuses. Hermann et Richard chuchotaient de l'autre côté. Elle ne manquait vraiment pas d'air.

Je fermai les yeux et feignis de m'abandonner à la température ambiante, mais je serrais les dents et rongeais mon frein silencieusement en attendant le début de la partie. J'avais envie de me lever et de me tirer, je me répétais que rien ne devait me forcer à partager la compagnie d'une personne qui tant me déplaisait, que c'était un sale tour que je faisais à mon âme, néanmoins je ne bougeais pas. Comme toujours, les choses n'étaient pas aussi simples.

J'en avais longuement parlé avec Richard quelques jours plus tôt. J'avais essayé de lui expliquer la formidable pression de la solitude à mesure que les années passaient et que peut-être Sarah avait besoin de se trouver quelqu'un, que peut-être c'était une question d'équilibre, enfin il était en âge de comprendre ça à présent. Si je n'avais pas réussi à le convaincre entièrement, du moins avais-je tempéré sa rancœur et j'essayais de me tenir le même langage bien qu'éprouvant toutes les difficultés du monde à me l'avaler. Et puis, le rassurais-je, dis-toi bien que le temps va jouer pour nous, ça m'étonnerait, vois-tu, que cette histoire fasse long feu.

Cela dit, aucun signe d'essoufflement n'apparaissait à l'horizon, et lorsque Richard m'avait annoncé, avec un air sinistre, que deux ou trois fois déjà Sarah l'avait amené à la maison, je n'avais pu m'empêcher de grimacer et dès lors m'étais mis à craindre que l'aventure en question ne durât un peu plus longtemps que nous ne l'aurions souhaité. Pourquoi tous les autres étaient-ils passés comme des météores quand celui-là restait en place, je n'y comprenais vraiment rien. Et pour être franc, je me demandais si le peu de goût que m'inspirait Dolbello ne venait pas tout simplement de ce traitement particulier, de la place qu'il était parvenu à se tailler dans la vie de Sarah. Je le plaignais d'être la victime d'une regrettable iniquité si c'était le cas, mais personne n'était allé le chercher.

L'horloge fixée au front de la toiture qui ombrait soigneusement les rangs d'en face indiquait presque trois heures. Une légère impatience colorait la rumeur tandis que l'on s'approchait du coup d'envoi. Je ne savais pas ce qu'en pensaient les autres, mais j'avais l'impression que l'air se raréfiait et que la lumière s'intensifiait et pénétrait les choses. Je ne me sentais pas très à mon aise ni ne pensais que la présence de

Vincent Dolbello fût entièrement à l'origine de la vague appréhension qui se glissait en moi.

De blanche, la lumière devint jaune. Sans doute avais-je par mégarde levé les yeux au ciel et payais-je à l'instant cette sottise d'un éblouissement passager qui aberrait ma vision, je n'en imaginais nulle autre cause. Aussi bien, je ne songeais point à m'en inquiéter et tâchais même de m'en accommoder, car à tout prendre ce n'était pas si désagréable. Comme au travers d'invisibles remous tels qu'en suscitent des nappes de chaleur, je ne distinguais plus que des formes imprécises et mouvantes, du plus étrange effet. J'entendis des sifflets et des applaudissements, signe que les deux équipes venaient d'entrer sur le terrain, mais les sons eux-mêmes ne me parvenaient qu'étouffés et s'égaillaient dans le lointain tandis que s'y mêlait le curieux bruissement d'un souffle d'air se faufilant dans des buissons.

« Mais *quel* souffle d'air... ? ! » ricanai-je, conscient de cette profonde absurdité.

Braquant mon regard sur le terrain, je n'aperçus que des taches vertes et jaunes qui s'étalaient et vibraient derrière un écran vaporeux. Je savais qu'il s'agissait des maillots des filles, de même que l'air était immobile et qu'un match de basket allait se dérouler devant moi, mais ce n'était pas du tout ce que j'observais. Cette bizarrerie finit par m'amuser, d'autant que le tableau ne manquait pas de charme et participait du frisson qu'une brise opportune eût instillé dans des genêts fleuris.

Subitement, je retrouvai une vision normale. Et je n'en fus pas fâché car la partie allait commencer d'un instant à l'autre et déjà les filles se regardaient en chiens de faïence et brûlaient d'en découdre. Je bâillai discrètement, encore frais émoulu de mon mirage, quand Hermann me décocha son coude replié dans les côtes.

— Nom de nom, *est-ce que tu le vois...* ? ! ! lâcha-t-il d'une voix sourde.

Oui, je le vis au même moment, je sus que c'était lui avant que de le reconnaître et durant quelques secondes je restai la bouche ouverte.

— Mais qu'est-ce qu'il fabrique....?! ajouta Hermann.

— Hé, mais qui est ce type, là-haut...? demanda Dolbello.

— Hé, Max...!! l'interpellai-je en me levant.

Il était grimpé sur cette espèce de toit qui abritait les rangs, de l'autre côté du terrain, il avait surgi là-dessus comme par enchantement et sa silhouette se découpait dans les airs à présent qu'il se dressait assez près du bord. Il portait une tenue sombre et une chemise dont la blancheur me paraissait incroyable et plus que tout me sautait aux yeux. De ce côté-ci des gradins, les gens le montraient du doigt. A une quinzaine de mètres plus bas, les deux équipes regardaient vers le ciel.

Je l'appelai à nouveau tandis qu'à voix haute chacun s'interrogeait et nourrissait le vacarme grandissant, et il ne parut pas m'entendre. J'étais trop loin pour saisir l'expression de son visage mais je savais qu'il allait sauter et cette certitude me paralysait sur place.

Il avança de quelques pas, s'approchant au bord du vide les bras pendus le long du corps. Son attitude ne laissait aucun doute. Des cris alarmés fusèrent du sol lorsque son ombre apparut sur le terrain. De son veston fermé jaillissait l'éclatante blancheur de sa chemise et tout ce que je réussis à penser fut qu'il allait la salir ou bien la déchirer, et cette réflexion stupide devint aussitôt insupportable, mais je ne parvins pas pour autant à la chasser de mon esprit.

J'entendais des voix familières autour de moi. Je ne saisissais pas un traître mot de ce qu'elles disaient, pas plus que je n'identifiais la main accrochée à mon bras, et je clignais des yeux dans la lumière. Le temps filait à toute allure mais à l'horloge l'aiguille des secondes avançait au compte-gouttes. Max était juste au-dessus.

Des gens s'agitaient. Personne ne restait en place. Plus que n'importe qui d'autre, j'avais la gorge serrée mais je ne bougeais pas d'un cil. Il était inutile de tenter quoi que ce fût, il n'y avait rien à faire.

Pas une seule fois il ne jeta un œil dans ma direction. Sa tête était légèrement inclinée en avant. Des gradins s'échappait à présent une odeur aussi forte que celle d'un putois, la foule empestait à mesure que la tension montait, une sueur âcre, un mélange de frayeur et d'excitation exsudait dans la touffeur accablante, cependant que Max, d'un geste machinal, s'assurait une dernière fois qu'il était braillé convenablement.

Une brusque clameur décolla à sa rencontre lorsqu'il dégringola de son triste perchoir – sans avoir proféré un seul mot, sans avoir bondi de façon héroïque mais s'agenouillant simplement dans le vide – avec une lenteur épouvantable. Il n'agita ni ses bras ni ses jambes durant la chute, il tomba tout recroquevillé et s'écrasa sur le bord du terrain.

Aussitôt je sautai par-dessus les gens, dévalai jusqu'en bas, traversai le terrain comme la foudre et arrivai à point nommé. Il n'était pas encore mort. Le souffle court, je me penchai sur lui pendant que les curieux arrivaient de tous les côtés. Il était sur le dos, du sang coulait de ses oreilles et de son nez, ses yeux étaient ouverts et il grimaçait légèrement. Je m'accroupis à ses côtés mais je n'avais rien de spécial à lui dire. Une inextricable forêt de jambes nous entourait, se resserrant peu à peu sur nous comme d'exubérantes espèces tropicales.

Tant et si bien que je fus rapidement bousculé par le premier rang, avant même d'avoir pu me faire entendre. Je me rattrapai une fois en posant une main au sol. « Hé !! Mais qu'est-ce que... », et je n'eus pas le temps de finir ma phrase qu'à nouveau impuissante à contenir la poussée extérieure la première ligne me jeta à terre et je m'étalai en travers de Max.

Je poussai un cri terrible.

Malgré la mêlée qui se nouait au-dessus de ma tête, je réussis à m'écarter de lui en me plaçant à quatre pattes. Les gens se repoussaient et criaient à ceux du fond d'arrêter de pousser, qu'ils étaient fous. J'avais peur de lui avoir fait mal. Quelqu'un piétinait ses cheveux blancs. J'étais bouleversé à l'idée de l'avoir écrasé de tout mon poids. Puis je profitai que l'étau se relâchait pour me redresser, et comme je m'exécutais, sa main se cramponna à ma manche. Sur-le-champ, je me figeai. Il ne me regardait pas mais ses lèvres remuaient, aussi me penchai-je à nouveau vers lui, saisi d'une réelle émotion.

« Dis-lui... » murmura-t-il d'une voix si faible que je crus bien que c'étaient ses derniers mots — il m'arriva plus tard de regretter qu'ils ne l'eussent été — mais ne lui prêtai pourtant pas moins une oreille attentive.

Durant quelques secondes, je n'entendis plus rien, cependant qu'autour de moi se calmait la bousculade, et je pensais qu'il avait usé son dernier souffle. Mais il avait gardé le meilleur pour la fin.

« Dis à Marianne que j'ai payé... » trouva-t-il le moyen d'ajouter avant de s'éteindre.

Il me fallut détendre ses doigts un par un pour me libérer. Mais j'évitai soigneusement de le regarder. Je me relevai ensuite péniblement et m'aperçus que j'avais perdu ma casquette. Je demeurai un instant interdit puis fendis la foule.

Je gardai ça pour moi pendant quelques jours, après quoi j'en parlai à Hermann au détour d'une conversation que nous avions à propos de sa prochaine pièce de théâtre. C'était celle d'un jeune auteur que Marianne avait pris sous sa protection, mais pour une fois j'étais d'accord avec elle, j'estimais que d'ici quelques années ce type deviendrait vraiment bon. Je le connaissais un peu, il était passé à la maison deux ou trois fois et je lui avais dit le bien que je pensais de son travail. Pour sa part, Hermann était particulièrement satisfait de son rôle, il m'en parlait souvent et avec un tel enthousiasme que j'avais fini par le prendre au sérieux.

Un violent orage avait éclaté en fin d'après-midi, il était tombé des hallebardes et nous étions seuls tous les deux, Elsie et Gladys s'étant prises tout à coup d'une irrésistible envie pour une partie de lèche-vitrines. Nous discutions tandis qu'il se rasait et que j'étais immergé dans mon bain avec un *Monte Cristo Especial*. La pluie avait cessé. Le ciel était mauve avec de larges entailles saumonées, et je soufflais ma fumée par la fenêtre. J'attendais qu'il eût écarté le rasoir de sa gorge pour lui annoncer la nouvelle.

Pour finir on tomba d'accord pour n'en parler à personne. Ce n'était que vis-à-vis de Marianne qu'il y avait un problème. Hermann secouait la tête, il était lui d'avis de ne rien dire et qu'il eût mieux valu que Max emportât son secret dans la tombe. J'y avais pensé tout au long de l'enterrement. Je me demandais si je devais accomplir sa dernière volonté, s'il me faisait porter un fardeau terrible ou si je n'étais au fond qu'un pauvre sentimental.

Tenais-je entre mes mains la paix de son âme ? Sa mort pouvait-elle être une consolation pour Marianne ? Etait-ce à nous de décider ce qui était bien de ce qui ne l'était pas ? Autant de questions dont nous débattions sérieusement malgré la douceur de l'air, autant de mystères qui demeuraient sans réponse et nous préoccupaient malgré la tiédeur insouciante qui succédait aux fournaises des hiers.

Lorsque je la voyais, j'imaginais la scène avec Max grimpé sur elle tandis qu'il venait de l'estourbir et je me disais qui sait si elle n'a pas fini par se figurer que son agresseur était un sacré beau gars... ? ! Je me remémorais à présent le nez qu'il se tirait lorsqu'il était en sa présence ou l'air sombre qu'il prenait quand il s'agissait de l'installer dans son fauteuil roulant. Je repensais à toutes les excuses que je lui avais trouvées quand on remarquait que plus rien n'allait

chez lui, à l'égarement de l'avis général selon quoi tout
était allé de travers parce qu'il avait été viré du lycée.
Je repensais à tous les détails qui auraient dû me
mettre sur la piste. Je songeais également aux sentiments qui m'avaient aveuglé. Que devais-je faire à
présent des bons moments que nous avions passés
ensemble... ? !

« Mais enfin, Dan, est-ce que tu m'écoutes... ? »
J'avais du mal à suivre ce qu'elle me racontait. Sans
m'en rendre compte, je finissais par la regarder fixement et au bout d'un moment elle s'interrompait :
« Très bien, arrêtons-nous cinq minutes », m'accordait-elle avec un sourire bienveillant. Malgré tout, je
ne parvenais pas vraiment à me détendre.

Nous avions l'habitude de travailler ensemble. En
général, ce n'était pas exactement sur des sujets qui
m'intéressaient mais les choses n'allaient pas trop mal
entre nous. J'avais eu de longs mois pour l'observer. A
l'époque où je l'avais connue, certaines de ses qualités
m'avaient complètement échappé – à moins qu'elle ne
les eût développées sur le tard – et lorsqu'elle était
devenue présidente de la Fondation et que Paul me
parlait d'elle en des termes flatteurs, je n'en croyais
pratiquement pas un mot et le considérais d'un œil
soupçonneux. Mais j'avais eu tort. A présent, je m'entendais bien avec elle. Il m'arrivait ainsi de sortir de
son bureau en claquant la porte et d'y retourner
quelques minutes après sans qu'on songeât à s'en
étonner ni l'un ni l'autre. J'en étais arrivé à vraiment
bien l'aimer, quoique ses goûts en matière de roman
demeurassent parfaitement décourageants.

Je me voyais mal en train de lui annoncer qu'il y
avait du nouveau et que je tenais le nom de celui qui
l'avait clouée sur une chaise. Je n'avais qu'à la regarder une seconde pour qu'aussitôt s'envolât le moindre
élan que j'aurais pu avoir en ce sens. Hermann avait
raison. Néanmoins, je me demandais si Max, là-haut,
avait les yeux braqués sur moi, s'il s'apprêtait à me
maudire. Je me rassurais en me répétant qu'il n'avait

pas précisé si je devais le lui dire *tout de suite*. Bah, le monde des vivants n'est qu'un vaste océan de choses inavouables, de secrets indicibles.

Si l'on n'enregistrait aucun progrès de ce côté-là, on pouvait constater que ça bougeait en revanche dans le camp des Bartholomi. La manière dont Sarah travaillait à l'intronisation de Vincent Dolbello parmi nous ressemblait à un travail de fourmi. De plus en plus, elle s'arrangeait pour glisser tout naturellement son nom dans la conversation et c'était des Vincent pense ceci, Vincent a dit cela, des Vincent et moi qui mine de rien œuvraient dans nos esprits et grossissaient les rangs d'une petite armée qui la conduirait jusqu'à la victoire finale. Je la connaissais suffisamment bien pour éventer la mèche, mais je ne disais rien et me contentais d'observer son lent manège avec autant de lassitude que de résignation.

Lorsque j'avais parié à Richard que cette histoire n'allait pas durer, je m'étais bien fourré le doigt dans l'œil. Mes intuitions en ce qui concernait les femmes ne s'étaient pas améliorées avec le temps. Je n'avais pas cru un seul instant que Franck finirait par me plaquer malgré ses menaces, j'étais encore alors un écrivain admiré, pas un type qu'on pouvait laisser tomber comme le commun des mortels. J'avais dû pratiquement m'assommer la tête contre un mur avant de pouvoir comprendre ce qui m'était arrivé. Et voilà qu'une nouvelle fois je me trompais, à croire que plus elles étaient proches de moi et plus le mystère s'épaississait.

Puis un matin, moins d'une quinzaine de jours après la mort de Max, Sarah se sentit assez sûre de son coup pour nous inviter tous chez elle. J'en fus naturellement le dernier informé, ce qui signifiait qu'elle se méfiait un peu de mes réactions et par là même n'avait-elle pas tout à fait tort car m'en eût-elle touché deux mots avant d'en parler aux autres que j'aurais intrigué pour que sombrât son foutu projet.

« Mais ça n'aurait servi à rien, me fit remarquer Elsie tandis que je pestais que nous fussions tombés dans le panneau. Nous n'aurions reculé que pour mieux sauter... »

J'enrageais mais je savais pertinemment que Sarah n'aurait pas renoncé à ses fins, eussé-je été assez malin pour déjouer sa première tentative. Déjà, à deux ou trois reprises, elle s'était débrouillée pour que nous les aperçûmes quelques instants ici ou là et elle feignait d'être surprise que nous nous rencontrions dans des endroits où elle savait fichtrement bien que ça ne pouvait pas manquer. Je détestais ce jeu stupide et son air parfaitement étonné devant une telle coïncidence, je la foudroyais du regard mais elle ne semblait pas s'en inquiéter, j'avais l'impression de la dévisager derrière un miroir sans tain.

Il semblait qu'à présent un nouveau pas dût être franchi. Chacun de nous s'était vu, en différentes occasions, infliger la présence de l'énergumène. Sarah n'avait plus qu'à rassembler les morceaux pour que tout fût dit. Et c'était justement ce qui venait de nous tomber sur la tête.

Bernie partageait mes craintes quant à la tournure des événements. Il pensait lui aussi que c'était du sérieux et qu'on ne devait plus y voir quelque liaison passagère. N'ayant point échappé aux rencontres accidentelles que Sarah semait sur nos chemins, il avait pu saisir la gravité de la chose et trouvait Dolbello peu digne d'intérêt.

— Mais aussi, mettons-nous à la place de Sarah, dans l'ensemble il est assez bel homme...

— Eh bien, tu devrais essayer de le lui piquer, soupirai-je. Je crois que ce serait un service à lui rendre.

— Il y a pourtant quelque chose qui me déplaît chez lui..., cette espèce de férocité qu'il a dans le regard, tu as remarqué ?

— Je t'ai dit qu'il ne me plaisait pas.

— D'un autre côté, nous le connaissons à peine...

— Tu trouves qu'on exagère... ? ! Bon sang, mais que le Ciel te donne raison, c'est tout ce que je demande... !

— Au fond, je me dis que Sarah n'est quand même pas idiote.

— Franck aussi était une fille belle et intelligente... J'aurais aimé que tu voies Abel, le type avec lequel elle s'est envolée. Je me demande si tu n'aurais pas trouvé qu'il était *bel homme* lui aussi.

C'était le matin, le ciel était radieux et nous vidions quelques canettes de *Corona (El abuso en el consumo de este producto es nocivo para la salud)* dans le jardin, pendant que les autres se préparaient. Malgré que nous fussions sur le point de nous rendre à la fameuse invitation de Sarah, je n'étais pas vraiment de mauvaise humeur et j'avais beau la ramener sur un sujet qui m'était sensible, le poids de la fatalité m'anesthésiait et me poussait dans les cordes. Bernie et moi étions installés dans des transats et nous aurions pu tout aussi bien parler de la fin du monde dans ces conditions.

Passant une main par-dessus bord, Bernie me tapota gentiment la cuisse :

— Tes rapports avec Sarah sont un peu trop compliqués pour que tu puisses avoir une vision objective...

— Détrompe-toi. Mes rapports avec Sarah sont de plus en plus simples. J'ai davantage de relations avec n'importe laquelle de mes voisines de bureau qu'avec Sarah depuis que Dolbello est entré en scène.

— Ecoute, je reconnais que ce type n'est pas très agréable. Mais cette histoire te pendait au nez, ne dis pas le contraire...

— Comment ça *cette histoire me pendait au nez*... ? !

— Enfin..., tu savais bien qu'elle se trouverait quelqu'un un jour ou l'autre... J'espère que cette éventualité t'avait tout de même effleuré...

— Bon sang, je n'en suis pas si sûr... !

Le peuplier dansait dans la lumière et nous poudrait de confettis lumineux.

— J'ai été à ses pieds durant des années, Bernie, j'aurais fait n'importe quoi pour elle... Mais le Premier Commandement, « *Tu ne baiseras pas avec ta meilleure amie* », est resté planté entre nous comme une épée maléfique. T'avouerais-je que le résultat n'est pas à la mesure de mes espérances... ? Veux-tu me dire ce qui reste de cette belle amitié que nous avions bâtie sur ma pénible continence et mes si douloureux renoncements... ? (Je lâchai ma canette vide après l'avoir fixée un instant.) Rien ou si peu de chose que je me demande si je n'ai pas rêvé... ! Bah, je voudrais que tu me pinces, Bernie..., pas que tu continues à me caresser la cuisse.

Dolbello s'était installé au barbecue. Les manches retroussées, il badigeonnait la viande en souriant dans son coin. Sarah cavalait dans tous les sens — j'étais mort de rire — et s'assurait que personne ne manquait de rien. Ils semblaient tellement ravis tous les deux qu'ils en compissaient leur culotte et s'échangeaient des coups d'œil triomphants car tout marchait comme sur des roulettes.

Nous étions une vingtaine, c'était juste ce qu'il fallait pour se garder d'un trop brusque tête-à-tête tout en conservant une certaine intimité et par là l'on pouvait constater qu'ils avaient décidé de nous la jouer fine. J'étais vaguement écœuré mais il me restait un fond d'affection pour elle — je ne savais plus très bien ce qu'il en était exactement — et je l'employais à me tenir tranquille. N'empêche, quel triste spectacle c'était, Sarah rosissant comme une jeune fille qui s'est amené un flirt à la maison et l'autre animal grillant ses steaks et ses côtelettes de porc avec un sourire de conspirateur sûr de son fait.

Pour finir, je cessai de les regarder et ravalai mes sarcasmes. Elle avait ce qu'elle voulait, à présent. C'était un de ces jeux où chaque pion que l'on avançait ne pouvait retourner en arrière. Passant d'un groupe à l'autre avec sa barbaque fumante, Dolbello posait au maître de maison et sillonnait le jardin comme un terrain conquis, dispensant çà et là quelques consignes pour que vous vous sentiez parfaitement à l'aise, sur le ton engageant d'un vieil habitué des lieux. Il y avait de quoi s'étrangler, mais pas une seule fois je ne bronchai. Comme il est dit au numéro 33 : « *Ainsi l'homme noble tient le vulgaire à distance, sans colère mais avec mesure.* » Malgré tout, chaque fois qu'il me disait « tu », c'était un coup de poignard qu'il me plongeait dans le cœur.

Je ne savais pas si je parviendrais à m'y habituer. Je ne savais pas si à la longue Dolbello finirait par se fondre dans le paysage, s'il y avait une chance pour que je m'adapte à la situation. Je bénissais le Ciel de m'avoir envoyé Elsie. J'imaginais mon calvaire si je m'étais trouvé seul durant cette triste épreuve. « Tu imagines, me disais-je, si elle te quittait *maintenant...* ?! » Il m'arrivait parfois de la chercher des yeux ou de la regarder dormir pour tenter de me rassurer. Elle était l'onguent qui refermait ma blessure, la distance qui m'épargnait un coup fatal, l'arrimage qui empêchait mon cœur de se briser en mille morceaux. Elle avait émoussé mon amertume. Sans elle, la vague m'aurait frappé de plein fouet et j'aurais été froidement balayé car plus rien d'autre ne semblait avoir d'importance pour Sarah que son fichu commerce. Sans Elsie, dans quel métal aurais-je bien pu forger le regard désabusé que me ressaisissant j'accordais à ces choses ?

Ainsi donc, les effets de mon trouble ne se manifestaient que de temps en temps et avec plus ou moins d'intensité, mais parfois c'était comme des vipères glacées jaillissant des fourrés, la charge d'un barracuda ou un brusque embrasement de l'air que j'avais toutes les peines du monde à maîtriser. Je trouvais que j'avais du mérite. Et jusque-là, je n'avais pas encore eu l'heur de me débarrasser d'une petite chose qui me tenait à cœur depuis le début mais dont je pensais qu'il faudrait bien qu'elle fût dite un jour ou l'autre. Ça se passa dans la cuisine.

L'après-midi s'étirait dans le jardin, par petits groupes légèrement alanguis et repus et bruissants sur l'herbe jaunie, et je n'avais aucune idée particulière en tête. M'étant préparé au pire en ce qui concernait Dolbello, je n'étais pas en train de déchanter et c'est tout juste si je levais un œil sur lui lorsque sa voix dépassait celle des autres. Il semblait content de lui, il posait sa main sur l'épaule de gens qu'il connaissait à peine et se mêlait à la conversation du moment. Quand il s'approchait de moi, je faisais semblant de somnoler. Il n'était pas nécessaire qu'il se donnât du mal à mon sujet. Plus que minces étaient ses chances de me mettre dans sa poche.

Je me suis levé à un moment donné, je suis allé dans la cuisine pour me chercher des glaçons. Les stores étaient tirés, si bien qu'un peu de fraîcheur flottait dans la pénombre que zébraient de larges rayons obliques. J'espérai un instant que Dolbello allait s'appuyer toute cette vaisselle mais je ne devais pas rêver, il n'y a pas la moindre justice ici-bas. J'en ai profité pour me laver les mains. Puis je me suis aspergé la figure et, me redressant, j'ai découvert Sarah à côté de moi. C'était un évier à double bac. Sans mot dire, elle fit pivoter le robinet dans le sien et laissa l'eau couler sur ses doigts avant d'en emplir une carafe. Je n'avais encore jamais vu un silence aussi flasque entre nous. Des gouttes me coulaient le long du cou mais je jurais que c'était l'empreinte de ce silence minable.

Je compris aussitôt que le moment était venu de me libérer d'un poids. Mes mains se refermèrent doucement sur les bords de l'évier, mes yeux se plissèrent, ma bouche se transforma en un sourire cruel tandis qu'elle continuait à m'ignorer.

— Alors, tu me demandes pas comment je le trouve...?! lui glissai-je sur le ton d'un serpent venimeux.

— Non, me répondit-elle.

— Sacré bon sang, je le trouve *infect...* ! fis-je.

Puis je m'en retournai d'un pas satisfait.

A présent, lorsque l'été s'installait, j'étais saisi d'un léger pincement au cœur. Je ne disais rien mais j'appréhendais le moment où Hermann bouclait sa valise. C'était encore assez nouveau pour moi, suffisamment en tout cas pour me donner un peu de vague à l'âme et me rappeler combien il était désolant de n'être que deux pour former une famille. Plus que tout autre, ce dernier point m'était sensible. J'avais une conscience aiguë de la fragilité de l'édifice et je savais bien que ces périodes de vacances n'étaient que les dernières répétitions avant l'effondrement final. Je me demandais souvent comment je m'y étais pris pour me retrouver dans une situation pareille. C'était l'un de mes thèmes de réflexion favoris. Et qui ne prendrait toute son ampleur que le jour où il m'aurait quitté pour de bon. Un long frisson de déréliction me parcourait à cette évocation, mais je n'essayais pas de l'éviter. J'imaginais qu'il valait mieux y être préparé à l'avance. Plus l'on conçoit l'étendue et l'absoluité de sa solitude, et mieux on se porte.

Ils n'avaient pas encore décidé où ils iraient mais ils en parlaient de temps en temps et étudiaient diverses propositions qu'ils avaient ici ou là, des copains qui avaient une baraque ou des qui filaient à l'étranger avec un soi-disant paquet de bonnes adresses. En attendant, et depuis quelques jours, Hermann et Richard étaient embauchés comme coursiers à la Fondation. Ils étaient allés trouver Marianne directement et lui avaient sorti un numéro de charme dont ils aimaient à souligner l'effet irrésistible, à preuve qu'ils étaient sortis de son bureau avec le job dans la poche. Si on les écoutait, on avait l'impression que leur tâche consistait à se balader à vélo toute la sainte journée qui par ailleurs était si belle que j'avais dit à Marianne : « Ah, ne cherchons plus... Voilà le boulot qu'il me faut ! » Malheureusement, elle n'y avait pas donné suite.

Maintenant qu'ils étaient débarrassés des examens – seul Richard avait été recalé avec une moyenne de 6,5 –, ils se payaient tous les trois des mines magnifiques. Hermann ne dormait pas beaucoup à cause de ses répétitions, sans compter les nuits que Gladys passait dans son lit, mais malgré tout il tenait la grande forme. Gladys le bourrait de poudre d'huîtres portugaises et de comprimés d'acérola qu'il ingurgitait le matin à peine ouvrait-il un œil, après quoi il n'avait pas plus tôt descendu l'escalier qu'on l'entendait siffloter ou claquer dans ses mains, à telle enseigne qu'on se demandait si elle ne forçait pas un peu la dose, Elsie et moi, enfin je ne lui voyais pas encore de plaques rouges sur la figure.

Cette année-là, il avait eu quelques petits rôles – Beckett, Ghelderode, Edward Albee –, mais rien de comparable avec ce qui l'attendait dans les jours qui allaient suivre. Je n'avais pas été autorisé à m'en aller jeter un œil sur les répétitions, et en dehors de ce qu'il m'en disait, tout se passait dans le plus grand mystère. Richard et Gladys ne le quittaient pas d'une semelle. Je ne savais pas très bien ce qu'ils fabriquaient, s'ils lui massaient la nuque, veillaient à ce qu'il ne s'enrhumât point ou rangeaient ses costumes, mais ils participaient d'une même excitation et le soir on les entendait rentrer sur le coup d'une heure du matin et pas fatigués pour un sou, et si je m'approchais de la fenêtre je les voyais discuter dans la voiture, puis discuter sur le trottoir, puis remettre ça dans le jardin, et autant dire que je n'avais pas besoin de me presser pour aller leur ouvrir la porte. C'était au point que je n'entendais même plus parler de Vincent Dolbello. « Oh lui... ? Oh j'en sais rien... », me répondait Richard lorsque j'allais aux nouvelles. Je sentais qu'il était inutile d'insister, j'espérais simplement que ça ne se passait pas trop mal lorsqu'ils se retrouvaient en sa présence. Mais se rendaient-ils compte d'autre chose que de ce sacré théâtre depuis qu'ils y étaient fourrés ? !

Une semaine avant le lever du rideau, Hermann devint subitement pâle et les deux autres perdirent à leur tour quelque couleur. Comme je leur demandais s'ils étaient malades, Gladys me répondit que je n'étais pas drôle et qu'elle aurait bien voulu m'y voir. J'avais l'air d'oublier qu'Hermann portait pratiquement la pièce sur ses épaules et que toute la salle aurait les yeux braqués sur lui durant ces deux longues heures, est-ce que j'imaginais quelle terrible épreuve, quelle incroyable responsabilité... D'un geste faible, Hermann la pria de ne plus en rajouter et il resta prostré pendant un bon moment tandis que les deux autres montaient la garde.

Je crus bien faire en invitant l'auteur de la pièce, mais ils passèrent la soirée à se persuader que ça n'allait pas marcher, à parier qu'ils allaient se ramasser et que peut-être on préparait déjà le goudron et les plumes. Le type me plaisait. C'était rare de rencontrer un écrivain qui ne se prît pas pour une espèce de génie, un écrivain qui doutait de son travail et qui ne puait pas à des kilomètres.

— Non, toi tu es formidable... C'est la pièce qui est mauvaise !

— Oh bon sang, ne dis pas ça... ! Je suis vraiment fier de la jouer, tu sais... Mais je crois que tu aurais dû en choisir un autre... !

— Voyons, Mann... Je sais ce que je dis.

Je suis allé me coucher avec un léger mal de tête. J'ai demandé à Elsie si elle croyait un truc pareil. Elle m'a répondu qu'elle avait vraiment hâte de voir ça. Je l'ai prise dans mes bras et je lui ai dit que ces deux imbéciles commençaient à me ficher la trouille.

Marianne était persuadée que ce serait un succès, Paul aimait la pièce et Andréa prétendait qu'elle avait toujours su qu'Hermann avait du talent, mais j'entretenais à présent un doute affreux et il m'arrivait d'entrer dans leur bureau simplement pour qu'ils me rassurent une nouvelle fois si c'était possible. Paul rigolait, m'affirmant que mon inquiétude le rajeunissait car j'avais selon lui tout à fait le même genre d'expression lorsque l'on publiait l'un de mes bouquins et qu'au fond j'étais un angoissé qui s'ignorait. Je ne savais pas où il était allé chercher que je l'ignorais. A la maison, j'affichais une confiance totale, sans doute un peu trop sereine, de l'avis de Gladys qui me chuchotait des oh Dan, comment peux-tu rester si calme dans un moment pareil, je te jure que c'est presque indécent... ! Je lui répondais que moi je l'aimais vraiment, que je savais de quoi il était capable. Elle me rétorquait que c'était malin en haussant les épaules. La pauvre, que simplement je lui entrouvrisse mon cœur et je lui aurais flanqué une de ces chairs de poule qu'elle en aurait détalé, les mains plaquées sur ses deux oreilles.

Pour se changer les idées, ils essayaient de décider où ils allaient partir ensuite (une fois que le désastre serait consommé... ? !) et ils dépliaient des cartes et restaient penchés au-dessus, épaule contre épaule, comme de sombres naufragés transis. Je ne savais pas si ça tenait de famille, ce goût de se jeter en pâture au public, mais ça ne semblait pas nous réussir. Je trouvais encore beau qu'il fût capable d'enfourcher un vélo de bon matin quand pour ma part j'avais connu de ces angoisses à ne plus pouvoir descendre de mon lit tellement je me sentais faible.

Un soir, avec Gladys, je me suis coltiné les fameux cartons d'invitation — tâche qu'à sa demande elle s'était vu confier mais dont l'ampleur l'avait un peu prise au dépourvu —, nous nous sommes assis à la table et j'ai sorti mes lunettes en soupirant.

— Ecoute, tu n'es pas *obligé* de le faire.

— Parle-moi gentiment, lui dis-je. Il y a tellement de noms sur cette liste que tu devrais m'embrasser les pieds.

Après le repas, Hermann et Richard étaient retournés au théâtre. Le dernier bruit qui courait était que rien ne serait prêt à temps mais fichu pour fichu ils étaient repartis ventre à terre. Elsie n'était pas rentrée, elle avait une de ces espèces de dîner en ville et j'avais trouvé un mot m'expliquant qu'il était rose et ventripotent et que même sur une île déserte, etc. Si bien que nous étions seuls Gladys et moi, avec cette corvée sur les genoux.

Je m'étais installé pour écouter de la musique mais je l'avais entendue gémir dans le milieu du premier mouvement (*Andante comodo*) et, l'ayant observée un instant, j'avais résolu de lui venir en aide. Ce n'était pas si facile de se trouver un moment dans la vie pour s'écouter la *Neuvième* de Mahler — pour une fois, c'était Karajan qui les enfonçait tous — sans être emmerdé, surtout quand à se farcir des quarante heures de bureau l'on était cruellement tenu. Mais elle forçait la pitié avec son tas d'enveloppes et toutes ces adresses à recopier, sans parler des timbres. A mon tour, j'ai poussé un faible gémissement puis je me suis levé et je lui ai dit que j'étais son homme.

— Dan, on en a pour combien de temps, tu crois... ?

— Plus que tu ne penses... ! pâlis-je en examinant une enveloppe. Dommage que ce ne soit pas des auto-adhésives...

Elle nous prépara deux bols de thé Mu — elle avait introduit ça à la maison, ainsi que les galettes végétales et le Tamari, elle avait un petit coin à elle dans un placard de la cuisine, un assortiment de flacons et de pilules — et elle insista pour que je le busse pendant qu'il était encore chaud. Je n'étais pas contre si ça devait nous donner des forces. Et puis je ne trouvais plus que le breuvage avait un goût de Viandox comme au début, je commençais réellement à m'y habituer.

C'était une nuit d'été, tiède et molle, avec des craquètements d'insectes en provenance du jardin et une rumeur lointaine d'automobiles. Je sentais le sang neuf qui coulait dans ses veines, le parfait mécanisme de son corps, la ferme élasticité de sa peau et j'étais saisi d'une émotion comparable à celle qu'on peut éprouver à la vue d'une source. Je pensais à tous les espoirs, tous les désirs qu'il y avait en elle, et je me souvenais comme la vie me semblait simple lorsque j'avais son âge et que je commençais à écrire mes premières nouvelles avec une ardeur invincible, et comme tout était si loin.

— Oh Dan, je voudrais tant que ça marche... ! fit-elle en poussant vers moi un gros paquet d'enveloppes.

— Mmm, on va être bientôt fixés.

Elle croisa les bras et se mit à regarder par la fenêtre cependant que je m'affairais.

— Est-ce que c'est vrai qu'il suffit de vouloir vraiment quelque chose pour que ça arrive... ?

— Eh bien, je ne sais pas quoi te répondre au juste... Oui et non.

— Oh écoute, je veux que tu me le dises... !

— Bon sang, t'es marrante... ! Je ne suis vraiment sûr de rien, tu sais... Peut-être qu'on peut bénéficier d'un coup de chance... Enfin en ce qui me concerne, j'ai désiré certaines choses dans la vie...

— Mais *vraiment* voulu... ? !

— Oui, *ardemment* si tu préfères. Et sur le nombre, enfin rassure-toi ça n'a tout de même pas dépassé les doigts d'une main, eh bien, certaines se sont réalisées et d'autres pas. C'est difficile d'avoir une théorie là-dessus. Cela dit, pour répondre à ta question, je crois que ça peut marcher si l'on est disposé à payer le prix... mais quel qu'il soit. Et l'on ne peut jamais être fixé à l'avance, malheureusement. C'est un peu ce qui m'est arrivé, tu sais, je te parle d'une expérience que j'ai vécue. Crois-moi... il vaut mieux ne pas *trop* vouloir quelque chose. Enfin si tu ne peux pas t'en empêcher, je te conseille de n'avoir *qu'un seul désir* et de t'y tenir. Normalement, ça devrait marcher. Seulement ce n'est pas si facile et dis-toi bien qu'il est rare qu'on en soit exaucé d'une demi-douzaine... Tu as intérêt à bien choisir si tu veux mon avis. Mais n'oublie pas que c'est n'en avoir aucun qui est la Voie.

— Mince, j'aurais dû me douter que tu allais tout embrouiller... C'est quand même terrible !

— Bah, tu sais... Il s'agit de la grande erreur de ma vie, mets-toi à ma place. Je reconnais que je dérape facilement sur ce terrain...

À ces mots, elle me considéra d'un air amusé. Rien n'est plus sensible que la curiosité d'une fille.

— Mais c'est quoi... ? C'est une espèce de secret... ?

Lui souriant à mon tour, je la rassurai :

— Non, mais c'est un bon exemple... Tu sais, ça m'a pris un jour que je terminais un bouquin, je ne sais plus au juste quel âge j'avais mais je n'étais pas très vieux, je portais encore des culottes courtes et ce bouquin c'était *Moby Dick*. Ce n'était même pas la version intégrale, figure-toi, mais je me souviens que j'ai ouvert ma chemise et que je l'ai glissé contre ma peau en fermant les yeux. C'est ce jour-là que j'ai voulu devenir un écrivain et le soir même j'ai transformé mon ancienne prière par Dieu tout-puissant, je ne Te demanderai plus rien d'autre mais fais de moi un écrivain pour l'amour de Jésus-Christ, tout le reste m'est égal, mais fais de moi un écrivain ! Et comme un forcené, je serrais *Moby Dick* contre ma poitrine, sous ma veste de pyjama, et bon sang, mon lit tout entier devait en trembler, je te prie de me croire...

— Ah, dis donc, c'est génial... !

— Bien sûr et à partir de ce moment-là je n'ai plus pensé qu'à ça, j'ai patiemment attendu mon heure... Mais il ne se passait pas une seule journée sans que je rumine mon vœu, sans que je le caresse comme une lampe miraculeuse. Et puis un beau matin, je me suis retrouvé derrière une machine à écrire, avec mes bouquins qui se vendaient et mon nom dans les journaux, et je me suis rendu compte que je devenais à moitié fou et que Franck s'était fatiguée de moi et que j'étais un père lamentable. Alors j'ai compris que j'avais commis une lourde erreur en ne me souciant pas du prix à payer. C'était bien trop élevé pour moi. J'avais obtenu ce que je voulais mais ça ne me semblait plus aussi important, tout à coup. Sans compter que j'avais perdu mon inspiration, enfin ça c'est une autre affaire...

Tout en me regardant, elle a tiré une petite langue rose et pointue et l'a promenée tranquillement sur les bords d'une enveloppe. Je l'ai aussitôt imitée. A ce train-là, nous en avions encore pour deux jours.

— Bah, mais tout ça c'est de l'histoire ancienne...! ai-je ajouté avec un sourire analgésique. Ça me servira de leçon pour la prochaine fois.

On décida de s'y mettre un peu plus sérieusement. Il était déjà tard et elle voulait avoir fini lorsque Hermann rentrerait. Elle se faisait réellement du souci pour lui. Les sentiments qu'elle avait pour Hermann tissaient entre elle et moi des liens étranges. Je l'observais toujours avec un intérêt particulier car elle connaissait des choses le concernant qui m'étaient inaccessibles et ce mystère me captivait. Je n'avais pas très souvent l'occasion de me trouver seul avec elle, mais j'y prenais toujours du plaisir malgré qu'elle eût un certain caractère. La compagnie d'une fille de dix-huit ans conjuguée à celle de la petite amie de mon fils, c'était bien plus qu'il n'en fallait pour me satisfaire.

— Ah, j'espère qu'ils ne vont quand même pas rentrer trop tard, soupira-t-elle en s'éventant.

— Voyons, cesse de t'inquiéter... Au moins, pendant qu'il travaille, il ne pense pas à autre chose.

— Ah, tu le connais mal... Il est capable de faire les deux !

Je la fixai une seconde par-dessus mes lunettes, puis je repris mon boulot. Je me demandais comment elle pouvait se figurer qu'elle le connaissait mieux que moi.

— Bon sang, reprit-elle, j'ai envie de téléphoner pour savoir comment ça se passe...!

— Respire profondément. Détends-toi. Fais le vide dans ton esprit.

— Oh écoute, ne te fiche pas de moi... Je ne sais pas

comment tu peux rester aussi calme, vraiment tu me sidères !

— D'accord. Téléphone si tu veux...

Elle resta immobile pendant que je m'activais. Je craignis un instant qu'elle ne me plantât là et s'en fût vérifier sur place que tout allait bien car visiblement, ça la démangeait.

— Non, tu as raison, soupira-t-elle. Je suis ridicule. Mais c'est de rester là sans rien faire...

— Justement, tu devrais t'y remettre. Il en reste encore un bon paquet...

— Brr... ! C'est comme si l'on convoquait ses juges... Je m'étirai en rigolant :

— Hé, mais t'as pas bientôt fini... ? !

A nouveau, elle griffonna quelques adresses. Puis elle jeta un coup d'œil à sa montre.

— Parle-moi plutôt de vos vacances..., fis-je, convaincu qu'il fallait lui changer les idées au plus vite ou elle allait s'arrêter pour de bon.

— Mmm, on n'est pas encore décidés. Vincent a une baraque au bord de la mer, peut-être qu'il va nous la prêter...

— Doux Jésus, mais que n'a-t-il pas, cet homme... ? !

— Oh non, pitié... C'est déjà bien assez de Richard... ! Mais enfin, qu'est-ce que vous avez contre lui... ? !

— Je commence à croire que si on le voyait avec les yeux d'une femme, on changerait d'avis.

— Je sais que ça ne va pas entre maman et toi depuis qu'elle est avec Vincent. Bon Dieu, Dan, mais qu'est-ce qui se passe... ? !

— C'est tout simple. Ta mère n'a plus besoin de moi et je n'aime pas spécialement ce gars-là. Cela dit, il n'y a rien de dramatique. Sarah m'a l'air assez heureuse. Ce serait plutôt pour Richard que je me ferais du souci... Je ne crois pas que ça l'amuse d'avoir Dolbello à la maison.

— N'exagère pas, il n'est là que de temps en temps...

— Mais il va prendre de plus en plus de place... Je sais bien que Richard a fait des progrès, mais pas au point d'accepter que le premier type venu prenne la place de son père.

— Merde, mais moi non plus !

— D'accord, mais ce n'est pas la même chose. Ecoute, c'est ton frère, tu sais comment il est, je ne vais pas te faire un dessin. Rappelle-toi un peu comment ça se passait avant, souviens-toi des bagarres qu'il avait avec Sarah quand elle avait le malheur de sortir... ! Je crois qu'elle l'a assez perturbé comme ça.

— Je t'en prie... Ne me dis pas qu'on devient pédé simplement parce qu'on a eu des problèmes avec sa mère... !

— Je ne pensais pas spécialement à ça.

— Enfin quoi, tu sais bien que j'adore Richard..., mais bon Dieu il n'est pas tout seul, elle a quand même le droit de vivre elle aussi... !

A la réflexion, je me contentai de hocher la tête. Je ne voyais pas l'intérêt de me laisser embarquer sur ce terrain-là. Sans un mot, je me levai pour me servir à boire.

— Est-ce que j'ai pas raison... ? ! insista-t-elle en s'agitant sous la lumière tandis que je passais dans l'ombre.

— Sûrement que si, l'ai-je apaisée.

Un peu plus tard, lorsque Elsie est rentrée, nous en avions pratiquement terminé avec nos invitations. J'avais tant collé de timbres et d'enveloppes qu'en m'embrassant Elsie trouva que mes lèvres avaient un drôle de goût. Elle se plaignit d'être fatiguée et d'avoir passé un moment épouvantable avec le type en question qui non content d'être rose et gras sentait la savonnette et ne connaissait rien à la musique.

— Et je ne suis même pas sûre qu'il va me passer dans sa fichue radio, je crois qu'il ne m'a pas trouvée assez *gentille*... !

Elle semblait réellement découragée. Parlait de tout envoyer en l'air. Alors je l'emmenai dans le jardin pour lui montrer la lune et les étoiles, puis je la pris un peu dans mes bras et lui dégoisai quelques chinoiseries.

Je me débrouillai pour ne pas sortir trop tard du bureau, ce jour-là, je m'éjectai dans la chaleur bouillonnante de l'après-midi et laissai dans mon dos l'ombre de la Fondation qui plus que jamais se fit sentir et me poursuivit jusqu'au coin de la rue. Ce n'était pas d'aujourd'hui que j'en avais assez, aussi bien ces six derniers mois me pesaient plus que dix années de ma vie malgré que chacun se fût mis en quatre pour adoucir ma peine, mais à l'instant, son emprise me paraissait insupportable. D'entrée de jeu, j'avais parfaitement compris que cet endroit me tuerait à petit feu et chaque jour m'en apportait la preuve. Mais celui-ci me coûtait une pinte supplémentaire de sang.

Malheureusement, je n'avais pas encore trouvé de moyen pour m'en sortir et je n'étais pas fait comme ces gens qui ont réponse à tout et qui n'auraient pas moisi à ma place. J'avais plutôt le sentiment d'être accroché sur un radeau et je ne me sentais pas d'aller me jeter à la mer quand il n'y avait pas le moindre truc en vue, je n'avais pas la chance de pouvoir me tirer d'affaire aussi souvent que je claquais dans mes doigts. J'étais sans doute vieux et lâche, seulement c'étaient ces emmerdements énormes qui rôdaient dans les parages, leurs mâchoires qui claquaient à quelques encablures et tenaient ce qui me restait d'ardeur en respect, et je ne savais pas si elles en refroidissaient d'autres mais si j'y pensais parfois, elles me terrorisaient. On dit que le soldat battu frémit en entendant siffler le roseau.

La maison était vide quand j'arrivai. Hermann et sa bande devaient être quelque part en ville à se ronger les sangs, quoique le matin même il ne m'eût pas semblé autrement tourmenté que depuis ces derniers jours. Nous étions convenus de nous retrouver directement au théâtre, je l'avais presque trouvé en meilleure forme lorsque nous avions pris le petit déjeuner ensemble et, malgré que nous n'eussions parlé de rien, j'avais humé comme une possibilité que le vent pourrait tourner dans les heures qui viendraient. J'espérais que je ne m'étais pas trompé et que tout allait bien se passer cependant que je grimpais à ma chambre, une main posée sur la rampe. Marianne ne m'avait pas laissé souffler de la journée. Plus elle se mêlait d'éditer des livres et plus mon bureau s'encombrait, au point que la pile de manuscrits atteignait déjà le bas de la fenêtre. Au rythme où on les recevait, je ne me donnais pas deux mois avant d'être coupé de la lumière du jour. On aurait dit que, d'une manière ou d'une autre, la Littérature finirait par me tuer.

Je me suis allongé sur mon lit, je suis resté immobile durant une bonne heure, les yeux grands ouverts, puis j'ai flairé que le soir arrivait et je me suis levé et j'ai commencé à me préparer en sifflant *And The Band Played Waltzing Matilda*. Je ne me sentais pas aussi gai qu'il eût été souhaitable pour tout dire. J'appréhendais confusément cette soirée à cause de ces crétins, leurs espoirs m'avaient touché et leurs doutes à présent créaient un tel fossé que je ne me souriais pas dans la glace. Où qu'ils fussent en cet instant, je les maudissais.

Je ne dus de me détendre qu'à l'arrivée d'Elsie qui se prépara et se vêtit sous mes yeux tout en me racontant sa journée qu'au demeurant je ne découvrais que d'une oreille distraite, largement concentré que j'étais sur ses dessous vaporeux et peu enclin à me disperser lorsqu'une femme vous donnait l'ineffable spectacle de ses petites ablutions. C'était elle à mon avis qui aurait dû monter sur la scène, ainsi je ne me serais pas bilé ni n'aurais douté une seconde que la salle croulât sous les applaudissements. Je me tins tranquille pour que nous n'arrivions pas en retard. Je ne parvenais pas complètement à me faire à l'idée qu'Elsie vivait avec moi, j'avais réellement l'impression qu'il y avait une erreur quelque part et qu'un de ces jours quelqu'un s'en apercevrait et s'en irait me dénoncer au Tout-Puissant comme le dernier des voleurs, comme une canaille qui s'est approprié un manteau cousu d'or fin. J'étais bien conscient que le temps m'était compté mais j'avais du mal à conserver cette effroyable issue présente à mon esprit, je feignais de l'oublier quelquefois et m'imaginais chevauchant un miracle, après quoi je me sentais ridicule et profondément abattu, même si elle se serrait contre moi et me demandait ce qui clochait, même si elle me murmurait des choses à vous faire tomber un cheval.

Je la regardais et j'essayais de m'enfoncer toutes ces images dans la tête, je m'y employais de toutes mes forces. Je regrettais bien assez de ne pas m'y être plus amplement livré lorsque je vivais avec Franck, non que je m'en fusse privé, mais je n'avais sans doute pas suffisamment insisté, je ne l'avais pas observée en pensant qu'un jour elle ne serait plus là, et j'avais peur de commettre ce genre d'erreur avec Elsie, de me retrouver me torturant avec un flot d'images évanescentes, qu'il ne me restât plus rien pour éclairer mes vieux jours qu'un tas de souvenirs fugaces et troués comme des écumoires.

J'insistai pour que nous prissions un verre avant de partir. Je ne savais pas si la pièce allait se casser la gueule mais une chose était sûre : j'allais m'amener avec la plus belle fille du monde à mon bras. Du coup, je m'en resservis un autre. Puis l'on grimpa sur la moto, je kickai et l'on s'envola dans les dernières lueurs du crépuscule.

Le hall de la Fondation était noir de monde. Un type dans un coin, occupé à nettoyer ses lunettes, ne remarqua pas Elsie, mais l'on pensa d'une manière générale que l'ex-écrivain ne s'emmerdait pas. Il s'agissait d'un fourreau noir en lamé si suggestif que nous avions hésité un instant, mais qui avait fini par emporter mon adhésion, eu égard à la brièveté de la vie. A mesure que nous avancions, çà et là je découvrais un malheureux avec les yeux qui lui sortaient de la tête ou une femme irritée. Sous les lustres illuminés, l'assemblée ronronnait en s'épiant tranquillement. Je connaissais beaucoup de monde. Je décidai une trêve pour la soirée en tombant sur Vincent Dolbello, malgré que même il sifflât fort élégamment en avisant Elsie. On retrouva également les autres, mais je m'esquivai aussitôt que possible et filai dans les coulisses pour m'enquérir un peu de la consistance du terrain.

Lorsqu'elle m'aperçut, Gladys s'avança à ma rencontre, puis, s'accrochant à mon bras, elle me souffla à l'oreille que tout était rentré dans l'ordre tandis que nous nous dirigions vers lui. Sur le coup, il me parut pâle comme un mort mais c'était simplement qu'il était déjà maquillé.

— Bon sang, tu es splendide...! lui ai-je dit.

Il acquiesça d'un sourire nerveux.

— Je suis venu te souhaiter bonne chance, j'ai ajouté. Je ne crois pas que tu sois superstitieux...

— Mmm, t'en fais pas..., murmura-t-il.

— Non, je m'en fais pas... Je sais une chose, Hermann : quand on ne peut plus reculer, c'est là qu'on peut donner toute sa mesure, c'est là qu'on est vraiment bon.

J'ai hésité une seconde, à me demander si j'allais lui toucher l'épaule mais j'ai *préféré* me retenir pour ne pas l'embarrasser devant tous ses copains, et en définitive c'est lui qui a posé sa main sur mon bras.

— On se retrouve tout à l'heure...

« O.K., on se retrouve tout à l'heure... » ai-je tout bêtement répété après lui, car alors j'étais simplement occupé par le terrible effort que supposait le simple fait de m'arracher de là.

Je filai d'un seul coup, les doigts croisés au fond de ma veste. Profitant d'une encoignure, je sortis ma flasque — un cadeau que j'avais fini par me faire car personne n'avait voulu y songer — et m'offris sur-le-champ une longue rasade de bourbon afin de me mettre en jambes. Quand je rabaissais le flacon, je découvris Boris, l'auteur de la pièce, planté devant moi avec les mains dans les poches et le sourire tendu. Je lui passai le bourbon en inspectant les alentours. Sans façon, il se jeta dessus.

— J'ai connu ça... lui dis-je. Mais ça passe quand on arrête d'écrire. Avec l'âge aussi. Une fois que tu as vraiment terminé ton travail, ne t'occupe pas de ce que peuvent en penser les gens...

— Bon Dieu, mais c'est physique !

— La plupart des écrivains sont des hépatiques anxieux. Tu devrais essayer Nux Vomica en 9 CH. J'ai eu quelques résultats, à l'époque. Pour les reins, il y a le jus de pomme de terre. Si tu te sens près de la syncope, je te conseille le Soludor, tu peux aller jusqu'à quarante gouttes si le cœur t'en dit. Il y a de l'or et de l'éther, dedans.

— J'ai lu tous tes livres, me dit-il.

— L'or a une action calmante et bienfaisante, lui ai-je répondu.

Sur ce, je lui ai confisqué ma bouteille et j'ai rapidement déguerpi des coulisses. Je ne me sentais pas d'ainsi m'en aller rassurer chacun des membres de la sainte équipe. Quant à moi, jamais personne n'avait pu me réconforter pendant ces moments-là.

De retour parmi les autres, je serrai quelques mains en attendant le lever du rideau. Elsie et Sarah discutaient toutes les deux, ce qui m'agaçait légèrement, d'autant qu'elles semblaient toujours s'entendre aussi bien. Je m'arrangeai pour que nous ne soyons pas assis ensemble lorsqu'on nous fit pénétrer dans la salle, j'attendis qu'ils se fussent installés pour les dépasser de quelques rangs.

— Tu me demandes *pourquoi*... ?! ai-je répliqué à Elsie, m'enchérissant d'un ricanement sinistre.

Nous rejoignîmes Harold et Bernie. Je me retrouvai aux côtés d'Harold, mais si je devais choisir entre Dolbello et lui, je n'hésitais pas une seconde.

Tandis que l'on prenait place, Harold pointa son menton sur les premiers rangs et me demanda qui était ce type qui transbahutait Marianne de son fauteuil roulant à son siège.

— C'est son père, lui dis-je. Si tu as l'occasion de lui en parler, ne lui dis pas qu'il *transbahute* sa fille.

— Il a les cheveux tout blancs, tu veux dire son grand-père... ? !

— Ce n'est pas la blancheur de l'âge..., c'est après ce qui est arrivé à Marianne. Elle l'a retrouvé comme ça en sortant de l'hôpital, je ne suis pas sûr que tu imagines très bien la scène...

— Comment ça..., du jour au lendemain... ? !

— Chuuut... ! lui répondis-je, car à l'instant venaient de baisser les lumières de la salle.

Le rideau s'écarta sur l'intérieur d'un chalet de montagne. C'était l'histoire d'un jeune type qui avait des problèmes avec son père, et le père, on ne le voyait jamais, on l'entendait simplement parler derrière une porte ou briser quelque chose, et le jeune gars avait depuis le début un fusil à la main, enfin on voyait bien que ça n'allait pas très fort entre eux et on se demandait si les choses allaient s'arranger. J'avais retenu mon souffle pendant les dix premières minutes, mais à présent je respirais normalement et je m'étais redressé sur mon siège avec un sourire imperturbable qui, bien entendu, n'avait pas échappé à Harold.

— Bon Dieu, tu trouves ça *drôle*... ? ! avait-il chuchoté.

— Nan, c'est un air que je me donne...

Je n'espérais pas l'avoir convaincu. Je le sentais qui bougeait et remuait à côté de moi, je n'avais encore jamais vu un type qui tenait si difficilement en place, cela dit j'avais presque fini par m'y habituer. En dehors de lui, la salle était immobile et silencieuse. Je ne savais pas comment Boris l'interprétait, s'il continuait à s'inquiéter et tant et plus se rongeait dans l'ombre — « Crénom, je vous jure que ça ne me dit rien qui vaille... ! » —, mais il suffisait de tendre un peu le nez au vent pour s'assurer que le charme opérait. Ma main reposait sur la cuisse d'Elsie comme un vieux chien endormi au soleil. Je retrouvais ce sentiment d'apaisement qui m'envahissait régulièrement lorsque Paul venait m'annoncer qu'on passait la barre des cent mille.

— Tu sais que Mann me sidère... ! reprit-il.

— Hin hin.

— Ah, regarde-moi ça ! Non mais écoute-le... !

Il avait de la chance que je sois aussi proprement détendu. Pour le calmer à son tour, je tirai discrètement la flasque de ma poche et la lui glissai entre les mains. Hermann était en train de jurer à son père qu'il le tuerait s'il essayait de franchir la porte, c'était un moment assez émouvant pour quelqu'un de normal, j'en connaissais qui retenaient leur souffle autour de moi.

— Hé, mais c'est quoi... ! fit-il à voix basse.

Je me tournai une seconde vers lui, je scrutai son visage, puis repris sans un mot ma position initiale. Je l'entendis dévisser le gobelet et renifler l'intérieur du flacon.

— Ah, c'est du bourbon. J'aime pas le bourbon, tu le sais bien... Parle-moi d'un bon...

— Je te parle de rien, le coupai-je. J'essaie d'*écouter* cette pièce.

— Ouais, bien sûr. Taisons-nous. Mann est vraiment superbe.

C'était la vérité. Je me forçais à oublier que j'étais son père et je le trouvais toujours aussi bien. J'aurais voulu que Franck voie un peu ça — j'avais presque l'impression que cette cuisse que je tenais était la sienne et que nous avions réussi à traverser toutes ces années tant bien que mal — et peut-être qu'alors j'aurais connu un moment inoubliable, peut-être que j'aurais eu le sentiment d'avoir accompli quelque chose, ne serait-ce que de les avoir accompagnés pendant près de vingt ans de ma vie. Mais je ne m'étais pas plus tôt glissé dans ce rêve admirable qu'à nouveau j'entendis Harold. Il ne parlait pas, cette fois, il était en train d'agiter mon bourbon à la hauteur de nos oreilles.

— Mais qu'est-ce que tu fabriques encore... ? ai-je soupiré.

— Hé, on dirait qu'il en manque... ! m'a-t-il taquiné.

Je déduisis de son enhardissement qu'un certain calme pouvait se lire sur mon visage. Qu'il eût décidé d'en profiter ne faisait plus aucun doute. Je faillis lui sourire mais je craignis de l'encourager. C'était une chance que jusque-là nos murmures n'eussent encore dérangé personne. Enfin la pièce était assez prenante, il faut bien l'avouer. Et superbement interprétée.

— Il en reste bien assez..., lui soufflai-je. Tâche de te tenir un peu tranquille, essaie de suivre un peu ce qui se passe... !

— Oh, je *sais* ce qui se passe... J'ai assisté aux répétitions... !

— Tiens donc... N'empêche que ce n'est pas une raison.

— J'aime pas tellement la fin, quand Mann se tire un coup de fusil dans la bouche...

— Ouais, on en discutera *tout à l'heure*... !

Comme frappé soudain d'une sourde prémonition, je baissai les yeux vers mon flacon qu'il tenait entre ses mains et manipulait sans l'avoir rebouché, mais je n'eus pas le temps de le mettre en sécurité car dans la seconde qui suivit l'objet en question disparut.

— Oups... ! fit-il.

— Nom de Dieu, que se passe-t-il ? blêmis-je.

Percevant alors l'affreux glouglou, je plongeai en avant. De même que ce fils de crétin arraché aux forceps.

Nos deux têtes s'éclatèrent l'une contre l'autre. Un double gémissement naquit de cette union brutale. A demi foudroyé, interdit, je me redressai lentement, une main sur le front, et m'adossai à mon siège. J'étais littéralement assommé. Elsie me demanda ce qui m'était arrivé mais je ne pus qu'agiter ma main libre, lui signifiant par là que tout était O.K., qu'il n'y avait que la pièce qui comptait et que je désirais simplement qu'on me laissât tranquille quelques minutes. Une violente douleur irradiait sous mon cuir chevelu et jusqu'à mon menton. De l'œil qui se tenait au plus près de l'impact, la paupière se convulsait encore.

Dès que je fus en état, je le félicitai. Peu m'importait qu'il comprimât avec précaution quelque mouchoir sur sa figure, je n'avais qu'à sentir la bosse qui me palpitait dans le creux de la main pour ne pas un instant songer à le plaindre.

— Très bien. Ne bouge pas ! lui dis-je avant de me pencher pour aller récupérer ma flasque. Ne t'occupe plus de rien... !

La repêchant, je n'y trouvais plus une goutte vaillante — si c'est Harold qui fait le coup, on peut parier que le goulot se tournera dans le sens de la pente — mais je me réjouis tout de même qu'il ne l'eût pas piétinée. Le plus fort, c'est qu'il n'était pas parvenu à m'irriter, pas réellement. Harold n'était pas vraiment de taille à me gâcher une soirée comme celle-là. Ni Harold, ni *tutti quanti*.

A quelque chose malheur est bon. Je ne l'entendis plus jusqu'à la fin et il m'abandonna son accoudoir sans que je l'en priasse, tout appliqué qu'il était à tamponner son arcade sourcilière avec des soins infinis. De mon côté, je préférais laisser ma bosse à l'air libre, qu'Hermann la bombardât de ses bonnes vibrations. Il venait de louper son père en tirant à travers la porte. Ils avaient encore quelques petites choses à se dire. C'est rare qu'un père et son fils en aient complètement fini quand il s'agit de se raconter des trucs sur la vie.

Il nous fallut attendre que le rideau tombât et que la lumière revînt pour avoir tous les détails. Tandis qu'on applaudissait, je risquai un coup d'œil sur le profil d'Harold. Je ne crus pas lui en avoir jamais voulu au point de lui souhaiter une chose pareille. On aurait dit une mauvaise réaction à un sale médicament. Pour être poché, son œil l'était jusqu'à l'os, enflé à mort et luisant de la vilaine manière. J'avais dû le toucher à un endroit particulièrement sensible, là où n'aurait pu se poser une libellule sans lui causer un début d'œdème. J'applaudissais, sifflais même en tapant du pied pendant qu'ils saluaient sur la scène, mais parallèlement je me demandais où l'on pourrait bien trouver des glaçons. J'en avais besoin moi aussi, car pour n'être pas tant spectaculaire, ma bosse existait bel et bien et embrasait mon front meurtri.

Hermann semblait épuisé mais son regard brillait du temps que crépitaient les faveurs de la salle. « N'est-ce pas que c'est bon, n'est-ce pas qu'on se sent soulevé et comme douché par une pluie céleste... ? ! Hermann, je sais ce que tu ressens pour y avoir goûté, des gens m'ont guetté pour me serrer dans leurs bras, c'est comme je te le dis, Hermann, c'est la pire et la meilleure des choses qui puisse t'arriver mais n'y pense pas. Tout au moins pas ce soir... Reprends donc de ce doux et mystérieux breuvage, mon petit vieux ! » J'en avais les mains comme des pommes cuites et le talon de ma botte qui partait de travers.

Ensuite, quand on songea à se lever, il fallut bien expliquer à Elsie et Bernie ce qui nous était arrivé. Ce n'était pas aussi incroyable qu'ils avaient l'air de le penser, c'était simplement le truc le plus stupide qu'on pouvait imaginer. Mais j'allais m'occuper de tout ça, on retrouverait tout le monde dans les coulisses comme prévu, on n'en avait pas pour cent sept ans et on était assez grands pour s'en sortir tout seuls, qu'ils préviennent les autres qu'on arrivait.

Harold n'était que moyennement chaud pour me suivre. Une partie de sa bonne humeur s'était envolée depuis l'incident et il regimbait mollement derrière moi à mesure que nous remontions la travée en direction de la sortie, semblant vouloir s'accommoder des attentions de Bernie qui le cajolait et le soutenait dans cette épreuve. Je réussis tout de même à le convaincre qu'il était méconnaissable et que moi c'était surtout pour lui, que ma foi s'il pensait que ça allait bien comme ça, c'était lui qui voyait. Finalement, il se décida. Ce n'était pas tant que je tenais absolument à ce qu'il vînt avec moi, mais c'était beaucoup plus simple.

— Bon, alors soit on se trouve un bar, soit on se trouve une pharmacie..., lui dis-je à peine posions-nous un pied dans la rue.

La nuit était douce et les gens s'arrêtaient pour discuter sur le trottoir. Comme je n'avais pas envie de les entendre, je n'attendis pas sa réponse pour l'entraîner vers mon engin que j'avais enchaîné à un lampadaire, aussi bien il n'avait pas d'avis sur la question. Tout ce qu'il voulait, c'était que je roule lentement car il n'était pas habitué et m'avouait ne pas savoir comment il fallait se comporter dans les virages.

— Bah, vaut mieux que tu ne tentes rien, lui répondis-je en souriant. Tu sais qu'ils nous attendent... !

On fila au *Durango*. On s'installa au bar sous l'œil amusé d'Enrique qui ne croyait pas un mot de notre histoire mais se décida quand même à nous apporter un seau de glace et deux gin-tonics. Pendant que je me rafraîchissais et jetais un rapide coup d'œil sur la salle, Harold se confectionna une compresse émolliente et se mit à soupirer d'aise. Pour ma part, j'étais encore un peu sous le charme et je pensais à Hermann qui devait s'en entendre d'agréables et sourire dans toutes les directions. Je me félicitai d'avoir pu échapper à la bousculade, je ne voulais pas avoir à jouer des coudes pour le complimenter ni me tenir à l'écart en attendant qu'il pensât à moi et que, croisant mon regard, aussitôt il fendît la foule. Je me serais donc éclipsé de toutes les façons, mais si je pouvais éviter qu'on me demandât où j'étais passé — qu'on me soupçonnât peut-être d'avoir filé *exprès* —, alors j'étais partie prenante et autant dire que mon affaire avec Harold tombait à pic.

La pénombre était agréable. C'était certainement

mon jour de chance car il y avait une poignée de jeunes filles autour du juke-box et l'une d'elles me fixait effrontément avec l'air d'avoir une idée derrière la tête.

— Lorsque j'avais son âge, les femmes de quarante-cinq ans me rendaient fou parce que je les croyais inaccessibles, expliquai-je à Harold. Elles étaient comme un royaume interdit, je n'exagère pas, il n'y avait pas une seule fille pour me faire un tel effet...

Je n'allai pas plus au fond de ma pensée car le sujet ne semblait pas l'intéresser. A la réflexion, je regrettais de ne pas m'être emplafonné avec Bernie, car tous deux nous aurions pu bavarder à notre aise, je nous imaginais démarrant sur un tel sujet et glissant allégrement dans une conversation légère comme tandis que nous filerions sur la neige ensoleillée, à bord d'un traîneau attelé à des rennes et nous partageant quelque fourrure épaisse pour nos genoux tout en devisant au milieu d'un concert de clochettes. Harold ne valait rien pour ce genre d'exercice, on aurait dit qu'à tout moment son temps était précieux et qu'il répugnait à le gâcher en discours inutiles. Mais que savait-il au juste de la vie, que s'imaginait-il... ?

Perché sur mon tabouret, je l'examinai cependant qu'il rechargeait son cataplasme d'une poignée de glace pilée. Son œil allait un peu mieux et il était très occupé à grimacer dans le miroir qu'Enrique avait mis à sa disposition, *Qué lástima*, ounn si beau visage... ! Je me sentais parfaitement décontracté, je n'avais au contraire aucune pensée mauvaise lorsqu'il me vint à l'esprit que nous pourrions tranquillement parler de ces choses.

— Je voudrais te poser une question, lui déclarai-je d'un ton aimable : où en es-tu avec Richard... ?

Il tressaillit aussitôt sur son siège mais je le rassurai.

— N'aie pas peur..., je n'essaie pas de te chercher des noises. J'aimerais juste savoir ce qu'il en est. Tu sais, j'ai connu Richard il avait à peine une dizaine d'années...

Il me coula un œil méfiant mais j'avais pris un air si désarmé et travaillais mon sourire dans une lumière si douce qu'au bout du compte il finit par se détendre.

— Bah, tu tiens vraiment à aborder ce sujet...?

— Non, en fait c'est surtout ton avis qui m'intéresse. Laissons de côté vos relations sexuelles, ce n'est pas ça qui me gêne..., dis-moi plutôt comment tu vois l'avenir pour Richard...

— Hé Dan, une minute..., où est-ce que tu veux en venir...?!

— Calme-toi..., je ne suis pas en train de t'accuser de quoi que ce soit. Tu te trompes sur le sens de ma question, je voulais simplement te demander si tu pensais que c'était du sérieux ou si ce n'était qu'une expérience pour lui...

— Comment ça...?

— Sincèrement, Harold, est-ce que je suis en train de te parler chinois...?!

— Bon Dieu, t'es marrant...!

— Allons, ne me dis pas que tu n'en sais rien...!

— Oh écoute, ce n'est pas si simple... Richard est un type tellement secret... Ne crois pas qu'il m'en raconte plus qu'à toi ou à n'importe qui d'autre...!

— Oui, mais je ne te demande pas ce qu'il te raconte, je te demande ce que toi tu sens...!

— Mmm, c'est un sentiment plutôt vague... Eh bien, je ne sais pas, mais disons que ce serait plutôt une expérience... J'ai eu parfois l'impression qu'il y mettait de la bonne volonté...

Il s'interrompit en souriant et me fit remarquer que c'étaient les premières mesures d'un morceau d'Elsie qu'on entendait. Il avait parfaitement raison. C'était une bonne surprise. Enrique me cligna de l'œil à l'autre bout et m'annonça qu'ils avaient le disque depuis hier. Je me tournai vers le juke-box. La fille avait disparu avec ses copines mais je ne la cherchai pas, la chanson disait : *J'espère que tu n'as pas fini de m'étonner, j'espère que tu en vaux la peine...*, ce n'était pas le moment de faiblir, je commençais à craindre que ce ne devînt un franc succès et que ça ne me poursuivît aux quatre coins de la ville.

J'en étais là de mes réflexions lorsque je vis un type arriver au fond de la salle et résolument se camper devant l'appareil. C'était Marc et j'ai pensé que j'allais assister à une scène douloureuse, qu'un gars venait se pencher sur une espèce de tombe et que baissant la tête il allait se recueillir du temps que la voix d'Elsie roucoulerait à ses oreilles. Mais au lieu qu'il se prît à chérir quelque souvenir un peu doux, il attrapa l'engin à deux mains et le secoua brutalement. Il y eut comme un terrible bruit de papier de verre. Je me hérissai jusqu'à la pointe de mes orteils. *Oh mon héros, mon chou, mon solitaire* — ses toutes dernières paroles avant qu'il ne la scouiquât —, *mon préféré, mon scélérat...*

Je dégringolai aussitôt de mon tabouret. Harold chercha à me retenir mais je lui signifiai de ne pas se mêler de ça. Je rattrapai Marc au moment où il repartait entre les tables. Je lui tapai sur l'épaule. Dès qu'il se retourna, je lui balançai une droite sévère dans l'estomac, quelque chose de bien.

« Je crois qu'on n'est plus copains » lui dis-je tandis qu'il s'affaissait devant moi. Enrique arriva au galop. Marc frétillait comme un poisson sorti tout d'un coup de la rivière et jeté dans le fond d'une barque.

— Enrique, voudrais-tu me faire de la monnaie, s'il te plaît... ?

Sur le chemin du retour, je fis jurer à Harold de ne pas souffler un mot de l'incident devant Elsie. A un feu rouge, il me demanda si ça me prenait souvent et y réfléchissant je retrouvai ma bonne humeur.

Ils n'avaient pas fini de se congratuler lorsque l'on réintégra les coulisses, mais nous avions sans doute échappé au plus fort de la mêlée, en sorte qu'il me fut possible d'atteindre Hermann sans trop de difficultés. Bien entendu, il n'était plus le même et tandis que l'on discutait en compagnie de quelques autres, je le vis descendre trois coupes de champagne sans même s'en apercevoir et son regard brillait d'une lueur chaude et ses joues étaient rouges comme des pivoines. Quant à le féliciter, je m'étais contenté d'un sourire bien placé puis je m'étais fondu parmi les autres, racontant l'histoire de ma bosse à mon voisin d'à côté.

Paul s'accrocha à mon épaule pendant un moment, il y resta pendu lorsque nous naviguions d'un groupe à l'autre, remâchant à mon oreille quelque souvenir de la belle époque, du temps passé que soi-disant réveillait en lui cette ambiance de succès, est-ce que je reconnaissais la fragrance des louanges, est-ce que j'avais oublié jusqu'où nous étions grimpés... ?! Je n'avais pas le cœur à le rembarrer, je savais ce que cette période représentait pour lui et je voulais bien le laisser dérailler de temps en temps, de préférence lorsque je me trouvais détendu. Quoiqu'il ne m'en eût jamais parlé, je sentais parfois que la Fondation lui pesait. En fait, nous étions tous logés à la même enseigne.

Des échelles, des poulies, des projecteurs étaient suspendus au-dessus de nos têtes. De lourdes tentures descendaient du plafond et cachaient dans leurs plis des éléments du décor. La pièce était terminée mais le spectacle continuait. Que cachaient tous ces sourires, qu'y avait-il derrière tout ça, qu'y avait-il de vrai, de quels secrets enfouis étaient-ils les insondables masques... ? J'en avais fait mon beurre en tant qu'écrivain mais depuis je gardais mes réflexions pour moi. Cela dit, j'avais toujours le même œil. Par moments, mes oreilles se mettaient à siffler, le bruit des conversations baissait jusqu'à n'être plus qu'un faible murmure et j'observais les gens avec le cœur serré, suffoqué par tant de mystères et d'une certaine manière émerveillé par la complexité des choses et leurs sombres grondements souterrains. Toutes les personnes qui m'étaient proches étaient réunies ce soir-là mais qu'en était-il au juste... ? Aurais-je pu prétendre connaître leur *vrai* visage, y avait-il même une seule chance d'y parvenir... ?! Chaque fois que l'on soulevait un voile, les ténèbres s'épaississaient.

— Est-ce que par hasard tu t'ennuierais... ? plaisanta Marianne en stoppant son fauteuil devant moi.

— C'est l'émotion, fis-je. N'oublie pas que je suis son père et qu'un peu de sa réussite a rejailli sur moi, par le fait même...

— Je crois que certaines personnes ont été impressionnées... Et moi la première, tu sais...

— Mmm, dommage que je n'aie qu'un fils, sinon tu aurais vu ça... !

Ce que pourtant elle put voir, au bout d'un petit moment — si tant est qu'à mon exemple elle l'eût observé du coin de l'œil —, c'est que le fils en question glissait sur la mauvaise pente. Pour ma part, je n'étais pas un grand amateur de champagne et si j'en buvais à l'occasion, il était rare que je revinsse plusieurs fois à la charge. Je n'en étais d'ailleurs qu'à ma deuxième coupe et, blague à part, il se pouvait très bien qu'elle fût la dernière de la soirée, mais ce n'était pas le cas d'Hermann.

Boris ne valait guère mieux. On eût dit que je ne pouvais pas poser un seul regard sur eux sans qu'ils fussent à l'ouvrage, s'épaulant l'un et l'autre et trinquant à qui mieux mieux. Je savais parfaitement bien comment l'histoire allait finir et je me demandais qui allait s'occuper de ma moto quand je serais obligé de le ramener.

Je ne pensais pas qu'il tiendrait le coup encore très longtemps. Il faisait assez chaud et, compte tenu de l'épreuve qu'il avait traversée, je ne lui en donnais pas pour un quart d'heure.

— Je crois qu'Hermann a un peu trop bu..., me glissa Sarah.

Je ne savais pas par quel hasard elle se trouvait à côté de moi ni ce qui lui prenait de m'adresser la parole sans y être forcée, mais c'était ainsi et au fond c'était encore pire. Qu'elle cherchât à banaliser nos rapports était ce que j'avais craint par-dessus tout. Force m'était pourtant de constater qu'on en prenait rapidement le chemin.

— Ouais, lui répondis-je en regardant ailleurs.

— Peut-être que tu devrais lui dire d'arrêter...

— Non, j'ai dit.

— Oh, eh bien, après tout, ça te regarde...

— Ouais.

— Tu n'es pas le genre à faire beaucoup d'efforts, n'est-ce pas... ?

— Nan.

Je fermai les yeux une seconde. Quand je les rouvris, elle n'était plus là. Des efforts... ?! Mais qu'espérait-elle exactement... ? Que je les invite tous les deux à la maison pour une partie de bridge... ?! Qu'on se fasse des petits dîners tous les quatre, que rien qu'à m'en l'imaginer j'étais saisi d'un spasme... ?! Je m'ébrouai discrètement. Comme si c'était qu'on m'eût soufflé un vent glacé à la figure.

Lorsque Gladys vint me chercher, Hermann était fait.

— Très bien. Allons-y... ! déclarai-je en lui emboîtant le pas.

Il me dit que tout allait bien mais il était couché par terre et refusait de se lever. Richard me donna un coup de main pour le remettre debout... C'était qu'il pesait son poids, à présent, et qu'il ne s'aidait pas d'un poil. On s'éclipsa sur le côté, derrière un pan de rideau, et on coupa par le théâtre. Gladys ouvrait la marche et se retournait pour nous demander si on trouvait ça drôle de le voir dans cet état et nous expliquer que c'était la faute de Boris, d'ailleurs en voilà un qui finirait sûrement ivrogne si l'on voulait son avis. Hermann gloussait et laissait ses jambes traîner par terre. Je ne savais pas si c'était sa première cuite, mais celle-ci était franchement réussie. A la sortie de mon premier livre, j'étais tout de même parvenu à rentrer tout seul chez moi.

On installa Hermann dans la *Fiat*. Avant de refermer la portière, j'envoyai Gladys prévenir Elsie, lui dire qu'elle pouvait rester si elle voulait mais que j'étais obligé de rentrer. Je m'allumai une cigarette et regardai la nuit pendant que Richard empêchait Hermann de basculer sur le trottoir. Il n'y avait pas un chat dans la rue, mais une longue enfilade d'enseignes brûlaient en attendant le petit jour.

Je fixai Richard un instant. Lorsqu'il s'en aperçut, je me lançai à l'eau.

— Ecoute, Richard..., ne me raconte pas de conneries, je veux que tu me répondes franchement... Est-ce que oui ou non tu te sens capable de me ramener ma moto... ?

— Bien sûr, sans problème... !

— Bon Dieu, il ne s'agit pas de me dire n'importe quoi... Je peux me débrouiller autrement si tu as le moindre doute... Tu sais, tu n'as rien à prouver avec moi...

— Ouais, sois tranquille..., j'en prendrai soin.

— Nom de Dieu, Richard... ! grognai-je en lui tendant les clés.

Elsie — dans cette robe, sans mentir, un lys noir, une flamme anthracite — et Gladys rappliquèrent au moment où Hermann piquait du nez et se heurtait le crâne au pare-brise. Elles grimpèrent à l'arrière de mon dé à coudre comme dans un numéro de magie.

— N'hésite pas à me passer un coup de fil si tu ne te sens pas sûr..., lui recommandai-je avant de démarrer. Je te ramène la *Fiat* et le tour est joué... !

Je le montai directement dans sa chambre, le portant presque avec Gladys sur les talons qui me parlait de je ne sais quoi pendant qu'il gémissait à mes oreilles. Je l'allongeai sur son lit et entrepris de le déshabiller mais elle était dans mes jambes. Je lui dis de m'appeler si quelque chose n'allait pas, que ça ne servait à rien qu'on fût à deux qu'à se gêner.

Je traînai un peu en bas pendant qu'Elsie se démaquillait. Je n'avais pas envie de grand-chose. J'écoutais les bruits de la maison et pensais à Hermann. En fait, c'était moi qui avais été le plus impressionné. J'allai dans la cuisine et m'avalai une pêche-abricot au-dessus de l'évier. Il n'était pas plus d'une heure du matin mais il n'y avait pas une seule lumière en vue, hormis l'air ahuri de quelques lampadaires. Les baraques se découpaient dans l'obscurité, plus noires que la nuit, et pas une fenêtre n'était éclairée. Je ne pensais à rien de très précis ou bien je ne m'en apercevais qu'à peine. Je n'avais pas sommeil mais je sentais que j'avais besoin de repos. De retour au salon, je me suis assis dans mon fauteuil et je suis resté sans rien faire, les jambes croisées et les bras par-dessus les accoudoirs et mes lèvres jouant toutes seules.

Un peu plus tard, je suis monté voir ce qui se passait là-haut. A présent c'était Gladys qui occupait la salle de bains. J'en ai profité pour jeter un coup d'œil dans la chambre d'Hermann. La lumière était éteinte, je ne voyais rien mais je l'entendis remuer et respirer.

— Souviens-toi d'une chose..., murmurai-je en refermant doucement la porte. *Plus vous remportez de succès dans ce monde, et plus vous êtes vaincus.* Henry Miller. *Nexus.*

Un soir, une quinzaine de jours après le départ d'Hermann pour l'océan, Elsie m'annonça qu'on lui proposait une tournée dans le pays mais qu'elle n'avait pas encore donné sa réponse. Cette histoire semblait la préoccuper. Aussi, lorsque nous eûmes fini le dîner, la pris-je sur mes genoux et lui proposai-je d'en parler calmement. J'étais un peu étonné qu'elle hésitât de la sorte quand il s'agissait de passer derrière un micro.

Je lui conseillai d'accepter. Je savais très bien ce que cela signifiait pour moi mais je lui dis que, si elle avait une chance à saisir, il ne fallait pas hésiter. N'empêche que j'allais me retrouver seul. Grâce à elle, l'absence d'Hermann était moins sensible et nous avions coulé quelques soirées paisibles tous les deux, mais je ne devais pas y penser. Je commençais à avoir un drôle de problème avec Elsie.

Durant deux jours, elle dansa d'un pied sur l'autre — *On achève bien les chevaux* — bien que je l'exhortasse sans faiblir. Au point qu'elle me demanda si je cherchais à me débarrasser d'elle. Je la fis asseoir à nouveau sur mes genoux. Puis, au matin, elle se décida.

Lorsqu'elle fut partie, mes nuits se déréglèrent à nouveau. J'étais doublement seul et c'était deux fois plus dur, j'étais seul même quand je me trouvais avec des gens. On tomba d'accord, Bernie et moi, sur le fait que nous n'étions plus à un âge où l'on pouvait supporter les grands froids, ni vivre comme des bêtes sauvages ou des héros solitaires. Nous avions besoin d'un peu de chaleur. Malheureusement, nous n'étions pas sûrs de ne pas nous y être pris un peu trop tard.

— Tu imagines le salaud qui s'est trouvé une femme gentille... tu l'imagines avec une demi-douzaine d'enfants lui cavalant dans les jambes... ? ! !

— Seigneur... ! Ne remue pas le couteau dans la plaie... !

Lorsqu'elle fut partie, je compris ma douleur, mais il fallait savoir se couper un doigt de temps en temps quand il vous indiquait la mauvaise direction. J'en étais à souhaiter que l'inévitable advînt au plus vite et qu'elle filât avec le premier type venu, même si je devais y laisser des plumes. Ce n'était rien à côté de la chair et du sang qui me pendaient au nez, ne fût-ce que si elle me plaquait d'ici quelques mois.

Cela dit, j'étais bien content de recevoir ses coups de téléphone. Elle attendait que la nuit fût tombée, me cueillait après une journée de boulot, après que m'étant avalé un morceau debout dans la cuisine je me retirais dans le salon et tâchais tant bien que mal d'oublier ma sinistre situation. C'est dire si j'étais à point. Mais je ne me trahissais pas, je lui répétais que tout allait très bien, pourquoi ça n'aurait pas été... ? « Tu n'es pas très gentil... », qu'elle me répondait. Mon estomac se tordait au bout du fil mais je tenais bon. Je me gardais un verre à portée de la main. « Est-ce que je te manque, au moins... ? — Ouais, bien sûr ! » que je la rassurais d'une voix aussi plate qu'il m'était possible, compte tenu de l'étranglement qui me guettait.

Quand je lui demandais comment ça marchait pour elle, j'entendais là-bas comme un léger soupir et je ne percevais pas le moindre enthousiasme, et si j'insistais elle me disait pourquoi ne viens-tu pas me rejoindre, pourquoi ne prends-tu pas quelques jours... ?

Les nuits étaient comme des villages abandonnés, des ruines silencieuses, des quartiers engloutis que je traversais la mort dans l'âme, une chance que nous fussions en été et que le jour ne se fît point trop attendre, c'était tout ce qui aurait manqué.

J'arrivais tous les matins en avance. Je m'installais à une terrasse en attendant l'ouverture des portes et le soleil me redonnait des forces, j'ôtais mes lunettes et le laissais m'éblouir quelques secondes et m'inonder au-dedans avec une espèce de sourire épuisé. Ensuite, la voiture de Dolbello s'amenait et s'arrêtait à cent mètres. Il fallait toujours un bon moment avant que Sarah n'en descendît. Je la regardais filer en vitesse sur le trottoir d'en face et lui envoyer un dernier signe tandis qu'il la dépassait à bord de sa Rover de mes deux.

A présent que j'étais seul, les raisons pour lesquelles j'émargeais à la Fondation ne m'apparaissaient plus de manière aussi nette. Je me sentais lâcher prise peu à peu et bizarrement cette observation me laissait froid, de même que les emmerdements qu'on encourait à perdre son boulot ne me sautaient plus immédiatement à la figure. Je m'étais souvent demandé ce que je fichais là mais encore jamais avec autant de force. J'en commençais à sourire dès que je pénétrais dans le hall, puis j'en riais dans les ascenseurs et le long des couloirs, et pouffais littéralement en prenant place derrière mon bureau. Le bruit courut que j'avais touché le tiercé dans l'ordre.

Quand elle apprit que j'étais seul, Marianne poussa un soupir de soulagement et m'annonça que c'était une chance inespérée.

— Moi non plus, personne ne m'attend... ! ajouta-t-elle comme si c'était une bonne blague.

Une fois de plus, il s'agissait de ces maudits manuscrits. C'était vraiment quelque chose où elle aimait fourrer son nez, elle aimait publier des bouquins et prenait du plaisir à les retravailler quand les auteurs étaient trop feignants ou incapables de le faire eux-mêmes. C'était une des activités de la Fondation dont elle tenait à s'occuper personnellement, et Paul, Astringart et moi étions les seules personnes à être admises au club. Enfin bref, elle avait pris du retard mais tout allait s'arranger puisque j'étais là. « Mmm, là ou ailleurs, de toute façon... », résolus-je à part moi, m'évitant du même coup un de ces renâclements dont elle n'aurait eu de cesse que je ne lui fournisse une raison valable.

Elle avait gardé des premiers temps où je l'avais connue ce goût pour les ambiances malsaines, en l'espèce des quatorze et quinze heures de boulot d'affilée dont les dernières m'étaient à l'époque un véritable supplice tandis qu'elles l'aiguillonnaient et lui enfiévraient les yeux. Je n'avais jamais recherché ces moments-là, même lorsque j'écrivais. Je travaillais à la cadence d'Hemingway, jamais plus de cinq cents mots par séance, mais c'était la bonne école, malgré que ça en fît rire plus d'un. Au-delà, ce n'était plus la peine. S'endolorir le cerveau, c'est bon pour les impuissants.

Mais enfin, puisque ça l'amusait et que ça raccourcissait d'autant mes veillées solitaires, je m'embarquais avec elle jusqu'aux environs de dix heures du soir, ce qui me laissait largement le temps de rentrer et me détendre un peu en attendant mon coup de téléphone.

J'arrivais chez moi et j'allais souffler dans un fauteuil. Me détendre, disais-je...?! A mesure que passaient les jours, ce m'était un peu plus difficile. Comment avais-je pu penser que je pourrais tenir ce rythme quand une simple journée m'apportait amplement ma dose...?! Je sentais que mes forces m'abandonnaient, j'en avais la nausée de ces bouquins à la noix qu'il fallait publier coûte que coûte et qu'on s'employait péniblement à rafistoler. Il y avait maintenant presque huit mois que je travaillais à la Fondation. « Allô, Dan...? Oh ! j'en ai marre, tu sais... — Voyons, ma belle, ne te laisse pas aller...! »

Je ne dormais plus, je n'avais plus ni femme ni enfant, j'étais enfermé toute la sainte journée dans un bureau pendant que l'été ruisselait aux fenêtres et que de pâles écrivains me faisaient chier, à part ça je ne voyais rien d'autre.

— Alors merde ! fis-je en m'éjectant de mon siège. Il est bientôt minuit, est-ce que ça va encore durer longtemps... ?!!

C'était un vendredi soir, la semaine avait été si longue que je n'en apercevais plus l'autre bout. Ni même la fin, parti comme ce l'était. Subitement, j'avais eu l'impression d'être acculé au vide.

— Merde... ! ai-je répété en me dirigeant vers la fenêtre. J'en peux vraiment plus... !

— Très bien..., soupira-t-elle. Arrêtons-nous pour aujourd'hui.

Malgré mes lunettes, je sentais que mes yeux étaient rouges de fatigue. Je les enlevai pourtant et les glissai dans ma poche avant de me tourner vers elle.

— Non... J'arrête *définitivement*. Je ne rigole pas...

Me fixant avec un début d'inquiétude, elle mit son fauteuil en marche et se recula du bureau.

— Mais Dan...

— Bon sang, Marianne..., *j'arrête tout..., je quitte la Fondation*... !

« Je suis désolé... » j'ai ajouté en voyant la tête qu'elle faisait. Mais j'étais secoué, moi aussi, je commençais à réaliser ce que je venais de lui dire. ZZzziiiii..., elle s'avança jusqu'à moi. Elle avait un joli visage, une peau très blanche, c'était une fille qui n'aurait pas eu de mal, debout. Comme je l'ai déjà dit, ce n'était plus la petite emmerdeuse que Paul m'avait envoyée dans les jambes quelques années plus tôt, elle n'était plus rien de tout ça.

— Ecoute..., nous allons y réfléchir...

— Non, c'est inutile.

— Enfin, mais qu'y a-t-il au juste... ?

— Bon Dieu, il y a que je deviens fou... ! Je ne peux plus travailler dans un bureau, Marianne, c'est plus fort que moi... Je ne supporte plus d'être enfermé du matin au soir... ! Et tous ces manuscrits, tous ces machins, ça ne m'intéresse pas..., tu le sais bien... !

Je lui tournai le dos et inspectai les lumières de la ville.

— J'ai essayé, sincèrement j'ai *essayé*..., repris-je. Tu n'y es vraiment pour rien.

Je pouvais presque haleiner la tiédeur de la nuit malgré l'air climatisé.

— Je suis trop vieux pour revenir à la civilisation..., j'ai plaisanté.

ZZzziiiii..., elle est repartie vers son bureau. Je me sentais comme un qui vient de se libérer d'un étranglement et s'emploie à retrouver ses esprits. Je n'étais pas en train de penser au revers sombre de la médaille, simplement je n'arrivais pas à croire qu'en trois secondes j'avais brisé mes chaînes. J'avais envie d'ouvrir la fenêtre et de m'y accouder comme au bastingage d'un transatlantique.

— J'ai encore une chose à te proposer..., me confia-t-elle en s'affairant du côté de ses tiroirs.

Je devais être un type ultra-précieux pour qu'elle s'échinât ainsi à me garder sous son aile. Mais m'eût-elle nommé directeur général que ça n'aurait rien changé. Je levai une main décourageante afin que davantage elle ne prît peine en ce qui me concernait.

Ce fut alors qu'elle me sortit cette vieille relique de scénario sur lequel nous avions travaillé ensemble — ô comme entre mille j'eusse reconnu sa couverture safranée et sa bordure auburn ! —, il y avait si longtemps déjà. Qu'ainsi ramené à l'air libre, roide il ne tombât en poussière ne manqua pas de m'étonner.

Marianne me fixa un instant. Ma liberté était si fraîche qu'un sourire m'échappa sans raison et surtout sans aucun rapport avec l'objet qu'elle me présentait.

« J'y pense depuis un moment... » lâcha-t-elle comme à regret, puis se taisant guigna mes éventuelles réactions du coin de l'œil.

Je réprimai de justesse quelque bâillement malvenu. Etais-je censé éprouver le moindre intérêt pour cette pauvre haridelle qu'elle exhumait à la hâte... ?

372

— Bon sang, il est tard...! soupirai-je, désolé par avance.

Certes, je ne voyais pas très bien où elle voulait en venir, mais qu'elle eût fondé le moindre espoir de me faire changer d'avis avec une aussi piètre carte dans la manche me contristait pour elle. C'était bien la dernière chose qui pût éveiller quoi que ce fût en moi.

— Enfin, voilà, Dan..., reprit-elle. Tu continues à recevoir ton chèque et tu restes chez toi. Est-ce que c'est une solution qui t'arrange...?

Je contractai mes abdominaux, comme dans un ascenseur qui monte trop vite.

— Je ne sais pas... Ça y ressemble..., marmonnai-je.

— Oui, je trouve aussi...! renchérit-elle, armée d'un sourire à l'avenant.

Si je n'avais plus besoin de marcher au réveille-matin, si je pouvais rester chez moi et si on me laissait tranquille, si on me donnait mon chèque..., alors je me sentais prêt à accomplir des miracles, je voulais qu'elle n'eût aucun doute à ce sujet. Ecrire un scénario, c'était quelque chose que j'étais encore capable de faire. Fussé-je un ancien capitaine au long cours, c'était comme si l'on me demandait de longer la plage à la rame.

Nous n'en avons pas discuté des heures durant, tout fut réglé en moins d'une minute. C'était d'ailleurs assez simple : j'embarquais le scénario chez moi et tout mon soûl pouvais bien le triturer comme de la chair à saucisses ou m'asseoir dessus. J'étais libre de le retravailler comme je l'entendais, libre d'agir comme il me semblait bon, il n'y avait que le résultat qui l'intéressait. Je lui ai répété que dans ces conditions elle n'avait pas à s'inquiéter. Et je ne me vantais pas. Il m'avait fallu un bon moment avant de connaître mes limites. A présent, je n'avais plus ce genre de problème.

Quand j'ai regardé la nuit au-dehors, j'ai souri en pensant que j'allais me payer de longues vacances, et sous mes pieds la moquette s'est enfoncée comme du sable chaud. Tandis qu'elle se préparait, j'ai couru jusqu'à mon bureau afin de récupérer mes affaires — ma bouteille de *Wild Turkey* et mon coupe-ongles, tout le reste appartenait à la Fondation — et je me suis assis une dernière fois dans mon fauteuil à roulettes. Je ne laissais vraiment rien derrière moi, je n'avais rien gravé sur ma table et rien accroché au mur. Mes tiroirs étaient vides. En sortant, je retournai mon siège sur le bureau et balançai le calendrier à la poubelle.

Nous avons attendu l'ascenseur avec le sourire aux lèvres.

— Pourquoi fais-tu ça pour moi... ? lui demandai-je.

Les portes s'ouvraient que juste elle me répondit sur un ton amusé :

— Je ne suis pas amoureuse de toi, si c'est la question.

Durant la descente, elle ajouta qu'il y avait déjà un bon moment que l'on se connaissait et si j'y tenais vraiment, si ça ne devait pas froisser ma modestie, elle voulait bien m'énumérer certaines choses qui lui plaisaient en moi. Je lui dis que ce n'était pas nécessaire en souriant au plafond. Sans compter, poursuivit-elle, au cas où ces raisons n'auraient pas suffi, qu'entre gens qui ne pouvaient plus écrire et gens qui ne pouvaient plus marcher, il était normal qu'on s'entraide.

A ces mots, on stoppa au rez-de-chaussée.

— Celui qui t'a fait ça pourrit dans les flammes de l'enfer... ! dis-je.

Les pistons du système d'ouverture sifflèrent comme des jets de vapeurs sulfureuses.

— C'est une drôle d'image..., fit-elle en secouant la tête.

Tandis que nous traversions le hall, elle me dit qu'on verrait bien si j'étais un ingrat et je lui promis de passer de temps en temps, comme un simple visiteur, aussi pourrais-je alors toujours venir m'asseoir sur un coin de son bureau et m'enquérir des grandes et petites choses qui se tramaient au cœur de la

374

Fondation, sinon elle me connaissait mal, et cependant que je lui tenais ce langage, car je ne devais tout de même pas oublier ce qui m'arrivait, j'étais comptant ému les derniers pas qui me séparaient de la sortie et cette fois pour de bon.

Hans m'ouvrit la porte et je l'installai moi-même à l'intérieur de la voiture.

— Je crois qu'il n'aime pas que quelqu'un d'autre s'occupe de toi...! soufflai-je à l'oreille de Marianne.

— Et toi, comment te sens-tu à présent...? me questionna-t-elle tandis que je me redressais sur le trottoir, me passant une main légèrement inquiète dans les reins.

Je lui décochai un sourire de bouddha :

— Danny retourner dans sa jungle...

Le lendemain matin, à mon réveil, je remarquai tout d'abord un vent doux s'amusant dans les rideaux, bien qu'on les eût dits soulevés par la lumière épaisse qui pénétrait en force dans la chambre, ainsi qu'un bruit de conversation en provenance du jardin, Harold et Bernie se chamaillant pour une raison obscure. Mon premier jour de liberté après d'aussi longs mois ! Il était tel que je l'avais imaginé, tiède et serein et succédant à quelques heures de vrai sommeil... J'étais couché sur le ventre, parfaitement immobile et non encore décidé à remuer lorsque tout d'un coup j'avisai mon réveille-matin et mon sang ne fit qu'un tour. J'ai aussitôt pensé à l'attraper du bout des doigts et m'en aller l'enterrer dans le fond du jardin, d'une manière un peu solennelle. Je me suis donc dressé sur un coude. On m'a rien de moins que poignardé dans mon lit, à la seconde même. Littéralement passé au fil d'un sabre chauffé à blanc.

Je poussai un cri de douleur, aussi bref et puissant qu'un coup de fusil, puis piquai du nez en avant, m'effondrai au creux de l'oreiller. Le souffle court. Les deux poings crispés sur le drap. Une sueur glacée perlant déjà à mon front. C'était la troisième fois de ma vie que cette chose-là m'arrivait. Je ne me souvenais plus comment j'avais pu survivre à des épreuves pareilles. «Pourquoi, Seigneur...? Pourquoi un jour comme *aujourd'hui*...?!!»

Je ne pouvais pratiquement plus bouger. Y pensais-je simplement que je gémissais. J'avais mal mais ce n'était rien comparé à la fulgurante douleur qui rôdait en épiant mes moindres gestes.

Pourtant, je me mis sur le dos. Comme le dernier des imbéciles. Je n'entendais plus rien au-dehors. J'appelai Bernie au secours mais je ne les entendais plus du tout.

Il me fallut près d'un quart d'heure avant de réussir à me tourner sur le ventre. De vraies larmes me coulaient des yeux malgré que je pensais à Fante avec son diabète, Hem avec son foie malade, Miller avec ses jambes déglinguées. Ma douleur n'était-elle pas trop grande pour un simple scénariste? Comprenait-on bien ce qu'était un *lumbago*...?! Je rampai au bord du lit et me laissai glisser par terre. Et ce simple exercice me mit en nage.

Je m'amenai à genoux jusqu'au bord de l'escalier. Puis me dressai lentement le long de la rampe, rien qu'à la force de mes bras, et m'y cramponnai maladivement en vue d'attaquer la descente. J'en avais presque le vertige. Mon torse était couvert de sueur et mon pantalon de pyjama tremblait contre mes jambes.

Marche après marche, j'ai souffert comme un damné, j'ai gueulé, j'ai grimacé en serrant les dents si fort qu'elles ont failli me rentrer dans les mâchoires, j'ai transpiré de peur et je me suis vu dans le miroir de l'entrée, plus pâle et plus crayeux qu'un mort.

Tout allait si bien, pourtant. Cette journée n'aurait dû être qu'un long soupir voluptueux, le doux et patient réapprentissage d'un rythme que ces sombres mois avaient effacé. Mais j'étais resté assis trop longtemps dans ce bureau, je m'étais bel et bien niqué les reins à me pencher au-dessus de ces maudits manuscrits. Se vengeaient-ils ainsi que je les eusse abandonnés le cœur content...? « C'est égal, je ne regrette rien...! me dis-je avec les larmes aux yeux, tandis qu'accroché au pied de la rampe je me laissai descendre jusqu'au sol. Est-ce qu'un renard ne se dévore pas la patte pour s'échapper du piège...?! »

Ma joie n'avait d'égale que ma souffrance. Gémissant quelques mots grossiers, j'entrepris de traverser le salon sur les coudes. Peu importait le prix de la liberté, je me serais traîné sur une route poussiéreuse et mal empierrée, quand bien même j'aurais dû y laisser la peau. Je me répétais que mon tourment n'était rien au regard de ce que j'avais reçu en échange. Je me suis envoyé des coups de poing dans les reins. C'était si douloureux que j'en ai ri, le front planté dans la moquette. Oh John, oh Ernest, oh Henry...!!

Finalement, je suis parvenu à atteindre la porte du jardin. La journée était magnifique. Par-dessus la haie s'étendait un ciel d'azur sous lequel je me suis effondré après avoir poussé la porte, le visage enfoui dans l'herbe. J'ai fermé les yeux un instant puis je me suis mis à appeler Bernie de toutes mes forces.

Au bout d'un moment, ils sont arrivés tous les deux.

— *Ah nom de Dieu, ne me touchez pas...!!!* ai-je braillé avant qu'ils ne commissent quelque maladresse.

Je leur expliquai que je pouvais casser comme du verre et que la moindre brusquerie me tuerait. Je me méfiais surtout d'Harold qui déjà prenait toute l'histoire à la rigolade et parlait de me remettre d'aplomb.

— Nan, t'es gentil..., lui dis-je. Va plutôt me chercher une couverture...!

— Pourquoi ? T'as froid...?!

— Mince, comment as-tu deviné...?!!

Cependant qu'il obtempérait, Bernie tira son mouchoir pour éponger la sueur qui coulait sur mon visage. J'étais épuisé.

— Tu ne peux pas savoir...! ai-je soupiré.

— Si, ça m'est arrivé...

— Bon sang, tu as forcément oublié... On ne peut pas se souvenir de ça... !

J'aurais donné n'importe quoi pour simplement pouvoir m'étirer sous le soleil. Je sentais sa chaleur dans mon dos, sa douceur dans ma nuque. Des brins d'herbe sèche me picotaient la poitrine et la joue, mais je n'osais pas bouger d'un poil.

— Bernie..., crois-tu sincèrement qu'il y ait une justice, ici-bas... ? !

Lorsque Harold revint avec la couverture, je leur expliquai la marche à suivre pour me transporter à l'intérieur.

« Hé, mais t'es comme dans un hamac... ! » plaisanta Harold après qu'ils m'eurent soulevé du sol, me gratifiant à ces mots d'un sinistre balancement.

Malgré que je le crusse bien capable de me lâcher — il ne faisait jamais *exprès* ce genre de choses —, je ne dis rien, persuadé que mes craintes ne sauraient que l'encourager dans le mauvais sens. Il rigolait. Je ne connaissais rien qui prêtât plus à sourire qu'un type coincé par un lumbago. J'en avais une assez bonne expérience. Personne ne vous prenait réellement au sérieux. Que gémissant et grimaçant vous missiez un temps fou à vous arracher d'un fauteuil, qu'à croupetons l'on vous surprît sur votre descente de lit, il n'y avait pas là de quoi vous attirer pitié ni commisération. Mais pourtant quelle terrible épreuve et dans quelle solitude elle vous plongeait... ! Mon Dieu, il n'y avait rien en dessous, putain, c'était une infamie du Ciel.

Selon mes souhaits, ils me déposèrent sur le canapé. Harold demanda si l'on avait encore besoin de lui puis fila aussitôt.

— Je t'assure qu'il me rend fou... ! soupira Bernie. Mais ça ne fait rien, parlons d'autre chose.

— Mmm... Sais-tu que malgré tout cette journée compte parmi les plus belles de ma vie... ? !

Je lui signifiai qu'en dépit des apparences il avait

devant lui un homme libre, qu'une joie profonde se tenait sur le bout de mes lèvres et que mes grimaces n'étaient rien.

— Tu ne le vois pas, Bernie, mais je rayonne... ! J'en bave des ronds de chapeau, mon vieux, mais parallèlement j'exulte... !

J'avais une pommade dans la salle de bains. Dans l'état où je me trouvais, ce n'était guère plus qu'un cautère sur une jambe de bois, mais le peu qu'elle agirait serait toujours appréciable.

— Ça me prend du haut de la fesse et ça me remonte jusqu'au milieu du dos, lui ai-je indiqué. Mais vas-y doucement pour commencer... Vois-tu, il faut *endormir* la douleur.

J'ai réellement souffert durant cinquante heures environ. Tout mon week-end y est passé, puis un type est venu le lundi matin, j'avais perdu deux kilos. Il était grand et fort, très imposant pour tout dire. Il m'a pris dans ses bras comme si j'étais un petit enfant, il m'a coincé les jambes avec son genou puis il a fait craquer ma colonne vertébrale. Dans les deux sens.

— Pourquoi riez-vous ? m'a-t-il demandé.

— Vous ne pouvez pas comprendre..., lui ai-je répondu. Je n'ai jamais eu aussi mal de ma vie !

Je n'avais pas pu fermer l'œil. Durant ces deux jours, Bernie avait passé le plus clair de son temps avec moi, mais lorsqu'il me quittait, vers minuit, sur un dernier massage, le pire m'était épargné pendant la première demi-heure et ensuite je commençais à déguster. Les nuits furent terribles. Mon dos ne me laissait pas une seule minute de répit. J'avais si mal que je ne pouvais pas rester en place et des heures durant je me tournais comme sur une broche au-dessus des flammes, cherchant vainement à trouver une position qui m'eût un peu soulagé quand elles étaient toutes plus épouvantables les unes que les autres. Parfois, au cours de l'un de ces laborieux retournements, j'étais rappelé à l'ordre par une douleur si aiguë que j'en restais hébété pendant de longues minutes, osant à peine respirer et les yeux écarquillés comme des soucoupes devant une telle horreur.

Cramponné au canapé, je subissais tous les assauts, mais il me suffisait d'un coup d'œil par la fenêtre pour repérer ma bonne étoile, et bien qu'affaibli, diminué, je ne perdais pas courage, je continuais à lutter jusqu'au petit jour, bêlant comme la chèvre de l'histoire mais quant à moi victorieux et sombrant dans un demi-sommeil dès que la nuit disparaissait. « *Dieu n'aime pas l'homme qui n'a pas souffert* », avais-je lu quelque part.

Dans la soirée du lundi, je me sentis un peu mieux. Ce n'était pas très brillant mais le plus dur était derrière moi, je pouvais me lever si je restais plié en deux. Je rassurai Elsie. Elle avait appelé la veille et, avant que je n'aie pu intervenir, Bernie l'avait mise au courant de la situation et j'avais eu toutes les peines du monde à la dissuader de rentrer sur-le-champ. Bernie pensait qu'elle m'aimait réellement, c'était le dimanche soir, j'étais en pleine crise mais j'avais trouvé le moyen de ricaner :

— Bon Dieu, Bernie, mais regarde-moi, tu ne trouves pas ça drôle...?! Regarde un peu le bon numéro qu'elle s'est choisi !... Seigneur, c'est grotesque...!!

Ça m'avait pris un bon moment pour la convaincre de ne pas revenir, j'y avais employé mes dernières forces au point que j'avais raccroché sans lui avoir appris que j'avais quitté la Fondation. Cette fois, je lui annonçai la bonne nouvelle et lui donnai tous les détails. Je l'entendais piaffer à l'autre bout.

— Dan..., tu ne peux pas savoir comme je suis heureuse...!

— Ouais, le cauchemar est fini.

— Oh écoute..., mais pourquoi ne viendrais-tu pas me rejoindre...?!

— Voyons, Elsie, je tiens à peine sur mes jambes.

Bon sang, tu sais que je n'ai plus ton âge..., *ne l'oublie pas...*!

Je n'avais pas assez de cran pour la pousser vraiment dans les bras d'un autre, mais j'essayais de lui en indiquer timidement le chemin. J'étais suffisamment mal en point pour ne pas être tiraillé par les choses du sexe et je devais en profiter pour tenter le diable, en l'occurrence prolonger notre séparation, qu'elle ouvrît un peu les yeux et que la nature reprît ses droits. Mais il ne fallait pas m'en demander plus.

Bien sûr, le risque était qu'elle s'envoyât en l'air, me trompât copieusement et s'en revînt avec un air innocent, le trou du cul encore humide. Je n'aimais pas penser à ça. C'était la rabaisser, je n'aimais pas que ces choses-là me vinssent traverser l'esprit. C'était indigne. J'avais eu quelques mauvaises surprises dans la vie, mais je ne devais pas me laisser aller. J'étais persuadé qu'un jour j'allais tomber sur une fille qui me dirait la vérité à ce sujet-là et je voulais bien croire que cette fille serait Elsie. Enfin, je l'espérais de toutes mes forces.

Je mesurais parfaitement le vide qu'elle laisserait derrière elle. C'était assez impressionnant et, pour dire la vérité, parfaitement effroyable. Je me demandais parfois si je n'étais pas en train de me surestimer, si je m'étais bien rendu compte de la violence que pourrait avoir le choc. Je risquais de ne pas me relever aussi rapidement que je le prévoyais. « Oui mais mieux vaut se relever avec du mal, te dis-je, que de ne pas se relever du tout, crois-moi...! » Je savais que j'avais raison. Et pour une fois, si je me sabordais, c'était en connaissance de cause.

Je m'aperçus au fil des jours que c'était le silence qui m'avait le plus manqué. Tandis que mon dos se rétablissait, je sentis que de nouvelles forces se glissaient en moi. Il m'arrivait de ne voir personne et de ne pas ouvrir la bouche de la journée, et le soir mon esprit pétillait de calme et reprenait du muscle. J'étais en train de retrouver une forme que je n'avais plus connue depuis des années. Le silence était sain, la solitude était saine. Elsie n'était pas la seule, Hermann me manquait aussi. Leur absence était comme un bain dans un torrent glacé, un mal revigorant que je ne cherchais pas à éviter. Malgré le plein été, j'étais parfois plongé dans un froid sec, comme nu dressé en plein vent et je m'endurcissais. «Un jour ou l'autre, tu auras ce combat à livrer...!» me stimulais-je. Et chaque jour qui passait était une pierre que j'écrasais dans ma main.

Mine de rien, j'en profitai pour réfléchir sur le scénario. Je n'y travaillais pas à proprement parler, mais j'y pensais, je tournais tranquillement autour à différents moments de la journée. Je n'avais pas l'intention d'en garder grand-chose. En fait, je commençais à avoir ma petite idée sur la question. Mon esprit bondissait et jappait d'impatience, tandis que physiquement je me pourvoyais de nouvelles forces. A deux doigts j'étais de luire dans l'obscurité sous cet heureux afflux d'énergie. Il n'y avait que mon cœur pour saigner un peu.

Vers la fin de la semaine, j'avais carrément une bonne mine. Les dernières traces de mon lumbago s'étaient envolées et de certaine pâleur due à mon vague à l'âme j'étais pratiquement venu à bout en m'allongeant dans l'herbe (agent régénérateur cellulaire, double protection UV [A + B] : *Bronzez sans risque* !). Je n'avais pas beaucoup d'appétit mais je tapais au hasard dans les pilules de Gladys et je lui avais avalé deux kilos de riz complet. Il faisait toujours aussi chaud. Du matin au soir, le ciel était d'un bleu immobile et sans fin. Elsie ne m'avait pas téléphoné tous les jours. J'avais relu la correspondance d'Hemingway et quelques romans de Faulkner pour me débarrasser des mauvaises lectures que je m'étais envoyées durant toutes ces heures de bureau. A la nuit tombée, je retournais rôder dans mon jardin, *Corona* et *Monte Cristo*. Ce n'était pas le tout que Marianne m'eût rendu ma liberté, j'avais encore besoin de quelques jours pour m'y faire.

J'y étais presque, j'avais pratiquement retrouvé toutes mes bonnes vieilles habitudes et je m'amenais dans la dernière ligne droite — cette journée n'appartient qu'à toi, tu peux agir comme bon te semble, article un — lorsque Sarah débarqua chez moi un midi pendant que je sortais mon linge du séchoir et que j'étais me le pliant consciencieusement et bien à cent lieues de penser à elle.

Elle entra sans frapper, comme au bon vieux temps, sauf que cette fois elle ne récolta pas le moindre sourire, pas même un de ces sourires glacés, rien du tout.

— Que se passe-t-il... ? lui demandai-je. Tu viens de te souvenir de mon adresse... ? !

— Je ne suis pas venue pour me disputer avec toi, répondit-elle.

Elle était entrée des milliers de fois dans cette maison, la moindre molécule de cette baraque la connaissait, jamais il n'y avait eu la moindre gêne entre nous, mais ce matin-là je l'ai vue danser d'un pied sur l'autre, ne sachant pas très bien où se mettre au juste et maladroite jusque dans la manière dont elle jeta son sac — on aurait dit qu'elle venait de *se rappeler* ce geste — sur le canapé. J'en éprouvai presque un sentiment de honte pour ce qui nous était arrivé à tous les deux. Je me doutais bien qu'elle venait me demander quelque chose mais je ne pouvais rien lire sur son visage, sinon qu'elle n'était pas pressée d'en venir au fait.

Je la quittai des yeux. Chassai quelque froissure disgracieuse de mon tee-shirt *City Lights* avant de l'empiler sur les autres et lui demandai si elle comptait rester plantée au milieu de la pièce et qu'elle n'avait qu'à faire comme chez elle, que j'arrivais tout de suite. Mais sincèrement, quelle pitié c'était.

Elle n'avait pas mangé. Elle n'avait pas beaucoup de temps car elle devait retourner à la Fondation, mais nous nous installâmes dans le jardin avec un peu de riz et des tomates, et je ne lui posai aucune question. Je n'avais pas envie de l'aider, la regardais à peine, mon riz était trop cuit, pénible à avaler, et j'avais l'air de me ficher de ce qu'elle me racontait, choses de peu d'intérêt au demeurant, tristes banalités qu'elle débitait comme un écran entre elle et moi. Ce n'est que lorsqu'elle me parla des enfants que je dressai une oreille.

— Gladys m'a appelée ce matin. Je crois que ça ne va pas très fort entre Richard et Vincent...

— Ah, parce qu'il est avec eux...?!

— Ecoute..., c'est sa maison, il est allé voir si tout se passait bien...

— Bon sang, quelle délicatesse !

Bizarre comme chaque fois que je glissais un compliment au sujet de Dolbello, elle ne semblait pas l'entendre.

— Je ne sais pas ce qu'il y a au juste... Mais Gladys m'a demandé de venir, enfin elle pense que ce serait mieux si je venais...

— Eh bien, je suppose qu'elle a ses raisons...

— Dan... Je ne veux pas me retrouver *entre* Richard et Vincent...!

Malgré qu'à ces mots elle me lançât un regard éperdu, je repoussai mon assiette et fracassai ma serviette sur la table :

— Sacré nom d'un chien...! C'est maintenant que tu y penses...?!!

Je la transperçai d'un œil noir puis tournai la tête. Le soleil grésillait dans l'herbe, à la frontière du parasol, je sentais que les ennuis n'étaient pas loin.

— Dan... Je voudrais que tu viennes avec moi...

Je ne répondis rien. Ni ne la regardai, ni n'amorçai le moindre geste. Mon esprit fonctionnait très vite.

— Oh écoute, Dan, je t'en prie... Es-tu encore capable de me rendre un service...?!

— Parce que tu appelles ça *un service*...?! grinçai-je.

Je me pointai chez elle entre chien et loup. Je rangeai ma moto dans le garage et détachai lentement mon sac de cuir du porte-bagages tout en examinant le vélo de Richard suspendu au plafond, un demi-course qu'il avait traîné durant des années en trafiquant la hauteur de la selle et qui avait terminé son temps.

J'entrai par la cuisine et m'avançai dans le salon. Ce n'était pas une odeur, ni à proprement parler une présence, mais je constatai rapidement que Dolbello avait pris possession des lieux. Peut-être même que ma place préférée était devenue la sienne et qu'à présent c'était moi l'intrus pendant qu'on y était.

— Tas de dégonflés ! grognai-je à l'endroit des objets qui m'entouraient et se détournaient d'un air fuyant.

Elle descendit de là-haut vêtue d'un petit tailleur léger et d'un sourire comme je n'y avais pas eu droit depuis des lustres. Il semblait que j'existais tout d'un coup, qu'elle avait découvert la grandeur de mon âme et ainsi donc se réjouissait que nous fissions le voyage ensemble. Je la calmai d'un regard indifférent. Puis l'invitai à vérifier qu'elle n'oubliait rien pendant que j'appelais un taxi.

Je m'étais occupé des billets dans l'après-midi. Je ne savais pas si elle s'était imaginé que nous passerions la nuit sur une banquette, partageant notre inconfort avec un vague échantillon d'humanité — personnellement, j'avais passé l'âge —, mais lorsqu'elle découvrit que j'avais réservé un compartiment pour nous seuls, elle hésita environ un quart de seconde avant d'y pénétrer et, se retournant vers moi, me masqua d'un léger sourire les sentiments confus qui l'assaillaient. Quant à moi, elle pouvait bien penser ce qu'elle voulait et passer la nuit dans le couloir si elle le désirait, je n'avais jamais forcé personne. Enfin quoi qu'il en fût, je donnai les billets au type des wagons-lits qui nous avait ouvert la porte et elle me dit :

— Je n'avais pas pris le train depuis une éternité, tu sais. J'avais oublié cette ambiance particulière...

On pouvait encore discerner un certain trouble dans sa voix, mais rien de bien méchant, on eût plutôt dit qu'elle parlait en pensant à autre chose. Je voyais très bien ce qu'elle pouvait se figurer — ce qu'aussi bien toute autre aurait imaginé à sa place —, néanmoins il ne s'agissait pas d'un coup monté de ma part. Qu'elle me crût ou non, je ne lui avais pas menti : tous les vols étaient complets jusqu'au lendemain midi. Et quant à passer la nuit dans un remugle d'odeurs corporelles avec le premier venu ronflant dans sa couchette de deuxième classe, eh bien, mon Dieu...

Les apparences étaient contre moi mais ça n'avait pas la moindre espèce d'importance. Je ne jouais plus à rien avec Sarah. Je n'étais pas spécialement chaud à l'idée de passer la nuit avec elle, si elle voulait savoir.

On acheta des journaux et des revues au type installé sur le quai et Sarah du chewing-gum en dragées. La nuit n'était pas noire mais légèrement rose orangé et comme reflétant quelque lueur infernale. Il y avait une odeur de machine dans l'air, d'acier poli.

Lorsque le train se mit en marche, elle poussa un profond soupir et se détendit pour de bon. Je le ressentis d'une manière très nette, j'étais alors pleinement occupé à détailler le menu et j'eus l'impression que, profitant de mon inadvertance, elle avait trafiqué je ne sais quoi dans l'atmosphère ou simplement avalé une boulette d'opium. Je lui glissai un coup d'œil furtif. Ses bras reposaient sur les accoudoirs du fauteuil, la nuque appuyée au dossier et le visage à demi tourné vers la fenêtre, elle semblait absente, apaisée et presque sur le point de sourire si je ne m'abusais. J'aurais bien aimé savoir à quoi elle pensait, par simple curiosité. Je repris ma lecture tandis que le convoi accélérait et obliquait vers le sud-ouest de la ville. Il faisait une température bien agréable avec la vitre un peu baissée.

Je lui demandai si elle voulait que nous dînions ici ou au wag...

— Oh je n'ai plus la force de bouger, me coupat-elle.

Je fis le nécessaire et commandai quelque chose à boire en attendant. Pour l'heure, les lumières qui filaient dans l'obscurité retenaient son attention ou les ombres de la banlieue qui s'effilochait ou le subit enluminement d'un quai comme la gerbe d'une bombe incendiaire. Elle avait retiré sa veste et buvait son verre à petites gorgées, installée au mieux et le visage reposé et les lèvres humides et son parfum qui lentement s'exhalait jusqu'à moi. Ses jambes étaient repliées sous elle, ses bas brillantaient ses genoux, sa jupe était tendue comme un tambour et ensuite il y avait son corsage et la fine bretelle qui croisait sa clavicule et la perle qui pendulait à son oreille et ces quelques mèches qui lui avaient échappé lorsqu'en un tour de main elle avait rassemblé ses cheveux — oh, tu ne sais pas comme ils me tiennent chaud ! — et y avait emplacé quelques épingles ainsi qu'une pince translucide en forme de crocodile appartenant à Gladys. Je convenais volontiers qu'elle était désirable, j'éprouvais toujours autant d'admiration pour sa féminité et je n'en comptais pas beaucoup qui aient eu un tel effet sur moi, mais ce n'était plus ça comparé à ce qu'autrefois j'avais ressenti pour elle. Pour la première fois, j'en prenais réellement conscience. Maintenant que j'étais à ses côtés, je pouvais y regarder d'un peu plus près, je n'avais personne dans les jambes et je pouvais tranquillement m'interroger et m'en aller vérifier les amarres une par une et à ce jour m'apercevoir qu'il y en avait certaines pour bel et bien donner du mou.

Dans un bruit haché de patins à roulettes dévalant une colline de fer — tressautant sur une rangée de rivets à intervalles réguliers —, nous déboulâmes en rase campagne et un calamar géant nous largua un jet d'encre. Il n'y avait plus rien à voir dehors. C'était une nuit si sombre qu'on ne distinguait pas le ciel de la terre et pour finir elle se tourna vers moi et me demanda si nous ne pourrions pas en avoir un autre. J'attrapai ma flasque dans la poche de mon sac. Je préférais l'avion, le service était plus rapide. Elle avait un sourire étrange au coin des lèvres, presque douloureux. Bah, regarder des choses qui défilaient et s'engloutissaient dans l'ombre, ce n'était pas ce qu'il y avait de mieux pour le moral.

Elle leva légèrement son verre, comme si elle allait boire à ma santé. Je n'en fis pas autant du mien. Je savais qu'elle me conduisait vers des choses désagréables. On aurait dit qu'elle ne voulait pas y penser, qu'elle était décidée à rendre ce voyage aussi plaisant que faire se pouvait, mais je ne me sentais pas de marcher dans son jeu, j'étais moins souple qu'elle, je n'avais pas le pouvoir d'oublier tout d'un coup ce qu'elle avait fabriqué de cette *fameuse* amitié dont elle m'avait rebattu les oreilles, j'avais encore de ses chastes murmures en travers de la gorge, oh non Dan chéri, *il ne faut pas, je n'ai jamais connu ÇA avec un autre homme, j'ai trop besoin de toi, OH NON, IL NE FAUT PAS... !!* J'étais décidément dans une forme physique étonnante : du temps que mot pour mot je m'étais repassé ces tristes paroles, j'avais de ma flasque inconsciemment écrabouillé le gobelet chromé dans le creux de ma main, il n'en restait qu'une maigre papillote. Mais j'avais opéré à son insu, à l'ombre de la table et couvert par le ronflement des rails, et ainsi n'avais rien laissé paraître de mon opinion quant à nous accorder une trêve. Si jamais elle avait pu lire en moi comme en un livre ouvert, ce n'était plus le cas aujourd'hui. J'affichais un air impénétrable et parfaitement déconcertant si j'en jugeais par certains coups d'œil qu'elle me glissait. Sans doute se figurait-elle que je la boudais, que dans un petit moment, n'y tenant plus, j'allais tomber le masque et lui rendre son vieux compagnon, mais elle avait tort d'y compter car il n'y avait pas un autre Dan à l'intérieur du compartiment, et pas plus de masque sur mon nez que de beurre au cul, c'était mon vrai visage. Rien de plus qu'un sourire un peu fade, voilà ce dont je me fendais pour la payer de ses efforts, peut-être vaguement ému lorsqu'elle baissait les yeux et que s'en mêlait une ombre chagrinée, seulement à qui était-ce la faute... ? Aussi bien, j'avais cru comprendre qu'elle ne voulait rien de plus qu'entretenir des rapports ordinaires avec moi, une manière de copinage à la con. Eh bien, dans ces conditions, j'étais son homme, la voilà qui était servie.

Cela dit, je n'avais pas l'intention de me montrer désagréable et lorsqu'elle se décida à me tenir une conversation normale, j'y allai au petit trot et sans forcer l'allure, comme qui dirait le nez au vent, dans un petit matin silencieux et vide.

Nous partageâmes la dernière goutte de mon bourbon. Je ne m'étais pas attendu à ce qu'elle me suivît en la matière — autant que je pouvais m'en souvenir, elle buvait rarement à jeun —, mais je ravalai ma surprise et me contentai de noter que son regard avait pris un certain éclat et que délicatement avaient ses joues rosi.

Bien que l'air sifflât à la fenêtre, il ne pénétrait qu'une tiédeur désarmante, imprégnée d'herbe sèche et de terre anuitée qu'elle ventilait d'un geste machinal tandis qu'elle me parlait, agitant avec indolence un reflet de la famille des prospectus à hauteur de sa gorge. Elle trouvait qu'il était naturel que je reprisse mon boulot d'écrivain, ce monde était absurde mais il arrivait qu'il dût s'incliner et permît aux choses de reprendre leur place, enfin quand par chance il ne les avait pas brisées, mais elle ne se faisait pas de souci pour moi, elle était heureuse de ce qui m'arrivait. Le compartiment vibrait légèrement et chuintait, ronflait, grinchait tout du long comme un sac de mitraille promené dans une caverne. J'eus le sentiment que certaines notions se mélangeaient dans son esprit et n'écoutant que mon bon cœur, je lui expliquai la différence qu'il y avait entre pondre un scénario et puis écrire un livre. Je lui expliquai le peu de rapports qu'il y avait entre le travail que m'avait confié Marianne et le quasi-miracle. Je me laissai même un peu emporter.

— Tout le monde peut se creuser la tête pour avoir une idée. Avec une idée et un peu de talent, tu peux écrire un scénario. Si tu es vaniteux, tu écriras un livre. Seulement, vois-tu, la seule chose dont on ait vraiment besoin pour être un écrivain, c'est *le style*. Et ça, ni les idées, ni le talent, ni le plus délirant orgueil ne pourront le remplacer. C'est ce qui est si rare mais qu'on repère au premier coup d'œil... Le style, c'est la Lumière tombée du Ciel... !

Les yeux, sur ce, encore véhémentement plissés et réduits à de sombres meurtrières, j'enrageai à part moi que nous eussions liquidé ma réserve. Je n'en voulais qu'un baby, une simple gorgée pour avaler la pilule mais nous n'en avions pas laissé une misérable goutte. Je lorgnai un instant sur le signal d'alarme, puis renonçant je demandai à Sarah de me passer un chewing-gum. Il y avait un moment que je n'écrivais plus, mais il me semblait que je traînais ça depuis la nuit des temps. Elle me fixa durant un instant, durant cette pénible réflexion, puis déclara que sérieusement elle commençait à avoir faim.

Ils ne vendaient pas de bouteilles dans ce train, mais par chance je tombai sur un jeune gars un peu dégourdi qui se chargea de remplir mon flacon moyennant une petite récompense, et m'sieur, autant de fois que vous le voudrez, m'assura-t-il en enfilant vivement le billet dans sa poche. Il parut légèrement déçu quand je lui rétorquai que ce ne serait sans doute pas nécessaire. Tandis qu'il débarrassait la table, je réfléchis un peu et pour plus de sûreté lui commandai deux bourbons supplémentaires. Ainsi que de l'eau minérale et je lui précisai le grand modèle.

Je n'avais nullement l'intention de m'enivrer. Au

reste, nous n'avions accompagné notre dîner que d'une demi-bouteille de vin et je n'y avais pratiquement pas touché, Sarah s'était chargée de faire la différence. Durant tout le repas, j'avais été témoin de l'abondance des charmes qu'elle pouvait déployer, et d'irrépressibles sourires m'étaient venus et m'avaient illuminé le temps d'un éclair avant de retourner dans l'ombre. C'était assurément un délectable numéro, profondément empreint de mystère et de magie, et quant à moi la toute première merveille du monde, mais l'apprécier était une chose. Eût-elle dansé pour faire tomber la pluie que mon cœur serait demeuré sec. J'en conçus quelque sourd vague à l'âme, par Dieu elle méritait qu'on se jetât à ses pieds... ! Mais je restai tranquillement enfoncé dans mon siège, et ma foi ces choses-là ne s'expliquent pas.

Je me levai pour fermer à clé derrière le type après qu'il eut déposé nos commandes sur la table et alors elle me dit :

— Ne parle pas de tout ça à Vincent, ne lui dis pas que nous étions seuls dans le même compartiment, toi et moi...

Je pris le temps de venir me rasseoir, tellement je la trouvais bonne.

— Non, mais dis-moi..., est-ce que tu es sérieuse... ? lui fis-je d'une voix douce.

Elle avait toujours le sourire, mais je ne m'y trompais pas.

— Oui, naturellement...

Je ne voulais pas m'énerver, c'était trop bête.

— Mince, alors... ! soupirai-je.

— Oh, écoute, Dan..., peut-être qu'il ne comprendrait pas.

Je secouai la tête en regardant par la fenêtre. Au lieu de ça, je vis son reflet penché vers moi et la soudaine contrariété qui renfrognait son visage et j'ai pensé « Seigneur Jésus... ! ». Je me suis tourné vers elle. Je croyais me souvenir qu'elle aimait la couleur de mes yeux, elle allait certainement se régaler.

— Tu vois, Sarah... (*oh, et ma voix était douce comme du miel, tendre comme un déjeuner sur l'herbe*), tu vois, Sarah, ce n'est pas par hasard que je me retrouve dans ce train. C'est toi qui es venue me chercher, tu te souviens... ? Parce que tu avais des problèmes. Parce que ton copain n'était pas fichu de se tenir tranquille et qu'il ne s'entendait pas avec ton fils. J'ai horreur des trains, Sarah. Et c'est à cause de lui que je vais passer la nuit dans ce boucan stupide... C'est à cause de lui si nous sommes là. Toi et moi, en tête à tête, et je ne l'ai pas cherché. Je devrais être chez moi, en ce moment, et recevoir mon coup de téléphone. Ce type m'emmerde, au cas où tu ne l'aurais pas saisi. Que veux-tu que ça me fiche, qu'il comprenne ou non, est-ce que je lui ai demandé quelque chose... ?

Je remarquai une fois de plus qu'elle n'entendait rien quand je donnais mon avis sur Dolbello. Il n'y avait qu'une seule chose qui l'intéressait : m'arracher la promesse d'un silence congruent, qu'il n'apprît surtout pas qu'elle et moi..., dans le même compartiment... seuls... toute la nuit... le train... les vibrations... la promiscuité... les couchettes... la moiteur de l'été... les cahots, les blés mûrs, les tunnels et *tutti quanti*... Vraiment, je voyais ça d'ici. Personnellement, je n'étais pas contre qu'il se fît un peu de mauvais sang. Tout était de sa faute. Mais elle semblait si sincèrement bouleversée du temps que je refusais de lui donner ma parole que je finis par céder. Du diable si je ne me sentis pas parfaitement écœuré de ses remerciements et du diable si je ne préférais pas baisser les yeux.

Elle vida son verre. A présent, elle était radieuse, d'humeur légère, alors qu'elle vous aurait arraché des larmes une seconde auparavant. Je me caressai doucement le bras droit, celui-là même que j'aurais mis à couper autrefois quand on m'aurait demandé si Sarah pouvait plier devant un homme. Décidément, je ne comprenais vraiment rien aux femmes. Sarah tremblant à l'idée qu'un type lui fît une scène et l'on aurait voulu que je m'y retrouve dans un monde qui tournait

392

à l'envers... ?! « Regarde-la bien, me dis-je, tu n'es sûrement pas au bout de tes surprises. Tout ce que tu crois savoir n'est qu'illusion, sottise, poudre dont tu t'asperges les yeux. »

Elle était en train de m'observer avec un air attendri, une sorte de mélancolie rêveuse – les effets de l'alcool n'y étaient sans doute pas étrangers, quoique désormais je ne voulusse plus jurer de rien – qu'elle doublait d'une posture alanguie, la tête légèrement inclinée et déhanchée sur son siège, les jambes à nouveau repliées sous elle. Naguère, il ne m'en fallait pas davantage pour que je sentisse monter en moi une lourde bouffée d'ardeur concupiscente. Si je la surprenais, posant un tel regard sur moi – sachant pertinemment qu'elle me repousserait au bout du compte –, j'en avais pour le restant de la journée à m'en remettre, c'était parfois difficile de se contenter d'une étreinte amicale lorsque l'on nourrissait de plus vastes desseins. Et ce n'était pas tant non plus que j'avais envie de la baiser, il y avait bien autre chose.

— A quoi penses-tu... ? me demanda-t-elle.

— Comment te dire..., c'est assez personnel.

Elle attendit la suite. Elle mit un petit moment avant de s'apercevoir qu'elle marchait seule et que je m'étais arrêté en chemin. La force de l'habitude, cette manie que nous avions de ne rien nous cacher...

Déçue – je décelais encore l'impondérable sur son visage, l'infiniment ressenti –, elle manipula un instant le dernier bouton de son corsage, puis se leva et disparut derrière moi. J'entendis s'ouvrir la porte du cabinet de toilette. Bien qu'elle ne se refermât pas, j'oubliai de me pencher pour me rincer l'œil – « On touche avec les yeux... ! » me serinait-elle – et attrapai une revue, avisai la première page et la reposai sur la table. Il était aux environs d'une heure du matin mais on ne sentait aucune fraîcheur venir du dehors et nous piquions vers le sud. Elle dit que sa jupe était froissée. Je me levai et baissai un peu la lumière, puis me rassis. J'entendis l'eau couler. Il me semblait que chaque fois que j'appelais un souvenir, chaque fois que je remontais une image du passé la concernant et que je l'inspectais, je ne parvenais plus ensuite à les remettre à leur place, je les regardais une dernière fois puis ils tombaient en poussière sans que j'y fusse pour rien. Ainsi certains documents relatifs à des histoires de bains, de dos frotté et de corps épongé se détruisirent-ils dans mon esprit à mesure que j'en dressais l'inventaire, du moins était-ce le sentiment que j'éprouvais, le noir le plus complet ne tombait-il pas à leur suite... ?

— Quand même, tu n'es pas très gai... ! me lança-t-elle d'une voix plutôt gentille.

— Non, tout va bien..., fis-je.

— Je n'en ai plus pour longtemps... Oh, il n'y a rien de tel !

Par-dessus la sourde bruyance qui s'acharnait à troubler les lieux, je pouvais l'entendre jouer avec l'eau, comme si d'un épais brouillard posé au ras du sol je voyais surgir le bout de quelques tendres pousses.

— Tu es fatigué... ?

— Non, ça va.

— Tu n'as pas envie de parler... ?

— Je ne sais pas de quoi j'ai envie au juste. Peut-être que je préfère t'écouter.

Elle ne dit plus rien, sur le coup. Mais l'eau s'arrêta de couler et il se fit comme une manière de silence, un blanc relatif au royaume des aveugles. Bien des fois, depuis qu'elle avait rencontré Dolbello, j'avais rêvé d'une situation comme celle-ci, qu'arrivât l'heur d'un peu me trouver seul avec elle pour l'étrangler et lui vider mon sac sans qu'elle pût s'échapper ni s'en sortir en jouant la sourde oreille, mais voilà que tant bien l'ayant désiré je n'avais plus le goût d'en profiter et je sciemment laissais filer une aussi belle occasion, fût-elle la dernière chance que j'avais de lui régler son compte. Je ne savais pas ce qui m'arrivait au juste. C'était comme si je regardais brûler mes meubles sans lever le petit doigt. Peut-être prenais-je enfin conscience de ce qu'elle était réellement perdue pour moi, peut-être bâtissions-nous des mondes forcément voués à la dissolution. Je fermai les yeux un instant, embroché sur mon siège par une sombre indolence.

Avant même que ses mains ne se fussent posées sur mes épaules, mon corps tout entier tressaillit. J'ôtai mes pieds de la table et renversant la nuque m'abandonnai sans mot dire à cette ancienne et vénérable coutume. Je lui avais un jour proposé de la payer pour m'assurer de telles séances, et je ne plaisantais pas, lui avais juré que son prix serait le mien, mais elle m'avait ri au nez et n'avait pas craint de me laisser sombrer dans un tombeau d'incertitude car c'était selon qu'elle était lunée que j'y avais droit ou que j'allais me faire pendre ailleurs.

Mes trapèzes, mes deltoïdes roulaient dans ses doigts, sous ses pouces mes grands et mes petits obliques, cependant qu'à demi revenu de ma surprise j'ouvrais les yeux et l'apercevais dans la vitre, vêtue d'un peignoir blanc et penchée au-dessus de moi, le regard baissé, les cheveux encore humides et soigneusement tirés en arrière, et me demandais où elle voulait en venir. De quelle fichue requête allait-elle encore m'embarrasser... ? ! Mieux valait que je m'attendisse au pire si j'en jugeais par son application, le quasi-recueillement qu'elle accordait à sa tâche. Mais qu'aurait-elle voulu que je ne pusse lui donner quand elle s'y prenait de la sorte... ?

— Tu sais bien que ça n'aurait jamais marché..., murmura-t-elle.

Je ne répondis rien. Mais j'y avais souvent réfléchi et je n'étais pas vraiment de son avis, je ne pensais pas que nous n'aurions eu *aucune* chance. Aussi bien, c'était une partie que j'aurais tenté de jouer si elle m'avait laissé faire à une certaine époque. Seulement il faudrait leur amener le travail tout mâché.

Elle avait trouvé un rythme qui serait allé à une chanson d'esclave sur un bateau à vapeur. J'avais l'impression que le wagon oscillait doucement et remontait un grand fleuve endormi. Ses mains ne glissaient pas mais semblaient réellement s'enfoncer sous ma peau, se faufiler entre mes muscles aussi facilement que ma propre chair. Cela dit, Elsie se défendait pas mal non plus.

— Ecoute, je n'y suis pour rien si la vie est mal fichue.

— Mmm, Sarah..., je ne t'ai jamais reproché ce genre de choses.

— Oh..., ça ne sert à rien d'en discuter, gémit-elle.

— Tout à fait d'accord.

— Tu sais bien que la vie est mal fichue et que je n'y suis pour rien... Je n'ai pas envie d'en parler...

— Ne t'arrête pas, lui dis-je. Si c'est la dernière fois, accorde-moi encore quelques minutes...

Elle poussa un petit grognement amusé et me caressa doucement les épaules. Nous restâmes un moment silencieux, pratiquement immobiles. Je sentais sa respiration dans mes cheveux. Parfois, la pression de ses doigts s'accentuait comme s'il ne leur manquait que la parole. Elle avait un peu bu, naturellement, mais ça n'expliquait pas tout, n'empêche que c'était rudement agréable. Nous avions eu quelquefois certains jeux un peu plus poussés — un pas de plus et c'était le précipice où j'espérais dégringoler — à côté desquels tout cela n'était qu'enfantillage. J'avais déjà mordillé sa poitrine, tenu ma main sur ses fesses, à demi nus nous nous étions serrés l'un contre l'autre, j'avais mis ma langue dans sa bouche, etc., et pas qu'une fois, à diverses reprises, si bien qu'ordinairement il eût fallu pour m'émouvoir autre chose qu'un léger massage de la nuque. Mais cette fois, c'était différent, je sentais quelque chose qui rôdait.

Lorsque la séance prit fin, j'étais vaguement sonné, comme au sortir d'un bain de vapeur, et je ne connaissais plus mon cou ni mes épaules. Elle ne retira pas ses mains sur-le-champ, fort heureusement au fait du triste gâchis qu'entraînait une rupture trop brutale.

Mais elle glissa insensiblement dans mon dos et peu à peu je vis apparaître sur le côté les premières lueurs d'une blanche aurore. C'était le contour de sa hanche, moulée dans le tissu-éponge, qui sortait de l'ombre avec une lenteur stupéfiante. J'en savais tout de même assez sur elle pour comprendre que ce n'était pas un numéro qu'elle me jouait mais qu'elle hésitait tout simplement et qu'elle était en butte à des forces contraires. Sarah hésiter...?! J'étais sûrement le premier type au monde qui lui causait un tel dilemme.

Je ne bougeai pas. Qu'elle ne comptât pas sur moi pour l'aider. Quand elle brilla tout entière, je tournai légèrement la tête. Les pans de son peignoir ne se recouvraient pas l'un l'autre. Je ne savais pas si c'était Dolbello qui lui payait ses dessous, mais il s'agissait d'une ravissante culotte ivoirine en crêpe de satin avec de larges dentelles à l'échancrure des cuisses. Je n'avais jamais eu le droit de m'aventurer de ce côté-là, tout au plus avais-je dû effleurer sa toison un jour qu'elle n'y prenait garde, mais je connaissais bien son odeur. Sinon, le grain de sa peau n'avait plus aucun secret pour moi.

A coup sûr, elle se demanda ce que je fabriquais. L'une de ses mains emprisonna délicatement ma nuque — c'était beaucoup dire d'un aussi subtil effleurement — tandis qu'elle écartait un peu les jambes — là aussi on eût dit qu'elle n'y était pour rien, que l'agaçant roulis du wagon l'obligeait à renforcer son équilibre. J'attendis la suite en lorgnant tranquillement le fruit de mes anciennes convoitises, étroitement épousé de soie blanche et par le fait bénéficiant d'une aimable indécence, d'une obscénité de bon aloi.

N'y tenant plus de ma passivité, elle se pencha vers la table et attrapa une cigarette. Visiblement, elle se refusait à me tendre la perche davantage. Elle ne comprenait pas très bien ce qui arrivait, d'autant plus que je lui servais un sourire d'imbécile. Je lui donnai du feu. Me regardant brièvement elle pensa :

« Peut-être n'ai-je pas été assez claire... ? Bon sang, mais que lui faut-il de plus... ? ! »

Elle s'installa en face de moi, sur sa couchette, le dos appuyé à la cloison, et rabattit ostensiblement les pans du vêtement sur ses jambes. Elle ne semblait pas en colère, ni énervée, juste un peu déçue. Sans maquillage, les cheveux plaqués sur le crâne, son visage était de cette calme beauté qui m'émouvait. Durant quelques minutes, son regard se perdit dans le vague. Puis vint se poser sur moi :

— Tu ne te couches pas... ?

— Voyons, est-ce qu'on demande à un insomniaque s'il peut dormir dans un train... ? plaisantai-je.

— Oh, je croyais que ça allait mieux...

— Non, ça m'a repris depuis qu'Elsie est partie. Je crois que c'est ma vraie nature...

— Seigneur ! Il fait de plus en plus chaud, tu ne trouves pas... ?

Je hochai la tête. Il se pouvait bien que la température y fût pour quelque chose. Je n'arrivais pas à savoir si elle en avait simplement envie physiquement ou si c'était quelque chose de plus profond. Toujours est-il que son corps était fichtrement *présent*, tout comme s'il se pulvérisait dans l'air. J'avais l'impression qu'elle en était presque gênée. Etait-ce une moiteur naturelle qui donnait à sa peau un éclat si ardent ou était-ce que j'avais la berlue ?

Pendant un moment elle me tint une conversation totalement décousue et changea de position à différentes reprises, avec une ombre de nervosité. Pour finir, se plaignant à nouveau de ce qu'on ne respirait pas ici, de ce qu'on ne sentait pas le moindre courant d'air, elle dévoila entièrement ses jambes et me toisa d'un air de me dire qu'avec la meilleure volonté elle ne pouvait agir autrement et que je devais m'y faire. A dire vrai, ça ne me posait pas de problème particulier. Pas plus qu'elle continuât à tergiverser sur son drap pour trouver la posture idéale. J'avais beau la connaître sous toutes ses coutures, c'était une chose dont je ne me lassais pas. Déjà tout enfant, j'aimais les regarder évoluer, à bouger simplement un bras elles me fascinaient, leur corps était le plus profond des mystères, j'avais été l'un de leurs plus fervents admirateurs depuis le début. N'avais-je pas donné mon exemplaire de *Moby Dick* à une petite voisine pour qu'elle soulevât ses jupes devant moi et sans le moindre regret, si ce n'était que sa grande sœur n'avait pas marché dans la combine ?

Elle soupira tout d'un coup, serra ses genoux dans ses bras et commença par se mordiller les lèvres :

— J'ai trouvé une espèce d'équilibre avec lui, est-ce que tu comprends...

— Bah, je crois que c'est toi qui vois...

— Non, décidément tu ne comprends pas...

— Ouais... J'avoue que ça me dépasse un peu. Mais ça n'a plus tellement d'importance.

— Dan, j'ai couru toute ma vie..., j'ai eu besoin de m'arrêter un peu, ça ne pouvait plus continuer comme ça...

— Mmm, tu as bien fait.

— Tu ne comprends rien, n'est-ce pas...?! Tu te fiches pas mal de ce que je suis en train de te dire...?!

Je ne pouvais m'empêcher de goûter au sel de la situation : est-ce que je rêvais ou était-ce bien moi qui étais en train de me faire engueuler...?!

— Dis donc, Sarah..., on dirait que mon avis t'intéresse, tout d'un coup...

— Non. Je *connais* ton avis...!

Elle détourna la tête. Se pencha et tira un flacon de son sac. Je savais ce que c'était, de l'huile de noyaux d'abricots, je connaissais tout ça parfaitement bien. J'avais eu le privilège de l'en enduire un soir qu'elle s'était un peu abandonnée. Mais je ne m'y étais pas ravisé. Ce qui était bon pour sa peau ne l'avait pas été pour mes nerfs. Avec du recul, il me semblait que j'avais été à moitié fou. Je me rendais compte à présent à quel point j'avais dû avoir peur de la perdre pour accepter des histoires pareilles. Y en avait-il un autre, un aussi pitoyable que moi, qui se serait contenté d'un de ces pis-aller quand elle s'envoyait des types à tour de bras... ?! Un qui aurait prêté une oreille aussi complaisante que la mienne à ses détestables coucheries... ?! Je prenais soudain toute la mesure du mal que Franck m'avait fait en me quittant. La douleur de ne plus pouvoir écrire — et Dieu sait que je n'en étais pas mort ! — m'avait aveuglé au point que je m'étais trompé de désastre.

Elle semblait ne plus me prêter attention et s'oignait consciencieusement les bras et les jambes tandis que tout s'éclairait en moi. Je la regardais sans la voir, je découvrais l'étendue des dégâts avec le cœur serré. J'avais donc eu si peur d'être abandonné une seconde fois... ?! Si peur que j'étais parvenu à me le cacher et avais accepté tout et n'importe quoi de la part de Sarah... ??!! C'était un éclairage assez nouveau sur les quelque dix dernières années de ma vie. Je pouvais prendre ça de différentes manières. Je me souvins alors de ces vers d'Ezra Pound : « *Ce que tu as bien aimé restera — le reste n'est que cendres — Ce que tu as bien aimé ne sera pas volé — Ce que tu as bien aimé est ton seul héritage...* » (*Cantos* de Pise.)

— Dan... ?
— Mmm... ?
— Est-ce que tu te sens bien... ?
— Pourquoi, tu trouves que j'ai mauvaise mine ?
— Tu parles tout seul, maintenant... ?
— Oh..., ne fais pas attention... J'ai décidé de me réciter quelques vers tous les soirs. J'ai trouvé que c'était bon pour le teint.
— Et c'était quoi ?
— Bah, c'est sans importance.

Elle m'a regardé encore une fois avec cette idée qu'elle avait dans la tête. Alors je me suis levé et suis allé m'asseoir au pied de son lit. Je lui ai souri. Elle n'en revenait pas que je me fusse aussi brusquement décidé. J'ai pris l'une de ses chevilles et l'ai posée tendrement contre ma joue tandis qu'elle se renversait sur les coudes et que son visage s'auréolait.

— Ah bonté divine... ! j'ai murmuré.

— Oh Dan... ! qu'elle a dit.

J'aimais réellement ses pieds. J'avais connu de belles filles avec des pieds si laids que j'en perdais tous mes moyens, des pieds si grossiers qu'il ne fallait plus m'en parler davantage.

Je l'ai prévenue que nous étions sur la mauvaise pente. Elle ne répondit rien, me fixant comme si elle voulait s'entraîner à me dessiner de mémoire, mais d'un œil doux. En riant, je l'assurai que j'allais sans doute sauter du train si elle m'empêchait d'aller jusqu'au bout. Elle se dressa sur un bras pour de l'autre venir me caresser la tempe du revers de la main puis repartit en m'effleurant les lèvres.

« Sais-tu que j'avais fini par ne plus y croire... » déclarai-je en lui câlinant les genoux qu'elle avait repliés, les talons contre les fesses, et qu'elle manœuvrait languissamment comme des mâchoires de croco édentées, si bien que par instants je découvrais de son fond de culotte l'égrillarde froissure.

— Oh, ne dis rien..., m'enjoignit-elle dans un souffle.

— Ça va être difficile..., que je lui répondis.

Elle ajouta qu'elle ne pensait plus à rien et que je devais prendre exemple sur elle. Car cette nuit était sacrée et suffisamment bouleversante en l'état.

Me glissant au-dessus d'elle, je lui fermai les lèvres d'un long baiser farouche et réellement enflammé, absolument sincère.

Puis j'ôtai ses bras d'autour de mon cou et m'en retournai devant ses deux genoux dressés. Je ne touchai à rien, pourtant, mais aussitôt ils s'effondrèrent sur les côtés comme les montants d'un éventail à la noix. Je les rattrapai et les refermai vivement.

— Recommence, je t'en prie... ! Recommence, mais ne va pas si vite... ! Je suis resté couché là-devant durant des années... !

Elle commençait à donner de la bande et se palpait

les seins, mais elle s'ouvrit cette fois avec une lenteur calculée, se déhanchant même ainsi qu'une qui s'essaierait à ramper sur le dos.

— C'est drôle..., j'ai dit. Mais je me demande quelque chose...

En fait, je m'interrogeais depuis un bon moment déjà.

— Dan... ! gémit-elle. Mais quoi encore... ? !

Je me penchai un peu et empoignai son slip à la hauteur de l'aine. Il n'y avait qu'une fragile frondaison de dentelle à cet endroit, rien qui pouvait poser un problème. Je le déchirai d'un coup sec. Ce qui la malmena légèrement mais elle ne broncha pas. Sans vergogne, je dégageai sa fente et l'exposai à l'ocre lumière saturnale employée dans les wagons-lits. Elle m'encouragea à poursuivre, d'un frissonnement langoureux, cependant qu'un éclat de sensualité brutale poignait à son visage. Son instrument reluisait et bavait comme un nouveau-né.

— Je ne sais plus ce que je voulais dire..., j'ai soupiré. Mais ça va me revenir.

— Enfin, mais ça peut sûrement attendre... !

Je lui ôtai sa guenille pour la faire patienter, la lui descendis tout du long de la jambe avec une lenteur amusée pendant qu'elle s'écoulait tel un arbre à caoutchouc. Puis je lui balançai un regard glacé :

— Je me disais que si nous baisions, toi et moi... Tu n'as pas peur que ça nuise à ton *équilibre*... ? ? !

Durant une seconde, elle me fixa, puis elle dit : « Dan... ! » sur un ton légèrement affolé, tandis que se refermaient ses jambes. Je me levai aussitôt et envoyai les débris de la culotte dans sa direction avant qu'elle n'eût tout à fait réalisé ce qui se passait, et j'allai me rasseoir près de la fenêtre. Je fermai les yeux. Le menton collé à la poitrine, je me passai une main largement ouverte dans les cheveux et recommençai deux ou trois fois.

— Pourquoi cette comédie... ? !

Sa voix était portée par une calme colère encore que

teintée d'amertume. Elle était blessée. On dit que c'est à ce moment-là qu'elles sont le plus dangereuses.

— Ce n'était pas de la comédie. Tout était réel.

— Je suppose que tu es satisfait de toi. Tu t'es certainement prouvé quelque chose.

Je l'ai regardée. Elle était assise en tailleur au milieu de la couchette, le coude planté sur un genou et le menton dans la main, et elle me dévisageait sans animosité particulière mais froidement et de façon méticuleuse.

— Non, je me suis juste simplifié la vie. Des preuves, ce n'est plus vraiment ce dont j'ai besoin.

— N'empêche que tu as attendu que je tende la main vers toi... J'espère que tu as apprécié, j'espère que tu t'en souviendras au moins, je me suis *copieusement inondée*, ce sont les mots exacts... C'est bien ce que tu voulais, n'est-ce pas, oh n'aie pas le moindre doute, je t'assure que tu n'as pas rêvé... Alors à qui veux-tu faire croire que tu es reparti les mains vides...?! Tu m'as *pris* quelque chose, et tu le sais très bien... Je veux savoir ce que j'ai eu en échange, dis-moi un peu ce que tu m'as donné...?!

— Ce n'était pas un échange. Il y a des fois où l'on ne ramasse rien, ce n'est pas toujours du donnant, donnant dans la vie. Que se passe-t-il...?! C'est une question d'amour-propre...? Sais-tu combien de fois j'ai dû ravaler ma fierté avec toi...?!

— Nous avions *décidé* quelque chose...!

— Non, je n'ai jamais *décidé* quoi que ce fût. J'ai marché dans ce truc de l'amitié parce que je n'avais pas d'autre alternative. Mais quand on ne peut pas obtenir ce que l'on veut, c'est commettre une tragique erreur que d'accepter ce qui lui ressemble.

— J'avais besoin d'un ami, pas d'un type de plus pour me baiser...!

— Dans ces conditions, continue à me garder au chaud, je peux encore t'être utile.

Etc. Ad nauseam. Nil novi sub sole.

La baraque de V. Dolbello était face à la mer. C'était une assez belle bâtisse, plantée en contrebas, à la sortie de la ville et relativement isolée, ombragée de solides pins parasols qui la rendaient pratiquement invisible de la route et répandaient dans l'air un parfum de pastilles pour la gorge. Le taxi nous avait déposés en haut du chemin, refusant d'engager sa 190 D toute neuve sur la terre battue. Ça ne m'ennuyait pas de marcher un peu. Après la nuit que nous avions passée, rien ne me semblait plus engageant que cette cavée silencieuse, tapie sous la charmille et criblée de rayons pulvérulents, mais ce n'était pas avec mon pourboire qu'il allait se payer des jantes en alu.

Je me sentais d'une humeur assez vague. Tandis que nous descendions vers la maison, je tâchai de me détendre un peu en admirant le paysage, mais à l'idée de revoir Dolbello et de me pointer *chez lui* qui plus est, je perdais tout mon entrain. Ce n'est qu'en voyant surgir Gladys de derrière la baraque et remonter rapidement vers nous dans un maillot fluorescent que je retrouvai le sourire.

— Ah, venez vite... ! nous dit-elle. Il a enfermé Richard dans la cave... !

— Tu veux rire... ? ! déclarai-je en pressant le pas derrière elle.

Hermann était penché sur la serrure. J'envoyai mon sac sur un siège et l'interrogeai du regard.

— Salut, p'pa. Tu tombes bien. Il y a un bon moment que je suis dessus, mais je renonce... !

— Non, mais dites-moi..., il est fou, ce gars-là... ? !

Ce n'était pas réellement une question que je posais.

Sans plus attendre, j'allai examiner la porte. Hermann me tendit une fourchette aux dents tortillées ainsi qu'un vieux couteau de cuisine que je refusai d'un sourire indulgent. Puis je demandai à Richard de ne pas rester derrière.

— Je crois que tu vas drôlement l'abîmer..., me glissa Hermann.

— Bah, c'est pas sûr...

Je lançai un fichu coup de pied dans le panneau, juste au-dessous de la poignée, avec le talon en avant et les dents serrées et le sentiment de combattre le Mal. Mais il n'arriva rien du tout.

— Bon sang ! Il me faudrait une masse ou une barre à mine !

Je lui en remis un autre, encore un plus sauvage et sans la moindre espèce de pitié. Puis aussitôt un troisième. Et cette fois, elle cracha toutes ses dents, pivota violemment sur ses gonds et percuta le mur de manière assez rude.

Richard traversa la cuisine sans prononcer un mot. Tous les regards étaient braqués sur lui mais il fila tout droit dehors, se baissant juste pour embarquer son chat qui venait aux nouvelles, et il laissa la porte grande ouverte.

— Je vais voir comment il va..., me souffla Hermann en disparaissant à son tour.

— Mais enfin, que s'est-il passé... ? ! gémit Sarah pendant que j'examinais les fêlures du chambranle. Et où est Vincent... ? !

— Il doit être en train de pêcher, en ce moment, répondit Gladys. Il a enfermé Richard avant de partir.

Sarah poussa un soupir douloureux et s'abattit sur une chaise :

— Bon sang... ! Mais *pourquoi*... ? !

Gladys paraissait un peu gênée. Elle me regarda avant de se lancer dans les explications et je commençai à sentir le vent.

— Eh bien..., il veut l'empêcher de sortir... C'est tout ce qu'il a trouvé.

— Mais comment ça, il veut l'empêcher de sortir...

— Oui, enfin pour aller retrouver des gens..., des copains... Je t'ai dit qu'ils ne s'entendaient pas, tous les deux... Quand Richard est rentré ce matin..., eh bien, ça s'est plutôt mal terminé.

Sarah ouvrit la bouche, mais il n'en sortit aucun son. Amorça un geste qui retomba aussitôt. Ce n'était que le début, mais elle semblait déjà épuisée.

— Ecoute, maman, il faut que je te dise une chose...

Nous nous sommes regardés à nouveau, Gladys et moi. La vie est pleine de ces pénibles étranglements par lesquels il faut bien passer, c'est d'ailleurs comme ça qu'elle commence.

— Richard était avec un garçon.

Sarah releva doucement la tête. Elle n'avait pas encore réalisé ce que Gladys venait de lui dire. C'était comme un coup de bâton par un jour de grand froid, on ne le sentait pas tout de suite.

— Veux-tu que je te fasse un dessin...? lui ai-je proposé.

J'étais d'avis qu'il ne fallait pas tourner autour du pot mais crever l'abcès d'un coup sec.

— Ecoute, maman..., ce n'est quand même pas dramatique...!

Durant quelques secondes, on n'entendit plus que des cris d'oiseaux et le chuintement des vagues au pied des dunes.

— J'avoue que je ne m'attendais pas à ça...! murmura-t-elle d'une voix blanche, caressant la main que Gladys venait de lui poser sur l'épaule.

Là, je suis sorti. Le ciel était d'un bleu étourdissant. C'était la première fois de la journée que je prenais réellement conscience de la couleur du ciel. Dans le fond du jardin, la barrière était à demi renversée par le sable et quelques touffes d'herbe rabougrie et brûlée par le sel étaient tout ce qui subsistait d'une ancienne pelouse. L'océan clignotait derrière une rangée de tamaris et un léger souffle d'air iodé poudroyait sur la grève.

Hermann me rattrapa pendant que je déambulais le long de la plage, le bas de mon pantalon retroussé et mes chaussures à la main et maudissant Dolbello de tout mon cœur.

— Alors...? fis-je.

— Ça va. Mais il est retourné en ville.

— Qu'est-ce que tu dis de ça... Tomber sur un imbécile pareil...! Et si je te disais qu'elle a trouvé un *équilibre* avec lui... Tu sais, j'ai peur que Richard ne soit pas au bout de ses peines...

— Ouais, je me fais du souci pour lui... Il a besoin qu'on lui fiche la paix... Je suis content que tu sois là, les choses ont pris une drôle de tournure.

— Mmm, je ne vois pas très bien ce que je peux faire... Ne crois pas qu'il me suffise d'apparaître pour que tout s'arrange. Je pouvais faire ça lorsque tu étais un petit enfant, mais j'espère qu'à présent tu sais à quoi t'en tenir... Sincèrement, ce gars-là, je ne vois pas du tout de quelle manière le prendre... !

— Bon sang, il était furieux. Il a promis à Richard qu'il allait le remettre sur le droit chemin...

— Ouais, je vois... J'ai déjà entendu parler de ce genre de type. Bientôt, tu t'apercevras de quoi le monde est fait.

Ce n'était pas simplement agréable de pouvoir me balader à côté de lui, c'était une joie profonde, et d'une certaine manière terrifiante.

J'en profitai pour lui annoncer que j'avais été réintroduit dans mes fonctions de scénariste et, mieux encore, que j'en avais fini avec ces heures de bureau. Il me dit que justement il me trouvait en pleine forme. Je lui dis de ne pas aller chercher plus loin.

Il avait bonne mine, lui aussi. La veille de leur départ, et malgré qu'il ne voulût pas l'admettre, il ne tenait plus guère sur ses jambes. Avec le théâtre, c'était toujours des deux ou trois heures du matin et vers la fin il tombait raide sur son lit et Gladys le déshabillait, puis le rhabillait un peu plus tard et il sautait sur son vélo. Je le menaçais de jeter l'éponge mais il me suppliait, *Bon Dieu, plus que quelques jours... !!* J'étais content de voir qu'il avait bien récupéré. Je le trouvais aussi un peu changé, comme après chacune de nos séparations dès qu'elles dépassaient une quinzaine de jours — on dirait qu'ils font ça dès qu'on a le dos tourné.

En cet endroit de la côte, la plage était déserte et sauvage. Même une canaille stupide et désœuvrée n'en pinçant que pour la crasse citadine y aurait été sensible. Durant quelques minutes, nous marchâmes en silence, dans le foudroiement de la Beauté divine. Mais bien entendu, ça ne pouvait pas durer. Aussi, dès les premiers signes de pourrissement — nous venions de tomber sur un groupe de baigneuses avec les seins à l'air, rougis et cuits comme des steaks qu'un chien affamé aurait dédaignés — je lui ai proposé que nous fassions demi-tour.

Nous sommes retournés sur nos pas, reprenant le fil de notre conversation à l'endroit où il s'agissait des mesures qu'ils avaient arrêtées. Et d'une, ils fichaient le camp dès le lendemain matin. Et puis il n'était pas question de passer une nuit supplémentaire sous le toit du néanderthalien, ils allaient planter une tente sur la plage. Tout était parfaitement réglé. Enfin presque tout. Il restait que Richard tenait à revenir pour rassembler lui-même ses affaires. D'après lui, partir était une chose et s'enfuir en était une autre. Effectivement, je n'étais pas sûr que son retour fût une très bonne idée. Mais ce ne sont pas les bonnes idées qui ont de la classe.

A mi-parcours, nous nous sommes assis un peu sur le sable.

— Et comment va Elsie... ?

— Mmm, Elsie... ?

J'ai quasiment ressenti une crampe d'estomac, rien qu'à prononcer son nom. Et aussi j'ai fui son regard comme si j'avais eu quelque chose à me reprocher, j'ai frotté mes pieds et mes mollets couverts de sable. J'ai grimacé dans le soleil.

— Mon Dieu, je suppose qu'elle va bien... Elle est partie en tournée, tu sais..., tu n'étais pas au courant... ?

— Non, première nouvelle...

— Ouais... Il fallait s'y attendre... Ça devait arriver un jour ou l'autre.

— Bien sûr ! Je lui avais dit ne pas désespérer... !

Celles qui me donnaient du fil à retordre, c'étaient

ces petites particules brillantes qui restaient collées à ma peau.

— Non..., j'ai rectifié. C'est pas ce que j'ai voulu dire...

Je regrettais déjà de ne pas avoir évité le sujet, alors que j'étais en plein sevrage. Mais il était trop tard. Aussi, machinalement me suis-je remonté les genoux contre la poitrine et ai-je profondément expiré — en type qui s'y connaît, en malheureux habitué de ces choses.

J'ai haussé légèrement les épaules :

— Que veux-tu..., il faut être beau joueur dans la vie...! Mais je ne lui reproche rien, c'était une fille épatante...

Il aimait bien Elsie. Contrairement à Sarah, j'avais trouvé quelqu'un qui plaisait bien à mon fils. Le problème était ailleurs.

— Dan, c'est pas *vrai*...?!

Naturellement, ça lui en fichait un coup. Mais je n'étais pas moi-même en train de rigoler, je n'avais pas la moindre envie de m'ébattre sur le sable — malgré que sous mes doigts il fût fluide et moelleux, si tiède et si doux que c'en était tout craché.

J'ai calmement sombré dans un demi-sourire :

— Voyons, Hermann..., mais je l'ai toujours su..., est-ce que tu prendrais ton père pour un imbécile...? Crois-tu qu'un seul instant j'ai pu imaginer autre chose...?! Ecoute-moi... Non seulement il n'y a rien de définitivement acquis ici-bas mais je m'étais fourré dans une situation impossible. Je savais très bien ce qui m'attendait. Mais je ne considère pas ça comme une folie, je n'éprouve pas le moindre regret, au contraire... Nom d'un chien, Hermann, elle a été formidable, et ce ne sont pas simplement des mots !... Non, tu vois, la seule vraie folie, la seule erreur impardonnable aurait été d'envisager une autre issue à cette histoire... Je ne sais pas si tu te rends bien compte, mais j'ai *quinze ans* de différence avec elle, quinze abominables putains d'années...! Crois-moi, tu peux retourner ce problème dans tous les sens... Je ne saurais pas te dire si ma vie est derrière moi, mais je peux t'assurer qu'elle a la sienne devant elle.

Il avait joué avec un morceau de bois pendant que je lui parlais, sec et blanc comme un os, s'en était servi pour se consciencieusement lisser un petit morceau de la plage – et *tout* était là, l'illusion de pouvoir ordonner le chaos naturel, le mirage d'un monde appétissant et sans affres. Lorsqu'il vit que j'en avais terminé, il me glissa un coup d'œil soupçonneux puis d'un geste lent balança son bout de bois au loin.

— Bon Dieu..., c'est vraiment trop con...! maugréa-t-il.

— Tu veux dire que c'est moi qui suis con, n'est-ce pas...?

Il me répondit non, bien sûr que non, tout en cherchant un autre ustensile des yeux, sans doute qu'une simple brindille aurait convenu.

— Je ne sais pas... Peut-être que tu as raison... Le fait est que j'ai connu quelques sacrées femmes dans ma vie et que je n'ai jamais trouvé le moyen de les retenir. Je ne sais pas à quoi c'est dû... Ce n'est pas un manque de chance, j'ai plutôt l'impression que ça vient de moi..., mais je ne pourrais pas te dire de quoi il s'agit exactement... Tu trouves que j'ai quelque chose qui cloche..., je veux dire à part ma colonne...?

Je lui arrachai un sourire. Ma vie sentimentale était le plus beau fiasco que l'on pût imaginer, mais quelle espèce d'importance en cet instant précis...?! Je sentis à son regard où il voulait en venir.

— Mmm, ne t'inquiète pas pour moi..., j'ai ajouté.

Nous étions installés dans le jardin quand Dolbello s'est amené.

Baignade et crucifixion dorée nous avaient occupés une bonne partie de l'après-midi, puis Hermann et moi étions allés chercher quelques bouteilles en ville – une soudaine envie d'avaler des bloody mary mais je n'étais pas le seul – pendant que les filles préparaient à manger. Le ciel était rosissant. Nous nous étions bien dépensés et mes bloody finissaient de nous couper les jambes tandis que nous observions des écureuils dans les arbres et tendions une oreille amusée à certains cris d'oiseaux. Sarah était presque détendue. Hermann et Gladys semblaient ne plus penser à rien. Pour moi, son bateau avait coulé et s'il n'était pas mort, un puissant courant l'entraînait en enfer.

— Hey... ! Sarah... ! Woah... !! lança-t-il en écartant les bras, sa canne d'une main et son chandail de l'autre.

Elle bondit de son siège.

— Hey... ! Dan... !!

Je restai assis.

« Content de te voir... ! » fis-je en observant d'un œil résigné comme elle se collait à lui — contre son torse couvert de poils sombres, si noirs qu'ils bleuissaient dans la lumière. Il posa sa canne et souleva Sarah dans ses bras.

— Sacré nom ! En voilà une surprise... !

Ses muscles saillaient sur ses bras et ses jambes, et jusqu'à l'intérieur de son crâne. Ainsi donc, c'était avec ce genre d'hommes qu'elles trouvaient leur *équilibre* — Abel, le type avec lequel Franck avait convolé, faisait 46 de tour de cou —, c'était donc toujours cet éternel besoin de sécurité, cette attirance animale pour la force, pour le gars qui protégera l'entrée de la caverne sans la ramener avec ses problèmes existentiels... Voilà qui n'arrangeait pas mes affaires, d'autant qu'il ne suffisait pas de se tailler un corps d'athlète, encore fallait-il dégager un je-ne-sais-quoi d'indéfectible, qu'une lueur tranquille brillât dans vos yeux... Malgré tout, je n'arrivais pas à leur donner tort, je n'avais rien à redire là-dessus. Que leur instinct les poussât à nager du côté où l'on a pied, qu'à la fin elles choisissent celui qui leur paraissait le plus solide, il n'y avait rien là que de parfaitement compréhensible. Et les bloody mary n'étaient pas faits pour les chiens.

— Aïe aïe aïe... ! murmura Gladys tandis que les deux autres pénétraient à l'intérieur de la baraque.

— Pourquoi aïe aïe aïe... ? Tu crois que ta mère n'est pas capable de nous tirer de ce mauvais pas... ? !

— Si, mais...

— Ah, laisse-moi rire ! Il en faudrait au moins dix comme celui-là avant que je ne commence à m'inquiéter... ! Une bande de loups affamés viendraient lui lécher les mains si elle le désirait.

Elle n'était qu'à demi convaincue et continuait de fixer la maison avec un air soucieux, se tenant les mains, les bras plantés sur les accoudoirs et le buste penché en avant.

— Ecoute... j'ai ajouté. Même s'il sortait de là-dedans comme un taureau furieux il ne se passerait rien. Je l'ai juré à ta mère.

Un silence rassurant s'engouffra derrière mes paroles, un calme étourdissant répondit à ses craintes.

— Mais qu'est-ce que je te disais... ? ! arguai-je en ouvrant mes mains vers le ciel. N'est-elle pas magnifique... ? !

Ils décidèrent d'aller planter la tente en attendant. Je les suivis des yeux après qu'ils eurent déchargé le matériel de la *Fiat* et qu'ils remontaient vers la plage, jusqu'à ce qu'ils se fussent évanouis entre les dunes. Je lui avais juré tout ce qu'elle voulait parce qu'il n'y avait plus moyen de discuter avec elle. M'y étais-je essayé que j'avais vite compris qu'elle n'était plus en état d'entendre quoi ce fût. Ses sentiments se bousculaient et tout semblait s'aggraver dès que j'ouvrais la bouche. Elle m'avait fait venir jusqu'ici mais elle avait changé d'avis à ce que je voyais. « Ah, ne t'en mêle pas, je t'en supplie... ! ! Bon Dieu, *reste en dehors de ça...* ! ! » Il s'agissait de son fils et de l'homme avec lequel elle vivait au cas où je ne l'aurais pas compris. Et ça devait me suffire. On aurait dit qu'elle avait peur de moi, que j'étais celui qui menaçait de flanquer tout son bonheur par terre. Ses lèvres tremblaient. Ses yeux me traversaient comme si je n'étais plus qu'un ectoplasme. J'avais pris ses poignets et l'avais repoussée doucement, et elle avait lâché ma chemise. Après quoi, je m'étais rajusté et lui avais juré tout ce qu'elle voulait sans broncher. Mais cette fois, ce n'était pas pour lui faire plaisir — rien à voir avec ma promesse de la nuit, comme quoi c'était top secret notre voyage en tête à tête —, simplement j'en avais soupé.

— Quand même..., c'est pas de chance avec cette porte... ! qu'il me dit sur un ton fielleux, en s'installant devant moi avec un sourire brutal.

Tu as juré. Ne lui demande pas si ça le prend souvent d'enfermer les gens. Ne lui demande pas s'il se fait soigner pour ce genre de choses ou s'il suit un traitement général. Tu as juré.

« Vieux, je suis désolé... ! » j'ai soupiré. Je me suis penché pour lui servir un verre. « Sois gentil de m'envoyer la facture. »

— Non..., c'est pas la question.

Au même instant, j'ai aperçu Sarah derrière les fenêtres de la cuisine. Elle fabriquait je ne sais trop quoi au-dessus de l'évier, mais son visage était tourné vers nous et elle avait un regard si douloureux que je me suis mordu l'intérieur des lèvres. Dolbello ne l'avait pas remarquée. Il clignait des yeux dans le soleil couchant avec un air de bouddha lubrique.

— Très bien, oublions ça..., reprit-il. Mais ce gamin avait besoin d'une leçon.

Tu as juré. Ne te raidis pas, termine tranquillement ton verre. Tu as choisi la Voie du Ventre mou et cet imbécile ne rencontre que le vide.

— Mmm..., j'ai opiné. La vie n'est qu'un long apprentissage.

Il avait l'air bien dans sa peau, réellement content de lui, on aurait pu le rencontrer dans certains catalogues, au rayon des cosmétiques, ou dans un spot *Range-Rover*.

Justement, il emboucanait, un parfum pimenté et sauvage qui se violemment confirma quand il se pencha dans ma direction.

— Entre nous..., il y a certaines choses que je ne peux pas accepter... Tu vois ce que je veux dire... ?

Il était répugnant, enfin c'était pas du tout mon genre dans le style « être humain ».

— Bon Dieu... On est des *hommes*, oui ou non... ? ! il a grogné.

J'ai attrapé un éventail qui traînait sur la table et j'ai produit un léger courant d'air entre nous — mais ça ne valait pas un bon hygiaphone.

— Alors, qu'est-ce que c'est que ces histoires... ? ! il a ajouté.

Regarde-la derrière le carreau. Vois comme elle a la trouille que la conversation ne dérape, cette mine de calamiteuse. Crois-tu que ce n'est pas encore plus dur pour elle ? Et puis tu as juré.

— Dis-moi que je rêve... !

Je l'ai observé pendant qu'il hochait la tête. J'avais envie de me lever et de lui envoyer un coup de sabre pour le guérir de sa déconvenue. Au lieu de quoi, je lui ai rempli son verre.

— Ecoute, je ne te comprends pas... ! ai-je lâché sur le ton de la confidence. Pourquoi te compliquer avec une histoire qui n'en vaut pas la peine. Moi à ta place...

— *Pas ça !* C'est plus fort que moi... ! a-t-il grincé.

Dans son cou, l'horizon s'étalait comme une flaque de sang. A mesure que le jour finissait, l'odeur des pins devenait plus intense, de même que l'air se saturait d'un bleuissement iodé comme d'un infime brouillard et le silence épaississait. J'imaginais déjà l'ambiance quand Richard ferait son apparition. Dolbello était bien l'abruti qu'on pouvait craindre. Si j'avais jamais nourri le moindre doute à ce sujet, ce n'était plus le cas et le simple fait de poser les yeux sur lui m'était devenu une épreuve pénible.

Sarah créa une agréable diversion en se joignant à nous. Elle nous annonça qu'on pourrait bientôt manger et cachait mal son ravissement à constater que je n'avais pas tout fichu par terre, comme elle disait. Elle était cinglée. Il n'y avait pas trente-six manières de voir les choses. Elle n'était pas à l'aise mais pourtant elle souriait. Je n'arrivais pas à lui donner un air très précis, son visage était une macédoine de sentiments contradictoires, comme si elle se retenait d'aller pisser, que c'en était vraiment comique et d'un goût si amer que j'en demeurais interdit. A les regarder tous les deux, je me serais cru en visite dans un hôpital psychiatrique.

Dolbello la considéra un instant et la déshabilla des yeux avec une moue satisfaite. Puis il s'enfonça dans son siège et croisa les pieds sur la table.

— Mon chou, j'étais en train d'expliquer à Dan que le moment était venu de reprendre les choses en main... ! D'ailleurs, ces derniers temps, nous n'avons eu que des déceptions avec Richard...

Je me suis un peu agité dans mon fauteuil en résine :

— Euh..., écoute..., tout cela est infiniment complexe... Enfin, je ne sais pas ce qu'en pense Sarah..., enfin, vois-tu, je crois que la plus extrême prudence...

Je tirais mon cou vers Sarah, me pendais à ses lèvres, à quasi scruter les dernières volontés d'un agonisant, mais je ne vis rien venir, pas le moindre signe, sourcillement, poil d'avis d'aucune sorte. Elle donnait l'impression que plus rien ne pouvait la toucher, qu'elle vous disait : «Tue-moi, ça n'a plus d'importance... ! »

Alors, je faillis me lever. Je ne comprenais plus pourquoi j'étais là. Je lui avais juré de ne pas intervenir mais lui avais-je également promis de tenir la chandelle, avions-nous conclu un marché qui me forçât à les souffrir plus longtemps tous les deux, avec leurs salades... ? ! Déjà, je finissais mon verre. A peine si j'entendais cette crapule continuer sur sa lancée, m'assurant qu'il avait sa propre méthode. Jusqu'à la dernière goutte et je le reposai d'un coup sec. Et je faillis me lever, mais c'est à ce moment-là que Richard arriva.

Il apparut dans le fond du jardin, en haut de la dune qui avait renversé la barrière. Il la dévala tranquillement, les mains dans les poches, avec Gandalf sur les talons et d'une manière décontractée pour un qui venait se jeter dans la gueule du loup.

Il sauta en bas et reprit son chemin en direction de la maison, sans hésiter le moins du monde.

Du coup, Dolbello l'avait bouclée mais l'air était empoisonné de son silence et il plissait les yeux en offrant la lippe la plus venimeuse qu'on ait vue. On entendait tomber les aiguilles de pin pendant que Richard s'approchait. Je m'allumai un *Especial* (je les avais à la bonne chez *Monte Cristo*) pour indiquer de quel côté j'étais, j'en soufflai un mince filet vers le couchant pastellisé et lançai mon allumette dans mon verre.

Il passa devant nous sans y prêter une attention quelconque, avec cette expression d'indifférence glacée qu'il avait employée quand on l'avait sorti de la cave. Nous n'en méritions pas plus, j'étais parfaitement conscient de tout ça. Ce n'était pas un monde dont nous pouvions être fiers.

Dolbello le suivit des yeux jusqu'à ce qu'il ait disparu à l'intérieur de la baraque, puis sa bouche se fendit d'un sourire méprisant et il se mit à ricaner sous mon nez :

— C'est simplement une question de fréquentations... Mais je vais m'en occuper rapidement, sois tranquille...

Je le fixai une seconde et considérai calmement le bout de mon cigare.

— Dan..., je vais être franc avec toi...

Je voulais qu'il soit *rien du tout* avec moi. Ma poubelle était grande ouverte.

— Dan..., je vais te dire la vérité. Je crois que ça te regarde, la manière dont tu choisis tes amis. Ce n'est pas moi qui suis à ta place, mais je te le dis comme je le pense : tu devrais faire un peu de ménage autour de toi... Il y en a quelques-uns qui ont une mauvaise influence sur Richard, il serait temps que tu t'en aperçoives... Ce n'est pas lui rendre service que de le laisser côtoyer ces gens-là, c'est bon pour personne...

J'observais les effets de ma simple respiration sur l'œil incandescent et j'y voyais les flammes de son bûcher et la manière dont il gesticulait. Puis je levai doucement les yeux sur Sarah. En fait, elle tenait tellement à ce gars-là que c'était difficile à imaginer.

— Et toi, comment ça va... ? ! l'ai-je interrogée. Est-ce que tu as perdu ta langue... ? ! !

Elle ne répondit rien.

Mais pour ce regard que tu m'as lancé, pour ce minable trou-du-cul de S.O.S. qui a failli me dégoûter de cette vie à tout jamais, sois remerciée ! Sois sûre que je continuerai à t'admirer comme tu le mérites ! Nom de Dieu, je crois bien que je vais me mettre à PRIER pour toi... ! !

— Elle te dira la même chose que moi..., déclara le type sur ma gauche, un poids moyen avec une tête de trafiquant d'armes.

— Peut-être qu'il faudrait lui donner un sucre... ? j'ai plaisanté.

Je ne savais si c'était qu'il m'aimait bien, mais il me couvait toujours du même sourire.

— Tu devrais réfléchir à mon conseil... Je voudrais que tout soit bien clair.

Cette conversation se serait sans doute mal terminée si la réapparition de Richard n'y avait mis un terme. Je ne voyais pas comment nous aurions pu nous en sortir autrement. Je n'apercevais qu'une longue pente savonneuse devant nous. Peut-être même qu'il allait me reprocher le détournement de Gladys pendant qu'il y était. J'étais content que Sarah soit là. Je voulais qu'elle comprît pourquoi l'on ne peut jurer que *jusqu'à un certain point*.

En avisant Richard, j'ai senti que le danger m'avait frôlé, j'ai pensé qu'il ne s'en était pas fallu de beaucoup qu'on y coupât. Il avait son sac sur l'épaule et je compris que c'était la seule attitude intelligente, la seule réponse que l'on devait donner. J'étais allé trop loin, j'avais accordé à ce type-là beaucoup plus qu'il ne méritait. Richard descendit les quelques marches du perron et s'avança dans le crépuscule hésitant. Je n'avais pas l'intention de traîner derrière lui. Mon siège me brûlait déjà les fesses.

— Hé, mais où vas-tu comme ça... ?! grogna Dolbello pendant que Richard s'amenait, le regard fixé sur l'horizon.

N'obtenant pas de réponse, il sauta sur ses pieds et, avant que nous n'ayons eu le temps de dire ouf, il lui arracha son sac et le flanqua par terre, et Richard blêmit.

— Je t'ai demandé où tu allais ! Mais qu'est-ce que ça veut dire... ?!! Où est-ce que tu te crois exactement... ?!!

Sa voix était si menaçante que Gandalf se hérissa sur ses pattes et cracha dans sa direction.

Dolbello lui balança un coup de pied.

— ESPÈCE DE PAUVRE SALAUD... !! hurla Richard.

Dolbello le gifla à toute volée.

Je lui envoyai une droite en pleine figure.

Sarah poussa un cri. Il s'étala dans les aiguilles de pin. Le temps que je me retourne pour voir comment allait Richard, il s'était relevé et me tombait sur le dos. Ce n'était pas mon point fort. Je me pliai en deux, comme un cierge devant un tison, et l'embarquai dans ma chute.

Nous roulâmes, enlacés comme des chats sauvages. Une fois debout — sa lèvre supérieure était fendue —, il me cogna la tête contre une petite cabane de jardin. Je lui visai l'estomac. Le ratai.

Lui me ferma l'œil d'un coup. D'un autre, il me mit sur les genoux, le souffle coupé. Il m'attrapa les cheveux. Je lui enfonçai mon poing dans les couilles. Ça commençait à tourner au vinaigre.

Nous nous retrouvâmes face à face de nouveau. J'en avalai un autre qui m'arriva droit dessus et ricocha sur mon front comme une étoile filante. Il n'y avait pas trente secondes que cette histoire durait et j'avais déjà envie qu'elle finisse. Je titubai. Il se jeta sur moi. On passa au travers du cabanon.

Il me sortit dehors en essayant de me démolir le portrait. J'étais passablement étourdi mais j'étais ivre de rage. Je commençai à me demander s'il n'était pas plus fort que moi. Il manqua de me briser la mâchoire. Je le sonnai d'un direct à la tempe.

Et je ne lui laissai pas le temps de retrouver ses esprits. J'attrapai aussitôt une chaise pliante qui se trouvait là, un antique modèle de bois au vernis écaillé, quoique j'eusse préféré une batte. Je la lui fracassai sur le crâne. Le bois trop sec vola en mille morceaux mais Dolbello posa un genou à terre.

Sarah se précipita vers lui et le prit dans ses bras en gémissant. J'étais moi-même dans un bel état mais je n'eus droit à rien, question premiers secours. J'envoyai le montant de la chaise qui m'était resté dans la main par-dessus la clôture. Puis je pliai les genoux et je le regardai par en dessous pour qu'il n'y ait pas de malentendu.

— Touche un seul cheveu de la tête de Richard et je te tuerai... ! l'ai-je prévenu avant de m'en aller.

Gladys m'a donné des comprimés d'arnica et Hermann a couru tremper une serviette dans l'océan. Richard était désolé. J'avais la tête en feu mais je leur dis que ce n'était pas grave et qu'il n'y était pour rien, qu'il y avait certaines personnes avec lesquelles on ne pouvait pas parler et que mon cœur était plus léger. Au moins, les choses étaient claires à présent.

Comme la nuit tombait, ils sont partis à travers les dunes pour chercher du bois mort. La serviette que je tenais contre ma figure était brûlante. Je me suis levé péniblement puis j'ai marché vers le bord en essayant de reconnaître mon visage du bout des doigts, mais ça me semblait dur comme du carton encollé. La mer était plate, étendue raide sous la clarté lunaire. Je m'y suis avancé jusqu'à mi-tibia et me suis agenouillé au milieu des vaguelettes qui bouffaient et juponnaient autour de mes cuisses. Je n'avais pas perdu une seule goutte de sang mais je le sentais rugir dans tout le côté droit de ma figure. Je me suis penché en avant puis j'ai immergé la partie sensible dans la Douceur céleste. Aussitôt, mon dernier *Especial* a glissé de la poche de ma chemise et s'est englouti par le fond, ni plus ni moins, mais je n'ai pas esquissé le moindre geste. La douceur de l'eau était savonneuse, j'ai senti mon œil qui s'ouvrait comme une anémone de mer.

De fil en aiguille, je me suis allongé et mis à flotter sur le dos, à quelques pas du bord, la joue droite baignant jusqu'à l'os et l'esprit occupé à trouver le repos. Je leur ai dit de ne pas s'inquiéter.

Quand je me suis échoué sur le sable, le feu crépitait et des sacs d'étincelles se pulvérisaient en l'air et tourbillonnaient dans le souffle. Je me suis enroulé dans la serviette d'Hermann. Ils étaient d'accord pour trouver que mon œil allait mieux et que je n'étais pas trop abîmé d'une manière générale, mais j'étais éraflé de partout. Je me suis changé, Gladys s'était glissée dans la maison pour récupérer mon sac. Elle avait vu Sarah. Dolbello était sous la douche. Sarah était en train de lui préparer des somnifères. J'ai dit que ce qu'ils fabriquaient m'était égal. J'ai demandé si quelqu'un voulait un peu de mon bourbon puis je me suis installé à l'écart, j'ai dit que je ne pouvais pas m'approcher du feu avec ma figure.

Je n'avais pas envie de parler. Je n'étais plus sous le coup de la colère, mais j'éprouvais à la place une désagréable sensation de vide. Je me suis étendu dans mon coin et je les ai écoutés, quand ce n'était pas une branche qui craquait dans le feu au beau milieu d'une phrase ou leurs voix qui descendaient sous le chant des grillons.

A l'aube, ils m'ont conduit à l'aéroport, puis ils ont filé en vitesse. C'était ce que nous étions convenus. Je suis resté planté un moment au milieu du hall, avec ce fameux vide, ce trou à l'intérieur de moi qui ne m'avait pas quitté de toute la nuit.

Durant le vol, le siège voisin du mien est demeuré

inoccupé. Je n'avais pas le visage tuméfié – j'étais loin derrière mes *wayfarer* – au point qu'on eût sciemment évité ma compagnie, mais c'était comme ça. Un trou de la taille d'un carton à chaussures dans la région des poumons.

J'ai bien pensé que ça n'allait rien arranger de retrouver une maison vide, mais il ne me venait aucune idée lumineuse. Je suis allé récupérer ma moto dans le garage de Sarah. Je me suis demandé si je ne devrais pas aller me balader, si ça pouvait avoir une influence bénéfique sur ce que j'avais, puis j'y ai renoncé et je suis rentré directement.

Arrivé devant chez moi, j'ai décidé qu'elle ne tournait pas très rond, je l'ai amenée jusqu'à la porte et je me suis penché pour écouter le ralenti et toutes ces choses, et j'ai vu ce qu'il me restait à faire. J'ai coupé les gaz. Je l'ai plantée sur sa béquille et je l'ai observée un instant, réalisant bien que je ne saurais y puiser la paix de mon âme mais au moins quelque soulagement. Puis jetant un œil autour de moi, j'ai pensé que je pourrais enchaîner sur le jardin et peut-être aussi changer la toile de mes transats ou repeindre mes volets.

Quand je suis entré, je l'ai trouvée assise sur les premières marches de l'escalier, les yeux au bord des larmes. Mon sac m'en est tombé des mains. J'ai eu comme un éblouissement, j'ai failli suffoquer sous le déferlement du Ciel.

— Oh bon sang, Dan..., *mais où étais-tu...* ?!! a-t-elle gémi.

J'ai su que si je ne la serrais pas immédiatement dans mes bras, si je n'allais pas la respirer à l'instant même, j'étais fichu.

— Ah, Elsie... !! j'ai balbutié.

Nous nous sommes jetés l'un contre l'autre. Je l'ai arrachée du sol comme un damné et je suis sorti à reculons dans le soleil en la couvrant de baisers, je me suis adossé avec elle dans l'embrasure de la porte.

Il me fallut quatre mois pour venir à bout du scénario. Non pas que j'eusse perdu la main ou que je me fusse amusé, mais j'avais pondu quelque chose d'assez peu banal, en fait j'y avais travaillé d'arrache-pied et j'étais arrivé à ce que je voulais.

Il avait neigé le soir même — les premiers flocons de janvier, les premiers qu'on voyait en ville — tandis que je relisais la scène finale.

C'était du bon travail et je le savais. J'y avais mis tout mon cœur, plus tout ce que j'avais appris en écrivant pour le cinéma. Du scénario original, il ne restait pas grand-chose, j'avais eu cette idée qui m'avait tourné dans la tête depuis le début, et lorsqu'elle s'était précisée, j'en avais parlé à Marianne et je lui avais posé mes deux conditions. Avec du recul, et sachant combien il y avait de scénaristes sur le pavé, je trouvais que j'avais été culotté. Mais elle avait accepté. J'avais réussi à lui communiquer mon absolue certitude quant à la réussite du projet, puis je m'étais penché au-dessus de son bureau et je lui avais donné mes fameuses conditions, à prendre ou à laisser :

1° Le rôle est pour Hermann

2° Je veux un pourcentage sur les recettes

et elle avait dit oui.

C'était la plus belle histoire que j'avais jamais écrite. Le meilleur scénario qu'on avait vu depuis longtemps, à mon avis. C'était aussi un cadeau pour Hermann et j'y avais pensé à chaque minute, les mots que j'écrivais et qui sortiraient de sa bouche.

C'est ainsi que j'étais devenu le chéri numéro deux de Gladys. Dès que j'avais le dos tourné, elle arrosait mes plats d'anhydride phosphorique et cassait des ampoules de magnésium dans mon bourbon. Quand nous étions assis l'un à côté de l'autre, Hermann et moi, son regard chavirait littéralement. Il ne s'agissait pas qu'on vînt me déranger lorsque j'étais en plein travail, elle montait la garde devant la porte de ma chambre, ou quasiment.

C'était là que je m'étais installé. J'avais abandonné le salon où j'avais officié durant toutes ces années de rigolade et j'avais retrouvé la solitude du coureur de fond. J'avais juste embarqué mon ordinateur et un crayon noir, et je m'étais tourné contre le mur.

Je n'étais pas redevenu un écrivain malgré ce qu'ils avaient tous l'air de croire. Je savais ce qu'ils en disaient derrière mon dos, toutes ces heures où je restais enfermé leur paraissaient de bon augure, habitués qu'ils étaient à me voir travailler en bas dans un nuage de musique légère et aussi prompt à engager la conversation qu'à filer de mon siège avec un air satisfait. Je reconnaissais que les apparences étaient contre moi et que certains jours, lorsque je redescendais de là-haut, ma mauvaise humeur vous avait des accents troublants, mais ce n'était pas ça. J'avais simplement besoin de calme. D'autant plus que l'époque où Hermann et moi étions les seuls habitants de la baraque ne semblait plus qu'un lointain souvenir.

Depuis mon algarade avec Dolbello, Richard et Gladys avaient presque changé d'adresse. De temps en temps, ils allaient dormir chez eux. Mais ils ne tenaient vraiment pas à voir ce gars-là, Richard m'avait demandé si je comprenais et je comprenais, et puis ça ne me dérangeait pas qu'ils soient là, je pensais que Mat, leur père, me bénissait du haut du Ciel et veillait à ce que mon travail avançât. Je m'étais d'ailleurs engueulé avec Sarah à ce sujet, un de ces coups de téléphone à s'arracher les tympans, qu'elle n'avait qu'à s'y prendre autrement si elle voulait profiter de ses enfants et qu'elle s'estime heureuse qu'ils ne soient pas trop loin, sans moi elle les retrouvait au diable. Enfin bref, il y avait toujours du monde à la maison. Au point que parfois j'étais tellement surpris par le silence qu'intrigué je descendais voir ce qu'il en était exactement et jetais même un œil dans le jardin des fois que ce serait une blague.

Puis je retournais devant mon écran, les cheveux presque dressés sur la tête avec tout ce que Gladys me faisait avaler et légèrement contrarié que la maison fût vide. Certes, j'avais besoin de tranquillité et je ne voulais pas qu'on entrât dans la chambre sans de *sérieuses raisons* – Elsie avait une espèce de sauf-conduit permanent, je ne voulais pas refaire la même erreur qu'avec Franck –, mais je ne demandais pas pour autant le désert intersidéral, je n'y tenais vraiment pas du tout. J'aimais tendre l'oreille et au-delà du silence de la chambre saisir quelque conversation indistincte ou n'importe quel signe de présence, voilà ce qui m'allait bien.

Je n'étais plus le fou furieux, le démon cinglé sorti de la cuisse de *Moby Dick*, l'écrivain désincarné ivre de silence et de solitude que Franck avait dû supporter – je me demandais comment – durant toutes ces années. Ce n'était pas d'aujourd'hui que je m'en apercevais, mais le fait de me retrouver dans une situation identique – et malgré qu'on ne pût comparer la Littérature et son ombre – m'ouvrait définitivement les yeux. C'est à cette occasion que je pris *réellement* conscience de m'être libéré et réalisai qu'au fond, jusque-là, je n'en avais jamais été certain. Ce fut pour moi un délicieux moment, tel que de fil en aiguille, m'amusant, je me mis à penser que la Littérature se satisferait peut-être d'un homme à défaut d'un esclave illuminé et que je pourrais désormais m'y recoller, si des fois l'envie m'en prenait. « *Ainsi pour moi-même, au cœur de l'Atlantique tourmenté de mon être, il m'arrive de jubiler dans un calme muet tandis que les planètes néfastes gravitent sans fin autour de moi sans toucher la place profonde et intime où baigne l'étincelle de ma joie. »* (Moby Dick.)

Par pure malice, j'avais glissé cette éventualité à Paul, un beau matin, et il avait failli dégringoler de son siège. « Calme-toi..., j'ai simplement dit que ça *pourrait* arriver. Mais je ne suis pas encore d'humeur... » J'étais venu lui apporter le scénario de *Sauf l'Alaska* (en définitive, l'histoire d'un garçon qui cherchait son père mais il avait très peu d'indications) et notre discussion s'était égarée. « Bon Dieu, Dan... Tu connais mon vœu le plus cher... ! » Je lui avais répondu que le mien se bornait à la réussite du film et rien de plus. Il avait croisé les doigts. Je m'étais alors approché de la fenêtre et tandis que la neige tombait et envahissait les rues, j'avais murmuré : « Dieu tout-puissant tourne Ton regard vers moi, ne m'abandonne pas cette fois, j'ai besoin de Toi... ! »

Je me suis levé sans un bruit. Je me suis habillé tout en l'observant, l'esprit encore chaviré par la conversation que nous avions eue et qui nous avait gardés éveillés une bonne partie de la nuit. Le corps d'Eloïse Santa Rosa était une impeccable merveille mais c'était son âme que j'observais avec la gorge serrée. Je suis resté assis au bord du lit quelques minutes, incapable d'y voir clair en moi, puis je me suis levé et j'ai tiré la porte avec d'infinies précautions.

Je suis allé boire mon café dans le jardin. Depuis le temps que ça me pendait au nez, la toile d'un de mes transats a cédé sous mon poids et j'ai aspergé mon tee-shirt immaculé d'étoiles sombres. Nous avions eu quelques pluies au début de juillet (affluence record dans les salles) puis s'en était suivi un soleil d'acier qui avait eu raison de leur vieillesse et avait fini de les cuire jusqu'à la corde. Je ne me suis pas énervé, je suis allé me changer en décidant de m'occuper de tout ça très rapidement, j'ai replié tous les transats et je suis allé les ranger sur le trottoir avec une pensée pour tous les bons moments qu'ils nous avaient accordés et qui montaient au ciel, tandis que j'empilais leurs dépouilles sur les poubelles.

Bernie est venu me rejoindre. J'étais assez pressé, peut-être même un peu excité, mais je suis allé lui préparer un café en prenant garde de ne pas réveiller Richard qui dormait dans le salon.

Il était neuf heures du matin, la chaleur commençait à monter doucement et l'herbe sentait bon. Bernie refusait de s'y asseoir avec son pantalon blanc. Il se tenait accroupi, le regard dans le vague. Je lui ai demandé ce qui n'allait pas depuis d'ailleurs deux ou trois jours.

— Bon sang ! Tu sais très bien ce qu'il y a... ! m'a-t-il répondu sur un ton agacé.

Je n'ai pas insisté, sur le coup. J'ai attrapé ma veste et nous avons filé dans la MG, les cheveux au vent en ce qui me concernait et Bernie avec sa casquette de gentleman.

— Tu n'es pas obligé de me le dire..., ai-je précisé tout en lui indiquant la bretelle du périphérique. Tu fais comme tu veux...

Nous ne roulions pas très vite. En fait, j'avais envie qu'il me parle pour me distraire de mes propres idées. Nous avions tous nos problèmes. Nous étions vivants et la vie nous transperçait de part en part. Le chemin était bleu et illuminé malgré tout.

Il m'a lancé un coup d'œil, puis sa main s'est abattue sur le volant :

— Ah Seigneur ! Mais tu le connais... ! Est-ce que ce n'est pas comme le nez au milieu du visage... ? !

Harold et Elsie étaient environ du même âge. Je me sentais particulièrement proche de lui lorsqu'il traversait certaines épreuves. C'était une occasion pour moi de reconnaître le terrain et d'observer un peu à quoi je m'exposais.

— Il va me laisser tomber une fois de plus... ! a-t-il

marmonné entre ses dents. Et je ne peux rien y faire...
Sinon m'y préparer sans broncher..., Danny, sans que
je puisse lever le petit doigt, sans que rien ni personne
puisse y changer quoi que ce soit... !

— Mmm, tu ne crois pas qu'il charrie un peu... ?

— Ah, c'est plus fort que lui, tu sais... Ça ne sert à
rien de lui en vouloir.

— Bien sûr... D'ailleurs, il aurait tort de se gêner, je
ne vois pas très bien s'il a quelque chose à perdre dans
l'histoire... Tu l'accueilles toujours avec les bras ouverts, il me semble... ? !

— Dan, mais tu ne comprends rien décidément...
Qu'est-ce que la fierté ou l'orgueil, ces sentiments *imbéciles*, comparés à l'éblouissement de la vie... ? ! Je
suis malheureux quand il me quitte, *vraiment* malheureux, mais je ne me sens pas humilié, je ne prends pas
ça pour un affront personnel... ! Au nom de quoi est-ce
que je le repousserais, dis-moi... ? Tu sais, quand il
s'agit d'affaires de cœur, il n'y a qu'une chose qui soit
vraiment méprisable et c'est l'amour-propre. Il faut
choisir, tu comprends, ou l'autre ou soi-même.

J'ai pris le temps d'y réfléchir une seconde, puis j'ai
hoché la tête.

— Très bien. Autant pour moi.

— Enfin, ça ne veut pas dire que je lui donne raison,
s'est-il rembruni. Bon sang, Dan, j'en suis malade, si tu
veux savoir... ! Mais la seule chose que je ne pourrais
jamais lui pardonner, justement, ce serait s'il ne revenait pas.

— Mmm, je crois qu'il l'a parfaitement compris.

— Eh bien, tant pis pour moi... « Amour au cœur,
éperon au flanc », comme on dit. Il n'y a pas trente-six
solutions... !

Le courage, la volonté, la force de continuer, la
résolution de nos épreuves, toutes ces choses flottaient
en l'air, à portée de la main.

Lorsque nous sommes arrivés au garage, j'ai bondi
par-dessus la portière. J'ai entraîné Bernie pendant

que le type sortait de son bureau et nous courait derrière. Seigneur Jésus, elle était comme neuve !

— Bernie, qu'est-ce que tu dis de ça... ? !

Il semblait réellement impressionné. J'avais des fourmis dans les jambes. La tristesse qui me tenaillait depuis qu'Hermann m'avait fait part de sa décision, sans oublier le fer qu'Elsie m'avait plongé dans le ventre, donnaient à mon bonheur un goût particulier, en aiguisaient la forme.

— *Aston Martin* DB 5, j'ai dit. Modèle 1964, 4 litres, version *Vantage* avec trois carburateurs *Weber*, 282 chevaux...

Sur le chemin du retour, de fabuleux souvenirs m'ont assailli tandis que je pilotais mon nouvel engin. Je me suis revu une dizaine d'années plus tôt, au volant de ma DB 2/4 Mark 1 modèle 54 avec Franck qui riait à mes côtés et Hermann qui avait juste la bonne taille pour se tenir à l'arrière, et les larmes me sont montées aux yeux et je me suis mis à pleurer tout doucement en piquant une petite pointe sur l'autoroute, m'essuyant la figure à intervalles réguliers et ne sachant pas ce que cela signifiait au juste, si c'était la tristesse ou la joie qui m'inondait.

Je me suis senti un peu nerveux quand ils m'ont demandé de l'essayer mais je leur ai donné les clés. Elsie n'était pas encore descendue, j'ai dit juste le tour du pâté de maisons. Gladys est montée à l'arrière, Hermann et Richard ont tourné autour encore une fois avec des mines stupéfaites et ils ont filé tous les trois tandis que je dressais une oreille inquiète (boîte de vitesses Z F, d'origine allemande, au maniement délicat).

Lorsque Elsie est apparue dans le jardin, je l'ai appelée sur un ton joyeux, je me suis précipité pour aussitôt la serrer dans mes bras et malgré qu'elle se raidît un peu, je l'ai embrassée dans le cou et je lui ai demandé si elle entendait ce que j'entendais, ce bruit de moteur dans le lointain, est-ce que tu as une idée de ce que ça peut être... ? J'avais vraiment l'air d'avoir oublié notre conversation de la nuit. Je grimaçais de façon comique et la pressais contre moi en l'entraînant sur le trottoir pendant que le bruit se rapprochait.

— Mais enfin, Dan, mais qu'est-ce que...

— Regarde !

Le quatre cents mètres départ arrêté en moins de seize secondes. Toutes mes peines se sont envolées quand je l'ai vue arriver, un éclair de pur bonheur dans les bleus d'azur qui est venu se ranger à nos pieds. J'ai lorgné Elsie du coin de l'œil. Je n'espérais pas m'en tirer à si bon compte mais un simple sourire ne m'aurait pas fait de mal.

Finalement, elle n'a pas résisté à l'enthousiasme des trois autres, l'ombre de ce que j'attendais est apparue sur son visage. Je l'ai installée à l'intérieur et je me suis penché pour atteindre ses lèvres. J'ai bien senti que ce n'était pas vraiment ça mais je n'ai pas insisté, je me suis dit que ça aurait pu être pire. Je me suis écarté pour qu'elle puisse descendre et je l'ai suivie des yeux tout en expliquant à Richard que les amortisseurs étaient réglables sur le tableau de bord (*Armstrong Selectaride*).

— Mais qu'est-ce qu'elle a... ? ! m'a demandé Hermann.

Depuis environ quarante-huit heures, depuis qu'il m'avait annoncé la date de son départ – enfin *leur* départ puisque Gladys et Richard étaient de la partie – je sursautais presque quand il m'adressait la parole et je le regardais sans pouvoir ouvrir la bouche durant les deux ou trois secondes qui suivaient. « Mmm c'est difficile à dire... » J'aimais autant que nous soyons seuls si jamais je devais lui en parler, si jamais ça pouvait servir à quelque chose.

Je n'arrivais plus à tenir en place dans la maison, impossible de rester assis plus de cinq minutes ou de me consacrer à quoi que ce fût depuis qu'il avait

commencé à ranger ses affaires. Je vidai ma biblio-
thèque. Avec Gladys et Elsie, il essayait de mettre un
peu d'ordre dans toutes ces années et il y avait une
grande malle dans le couloir, il y avait ces choses qu'il
emportait. Je ne pouvais pas l'aider, je n'y comprenais
rien. Mais je m'amenais de temps en temps avec une
pile de bouquins et je profitais que Gladys ait le dos
tourné pour les fourrer dans la malle, sinon je devais
me battre pied à pied lorsqu'elle me surprenait —
Faulkner avait eu chaud mais je m'étais relevé en
pleine nuit et j'avais réussi à caser Conrad et Melville
à la place d'une paire de bottes — nous n'étions pas
vraiment d'accord, elle et moi, sur cette notion de
l'indispensable — et j'étais tout de même son père,
j'avais quarante-cinq ans, Miller, Hemingway, Kerouac, le *Yi king* ainsi que les trois que j'avais sauvés
in extremis, c'était quand même le *strict minimum* que
je sache... !

   La baraque se vidait de son sang, ni plus ni moins,
mais ce n'était pas une mort violente. Les souvenirs
remontaient les uns après les autres et planaient tout
au long de la journée, vieux fantômes arrachés au
doux sommeil de l'inattention et incapables de retrouver le chemin de l'oubli, glissant et gémissant faiblement à mes oreilles, et se bousculant sous mes yeux. Je
passais mon temps à ouvrir les portes et les fenêtres
sans aucun résultat. Je traînais d'une pièce à l'autre et
l'on se plaignait — au moins Hermann était plein de
compréhension pour mes maladresses — de toujours
m'avoir dans les jambes. Le jardin était le seul endroit
où je ne me sentais pas indésirable. Si je ne les voyais
pas, je les entendais et ils démolissaient la seule chose
que j'avais réussi à bâtir dans cette vie, je les entendais
qui s'amusaient en retournant toute la chambre, riant
et poussant des cris éhontés à la découverte de je ne
savais quel vieux machin qui ne trouvait plus grâce à
leurs yeux mais qui m'aurait sans doute brisé le cœur
en mille morceaux. Je m'allongeais dans l'herbe. Il y
avait deux jours que cette histoire durait mais j'avais

l'impression qu'elle avait commencé depuis une éternité.

Un type est venu chercher la malle dans l'après-midi. Dans le fond de la camionnette, il y avait déjà celles de Richard et de Gladys. Bien entendu, tout cela était de ma faute. Le Ciel m'avait écouté.

Ils avaient des tas de gens à embrasser si j'ai bien compris, des courses de dernière minute, enfin toujours est-il qu'ils m'ont laissé, Gladys avait besoin d'Elsie et ils m'ont laissé, je suis resté tout seul. Je suis allé voir mon *Aston Martin* mais c'était encore un peu trop neuf entre elle et moi.

Je me suis tout de même assis à l'intérieur car je ne savais pas ce que je voulais. Le téléphone a sonné mais je ne répondais plus au téléphone. Depuis que j'avais signé le scénario de *Sauf l'Alaska*, ils se souvenaient tous que j'existais ou bien c'était pour Hermann. Puis au bout d'un moment j'ai décroché, je l'ai écoutée et je lui ai parlé gentiment, je lui ai dit on n'y peut rien, Sarah, c'est comme ça, il fallait bien que ça arrive un jour ou l'autre, ne t'inquiète pas pour eux.

J'ai jeté un coup d'œil autour de moi et je suis retourné dehors. Il faisait tellement bon que tout semblait irréel, il y avait quelque chose dans la douceur de l'air qui semblait vous protéger. Je me suis assis de nouveau, mais dans l'herbe et au beau milieu du jardin, et Bernie s'est glissé à mes côtés avec deux *Coronas* couvertes de buée et d'empreintes digitales.

— Bah, l'année prochaine, à cette époque, ils seront de retour...

— Oui.

— Hollywood... C'était une occasion à ne pas manquer...

— S'il déménageait pour s'installer de l'autre côté de la rue, ce serait la même chose. Nous n'allons plus vivre ensemble, lui et moi... Ce n'est pas compliqué. Ça n'a l'air de rien, tu sais, mais c'était tout ce que j'avais.

J'ai soulevé ma canette pour boire à sa santé. Il a secoué la tête en souriant.

— Je sais ce que tu veux dire, j'ai ajouté. Mais la vie pourrait m'être encore cent fois plus clémente que je ne me sentirais pas mieux. Je crois que c'est la douleur la plus naturelle du monde, Bernie, mais je suis bien amoché, j'ai l'impression...

Elsie savait ce qui me tourmentait. Lorsqu'elle est arrivée, j'étais assis dans mon fauteuil et je regardais mes Chirurgiens Bleus — l'un d'eux avait fini par virer au jaune et peut-être que c'était moi, il me paraissait d'ailleurs moins vif que les autres et sa nouvelle couleur le rendait mélancolique. Elle m'a regardé puis elle a baissé les armes et elle m'a souri. J'ai tendu la main vers elle. (« *Tombe aux pieds de ce sexe à qui tu dois ta mère.* » Philip Roth.) Elle est venue s'installer sur mes genoux sans dire un mot. Je l'ai tenue un bon moment dans mes bras, le nez plongé dans sa poitrine comme si je m'enfonçais au cœur du monde, l'esprit bousculé et le cœur chaviré par cette simple évidence : tout partait de là et tout y revenait.

Plus tard, j'ai expliqué à Hermann ce qu'elle avait, je lui ai dit qu'elle voulait un enfant. Nous étions sortis dans le jardin, tous les deux, pendant que les autres se couchaient, et j'avais allumé un dernier cigare en m'asseyant au pied de mes rosiers — huit ans plus tôt, lorsque nous avions appris la mort de Franck, il s'était finalement endormi entre mes jambes et nous avions passé la nuit à la belle étoile, juste à cet endroit, et j'avais continué à parler tout seul.

— Je crois que la musique ne l'intéresse plus beaucoup, j'ai ajouté. Je crois qu'elle veut une autre vie...

— Eh bien, où est le problème ?

Le rire est parti du fond de mon ventre. J'en avais encore les larmes aux yeux quand je me suis calmé. Il n'y avait personne, la nuit était noire comme du charbon, je l'ai serré dans mes bras.

— Fais attention à toi..., j'ai murmuré.

Je l'ai embrassé aussi, pendant que j'y étais.

— Ne deviens pas trop célèbre... Je ne voudrais pas qu'un dingue te descende en pleine rue comme John Lennon...

— Qui c'est, John Lennon ?

La porte de ma chambre a grincé au petit matin. L'aube était là et Elsie dormait dans mon épaule. Hermann a glissé son nez dans l'entrebâillement. J'ai soulevé la tête, les muscles de mon cou se sont tendus au maximum. Il a posé un doigt sur sa bouche. J'ai poussé un long cri muet tandis qu'il disparaissait et je suis retombé dans mon oreiller avec les yeux fixés au plafond.

Littérature

Cette collection est d'abord marquée par sa diversité : classiques, grands romans contemporains ou même des livres d'auteurs réputés plus difficiles, comme Borges, Soupault, Goes. En fait, c'est tout le roman qui est proposé ici, Henri Troyat, Bernard Clavel, Guy des Cars, Alain Robbe-Grillet, mais aussi des écrivains tels que Moravia, Colleen McCullough ou Konsalik.

Les classiques tels que Stendhal, Maupassant, Flaubert, Zola, Balzac, etc. sont publiés en texte intégral au prix le plus bas de toute l'édition. Chaque volume est complété par un cahier photos illustrant la biographie de l'auteur.

ADAMS Richard	Les garennes de Watership Down	2078/6*
ADLER Philippe	C'est peut-être ça l'amour	2284/3*
	Les amies de ma femme	2439/3*
AMADOU Jean	Heureux les convaincus	2110/3*
AMADOU J. et KANTOF A.	La belle anglaise	2684/4* (Novembre 89)
ANDREWS Virginia C.	Fleurs captives :	
	-Fleurs captives	1165/4*
	-Pétales au vent	1237/4*
	-Bouquet d'épines	1350/4*
	-Les racines du passé	1818/4*
	-Le jardin des ombres	2526/4*
ANGER Henri	La mille et unième rue	2564/4*
ARCHER Jeffrey	Kane et Abel	2109/6*
	Faut-il le dire à la Présidente ?	2376/4*
ARTUR José	Parlons de moi, y a que ça qui m'intéresse	2542/4*
AUEL Jean M.	Les chasseurs de mammouths	2213/5* et 2214/5*
AURIOL H. et NEVEU C.	Une histoire d'hommes / Paris-Dakar	2423/4*
AVRIL Nicole	Monsieur de Lyon	1049/3*
	La disgrâce	1344/3*
	Jeanne	1879/3*
	L'été de la Saint-Valentin	2038/2*
	La première alliance	2168/3*
AZNAVOUR-GARVARENTZ	Aïda Petit frère	2358/3*
BACH Richard	Jonathan Livingston le goéland	1562/1* Illustré
	Illusions / Le Messie récalcitrant	2111/2*
	Un pont sur l'infini	2270/4*
BALZAC Honoré de	Le père Goriot	1988/2*
BARBER Noël	Tanamera	1804/4* & 1805/4*
BARRET André	La Cocagne	2682/6* (Novembre 89)
BATS Joël	Gardien de ma vie	2238/3* Illustré
BAUDELAIRE Charles	Les Fleurs du mal	1939/2*
BEART Guy	L'espérance folle	2695/5* (Décembre 89)
BEAULIEU PRESLEY Priscilla	Elvis et moi	2157/4* Illustré
BECKER Stephen	Le bandit chinois	2624/5*

BELLONCI Maria	*Renaissance privée* 2637/**6**★ Inédit
BENZONI Juliette	*Un aussi long chemin* 1872/**4**★
	Le Gerfaut des Brumes :
	-Le Gerfaut 2206/**6**★
	-Un collier pour le diable 2207/**6**★
	-Le trésor 2208/**5**★
	-Haute-Savane 2209/**5**★
BEYALA Calixthe	*C'est le soleil qui m'a brûlée* 2512/**2**★
BINCHY Maeve	*Nos rêves de Castlebay* 2444/**6**★
BISIAUX M. et **JAJOLET** C.	*Chat plume - 60 écrivains parlent de leurs chats* 2545/**5**★
	Chat huppé - 60 personnalités parlent de leurs chats 2646/**6**★ (Septembre 89)
BLIER Bertrand	*Les valseuses* 543/**5**★
BOMSEL Marie-Claude	*Pas si bêtes* 2331/**3**★ Illustré
BORGES et **BIOY CASARES**	*Nouveaux contes de Bustos Domecq* 1908/**3**★
BOURGEADE Pierre	*Le lac d'Orta* 2410/**2**★
BRADFORD Sarah	*Grace* 2002/**4**★
BROCHIER Jean-Jacques	*Un cauchemar* 2046/**2**★
	L'hallali 2541/**2**★
BRUNELIN André	*Gabin* 2680/**5**★ & 2681/**5**★ (Novembre 89) Illustré
BURON Nicole de	*Vas-y maman* 1031/**2**★
	Dix-jours-de-rêve 1481/**3**★
	Qui c'est, ce garçon ? 2043/**3**★
CALDWELL Erskine	*Le bâtard* 1757/**2**★
CARS Guy des	*La brute* 47/**3**★
	Le château de la juive 97/**4**★
	La tricheuse 125/**3**★
	L'impure 173/**4**★
	La corruptrice 229/**3**★
	La demoiselle d'Opéra 246/**3**★
	Les filles de joie 265/**3**★
	La dame du cirque 295/**2**★
	Cette étrange tendresse 303/**3**★
	L'officier sans nom 331/**3**★
	Les sept femmes 347/**4**★
	La maudite 361/**3**★
	L'habitude d'amour 376/**3**★
	La révoltée 492/**4**★
	Amour de ma vie 516/**3**★
	La vipère 615/**4**★
	L'entremetteuse 639/**4**★
	Une certaine dame 696/**4**★
	L'insolence de sa beauté 736/**3**★
	Le donneur 809/**2**★
	J'ose 858/**2**★

DUFOUR Hortense	*Le Diable blanc (Le roman de Calamity Jane)*	2507/4*
DUMAS Alexandre	*La dame de Monsoreau*	1841/5*
	Le vicomte de Bragelonne	2298/4* & 2299/4*
DUNNE Dominick	*Pour l'honneur des Grenville*	2365/4*
DYE Dale A.	*Platoon*	2201/3* Inédit
DZAGOYAN René	*Le système Aristote*	1817/4*
EGAN Robert et Louise	*La petite boutique des horreurs*	2202/3* Illustré
Dr ETIENNE J. et DUMONT E.	*Le marcheur du Pôle*	2416/3*
EXBRAYAT Charles	*Ceux de la forêt*	2476/2*
FIELDING Joy	*Le dernier été de Joanne Hunter*	2586/4*
FLAUBERT Gustave	*Madame Bovary*	103/3*
FOUCAULT Jean-Pierre & Léon	*Les éclats de rire*	2391/3*
FRANCK Dan	*Les Adieux*	2377/3*
FRANCOS Ania	*Sauve-toi, Lola !*	1678/4*
FRISON-ROCHE Roger	*La peau de bison*	715/2*
	La vallée sans hommes	775/3*
	Carnets sahariens	866/3*
	Premier de cordée	936/3*
	La grande crevasse	951/3*
	Retour à la montagne	960/3*
	La piste oubliée	1054/3*
	Le rapt	1181/4*
	Djebel Amour	1225/4*
	Le versant du soleil	1451/4* & 1452/4*
	Nahanni	1579/3* Illustré
	L'esclave de Dieu	2236/6*
FYOT Pierre	*Les remparts du silence*	2417/3*
GEDGE Pauline	*La dame du Nil*	2590/6*
GERBER Alain	*Une rumeur d'éléphant*	1948/5*
	Le plaisir des sens	2158/4*
	Les heureux jours de monsieur Ghichka	2252/2*
	Les jours de vin et de roses	2412/2*
GOES Albrecht	*Jusqu'à l'aube*	1940/3*
GOISLARD Paul-Henry	*Sarah :*	
	1-La maison de Sarah	2583/5*
	2-La femme de Prague	2661/4* (Octobre 89)
GORBATCHEV Mikhaïl	*Perestroïka*	2408/4*
GOULD Heywood	*Cocktail*	2575/5* Inédit
GRAY Martin	*Le livre de la vie*	839/2*
	Les forces de la vie	840/2*
	Le nouveau livre	1295/4*
GRIMM Ariane	*Journal intime d'une jeune fille*	2440/3*
GROULT Flora	*Maxime ou la déchirure*	518/2*
	Un seul ennui, les jours raccourcissent	897/2*
	Ni tout à fait la même, ni tout à fait une autre	1174/3*

Romans policiers

On a trop longtemps cru en France qu'il n'existait que deux sortes de roman
policiers : les énigmes classiques où l'on se réunit autour d'une tasse de thé pou
désigner le coupable, ou les romans noirs où le sexe et le sang se disputent la
violence. Des auteurs tels que Boileau-Narcejac, Ellery Queen, Ross Macdonald
Demouzon démontrent qu'il existe une troisième voie, la plus féconde, où le roma
policier est à la fois œuvre littéraire et intrigue savamment menée.

Suspense

Depuis Alfred Hitchcock, le suspense, que l'on nomme aussi parfois Thriller, est devenu un genre à part dans le roman criminel. Des auteurs connus, aussi bien anglo-saxons (Stephen King, William Goldman) que français (Philippe Cousin, Patrick Hutin, Frédéric Lepage) y excellent. Les livres de suspense : des romans haletants où personnages et lecteur vivent à 100 à l'heure.

2658

Photocomposition Assistance
Impression Brodard et Taupin
à La Flèche (Sarthe) le 8 septembre 1989
6135B-5 Dépôt légal septembre 1989
ISBN 2-277-22658-0
Imprimé en France
Éditions J'ai lu
27, rue Cassette, 75006 Paris
diffusion France et étranger : Flammarion